FRIEDRICH HÖLDERLIN

SÄMTLICHE GEDICHTE

FRIEDRICH HÖLDERLIN
SÄMTLICHE GEDICHTE

STUDIENAUSGABE IN ZWEI BÄNDEN

Herausgegeben und kommentiert von

DETLEV LÜDERS

AULA-Verlag Wiesbaden

CIP-Titelaufnahme der Deutschen Bibliothek

Hölderlin, Friedrich:
Sämtliche Gedichte / Friedrich Hölderlin. Hrsg. u.
kommentiert von Detlev Lüders. – Studienausg. in 2 Bd. –
Wiesbaden: Aula-Verl.
ISBN 3-89104-495-X
NE: Lüders, Detlev [Hrsg.]; Hölderlin, Friedrich:
[Sammlung Aula]
Studienausg. in 2 Bd.
Kommentarbd. – 1989

2. Auflage 1989

Druck und Verarbeitung: May + Co, Darmstadt
Printed in Germany/Imprimé en Allemagne

ISBN 3-89104-495-X

ZWEITER BAND

KOMMENTAR

ZU DIESER AUSGABE

Der Textteil der vorliegenden Ausgabe ist weitgehend den Lesungen und der Textanordnung verpflichtet, die Friedrich Beißner in Band 1 und 2 der Stuttgarter Ausgabe Sämtlicher Werke Hölderlins (StA) vorgelegt hat. Neue Forschungsergebnisse wurden berücksichtigt. Die Gedichtgruppe »Einzelne Formen« in Band 2 (»Gedichte nach 1800«) der StA wurde nicht beibehalten; die sieben darin zusammengefaßten Gedichte wurden teils einer neu gebildeten Gruppe »Kleine lyrische Gedichte«, teils anderen Gruppen zugeordnet. Die eigenrhythmischen Gesänge der Jahre 1800—1806, die in der StA »Die vaterländischen Gesänge« heißen, wurden, nach Hellingraths Vorbild, »Hymnen« genannt — einmal, um das Mißverständnis zu vermeiden, die Gedichte der benachbarten Gruppen »Oden«, »Elegien« und »Hymnische Entwürfe« hätten nicht ebenfalls vaterländischen Charakter; zum andern, um die besonders enge Zusammengehörigkeit der Gruppen »Hymnen« und »Hymnische Entwürfe« auch in der Benennung der Gruppen deutlich werden zu lassen.
Die Orthographie wurde unter Wahrung des Lautstandes der heutigen angeglichen, die Interpunktion Hölderlins dagegen nicht verändert.
Im Kommentar erscheint der Text Hölderlins kursiv, der Text des Herausgebers in gewöhnlicher Schrift.
Die Erläuterungen zu jedem Gedicht sind in der Regel folgendermaßen gegliedert:
Überschrift — Entstehungszeit — Erster Druck — Gesamtwürdigung — Einzelerläuterungen — Literaturhinweise.
Kursivdruck der Überschrift zeigt an, daß diese von Hölderlin selbst stammt; drei Punkte hinter ihr besagen, daß die ersten Worte des Gedichttextes ersatzweise als Überschrift fungieren, weil keine von Hölderlin stammende Überschrift bekannt ist; aufrechter Druck bezeichnet Überschriften, die in Ermangelung einer authentischen von den Herausgebern gebildet wurden. Innerhalb von Verweisen im laufenden

Text werden Überschriften in jedem Falle kursiv gedruckt. Die Angaben zur Entstehungszeit richten sich weitgehend nach denen der StA.

Bei der Gesamtwürdigung und den Einzelerläuterungen galt es, Sach- und interpretatorischen Kommentar miteinander zu verbinden. Für beides gab, neben der gesamten Sekundärliteratur, insbesondere die StA dankbar benutzte Auskunft.

Angesichts des besonderen Charakters der Lyrik Hölderlins sieht der Kommentar eine seiner Hauptaufgaben in der Einbeziehung umfangreicher interpretatorischer Erläuterungen. Er versucht, in enger Anlehnung an den Text und anhand einer Analyse der Grundproblematik des Hölderlinschen Werks, das jeweilige Gedicht als eine Einheit zu erschließen und darüber hinaus zu einer Klärung der in der Forschung umstrittenen übergreifenden Fragen beizutragen. Daß der zur Verfügung stehende Raum zur Beschränkung zwang, bedarf kaum der Erwähnung.

Weil Hölderlins Lyrik keine große thematische Vielfalt kennt, sondern relativ wenige umfassende Grundthemen ständig weiterentwickelt und vertieft, ergibt sich für einen interpretierenden Kommentar sämtlicher Gedichte ein grundsätzliches Problem. Da jene leitenden Grundthemen in mehr oder weniger allen Gedichten auf ähnliche, durch die Entwicklung Hölderlins modifizierte Weise wirksam sind, besteht für den Kommentar die Gefahr häufiger Wiederholung. Jene Grundthemen können, obwohl sie von höchster, konstituierender Bedeutung sind, allein aus Raumgründen nicht ständig ab ovo expliziert werden. Es galt also, eine Darstellungsform zu finden, die sowohl — vor allem — der Bedeutung dieser Grundthemen gerecht wird als auch ermüdende Wiederholungen vermeidet. Dem sucht der Kommentar der vorliegenden Ausgabe dadurch zu entsprechen, daß der einleitende Überblick über »Grundzüge der Dichtung Hölderlins« eine zusammenhängende Darstellung der Entwicklung jener leitenden Grundthemen bringt. Auf ihn ist daher von den Erläuterungen der Gedichte aus ständig zurückzugreifen. Ferner ersparen häufige Querverweise manche Wiederholung.

Bei den Einzelerläuterungen werden Hinweise auf Parallelstellen (Vorkommen desselben Wortes in anderen Gedichten)

sparsam angebracht. Für die Gedichte nach 1800 ist in diesem Zusammenhang insbesondere die von Bernhard Böschenstein erstellte »Konkordanz zu Hölderlins Gedichten nach 1800« (Göttingen 1964) heranzuziehen.
In die Literaturhinweise werden bevorzugt monographische Würdigungen des betreffenden Gedichts aufgenommen; unter den in anderem Zusammenhang erschienenen Darstellungen und Erwähnungen — auch denen der großen Hölderlin-Monographien — mußte eine Auswahl getroffen werden. Generell sind ferner die Erläuterungen der StA zu vergleichen.
Lesarten bietet die Ausgabe in der Regel nicht. Hierfür wird grundsätzlich auf die StA verwiesen.
Für freundliche Hilfe bei den Vorarbeiten möchte ich meinen aufrichtigen Dank abstatten. Ich danke insbesondere Adolf Beck und Erich Trunz für vielfachen Rat, ferner der Bibliothek des Freien Deutschen Hochstifts und der Stadt- und Universitätsbibliothek Frankfurt a. M. für langfristige Bücherausleihung, ebenso Fräulein Diplombibliothekarin Maria Kohler und dem Hölderlin-Archiv in Bebenhausen. Meine Frau hat mir vielfach und selbstlos geholfen.

ZUR ZWEITEN AUFLAGE

Unsere Zeit gibt vielfachen Anlaß, genauer denn je auf den in Hölderlins Dichtung bereitliegenden Sinn zu achten und sie zugleich entgegen manchen Irrlehren, als gefügte Gestalt wahrzunehmen.
In der jetzt vorliegenden zweiten Auflage wurden einige Druckfehler berichtigt. Neue Forschungsergebnisse sind ergänzend heranzuziehen.

Hofheim a. Ts., im Juni 1989

Detlev Lüders

GRUNDZÜGE DER DICHTUNG HÖLDERLINS

Dieser einleitende Überblick stellt den Erläuterungen der Gedichte eine knapp zusammenfassende Darlegung der Entwicklung gewisser Grundzüge des Hölderlinschen Werks voran. Er gibt damit den Erläuterungen den Rahmen und ist in diesem Sinne als ihr Bestandteil zu betrachten, während andererseits die Erläuterungen die hier notwendig geraffte Darstellung detailliert begründen.

Die frühesten, von 1784 bis 1788 in den Klosterschulen Denkendorf und Maulbronn entstandenen Gedichte Hölderlins sind von der in Elternhaus und Schule herrschenden christlich-pietistischen Frömmigkeit und von mannigfachen literarischen Vorbildern wie Klopstock, Schubart, Matthisson und Ossian beeinflußt. Sie lassen naturgemäß erst Ansätze zu einer eigenen Haltung erkennen. Auch in Tübingen (1788—1793) entwickelt sich ein eigentlich selbständiger Stil noch kaum. Dennoch entsteht hier unter dem Einfluß der Lyrik Schillers mit den sogenannten Tübinger Hymnen die erste bedeutsame dichterische Leistung Hölderlins. Diese Reimhymnen, in die auch Gedanken von Plato, Leibniz und Rousseau Eingang fanden, verlassen die eingeschränktere Thematik der zuvor entstandenen Gedichte, die sich zumeist im persönlichen Bereich des Lebenskreises und der Lebenswünsche des Ich bewegte, und besingen einen überpersönlichen Kosmos, der von allgemeingültigen Idealen repräsentiert wird. Die christlichen Wendungen treten ganz zurück; solche aus der antiken Mythologie nehmen ihre Stelle ein. Im neuen Jubel des hymnischen Tons spiegelt sich die befreiende Ausweitung des Weltbildes. Die ›Welt‹ dieser Hymnen ist durchaus harmonisch strukturiert (vgl. die *Hymne an die Göttin der Harmonie*); die Ideale, die von ihr künden (vgl. z. B. die Hymnen an die Freiheit, Schönheit, Freundschaft, Liebe), sind in einem Weltganzen gültig, das wesentlich als harmonische

Einheit begriffen wird. Als Ideale überfliegen sie das Trennende und lassen nur das Verbindende ins Bewußtsein treten. Das Ich begreift sich als Teil dieses harmonischen Kosmos und findet die Erfüllung seines Wesens darin, das in der Welt waltende Gesetz der Harmonie zu erkennen und zu besingen (vgl. *Hymne an die Göttin der Harmonie*, v. 73—77).
Entscheidende Züge dieses früh gewonnenen Weltbildes bleiben für Hölderlin bis in die Spätzeit gültig; so der Fundamentalcharakter der Welt als einer Ganzheit und die Teilhabe des Ich am Wesen des Weltganzen. Die Struktur der Welt dagegen wandelt sich dem Dichter später grundlegend.
Seit 1792 arbeitet Hölderlin vorwiegend am *Hyperion*-Roman, in dem das harmonische Gefüge der Welt noch weitgehend gültig bleibt. Bis 1795 entstehen daneben nur wenige Gedichte. Sie bereiten die Lyrik der Frankfurter Jahre (1796 bis 1798) insofern vor, als sie der Tendenz zur Abstraktion, die den Tübinger Hymnen eigen war, allmählich konkretere Züge hinzufügen (vgl. z. B. die Erl. zu *An eine Rose*). Entsprechend wird der strenge Rhythmus des hymnischen Jubels durch einen leiseren, teilweise elegischen Ton abgelöst.
Die Frankfurter Begegnung mit Susette Gontard bringt der Lyrik Hölderlins die zweite große Befreiung. Sie läßt die Darstellung wirklicher Menschen und Dinge möglich werden. Statt der abstrakten Ideale der Tübinger Hymnen tauchen jetzt schon in den Überschriften konkrete Wesen auf (vgl. *An Diotima, An den Frühling, An den Aether, An einen Baum*). Diese sind jedoch — wie schon die Menschen in den Tübinger Hymnen — nicht auf ihre jeweilige Individualität beschränkt; ihr Wesen ist vielmehr teilhabend geöffnet zum Gesamtkosmos hin; sie sind gleichsam eine jeweilige Manifestation des übergreifenden, die Welt-Einheit verbürgenden Lebens- und Daseinszusammenhangs. So besteht eine ständige Verbundenheit der Einzelwesen untereinander. Diese verkörpert sich sprachlich in leicht gereihten, mühelos strömenden Satzgefügen (vgl. z. B. *An Diotima* [*Komm und siehe . . .*]), die dazu beitragen, daß hier zum erstenmal ein Hölderlin ganz eigener Ton entsteht. Sie sind sowohl für die frühe Frankfurter Lyrik als auch für weite Teile des *Hyperion*-Romans charakteristisch. In diesen Dichtungen des Aus-

tauschs und der Verbundenheit gewinnt jener Entwurf der Welt als einer harmonischen Einheit die ihm angemessene dichterische Form.

Es steht im Einklang mit dieser wirklichkeitsnäheren Haltung, daß Hölderlin sich jetzt in Ansätzen auch der Zeitgeschichte zuwendet (vgl. *Die Völker schwiegen, schlummerten . . . , Buonaparte*). Die Tübinger Hymnen dagegen hatten, obwohl sie von ganz bestimmten Zeitereignissen wie der Französischen Revolution Anregungen empfingen, allenfalls einen idealen Geschichtsablauf ohne konkreten Zeitbezug (ursprüngliche Einheit von Göttern und Menschen — Zerfall und erhoffte Wiederherstellung dieser Einheit) in die Darstellung einbezogen.

Am Ende der Frankfurter Zeit, als die Trennung von Susette Gontard unausweichlich wurde, entstanden Kurzoden in antiken Versmaßen, die jeweils einen Umfang von nur einer, zwei oder höchstens drei vierzeiligen Strophen haben. Ihre sprachliche Form gibt nicht mehr, wie die der hexametrischen Gedichte am Anfang dieser Epoche, dem Gefühl der Welt-Einheit unbedingten Ausdruck, sondern legt sich, eben als betonte Kürze, dem Strom eines unendlich-einheitlichen Weltzusammenhangs gleichsam in den Weg: ein erstes Anzeichen dafür, daß eine Wandlung des Hölderlinschen Weltentwurfs bevorsteht.

Die Jahre der ›Homburger Besinnung‹ (1798—1800) nach der Trennung von Susette Gontard führten zu der entscheidenden Vertiefung des Hölderlinschen Weltbildes. Während die Homburger Lyrik vor allem der inneren Bewältigung der Trennung gilt und darüber hinaus die Ansätze der Frankfurter Lyrik zur Einbeziehung der Geschichte fortführt (vgl. *Der Zeitgeist*), zeichnet sich bei der Arbeit an den verschiedenen Fassungen des *Empedokles*-Dramas, dem dichterischen Hauptgeschäft dieser Jahre, mehr und mehr das Ergebnis jener Wandlung des ursprünglichen Hölderlinschen Weltentwurfs ab, die sich schon in der Form der Frankfurter Kurzoden anzudeuten schien. Der *Empedokles* blieb unvollendet; vermutlich, weil diese Wandlung den alten Ansatz, von dem aus das Werk zunächst konzipiert wurde, in zunehmendem Maße ungültig werden ließ.

Der Held des Dramas, Empedokles, ist als der *Vertraute der Natur* wesentlich jener großen Einheit zugeneigt, als die die Welt in den früheren Dichtungen Hölderlins erschien. Zugleich aber ist er dazu bestimmt, in sich den Streit eines Zwiespalts auszutragen, der in der Welt besteht und von Hölderlin zuvor noch nicht in der ihm angemessenen Schärfe anerkannt worden war. Es ist der Zwiespalt zwischen den Bereichen des Unendlichen (des Himmels, der Götter) und des Endlichen (der Erde, der Sterblichen). Dem Endlichen, Begrenzten, schroff voneinander Unterschiedenen hatte Hölderlin bisher gegenüber dem Unendlichen, Harmonisch-Verbindenden, Einheitgebenden gleichsam noch nicht die nötige Beachtung geschenkt. Empedokles sucht nun dem Zwiespalt beider Bereiche eigens gerecht zu werden. Insofern er also das eigene Recht des Bereichs der Endlichkeit überhaupt wahrnimmt und dessen Zwist mit dem Bereich der Unendlichkeit zu lösen sucht, hebt er die Haltung der Hölderlinschen Dichtung gegenüber ihrem Grundproblem: ›Wie ist die Welt strukturiert, die in der Dichtung abgebildet sein will?‹ auf eine entscheidend neue Stufe. Da er aber seinem Wesen nach zur Einheit neigt (worin sich die fortwirkende Kraft der bisherigen Weltsicht Hölderlins äußert), löst er den Zwiespalt beider Bereiche in der Weise, daß er das Endliche und das Unendliche in seiner Person identisch werden läßt. Er, der gewaltige, einzigartige Mensch vermag den unendlich-einheitgebenden Geist der Natur ganz in sich hereinzunehmen und so das Unendliche im Endlichen zu vollkommener Erscheinung zu bringen. Indem also die gerade als unterschieden erkannten Bereiche in der Person des Helden sogleich wieder identisch werden, tritt alsbald eine neue Art der Einheit an die Stelle der alten.

Hölderlin hat diese empedokleische Auflösung des Welt-Zwiespalts denn auch bald als unhaltbar erkannt und verworfen. In der theoretischen Studie *Grund zum Empedokles* führt er aus, daß Empedokles das Unendliche, indem er es mit dem Endlichen identisch werden läßt, nötigt, in einer Einzelheit (nämlich in dem endlichen Wesen, das er selbst ist) abzusterben. Das Unendliche kann seinem Wesen nach nicht endlich werden. Daher stellt Hölderlin in derselben Studie dem Empedokles einen *Gegner* gegenüber, der die empedokleische Identifikation der unterschiedenen Bereiche vermeidet. Der Gegner läßt vielmehr den unendlichen Geist der Natur offen in sein Bewußtsein einströmen; heroisch hält er diesen Andrang des Unendlichen aus; er bewahrt sich aber nichtsdestoweniger als endliches Wesen, indem er sich das Unendliche ständig als etwas von seiner eigenen Endlichkeit Unterschiedenes gegenüberhält. Die Vereinigung beider Bereiche, die der Gegner nicht weniger als Empedokles erreicht, leistet er vermöge einer ständigen *Wechselwirkung*, in der er beide miteinander korrespondieren läßt.

So vermag der Gegner als erste Gestalt in Hölderlins Werk eine gültige Haltung zu verwirklichen, die beiden Welt-Bereichen und auch der Art ihres Verhältnisses zueinander gerecht wird. Das Unendliche und das Endliche (Himmel und Erde), die zusammen das Ganze der Welt bilden, stehen zueinander im Verhältnis der unterschiedenen Einheit: das Endliche existiert zwar abgesondert vom Unendlichen; dieses ist im Endlichen gleichwohl als der Grund seines Daseins anwesend. Der Gegner entspricht diesem Wesensverhältnis, indem er beide Bereiche unterscheidend vereinigt.

Das unterscheidende Vereinen bleibt als Haltung zur Welt für den Menschen bei Hölderlin hinfort gültig. Es ist nichts anderes als die ›heilige Nüchternheit‹, deren Bedeutung für Hölderlins Spätwerk seit langem erkannt worden ist. Die ›Nüchternheit‹ entspricht der Hinwendung zum Vereinzelt-Endlichen; sie ist ›heilig‹, wenn sie zugleich der Tatsache eingedenk bleibt, daß sich im Endlichen das Unendliche manifestiert, und daß der Mensch dieses ebenso wie das Endliche achten muß. Der Mensch hält so, seinem Wesen gemäß, ständig die ungeheure Spannung beider Weltteile aus. Er ist das Wesen, das dem Himmel ebenso wie der Erde zugewandt ist. Er wahrt so die Ganzheit der Welt. Vom Dichter, der dieses Wesen des Menschen ins Werk setzt, sagt Hölderlin daher später, er sei der, *der die Welt im verringerten Maßstab darstellt* (StA 5, 272).

Mit diesem theoretischen Entwurf einer unterschieden-einigen Welt und eines ihr entsprechenden Menschenwesens ist gleichsam die Basis gelegt, auf der sich das lyrische Spätwerk der Jahre 1800 bis 1806 — »Herz, Kern und Gipfel des Hölderlinischen Werkes, das eigentliche Vermächtnis« (Norbert v. Hellingrath) — gebirgartig auftürmt. Die Oden, Elegien und Hymnen dieser Zeit sind Himmel und Erde, Göttern und Menschen gleichermaßen zugewandt und haben so ständig das Ganze der Welt im Blick. Dieses Ganze, das die späten Dichtungen bis ins Detail bestimmt, wird von einem zentralen Satz der Hymne *Der Einzige* ausdrücklich genannt. Nachdem die Hymne vom ›Beieinandersein‹ und ›Zueinanderbegehren‹ der *Himmlischen* und der *Menschen,* des *Himmels* und der *Erde* gesprochen hat (v. 84—87), fährt sie fort:

> *Immerdar*
> *Bleibt dies, daß immergekettet alltag ganz ist*
> *Die Welt.* (3. Fssg. v. 87—89)

Die Welt ist ganz; Himmel und Erde, Götter und Menschen sind immer aneinander gekettet; keiner von ihnen kann aus dieser Kettung entweichen; Himmel und Erde zusammen, nicht nur die Erde, sind der dem Menschen zugewiesene Bereich. Die so verstandene Ganzheit der Welt müssen wir als das für Hölderlins Spätwerk entscheidende *Gesetz* und *Maß* begreifen. Sie gibt allen Einzelproblemen des Spätwerks den Horizont.

Die Erkenntnis und Beherzigung dieses umfassenden Welt-Gesetzes ist auch der innere Grund für den Stilwandel, der sich nach 1800 in Hölderlins Werk allmählich durchsetzt. In zunehmendem Maße bevorzugt seine Sprache nunmehr die »harte Fügung« (Norbert v. Hellingrath). Den weitgebauten Satzgefügen der Zeit um 1800 (vgl. z. B. *Wie wenn am Feiertage . . . ,* v. 1—13) treten mehr und mehr ungegliederte, blockhafte Kurzsätze und ganze Kurzsatzgruppen an die Seite (vgl. z. B. *Der Rhein,* v. 38—41, 46 f.; *Mnemosyne,* 2. Fssg., v. 8—17); die syntaktischen Einheiten der längeren Gefüge lassen dementsprechend eine zunehmende Tendenz zur gegenseitigen Abgrenzung und letztlich zur Verselbständigung erkennen (Neigung zum »gewichtigen Wort« [Hannes Maeder]); entgegensetzende oder nüchtern erläuternde Konjunktionen wie *aber, doch, denn, nämlich,* die diese Abgrenzung und Verselbständigung wesentlich fördern, beherrschen das Stilbild auf weite Strecken. Unverkennbar wird der Stil so um ein Element der ›Nüchternheit‹ bereichert. Zugleich aber verzichtet auch die härteste Fügung nie auf einen zwischen den einzelnen syntaktischen ›Blöcken‹ waltenden, sie verbindenden Sinnzusammenhang; ja, jene gehäuften Konjunktionen bewirken also solche, zugleich mit ihrer syntaktisch und rhythmisch abgrenzenden Funktion, vom Sinn her eine besonders intensive Verklammerung (›Kettung‹, s. o.) der Einzelaussagen: selbst ein *aber* verbindet, wenn auch in der Weise des Entgegensetzens. So erreicht dieser Stil, indem er getrennte Elemente einander schroff entgegensetzt, eine tiefere Verbundenheit dieses Getrennten. Wir meinen in diesem Zusammenspiel von Trennen und Verbinden das unmittelbare sprachliche Abbild des beschriebenen Weltgesetzes (der unterschiedenen Einheit) zu erkennen. Das Weltgefüge ist zugleich für Gehalt und Stil der späten Dichtung Hölderlins das *Maß*.

Es gibt auch den Maßstab ab, von dem aus Hölderlin jetzt die Weltgeschichte in sein Werk einbezieht. Als deren wesentliche Epochen denkt er das griechische Altertum und die Gegenwart, *Griechenland* und *Hesperien* (vgl. zum Folgenden Hölderlins Brief an Böhlendorff vom 4. Dezember 1801, unten S. 25). Beiden bietet die Welt das Gefüge der unterschiedenen Einheit von Himmel und Erde gleichermaßen dar. Die Zugehörigkeit zu diesem Gefüge ist daher für beide Epochen verbindlich; es ist für beide *das höchste* (vgl. den Brief an Böhlendorff).

Innerhalb dieser grundlegenden Gleichheit sind Griechenland und Hesperien jedoch unterschieden. Nach Hölderlins Geschichtsentwurf war den Griechen die Beachtung und Würdigung eines Teils der Weltganzheit, des Himmels, angeboren; die Würdigung der Erde mußten sie sich erst im Verlauf ihrer Bildung erobern. Erst der Einklang von Naturanlage und Bildungsfortschritt ließ sie der Ganzheit der Welt gerecht werden. Die Würdigung der Erde, des Vereinzelt-Besonderen, ging ihnen jedoch alsbald zu leicht von der Hand, sie wurden darin gleichsam zu routiniert, so daß sie ihre Naturanlage, die sie auf den Himmel verwies, vergaßen. Damit verfielen sie der Faszination, die die Einseitigkeit auszustrahlen pflegt, und verfehlten die allseitige Darstellung der Welt. Das war der Grund für den Untergang Griechenlands, denn das Verfehlen der Ganzheit ist tödlich. Der antike Göttertag erlosch; es folgte die Weltnacht, die Hölderlin in seiner Gegenwart noch fortdauern sah. Sie ist dadurch charakterisiert, daß der Himmel und die Götter bei den Menschen in anhaltende Vergessenheit geraten sind.

Die einzige Absicht, die Hölderlin mit seiner eigenen Dichtung verfolgt, ist es nun, der Weltnacht ein Ende zu bereiten, die Götter wieder auf die Erde herabzurufen und so, *seit den Griechen* (StA 6, 433), erneut die Ganzheit der Welt im Gesang erscheinen zu lassen.

Zu diesem ungeheuren Unterfangen sah er die Zeit im Anbruch der *hesperischen* Weltepoche gekommen. Denn Hesperien, die abendländische Gegenwart, ist in Hölderlins Geschichtsentwurf dadurch ausgezeichnet, daß der Weltgeist selbst — nach dem Scheitern der Griechen — hier ein neues, unverbrauchtes Menschenwesen entstehen läßt, dem — umgekehrt wie bei den Griechen — die Würdigung der Erde angeboren ist, während sich ihm der Bereich des Himmels erst im Fortschritt seiner Bildung erschließt; so daß auch hier, auf andere Weise nur als bei den Griechen, die himmlisch-irdische Ganzheit der Welt im Gesang bewahrt werden kann.

Die Abendländer können ihren Bildungsfortschritt, der ihnen den Bereich des Himmels erschließen soll, durch ein Studium der Griechen fördern, denn diesen ist eben das *Feuer vom Himmel,* dessen Würdigung die Abendländer sich durch Bildung aneignen müssen, angeboren. Die Abendländer erfahren so in der Fremde (in Griechenland) die notwendige Ergänzung ihrer nationellen Naturanlage. Aus der Fremde müssen sie aber, das dort Erfahrene in sich ›aufhebend‹, in ihr eigenes, nationelles Wesen (die *abendländische Junonische Nüchternheit*) zurück- und erst eigentlich einkehren. Diese *vaterländische Umkehr* (StA 5, 271) und der in ihrem Verlauf zu erzielende *freie Gebrauch des Eigenen* (unter gleichzeitiger Beherzigung des Fremden) sind *das schwerste*; und auch hierfür sind den Abendländern *die Griechen unentbehrlich.* Denn diese mußten sich im Verlaufe ihres Bildungsprozesses eben jene Würdigung der Erde (jene Nüchternheit also) aneignen, die für die Abendländer das Eigene ist. Daher können die Abendländer von den Griechen lernen, wie sich die hesperisch-nationelle Nüchternheit meistern läßt. Während der frühere Hölderlin, zur Zeit des *Hyperion* etwa, die Griechen als Vorbild und die eigenen Landsleute nur als Abtrünnige sah — abtrünnig von dem fernen Ideal der nach griechischer Art vorgestellten Einheit von Göttern und Menschen (vgl. Hyperions Scheltrede auf die Deutschen, StA 3, 153 ff.) —, hat der Hölderlin der Spätzeit sich ganz von der Versuchung zur Nachahmung der Griechen befreit. Nachzueifern ist den Griechen einzig im *höchsten,* Allgemein-Menschlichen: darin, daß sie, wie es jeder Epoche auferlegt ist, danach strebten, in ihrer Kunst das Weltganze darzustellen. Der Weg zu diesem Ziel sieht jedoch für die Abendländer, ihrer gewandelten Naturanlage entsprechend, ganz anders aus als für die Griechen. Ihre Dichtung muß auf hesperische Weise vaterländisch sein, so wie die griechische auf griechische Weise vaterländisch war. Hölderlin führt seine Gegenwart so aus der Abhängigkeit vom Griechentum heraus zu der Freiheit, auf eigene, notwendig andere Weise ebenso vaterländisch dichten zu können wie die Großen des Altertums. Hesperien tritt, am Ende der Weltnacht, die Nachfolge Griechenlands an (die das Gegenteil von Nachahmung ist). Die großen Gesänge der Spätzeit Hölderlins sind eine unmittelbare Verwirklichung dieses Vorgangs.

Von hier aus ist auch die Frage nach Hölderlins ›abendländischer Wendung‹ neu zu stellen. Hölderlin wendet sich als hesperischer Dichter vom Verfahren, nicht vom Ziel der griechischen Kunst ab. Die hesperische Kunst soll vermittels einer neuen Verfahrensweise dasselbe Ziel wie die griechische erreichen: *das höchste,* die Darstellung des Weltganzen. Aus dieser zentralen und daher die Epochen überdauernden Aufgabe des Dichters ergibt sich überhaupt erst das Problem des Verhältnisses von Griechenland und Hesperien und einer zwischen beiden spielenden hölderlinischen ›Wendung‹.

Die Götter, die in Hesperien die Erde besuchen und so die Ganzheit der Welt bezeugen werden, sind notwendig andere als in Griechenland. Die Weltgeschichte kennt keine einfachen Wiederholungen. Hölderlins späte Dichtungen rufen die neuen, weitgehend noch unbekannten Götter herbei; zugleich aber gedenken sie ständig der Götter des Altertums (zu denen Hölderlin als letzten auch Christus zählt) und lassen so, gewaltig umfassend, zugleich mit der Erwartung der neuen Götter alles Göttliche gegenwärtig sein, das seit dem Altertum auf die Erde gekommen ist. *Denn Opfer will der Himmlischen jedes* (*Patmos*, v. 217).

Innerhalb des Chors der schon erschienenen Götter ist Christus für Hölderlin der Größte, der *Meister* (vgl. die Hymne *Der Einzige*), unbeschadet der Notwendigkeit, auch alle anderen Götter zu ehren. Deshalb gewinnt Christus auch für Hölderlins Vorstellung vom Wesen der kommenden Götter besondere Bedeutung. Der *Fürst* des erhofften neuen Göttertages, der *Fürst des Festes* (vgl. die Hymne *Friedensfeier*), wird ein neuer, noch unbekannter Gott von unvergleichlicher Größe des Wesens sein, dessen Vorläufer und *Losungszeichen* (*Patmos*, v. 182) aber Christus war. Die neue, alles Gewesene übersteigende Größe des *Fürsten des Festes* erhofft und erruft Hölderlin insbesondere in der Hinsicht, daß der Fürst, anders als Christus, neben sich auch alle anderen Götter, die der oberste Gott auf die Erde gesandt hat, als seine Brüder gelten läßt.

So scheinen die ›Göttergeschlechter‹ der einzelnen Weltepochen eine kontinuierliche Steigerung ihrer Wesensfülle zu erfahren. Der *Fürst des Festes* wird größer als Christus sein, so wie dieser größer als seine Vorgänger Herakles und Dionysos war (vgl. die Erl. zu der Hymne *Der Einzige*). Das bedeutet zugleich, daß Hölderlins Vorstellung vom kommenden Göttertag zwar christliche Züge einbezieht, in ihrer Gesamtheit aber keineswegs ›christlich‹ genannt werden kann. Weder die Verehrung aller Götter noch die Auffassung, daß Christus ein auf einen kommenden, größeren Gott hinweisender Vorläufer war, ist mit christlichen Vorstellungen zu vereinbaren.

Die Einsicht, daß Christus zwar der *Meister* der bisher erschienenen Götter ist, daß aber der künftige Weg der Götter über das Wesen des *Meisters* hinaus zum Wesen des *Fürsten des Festes* führen muß, ist das konsequente Ergebnis, zu dem Hölderlins ›Auseinandersetzung mit dem Christentum‹ gelangt ist. Die in der Forschung vielfach vertretene Ansicht, diese Auseinandersetzung sei durch die Erkrankung des Dichters abgebrochen worden, bevor sie zu dem in ihr angelegten Ziel gelangen konnte, ist nicht haltbar.

Man hat seit geraumer Zeit in Hölderlins Spätwerk die Neigung zu einer gewissen ›Mittelbarkeit‹ wahrgenommen. Diese sei, so meinte man, das Anzeichen dafür, daß der Dichter sich — sei es in positiver Entschlossenheit zu »organisiertem Ausdauern des Schiksaals«[1], sei es in Resignation oder Verzweiflung[2] — von dem Bestreben abwende, Götter und Menschen miteinander zu ›versöhnen‹. »Göttliche Gegenwart« sei für die hesperischen Menschen »das nefas«[3]; stattdessen wolle Hölderlin die »abwesenden Götter in Satzung und Institution« mittelbar bewahren[4]. — Eine solche Haltung aber vertrüge sich nicht mit jener Erkenntnis des immergeketteten Ganzseins der Welt und mit der für den Dichter darin bereitliegenden Anweisung, die Kettung von Himmel und Erde, Göttern und Menschen — gerade auch in Zeiten ihrer Gefährdung — immer neu zu verwirklichen: ein bloß mittelbares Bewahren abwesender Götter wäre kein Vollzug dieser Kettung. Der Text der späten Gedichte selbst widerlegt denn auch jene Auslegung (vgl. die Einzelerläuterungen).
Dennoch ist eine Neigung zur Mittelbarkeit beim späten Hölderlin vorhanden; nur zielt sie auf etwas anderes. In einem Zusatz zu seiner Übersetzung des Pindar-Fragments *Das Höchste* sagt Hölderlin:

Das Unmittelbare, streng genommen, ist für die Sterblichen unmöglich, wie für die Unsterblichen; der Gott muß verschiedene Welten unterscheiden, seiner Natur gemäß, weil himmlische Güte, ihret selber wegen, heilig sein muß, unvermischet. Der Mensch, als Erkennendes, muß auch verschiedene Welten unterscheiden, weil Erkenntnis nur durch Ent-

1 Beda Allemann: Hölderlin und Heidegger. Zürich und Freiburg i. Br. 1956², S. 28.
2 Hans Gottschalk: Das Mythische in der Dichtung Hölderlins. Stuttgart 1943, S. 270—272. — Robert Thomas Stoll: Hölderlins Christushymnen. Grundlagen und Deutung. Basel 1952, S. 224.
3 Allemann a. a. O. S. 61.
4 Allemann a. a. O. S. 28.

gegensetzung möglich ist. Deswegen ist das Unmittelbare, streng genommen, für die Sterblichen unmöglich, wie für die Unsterblichen.
Die strenge Mittelbarkeit ist aber das Gesetz.

Das *Gesetz* erläutert Hölderlin sodann als *die Zucht, so fern sie die Gestalt ist, worin der Mensch sich und der Gott begegnet* (StA 5, 285).
Mittelbarkeit, Gesetz, Zucht, Gestalt: mit diesen Worten benennt der späte Hölderlin den Bereich, der für Götter und Menschen ›möglich‹ ist. Jene Neigung zur Mittelbarkeit zielt demnach auf den Bezirk des Gesetz- und Gestalthaften. *Das Unmittelbare,* der für Götter und Menschen unmögliche und unerlaubte Bereich, zeigt sich so als das, was nicht durch Gestalthaftigkeit vermittelt ist: sei es das titanisch Ungestalte, gesetzlos Ungefügte, oder das unmittelbare Feuer des obersten Gottes, Gottes *Angesicht,* dessen jähes Erscheinen Semele verzehrte (vgl. *Wie wenn am Feiertage . . .*, v. 50—53).

> *Alltag aber wunderbar zu lieb den Menschen*
> *Gott an hat ein Gewand.*
> *Und Erkenntnissen verberget sich sein Angesicht*
> *Und decket die Lider mit Kunst.*
> *Und Luft und Zeit deckt*
> *Den Schröcklichen, daß zu sehr nicht eins*
> *Ihn liebet mit Gebeten oder*
> *Die Seele.* (*Griechenland*, 3. Fssg. v. 25—32)

Das *Gewand* des obersten Gottes verbirgt Göttern und Menschen schonend sein *Angesicht*; es bewahrt sie vor dem *Unmittelbaren* und ›vermittelt‹ ihnen die Erfahrung dessen, was ihnen möglich und erlaubt ist. Durch sein Gewand gewinnt Gott die den Menschen faßbare *Gestalt.*
Die unterschiedene Einheit ist das Gefüge, das Gewand und Gestalt ermöglicht. Ihr weitester Geltungsbereich ist die in Himmel und Erde geschiedene Einheit der *Welt.* Hölderlin weist den Dichtern das von diesem *Gesetz* gestaltete Weltgefüge als den zu wahrenden Bezirk zu. Er warnt sie davor, sich ins Ungestalte wegreißen zu lassen. Das *Unmittelbare* würde den Menschen rasend und *gierig* verzehren.

Denn schön ist
Der Brauttag, bange sind wir aber
Der Ehre wegen. Denn furchtbar gehet
Es ungestalt, wenn Eines uns
Zu gierig genommen.

(*Mnemosyne*, 1. Fssg. v. 4—8)

Nur im Bereich der *strengen Mittelbarkeit* und Gestalthaftigkeit kann der Mensch seine *Ehre* bewahren und den *Brauttag*, die Versöhnung und Vereinigung von Gott und Mensch, erleben.
Weder resigniert Hölderlin, noch verzweifelt er, noch verzichtet er auf die Versöhnung der Götter und Menschen. Gerade diese Versöhnung ereignet sich im Bereich von *Gesetz* und *Zucht*. Hölderlins späte Gesänge selbst sind eine *Gestalt . . . , worin der Mensch sich und der Gott begegnet.*

Am Schluß dieses Überblicks sei ein Wort über das Verhältnis von Hölderlins Dichtung zur ›Wirklichkeit‹ angefügt (wobei als ›Wirklichkeit‹ die Ganzheit des menschlichen Erfahrungsbereichs gelten möge). Damit wird kein ›außerdichterischer Aspekt‹ an Hölderlins Dichtung herangetragen. Sein Werk fordert diese Betrachtungsweise heraus, weil ihm selbst ein bestimmender Bezug zur Wirklichkeit innewohnt. Die Annahme einer freischwebenden ›Eigengesetzlichkeit des Kunstwerks‹ träfe nicht das Wesen seiner Dichtung.
Die reifen Werke Hölderlins stellen, so sagten wir, die Ganzheit der Welt dar, die aus Himmel und Erde besteht. Der Himmel wird von den Göttern, die Erde von den Sterblichen bewohnt. Wie steht es mit der ›Wirklichkeit‹ beider Welt-Teile und ihrer Bewohner? Die Erde und die Sterblichen, auch der Himmel, insofern er das die Erde umgebende Weltall ist, werden ohne weiteres als Wirklichkeiten anerkannt. Wie aber, wenn der Himmel, wie bei Hölderlin, als der Bereich des einheitgebenden *gemeinsamen Geistes* der Welt und als der Wohnort der unsterblichen Götter zu denken ist? Diese ›Vorstellungen‹ können allzu leicht als ein nur subjektiv gültiger Glaube, wenn nicht gar als Schwärmerei oder poetische Ausschmückung betrachtet werden. Der Realität der Götter sind wir uns nicht sicher.

Hölderlin wendet sich einmal gegen die *scheinheiligen Dichter,* die nicht an die Götter glauben, ihre Namen aber gleichwohl in der Dichtung verwenden. Nur Klopstocks Dichtung, die, wie die Hölderlins, dem Heiligen galt, hielt dieser Kritik letztlich stand. Für Hölderlin selbst sind demnach die Götter, die er in seinem Werk anwesend sein läßt, kein bloßer poetischer Schmuck. Dieses Nachweises bedarf es freilich kaum angesichts der Gewalt, mit der uns Hölderlins Rede vom Göttlichen trifft. Was aber sind die Götter dann? Zweifellos hat Hölderlin sie als eine Realität erfahren, die nicht geringer ist, als die Realität der Erde und der Sterblichen. Man hat sich in der Forschung vielfach damit geholfen, diese Hölderlinsche Erfahrung der Götter als ›mythisch‹ zu bezeichnen. Das ist gewiß nicht falsch; nur bleibt dabei offen, wie es mit dem Realitätsgehalt der Inhalte mythischer Erfahrung bestellt ist.

Hölderlin erfuhr die Götter als eine Realität, weil sie die faktisch wirkenden Mächte des Daseins und des Lebens, des Werdens und Vergehens, der Welt und der Geschichte sind:

Denn über der Erde wandeln
Gewaltige Mächte,
Und es ergreifet ihr Schicksal
Den der es leidet und zusieht,
Und ergreift den Völkern das Herz.

heißt es in dem hymnischen Entwurf *Sonst nämlich, Vater Zeus . . .* (v. 18—22). Diese Mächte sind unkörperlich, unsichtbar und unendlich, aber sie sind unbezweifelbar und bestimmen das Endliche. In der *Gestalt* des Endlichen ›vermittelt‹, sind sie für den Menschen ›möglich‹ und erfahrbar. So sind sie auch keineswegs nur einer ›mythischen Erfahrung‹ zugänglich. Indem Hölderlin die Götter als die Realität, die sie sind, im *Gesetz* der *strengen Mittelbarkeit* erfährt, verläßt er nicht den Umkreis dessen, was dem Menschen als solchem in der Welt erfahrbar ist; er zieht sich nicht auf eine nur Eingeweihten zugängliche Position zurück, sondern verweilt so erst eigentlich im vollen Bereich der — freilich allzu oft nicht wahrgenommenen — Erfahrungsmöglichkeiten des Menschen. Er hält sich an das in der Welt *Bestehende* und unternimmt es, dieses ›gut zu deuten‹ (vgl. *Patmos*, v. 225 f.). Dabei mißt er den ganzen Umkreis des Bestehenden aus, der mit der Weltganzheit identisch ist.

In dieser entschiedenen und umfassenden Beziehung der Dichtung auf das Bestehende, die auf jedes spekulative Element und auch auf jedes Sich-Halten an religiöse Offenbarung verzichtet, ist die Nüchternheit, das dem hesperischen Menschen angeborene Wesen, am Werk. Da sie innerhalb des Bestehenden auch die Götter achtet, ist die Nüchternheit ›heilig‹. Es entspricht ihr, daß Hölderlin das Erfassen des Bestehenden auf immer unscheinbarere Weise vollzieht; es wird ihm zum einfachen ›Lesen‹ und ›Nachahmen‹:

> *Lesend aber gleichsam, wie*
> *In einer Schrift, die Unendlichkeit nachahmen und den [Reichtum*
> *Menschen.*
>
> (*Was ist der Menschen Leben . . .*, v. 3—5).

Das Bestehende, Endliches und Unendliches, bietet sich dem Schauenden wie eine Schrift dar. *Lesend* blickt der Dichter auf die Welt und ahmt ihr Wesensgefüge nach.

Auch Hölderlins Bemühen, die Götter wieder auf die Erde zu bringen, seine Hoffnung, ein neuer Göttertag stehe bevor, ist weder Schwärmerei noch bloßes Mythisieren. ›Die Götter müssen wieder bei Menschen einkehren‹ heißt nichts anderes als: die Menschen hatten jahrhundertelang einen ganzen Bezirk des in der Weltganzheit Bestehenden aus den Augen verloren; sie müssen diesen ›Fehl‹ ›gutmachen‹, wenn anders sie ihre menschliche Aufgabe, die Welt als Ganzes zu erfahren und darzustellen, je wieder erfüllen wollen.

Hölderlins Dichtung ist gebunden an das, was ist. In seiner Rede von Himmel und Erde, Göttern und Sterblichen kommt die Realität des Weltganzen zu Wort. Das aber ist die eigentliche und umfassende Wirklichkeit, in die der Mensch gestellt ist. Im Nachahmen des Endlichen und des Unendlichen wird das Herz des Dichters *Untrügbarer Kristall an dem / Das Licht sich prüfet* (*Vom Abgrund nämlich . . .*, v. 36 f.).

AUS HÖLDERLINS BRIEF AN CASIMIR ULRICH BÖHLENDORFF VOM 4. DEZEMBER 1801[1]

... Wir lernen nichts schwerer als das Nationelle frei gebrauchen. Und wie ich glaube, ist gerade die Klarheit der Darstellung uns ursprünglich so natürlich wie den Griechen das Feuer vom Himmel. Eben deswegen werden diese eher in schöner Leidenschaft ... als in jener homerischen Geistesgegenwart und Darstellungsgabe zu übertreffen sein.
Es klingt paradox. Aber ich behaupt' es noch einmal, und stelle es Deiner Prüfung und Deinem Gebrauche frei; das eigentliche nationelle wird im Fortschritt der Bildung immer der geringere Vorzug werden. Deswegen sind die Griechen des heiligen Pathos weniger Meister, weil es ihnen angeboren war, hingegen sind sie vorzüglich in Darstellungsgabe, von Homer an, weil dieser außerordentliche Mensch seelenvoll genug war, um die abendländische Junonische Nüchternheit für sein Apollonsreich zu erbeuten, und so wahrhaft das fremde sich anzueignen.
Bei uns ists umgekehrt. Deswegen ists auch so gefährlich sich die Kunstregeln einzig und allein von griechischer Vortrefflichkeit zu abstrahieren. Ich habe lange daran laboriert und weiß nun daß außer dem, was bei den Griechen und uns das höchste sein muß, nämlich dem lebendigen Verhältnis und Geschick, wir nicht wohl etwas gleich mit ihnen haben dürfen.
Aber das eigene muß so gut gelernt sein, wie das Fremde. Deswegen sind uns die Griechen unentbehrlich. Nur werden wir ihnen gerade in unserm Eigenen, Nationellen nicht nachkommen, weil, wie gesagt, der freie Gebrauch des Eigenen das schwerste ist. ...

[1] StA 6, 425 f. Vgl. oben S. 16 ff. Zu diesem Brief vgl. ferner Peter Szondi: Hölderlins Brief an Böhlendorff vom 4. Dezember 1801. Kommentar und Forschungskritik. In: Euphorion 1964, S. 260—275. — Renate Böschenstein-Schäfer: Hölderlins Gespräch mit Boehlendorff. In: Hölderlin-Jb. 1965/66, S. 110—124. — Detlev Lüders: ›Die Welt im verringerten Maasstab‹. Hölderlin-Studien. Tübingen 1968, S. 60—66 (hier auch weiteres Material zu den oben dargelegten »Grundzügen der Dichtung Hölderlins«).

FORMEN DER LYRIK HÖLDERLINS: ODE, ELEGIE, HYMNE

Oden

Hölderlins Odendichtung bevorzugt eindeutig zwei Silbenmaße, das alkäische und das dritte asklepiadeische. Die wenigen Ausnahmen zählt Wolfgang Binder auf: »Unter den noch wenig selbständigen Jugendoden vom Ende der Denkendorfer bis zum Beginn der Tübinger Zeit finden sich zwei selbsterfundene [*Klagen. An Stella*; *Die Heilige Bahn*] und ein Klopstock nachgebildetes Maß [*Keppler*], eine fragmentarische archilochische Ode stammt aus der Frankfurter Zeit vor dem eigentlichen Wiederbeginn der Odendichtung [*An Diotima*: *Komm und siehe die Freude* . . .]. Sie steht, gemessen an Hölderlins beiden Hauptmaßen, eigentlich dem elegischen Distichon näher. Nur eine Ode aus Hölderlins reifer Zeit [*Unter den Alpen gesungen*] und ein später aufgegebener Ansatz zu einer zweiten [*Tränen*] stehen in der sapphischen Strophe, und zwar in einer von Klopstock und Hölderlin etwas abgewandelten Form« (W. B.: Hölderlins Odenstrophe. In: Hölderlin-Jb. 1952, S. 85—110, hier S. 88, Anm. 2).

Als Muster der alkäischen Strophe stehe hier, wie in Binders Aufsatz (s. o.), die erste Strophe des Gedichts *Diotima*:

Du schweigst und duldest, und sie verstehn dich nicht,
Du heilig Leben! welkest hinweg und schweigst,
Denn ach, vergebens bei Barbaren
Suchst du die Deinen im Sonnenlichte,

Die alkäische Strophe folgt diesem Schema:

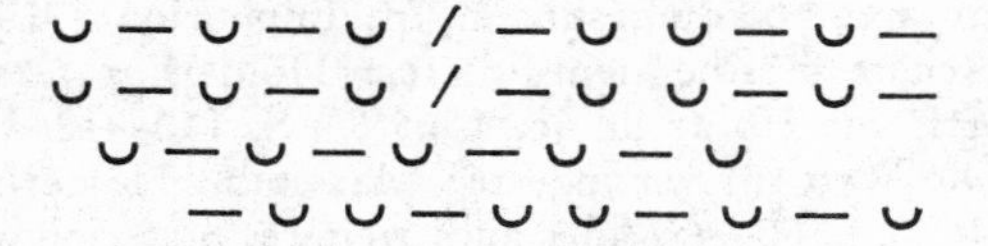

Als Muster der asklepiadeischen Strophe wählt Binder die zweite Strophe des Gedichts *Sokrates und Alcibiades*:

Wer das Tiefste gedacht, liebt das Lebendigste,
Hohe Jugend versteht, wer in die Welt geblickt
Und es neigen die Weisen
Oft am Ende zu Schönem sich.

Das Schema der asklepiadeischen Strophe:

— ⏑ — ⏑ ⏑ — / — ⏑ ⏑ — ⏑ —
— ⏑ — ⏑ ⏑ — / — ⏑ ⏑ — ⏑ —
— ⏑ — ⏑ ⏑ — ⏓
— ⏑ — ⏑ ⏑ — ⏑ —

In einem Vergleich beider Silbenmaße kommt Binder zu dem Ergebnis, das Wesen der alkäischen Strophe sei als »Bewegung«, das der asklepiadeischen als »Gefüge« zu fassen; jene habe »undulierenden« (wellenartig bewegten), diese »skelettierenden« Charakter. Demgemäß komme das alkäische Silbenmaß der Darstellung naturhaft-konkreter Vorgänge (in denen sich freilich ein geistiges Prinzip manifestiere), das asklepiadeische dagegen der Darstellung von »Gedanken in abgezogener Allgemeingültigkeit« (a. a. O. S. 95) entgegen.
Eine besondere Gruppe innerhalb der Odendichtung Hölderlins bilden die sogenannten Kurzoden (oder epigrammatischen Oden) vom Ende der Frankfurter Zeit (vgl. »Grundzüge der Dichtung Hölderlins«, oben S. 12), die z. T. später wesentlich erweitert werden. Vgl. Max Kommerell: Die kürzesten Oden Hölderlins. In: M. K.: Dichterische Welterfahrung. Essays. Frankfurt a. M. 1952, S. 194—204.
Neue Entwürfe zu Oden fallen spätestens in das Jahr 1801. Danach formt Hölderlin nur noch frühere Ansätze bzw. Fassungen um, wobei freilich (vgl. die *Nachtgesänge* [Erl. zur Ode *Chiron*]) in Stil und Gehalt wesentlich Neues entsteht. Vgl. den Schlußabsatz des Abschnitts »Hymnen«.
Zu Hölderlins Oden innerhalb der Geschichte der Gattung vgl. Karl Viëtor: Geschichte der deutschen Ode. München 1923, S. 147—164.

Elegien

In den Frankfurter und Homburger Jahren (1796—1800) entstanden folgende elegische Gedichte: *Der Wanderer* (1. Fssg.), *An einen Baum*, *An Diotima* (*Schönes Leben! . . .*), *Diotima* (*Komm und besänftige mir . . .*), *Achill*, *Götter wandelten einst . . .*, *Hört' ich die Warnenden itzt . . .* Mit Ausnahme der ersten Fassung des *Wanderers* lassen diese Elegien der mittleren Zeit eine »Nähe zur epigrammatischen Gattung« erkennen, »sei es nun in ihrer Kürze, sei es in ihrem Ton, der, zwar elegisch gefärbt, doch auch in der beweglichsten Klage zur geprägten Sentenz hinstrebt« (Friedrich Beißner: Geschichte der deutschen Elegie. Berlin 1941, S. 176). Das unterscheidet sie zugleich von den »sieben großen Elegien der Meisterschaft« (Beißner a. a. O.) aus den Jahren 1800 und 1801.

Unter diesen weicht nur der rein hexametrische *Archipelagus* von der klassischen Form der Elegie, der Folge von Distichen, ab. Die übrigen, ›eigentlichen‹ Elegien der Jahre 1800 und 1801 sind strophisch gegliedert; seit der zweiten Fassung des *Wanderers* haben die Strophen auch gleichen Umfang. Mehrere Strophen schließen sich zu Teilen einer Gesamtgliederung zusammen (vgl. die Einzelerläuterungen). Angesichts dieser übergreifenden Gliederung dürfen die Einzelstrophen nicht, wie früher vielfach üblich, jeweils als »Elegie« und das ganze Gedicht als ein aus diesen Einzelelegien bestehender »Zyklus« betrachtet werden; das jeweilige Gedicht ist vielmehr als Ganzes e i n e in sich gegliederte Elegie (vgl. Beißner a. a. O. S. 177 f.).

Auch in diesem Kompositionsprinzip zeigt sich die Nähe der großen Elegien zu den seit Ende 1799 entstehenden späten Hymnen (s. d.). Im ganzen sind sie — unbeschadet ihrer eigenen Bedeutung — ein »Durchgang zur hymnischen Dichtung« (Beißner a. a. O. S. 178). Nach 1801 entstehen keine Elegien mehr. Hölderlin bringt nur noch in den schon fertigen einzelne Überarbeitungen an, ohne daß es dadurch zu eigentlichen Neufassungen käme. Vgl. den Schlußabsatz des Abschnitts »Hymnen«.

Hymnen

Die späten Hymnen sind das eigenste und größte Zeugnis der hesperisch-vaterländischen Dichtung Hölderlins. »Ihre Form ist ohne Vorbild in der deutschen Dichtung. Die sogenannten freien Rhythmen Klopstocks (in der ersten Fassung der Frühlingsfeier und ähnlichen Hymnen) wie auch Goethes und geringerer Nachahmer unterscheiden sich gründlich durch den Mangel einer strophischen Gliederung von Hölderlins Gesängen« (Beißner, StA 2, 680).

Hölderlin entwickelte die Form seiner späten Hymnen seit Ende 1799 in einem intensiven Studium der Siegesgesänge Pindars, die er z. T. auch übersetzte (vgl. Norbert von Hellingrath: Pindarübertragungen von Hölderlin. Prolegomena zu einer Erstausgabe. In: N. v. H.: Hölderlin-Vermächtnis. München 1936, S. 15—93 [Diss., zuerst 1911]. Friedrich Beißner: Hölderlins Übersetzungen aus dem Griechischen. Stuttgart 1933. M. B. Benn: Hölderlin and Pindar. 's-Gravenhage 1962). Sein erster Versuch einer Aneignung des Pindarischen Baugesetzes ist die Hymne *Wie wenn am Feiertage* . . . (vgl. dort die Erl.). Während bei Pindar auf zwei metrisch gleichgebaute Strophen eine abweichende folgt, plant Hölderlin hier einander metrisch genau entsprechende Gruppen von jeweils drei verschieden gebauten Strophen. Später behält er wohl das Prinzip der Bildung von Gruppen aus drei Strophen (s. u.), nicht aber das der metrischen Entsprechung einzelner Verse bei.

Den Versen der späteren Hymnen liegt also kein vorgegebenes metrisches Schema zugrunde. Dennoch wendet Friedrich Beißner sich mit Recht dagegen, hier von »freien Rhythmen« und »freien Strophen« zu sprechen, denn »damit deutet man von vornherein an, was man für das Wesentliche an diesen Kunstwerken hält: die gelöste Bindung nämlich . . . « (Friedrich Beißner: Vom Baugesetz der späten Hymnen Hölderlins. In: Hölderlin-Jb. 1950, S. 28—46, hier S. 32 f.). Die späten Hymnen gehorchen vielmehr streng durchdachten Baugesetzen. Das gilt sowohl für den einzelnen Vers wie für das ganze Gedicht.

In den bis zum Frühjahr 1803 entstandenen Hymnen hat Beißner beobachtet, daß fast alle Verse mit leichter Silbe einsetzen (Gesetz des steigenden Verses); bei den seltenen Ausnahmen (vgl. z. B. *Der Rhein*, v. 60: *Glücklich geboren, wie jener?*) nimmt Beißner schwebende Betonung an. Die spätesten Gesänge (ab Herbst 1803) halten sich nicht mehr an diese Regel.

Die meisten Hymnen sind ferner als Ganzes, wie schon angedeutet, nach triadischem Bauplan gegliedert: je drei Strophen sind zu einer Einheit zusammengefaßt. Vielfach ist dieses Gesetz sogar an der Verszahl der einzelnen Strophen ablesbar: die neun Strophen der Hymne *Die Wanderung* z. B. haben in regelmäßiger Abfolge dreimal 12, 12, 15 Verse. Die Handschrift der *Friedensfeier* hält dementsprechend nach jeder dritten Strophe einen größeren Abstand ein. Daß diese Gliederung in Strophen-Triaden kein bloß äußerlich-rechnerisches Prinzip, sondern Ausdruck einer inneren Gliederung ist, wird an dem von Hölderlin selbst formulierten *Gesetz* der Hymne *Der Rhein* deutlich (vgl. dort die Erl.; ferner die Erl. zu allen anderen Hymnen). Unter den bis 1802 entstandenen Hymnen ist nur die Hymne *Germanien* nicht triadisch gegliedert. Hölderlin gibt die triadische Gliederung offenbar schon etwas früher als das Prinzip des steigenden Verses, wohl ab Frühjahr 1803 (vgl. die Hymne *Andenken*), auf.

Für die Aufeinanderfolge der einzelnen Triaden wie überhaupt für die Komposition der Gedichte der Reifezeit ist auch Hölderlins Lehre vom Wechsel der Töne, die er in einzelnen philosophischen Aufsätzen der ersten Homburger Zeit entwickelte, von Bedeutung. Danach folgen Gedichtteile in *naivem* (sinnlich-empfindungshaftem), *heroischem* (leidenschaftlichem) und *idealischem* (harmonisch auf das Ganze gerichtetem) ›Ton‹ in bestimmtem Wechsel und bestimmter gegenseitiger Verknüpfung aufeinander. Es bedarf freilich in jedem Einzelfall genauester Prüfung, inwiefern diese (nur in Ansätzen faßbare) Lehre konkret auf Hölderlins Gedichte anwendbar ist; bei den Gedichten nach 1800 kommt das Problem hinzu, ob und bis zu welchem Grade diese (vor 1800 entworfene) Lehre noch Gültigkeit besitzt. Vgl. insbesondere Meta Corssen: Der Wechsel der Töne in Hölderlins Lyrik.

In: Hölderlin-Jb. 1951, S. 19—49. Lawrence J. Ryan: Hölderlins Lehre vom Wechsel der Töne. Stuttgart 1960.
Während Neukonzeptionen von Oden und Elegien (s. d.) spätestens in das Jahr 1801 fallen, werden Hymnen noch 1803 und später von Grund auf neu entworfen. Auch hierin zeigt sich der innere Vorrang der hymnischen Form im Spätwerk.

DATEN ZU HÖLDERLINS LEBEN

Vgl.: Hölderlin. Eine Chronik in Text und Bild. Hg. v. Adolf Beck und Paul Raabe. Schriften der Hölderlin-Gesellschaft Bd. 6/7. Frankfurt a. M. 1970. Darin S. 5—110: Adolf Beck und Karl-Gert Kribben: Chronik von Hölderlins Leben.

1770 20. März. Johann Christian Friedrich Hölderlin in Lauffen am Neckar geboren. Vater: Heinrich Friedrich H. (1736—1772), Klosterhofmeister. Mutter: Johanna Christiana H., geb. Heyn (1748—1828).

1772 Tod des Vaters.
Geburt von Hölderlins Schwester Maria Eleonora Heinrike (Rike; verh. 1792 mit Prof. Christian Breunlin in Blaubeuren; gest. 1850).

1774 Hölderlins Mutter heiratet in zweiter Ehe Johann Christoph Gock (1748—1779), der Landwirtschaft und Weinhandel betreibt und 1776 Bürgermeister von Nürtingen wird. Umzug der Familie nach Nürtingen.

1776 Geburt von Hölderlins Halbbruder Karl Christoph Friedrich Gock (gest. 1849).

1779 Tod des Stiefvaters.
Hölderlin besucht in diesen Jahren in Nürtingen die Lateinschule und hat außerdem Unterricht bei dem Diakon Nathanael Köstlin, zweitem Pfarrer in Nürtingen.

1784 Herbst. Hölderlin, von seiner Familie zum Beruf des Geistlichen bestimmt, tritt in die niedere Klosterschule in Denkendorf ein.

1786 Herbst. Eintritt in die höhere Klosterschule in Maulbronn. Freunde Hölderlins sind u. a. Immanuel Gottlieb Nast (1769—1829), Christian Ludwig Bilfinger (1770—1850) und Franz Karl Hiemer (1768—1822). Liebe zu Louise Philippine Nast (1768—1839), der Tochter des Verwalters des Maulbronner Klosters. Im Frühjahr 1790 löst Hölderlin das Verhältnis.

1788 Oktober. Eintritt in das Tübinger Stift. Freundschafts-

bund mit Rudolf Magenau (1767—1846) und Christian Ludwig Neuffer (1769—1839).
Hölderlins Repetent im Stift ist der auch als Dichter und Übersetzer hervorgetretene Karl Philipp Conz (1762—1827).

1789 Hölderlin lernt Gotthold Friedrich Stäudlin (1758 bis 1796), Herausgeber mehrerer Musenalmanache, kennen, ebenso Christian Daniel Schubart.
Der Mutter zuliebe überwindet Hölderlin den Wunsch, das Studium der Theologie aufzugeben.

1790 September. Magisterexamen.
Herbst (bis zum Ende der Tübinger Zeit): Liebe zu Elise Lebret (1774—1839), der Tochter eines Theologieprofessors der Tübinger Universität.
Neuffer und Magenau verlassen das Stift.
Seit Herbst 1790 engere Verbindung Hölderlins zu Hegel und Schelling, seinen Zimmergenossen im Stift.

1791 April. Reise in die Schweiz mit Christian Friedrich Hiller (1769—1817) und Friedrich August Memminger (geb. 1770).
September. Zum erstenmal erscheinen (in Stäudlins Musenalmanach fürs Jahr 1792) Gedichte Hölderlins im Druck.

1792 Neigung Hölderlins zu einer Unbekannten, die er in den Osterferien in Stuttgart kennengelernt hatte.

1793 September. Hölderlin verläßt das Tübinger Stift.
6. Dezember. Hölderlin besteht das theologische Konsistorialexamen in Stuttgart.
Mitte Dezember. Abreise nach Waltershausen, wo Hölderlin durch Schillers Vermittlung eine Hofmeister- (Hauslehrer-) Stelle bei Charlotte von Kalb (1761 bis 1843) antritt.
28. Dezember. Ankunft in Waltershausen.

1794 Neigung Hölderlins zu Wilhelmine Marianne Kirms (geb. 1772), der Gesellschafterin Charlotte von Kalbs.
Zunehmende Schwierigkeiten bei der Erziehung von Charlottes Sohn Fritz.
Anfang November. Hölderlin geht mit Fritz von Kalb nach Jena, hört dort Vorlesungen bei Fichte, ist häufig

bei Schiller zu Gast, lernt Goethe kennen.
Schiller druckt in seiner Thalia Hölderlins *Fragment von Hyperion.*
Ende Dezember. Übersiedlung mit der Familie von Kalb nach Weimar. Besuche bei Herder und Goethe.

1795 Mitte Januar. Beendigung der Hofmeistertätigkeit im Hause von Kalb. »Pädagogisches Fiasko« (A. Beck).
In Jena Freundschaft mit Isaak von Sinclair (1775 bis 1815).
25. April. Tod Rosine Stäudlins, der Schwester Gotthold Stäudlins und Braut Neuffers, der Hölderlin einige Gedichte gewidmet hatte.
Ende Mai. Überstürzte »Flucht« aus Jena, »infolge geistig-seelischer Krise«(A. Beck). Einzelne Gründe der Krise sind wohl der übermächtige Einfluß der naturfremden Philosophie Fichtes, Hölderlins pädagogisches Scheitern, die Wirren seiner Neigung zu Wilhelmine Kirms, die Nachricht vom Tode Rosine Stäudlins, vor allem aber auch ein »erster starker pathologischer Schub« (A. Beck).
Hölderlin verbringt den Sommer zu Hause in Nürtingen. *Mißfallen an mir selbst und dem was mich umgibt* (an Schiller, 4. September).
Der Arzt und Naturforscher Johann Gottfried Ebel (1764—1830) vermittelt Hölderlin eine neue Hofmeisterstelle in Frankfurt bei dem Bankier Jakob Friedrich Gontard (1764—1843).
28. Dezember. Ankunft Hölderlins in Frankfurt.

1796 Die Liebe zu J. F. Gontards Gattin Susette, geb. Borkenstein (Hölderlins *Diotima*; 1769—1802) gewinnt für Hölderlin bestimmende Bedeutung.
Juli—September. Hölderlin und Wilhelm Heinse (1746 bis 1803) begleiten Susette und ihre Kinder (Henry, Henriette, Helene, Amalie) auf einer wegen der Ereignisse des ersten Koalitionskrieges unternommenen Reise nach Kassel und Bad Driburg.

1797 *Hyperion*, Bd. 1, bei Cotta erschienen.
22. August. Hölderlin besucht Goethe in Frankfurt.

1798 Ende September. Hölderlin verläßt Frankfurt, nach

beinahe täglichen Kränkungen (an die Mutter, 10. Oktober) und wohl einer (nicht näher bezeugten) Auseinandersetzung mit J. F. Gontard.
Übersiedlung nach Homburg. Sinclair vermittelt Hölderlin eine Wohnung (bei dem Glaser Wagner).
Seltene heimliche Begegnungen mit Susette Gontard.
Arbeit am *Empedokles*-Drama und an philosophischen Aufsätzen.
Hölderlins Plan, eine Zeitschrift *Iduna*, auch zum Zwecke des Lebensunterhalts, zu gründen, scheitert.
November. Hölderlin begleitet Sinclair auf den Rastatter Kongreß.

1799 *Hyperion*, Bd. 2, bei Cotta erschienen.
Nach dem Gutachten Dr. Müllers vom 9. April 1805 (vgl. die Erl. zu diesem Jahr) leidet Hölderlin schon 1799 »stark an Hypochondrie«.

1800 Anfang Juni. Hölderlin kehrt nach Nürtingen zurück. Wenige Tage später siedelt er (als zahlender Pensionsgast) nach Stuttgart zu seinem Freunde, dem Tuchhändler Christian Landauer (1769—1845) über. Hier fruchtbares Schaffen im Sommer und Herbst.

1801 Anfang Januar. Hölderlin tritt eine neue Hofmeisterstelle bei dem Kaufmann Anton von Gonzenbach (1748—1819) in Hauptwil in der Schweiz an.
Der den zweiten Koalitionskrieg beendende Friede von Lunéville (9. Februar) bestärkt Hölderlin in seiner Hoffnung auf weltgeschichtlichen Frieden.
Anfang April. Gonzenbach kündigt Hölderlin die Stellung. Der Dichter kehrt nach Nürtingen zurück.
10. Dezember. Hölderlin beginnt seine Reise nach Bordeaux (über Straßburg, Lyon), wo er eine neue Hofmeisterstelle bei dem Weinhändler und Konsul Daniel Christoph Meyer (1751—1818) antreten will. Fußreise über die Auvergne.

1802 28. Januar. Ankunft Hölderlins in Bordeaux.
Mitte Mai. Rückreise von dort (über Paris, Straßburg, Stuttgart); die Veranlassung ist unbekannt.
Mitte Juni. Ankunft in Nürtingen. Hölderlins geistiger Zustand ist bedenklich (Schwab: »Er erschien mit ver-

wirrten Mienen und tobenden Gebärden, im Zustande des verzweifeltesten Irrsinnes . . .«).
Sinclair teilt Hölderlin brieflich den Tod Susette Gontards (22. Juni) mit; er bietet dem Dichter Wohnung und Unterhalt bei sich an.
Im Herbst bessert sich Hölderlins Befinden. Sinclair lädt den Dichter zur Ablenkung ein, ihn auf dem Reichstag in Regensburg zu besuchen.
September / Oktober. In Regensburg trifft Hölderlin auch den Landgrafen Friedrich V. von Hessen-Homburg.
Nach der Rückkehr Arbeit an der (wohl schon 1801 entworfenen) Hymne *Patmos*, die dem Landgrafen gewidmet ist.

1803 30. Januar. Sinclair überreicht dem Landgrafen die erste Fassung der *Patmos*-Hymne.
Hölderlin lebt in Nürtingen. U. a. letzte Arbeiten an den (z. T. schon früher entstandenen) Sophokles-Übersetzungen (*Ödipus der Tyrann*; *Antigone*).

1804 April. Die Sophokles-Übersetzungen erscheinen bei Friedrich Wilmans in Frankfurt.
Juni. Sinclair holt Hölderlin nach Homburg ab, wo der Dichter bis September 1806 lebt. Pro forma erhält Hölderlin, durch Vermittlung Sinclairs, die Stelle eines landgräflichen Bibliothekars.

1805 April. Im Zusammenhang mit einem gegen Sinclair angestrengten Prozeß wegen Hochverrats (der mit der Rehabilitierung Sinclairs endet) wird Hölderlin im Auftrag der Regierung von einem Dr. Müller auf seinen Geisteszustand hin untersucht. In Müllers Bericht vom 9. April heißt es: » . . . nun ist er soweit, daß sein Wahnsinn in Raserei übergegangen ist . . .«.

1806 12. Juli. Aufhebung der Landgrafschaft Hessen-Homburg zugunsten Hessen-Darmstadts.
September. Sinclair bringt Hölderlin nach Tübingen in die Autenriethsche Klinik. Hier soll Justinus Kerner, Schüler Autenrieths, den Dichter behandelt haben.

1807 Sommer. Hölderlin kommt in die Obhut des Schreinermeisters E. F. Zimmer (1772—1838) in Tübingen, wo er bis zu seinem Tode bleibt. Sein »Lebensunterhalt war gedeckt durch ein staatliches Gnadengeld von 150 Gulden jährlich und durch sein väterliches Erbe, das ihm die sorgliche Mutter seit je erhielt und mehrte: der Dichter starb als ein wohlhabender Mann — einer der tragischen Widersprüche seines Schicksals« (A. Beck in: Wilhelm Waiblinger: Friedrich Hölderlins Leben Dichtung und Wahnsinn. Hg. von Adolf Beck. Turmhahn-Bücherei 8/9 [1951], S. 65).

1822 Neudruck des *Hyperion*.

1822—1826 Wilhelm Waiblinger (1804—1830), Student in Tübingen, besucht den kranken Dichter häufig.

1826 Eine erste Sammlung der Gedichte Hölderlins, hg. von Uhland und Schwab, erscheint bei Cotta.

1828 17. Februar. Tod der Mutter.

1843 7. Juni. Tod Hölderlins.

DANKGEDICHT AN DIE LEHRER

1784 in Denkendorf entstanden.
Erster Druck: 1) v. 1—16: Carl Müller-Rastatt: Aus Friedrich Hölderlins Schülerjahren. Neues Tagblatt, Stuttgart, 18. Juni 1893; 2) das Ganze: Litzmann 1896.
Schlußstrophen eines längeren Gedichts. Die Überschrift fehlt in der Hs; sie wurde von B. Litzmann geprägt. Hoffmann (a. a. O. S. VIII f., Anm. 56) bezweifelt, daß das Gedicht an die Lehrer gerichtet sei: der Begriff *große Mäcenaten* (v. 13) deute eher auf eine Anrede an das Fürstenpaar.
5f. *Wanderer*: Vgl. die Elegie *Der Wanderer*; das dortige Gegensatzpaar *Eispol — Feuer des Süds* ist hier ansatzweise vorgebildet.

Zu Hölderlins Schulzeit vgl. Julius Klaiber: Hölderlin, Hegel und Schelling in ihren schwäbischen Jugendjahren. Stuttgart 1887; J. Eitle: Beiträge zur Geschichte der Erziehung und des Unterrichts in Württemberg. Der Unterricht in den einstigen württembergischen Klosterschulen von 1556—1806. Beiheft 3 zu der Zs. für Geschichte der Erziehung und des Unterrichts, Berlin 1913 (über Hölderlin bes. S. 69—72). — Jens Hoffmann: Das Problem und die Bilder der Lebensbewährung in Hölderlins Dichtung. Diss. Hamburg 1956.

M. G.

Von Hölderlin in der Hs datiert: *1784. d. 12 Nobr.*
Erster Druck: 1) v. 1—4: Carl Müller-Rastatt: Friedrich Hölderlin. Sein Leben und sein Dichten. Bremen 1894; 2) das Ganze: Litzmann 1896.
»Die Überschrift *M. G.* (wohl aufzulösen: ›Meinem Gott‹) ist abgekürzt in Anlehnung an das lateinische D.O.M. (›Deo Optimo Maxumo‹)« (Beißner, StA 1, 330).
»Im Stil lehnt sich das Gedicht ganz eng an die geistlichen

Lieder an, die von der Sündhaftigkeit des Menschen handeln; ja, die ganze Vorstellungswelt ist aus dem Gesangbuch in dies Gedicht gekommen. Das Sündenbewußtsein und die Gotteskindschaft, die Seligkeiten des Himmels und die tobende und krachende Hölle — all das findet sich hier beisammen, und auch die hebräischen Namen Abba und Jehova bieten sich als willkommene Variationen für die deutschen Wörter Vater und Herr« (Siegmund-Schultze S. 28).

DIE NACHT

Von Hölderlin in der Hs datiert: *Im November. 85.*
Erster Druck: Litzmann 1896.
»Hölderlin hat sich hier zum ersten Male dazu entschlossen, ohne den Reim auszukommen; das ist in dieser frühen Periode seines Dichtens bereits ein Zeichen selbstbewußterer Sprachkunst. ... Das Gedicht ist eine zwiefache Gegenüberstellung von Tugend und Laster: das erste Mal als seelischer Haltungen, das zweite Mal als Handlungen. Jeder dieser beiden Teile nimmt 4 Strophen ein. ... Die echten Freuden des Tugendhaften, die unechten des Lasterhaften — das ist der Gegensatz, der das Gedicht bis in die Einzelheiten durchzieht und ihm einen natürlichen logischen Aufbau gibt; und zwar steht im 1. Teile Liebe zur Tugend gegen Liebe zur eitlen Welt, im 2. Teile tätige Tugend gegen tätige Untugend. Jedes der beiden Gegensatzpaare findet eine anschauliche Darstellung; dazu dient für das erste die nächtliche Landschaft, für das zweite der Schlaf. Der Nacht gehören beide an« (Siegmund-Schultze S. 29—31; S. 31 auch Hinweis auf gewisse Parallelen der Gedankenfolge dieses Gedichts mit Matthias Claudius' 1779 erschienenem Abendlied »Der Mond ist aufgegangen«).

AN M. B.

Von Hölderlin in der Hs datiert: *Im Nov. 85.*
Erster Druck: Carl Müller-Rastatt: Aus Friedrich Hölderlins Schülerjahren. Neues Tagblatt, Stuttgart, 18. Juni 1893.

»Dieses Gedicht wendet sich, wie der Inhalt nahelegt, möglicherweise an [Hölderlins Freund] C. L. Bilfinger, obwohl die Auflösung des groß geschriebenen *M.* zu ›meinen‹ nicht sehr wahrscheinlich ist« (Beißner, StA 1, 332).
Zum Gegensatz Tugend-Laster vgl. das vorige Gedicht. Der Tugendbegriff des jungen Hölderlin entspricht wohl weitgehend, nicht aber ausschließlich dem der aufklärerischen Moralphilosophie, die die Tugend auf die sittliche Lebensführung beschränkte. Hölderlin setzt die *Tugend* (v. 8, 18) darüber hinaus zur Schönheit der *Erde* (v. 13) und zum *Schöpfer* (v. 15) in Beziehung. Tugendhaft und dadurch ›zufrieden‹ (vgl. v. 14) ist der, der *unbekümmert* (v. 3) und unbewußt die *schöne Erde* und ihren *Schöpfer* achtet. Darin zeigen sich ansatzweise schon Eigenschaften, die im Wesen des reinen Menschen in Hölderlins reifen Dichtungen zur Entfaltung kommen (vgl. D. Lüders: Das Wesen der Reinheit bei Hölderlin. Diss. Hamburg 1956, S. 36 f.).
1 Der transitive Gebrauch eines sonst intransitiven Verbums (*lächle . . . Freuden*) ist von Klopstock angeregt. Weitere Belege in Hölderlins Jugendlyrik: vgl. Siegmund-Schultze S. 33 f.
14 *Unzufriedne*: Vgl. das folgende Gedicht.

DER UNZUFRIEDNE

Von Hölderlin in der Hs datiert: *Im Nov. 85.* Vielleicht unvollständig. Vgl. das vorige Gedicht, v. 14.
Erster Druck: Carl Müller-Rastatt: Aus Friedrich Hölderlins Schülerjahren. Neues Tagblatt, Stuttgart, 18. Juni 1893.
Motto: Horaz, epod. 13 v. 17—18: »illic omne malum vino cantuque levato, deformis aegrimoniae dulcibus adloquiis«. »›Dort [vor Troja],‹ sagt der Centaur Chiron zu seinem Zögling Achill, ›sollst du dir alles Übel erleichtern durch Wein und Gesang: die bedeuten für den entstellenden Kummer süßen Trost‹« (Beißner, StA 1, 333).
1 *unglücksvolle Leiden*: Akkusativ.
3 Die *steile Laufbahn* deutet vorauf auf Gedichte wie *Mein Vorsatz* und *Der Lorbeer.*

DER NÄCHTLICHE WANDERER

Wohl 1785.
Erster Druck: Hell. 1, 1913.
Siegmund-Schultze (S. 47) vermutet einen Einfluß von Schillers »Räubern«: »Die Turmszene (IV. 5) hat Hölderlin zu seinem Gedicht inspiriert. Die gleiche grausige Stimmung finden wir dort und die gleiche Szenerie: Nacht, die Räuber schlafen, und ›grausig heulet der Kauz‹, auch Hungern, Krächzen und Schnarchen spielt in dieser Szene eine Rolle wie in Hölderlins Gedicht.«

DAS ERINNERN

Wohl 1785.
Erster Druck: Hell. 1, 1913.
Ein »Musterstück logisch-parallelen Aufbaues« (Siegmund-Schultze S. 44): die erste Strophe ist der *Sünd*, die zweite der *Frömmigkeit* gewidmet; darüber hinaus korrespondieren die jeweils ersten, zweiten usw. Verse beider Strophen weitgehend miteinander. — Siegmund-Schultze (S. 43 f.) vermutet, daß das Gedicht durch ein Kirchenlied »O Vater der Barmherzigkeit« von David Denicke (1603—1680) angeregt wurde (inhaltliche Übereinstimmung, Ähnlichkeit des metrischen Schemas, Gleichheit der Wendung *Vater der Barmherzigkeit*).

ADRAMELECH

Wohl 1785.
Erster Druck: Hell. 1, 1913.
Fragmentarischer Entwurf in Hexametern. Die Überschrift fehlt in der Hs. Anregung gab Klopstocks »Messias« (insbesondere 2. Gesang, v. 300—351, 833—886).
Adramelech: Bei Klopstock »ein Geist, verruchter als Satan, und verdeckter« (v. 300), der Satan übertreffen und auch Geist und Seele dem Tode unterwerfen will.
2—10 Direkte Rede Adramelechs.

ALEXANDERS REDE AN SEINE SOLDATEN BEI ISSUS

Wohl 1785. Von Hölderlin in der Hs datiert: *Im Dezember.*
Erster Druck: Hell. 1, 1913.
»Dem Gedicht liegt die bei Curtius Rufus (Historiae Alexandri Magni Macedonis 3, 10) nur in indirekter Rede gegebene Ansprache Alexanders zugrunde. Es handelt sich also nicht um eine Übersetzung« (Beißner, StA 1, 338. Hier auch ein Vergleich mit dem lateinischen Text [Hervorhebung der von Hölderlin benutzten Stellen]). Seebaß (Hell. 1) vermutet, das Gedicht sei »vielleicht eine Schulaufgabe aus der Maulbronner Zeit«; Siegmund-Schultze erinnert (S. 55) an die »Alexanderbegeisterung Karl Moors« und den möglichen Einfluß der »Räuber« auf den jungen Hölderlin (vgl. *Der nächtliche Wanderer*).
Alexander der Große (336—323 v. Chr.) besiegte die Perser 333 bei Issus.
12 *Philipp* von Makedonien (359—336), Alexanders Vater.
16 *stärkste Stadt*: Theben.
36 *Baktra*: Hier heiratete Alexander 328 Roxane, die Tochter eines baktrischen Fürsten; nach *Indien* zog er in den Jahren 327—325.

DAS MENSCHLICHE LEBEN

Erster Druck: Schwab 1846. Hier, wohl nach der verschollenen Hs, als Entstehungszeit *Im Dezember 1785* angegeben.
Zum Gegensatz von *Sünde* und *Tugend*, der auch dieses Gedicht bestimmt, vgl. *Die Nacht, An M. B.* und *Das Erinnern.* Sünde und Tugend beherrschen hier nicht jeweils einen in sich geschlossenen Teil des Gedichts (vgl. *Das Erinnern*), sondern wechseln einander ständig ab. Dieser Wechsel zeigt die gegenseitige Bedingtheit und Verflechtung beider Motive. So spiegelt auch der Aufbau den *Taumel* (v. 8), als welcher *Das menschliche Leben* hier erscheint.
Im Hinblick auf v. 17 f. erinnert Siegmund-Schultze (S. 37) an einen Stammbucheintrag einer älteren Nürtinger Freundin, T. A. E. Bilfingerin, für Hölderlin vom 9. Oktober 1785,

in dem es heißt: » . . . Dein Auge wende sich von allen Dingen, die ein tödliches Gift in Deine Seele flößen . . . können« (vgl. Hell. 6, S. 523).

DIE MEINIGE

In der Hs (von Hölderlin?) datiert: *1786.*
Erster Druck: 1) v. 25—40, 121—136: [Christoph Theodor Schwab:] Neu aufgefundene Jugendgedichte Friedrich Hölderlins. Morgenblatt für gebildete Leser 1863. Nr. 34 u. 35; 2) das Ganze: August Sauer: Ungedruckte Dichtungen Hölderlins. In: Archiv für Litteraturgeschichte 13 (1885).
Die Meinige (schwäbisch für ›Die Meinigen‹) sind Mutter, Schwester, Bruder und Großmutter, für deren Wohlergehen das Gedicht in Form eines Gebetes bittet. Es zeigt Hölderlins starke Gefühlsbindung an seine Familie und die Atmosphäre christlich-pietistischer Frömmigkeit, die in seinem Elternhaus herrschte. Fromme Gefühle aber hatte schon der Knabe nicht nur im Zusammenhang mit herkömmlichen Glaubensinhalten: *Ein heiliges Gefühl / Bebte* [ihm] *durchs Herz,* als er im *Abendschimmer* den *Strom* sah (v. 125—127). Hier, an einer der ersten eigentlich dichterischen Stellen seines Werkes, erscheint ansatzweise der Zusammenhang der Natur mit dem Bereich des Heiligen, der für Hölderlins Dichtung bestimmend bleibt.
17 *Meine Mutter*: Johanna Christiana Hölderlin, geb. Heyn (1748—1828).
28 *Ewigteurer Vater*: Hölderlins Stiefvater Gock, Bürgermeister von Nürtingen, den die Mutter 1774 geheiratet hatte, war 1779 gestorben.
34 *Heischer* . . . : Nebenform zu ›heiser‹.
81 *meine Schwester*: Heinrike (Rike; 1772—1850).
113 *mein Carl*: Hölderlins Stiefbruder Karl Gock (1776 bis 1849).
153 Hölderlins Großmutter mütterlicherseits, Johanna Rosina Heyn (1725—1802).
171 *Eloa*: Ein Seraph, vgl. Klopstocks »Messias« 1, 289 f.

AN STELLA

Von Hölderlin in der Hs datiert: *1786.*
Erster Druck: Otto Güntter: Ungedrucktes von Hölderlin. Der Schwäbische Bund 1 (1919/20).
An Louise Nast (1768—1839; vgl. Beck, StA 6, 510—512) gerichtet, die Tochter des Maulbronner Klosterverwalters, der Hölderlins Zuneigung bis ins Frühjahr 1790 galt. »Stella . . . , das war neben der von Petrarka . . . übernommenen Laura der im schwäbischen Kreise beliebteste dichterische Mädchenname« (Viëtor S. 23 f.; vgl. ebd. Anm. S. 24; ferner StA 1, 342).
Diese Ode »gibt nicht das gegenwärtige Glück der Liebe wieder, sondern nimmt im Hinausgehen über die irdisch unerfüllten Wünsche die jenseitige Vereinigung vorweg . . . Zwar entspricht diese Ausrichtung auf das Jenseitige pietistischen Vorstellungen, in deren Anempfindung sich jedoch schon Hölderlins künftige Eigenart abzuzeichnen scheint, dem gegenwärtigen Augenblick sich nicht hinzugeben, sondern ihn aufzuheben in der umfassenden Erkenntnis eines größeren, dauernden Zusammenhangs« (Lawrence Ryan: Friedrich Hölderlin. Stuttgart 1962, S. 18).
15f. *Tugend, / Hehre Gefährtin*: Vgl. die Erl. zu *An meine Freundinnen* und *Die Stille.*

AN DIE NACHTIGALL

Von Hölderlin in der Hs datiert: *1786.*
Erster Druck: [Christoph Theodor Schwab:] Neu aufgefundene Jugendgedichte Friedrich Hölderlins. Morgenblatt für gebildete Leser 1863. Nr. 34 u. 35.
Kunstvoll und empfindsam werden Stellas Seufzer (zum Namen *Stella* vgl. das vorige Gedicht) und das Lied der Nachtigall in Parallele gesetzt. Sie wecken analoge Empfindungen im Dichter. Bei der zentralen Frage (v. 11 f.), ob Stellas Seufzer und der Gesang der Nachtigall ihm galten, wird der Dichter sich bewußt, daß er beides gar nicht für sich beanspruchen will: der Nachtigall will er vielmehr von ferne lau-

schen, und statt ausschließlicher Liebe zu Stella regt sich in ihm das Verlangen nach Ruhm (v. 16). Jetzt hat er die Kraft, auch eine Absage Stellas zu ertragen.
Bis zur 4. Strophe ist das Gedicht der lieblichen Form der Empfindsamkeit, wie etwa Hölty sie pflegte, verpflichtet; dann wendet es sich dem Klopstockischen Bereich der ›Erhabenheit‹ (v. 16) zu. Entsprechend brechen an derselben Stelle die künstlichen Vergleiche zwischen Stella und der Nachtigall ab. Stella allein wird jetzt angeredet (v. 17 ff.); damit ist die Eindeutigkeit der Hinwendung zum eigentlich Gemeinten erreicht. Dem entspricht die neue Festigkeit der Haltung (*ich bebe nicht!*) und die Bereitschaft zum Verzicht, die an die Stelle des bisherigen bangen Schwankens und ›Bebens‹ (v. 9) treten.
Zum Wechsel der Anrede vgl. das folgende Gedicht.

AN MEINEN B.

Von Hölderlin in der Hs datiert: *1786.*
Erster Druck: [Christoph Theodor Schwab:] Neu aufgefundene Jugendgedichte Friedrich Hölderlins. Morgenblatt für gebildete Leser 1863. Nr. 34 u. 35.
Wahrscheinlich an den Freund C. L. Bilfinger gerichtet. In der ersten Strophe Anlehnung an Ossianische Stilelemente.
Der Name *Amalia* (in der Hs Ersatz für [Werthers] *Lotte*) ist aus Schillers »Räubern« übernommen. Die Abgeschiedenheit vom *Getümmel,* das ›Wandeln‹ und der Raum der ›Stille‹, der der *Tugend* gemäß ist, sind Motive, die Hölderlins Darstellungen menschlicher Reinheit bis in seine reife Zeit begleiten (vgl. *An eine Fürstin von Dessau* und dort die Erl.). Ihr frühes Auftreten zeigt, in wie hohem Maße Hölderlin ein Urbild der Reinheit von Anfang an in sich trägt.
Zum Wechsel der Anrede (v. 1/v. 15) vgl. das vorige Gedicht.
2 *Erms*: Rechter Nebenfluß des Neckars.
7 *Hütten des Segens*: Siegmund-Schultze verweist (S. 58) auf Klopstocks Ode »Der Zürchersee«, v. 73: »Hütten der Freundschaft«.
9 Siegmund-Schultze verweist (S. 59) auf Matthissons (me-

trisch gleiche) »Sehnsucht nach Laura«: »Unter Erlen des Bachs wandelt die Traurende, / Weilt im heiligen Schatten«; vielleicht seien Hölderlins Schlußverse ferner als bewußter Gegensatz zu denen des Matthissonschen Gedichtes (»Und es hüllet sein Auge / In den Schleier der Wehmut sich«) gemeint.

GEDICHT an die Herzogin Franziska

Wohl Ende 1786.
Erster Druck: [Karl] Löffler: Ein unbekanntes Jugendgedicht Hölderlins. Besondere Beilage des Staats-Anzeigers für Württemberg, 31. August 1920.
»Die Herzogin hat in Begleitung des Herzogs auf der Rückkehr von einer am 5. November 1786 angetretenen kleinen Reise nach Heidelberg das Kloster Maulbronn besucht und vermerkt in ihrem Tagebuch, sie seien von Maulbronn am 8. November um 11 Uhr abgegangen (vgl. Löffler in der Einleitung des ersten Druckes). / G[eorg] F[ehleisen] meint in einem Aufsatz ›Zu Hölderlins Jugendgedicht an Franziska von Hohenheim‹ (Besondere Beilage des Staats-Anzeigers für Württemberg, 15. Juni 1921, S. 159 f.), das Gedicht sei nicht wirklich vorgetragen (und also auch der Herzogin nicht überreicht) worden, vielmehr habe Hölderlin es erst nach dem Besuch verfaßt und sich in jugendlicher Schwärmerei den Vortrag der Huldigung eingebildet. Fehleisen übersieht jedoch, daß die Handschrift in einem Faszikel der herzoglichen Bibliothek überliefert ist, worin auch andre dem Herzog gewidmete Huldigungs-Carmina aus mehreren Jahrzehnten aufbewahrt worden sind. Hölderlin muß also sein Gedicht tatsächlich der Herzogin überreicht haben« (Beißner, StA 1, 344 f.).
Abwandlung der alkäischen Strophe.
5 *deutscheren*: Die Verwendung des absoluten Komparativs ist ein deutliches Zeichen für die Nachahmung von Stilelementen, die Klopstock in die Dichtung eingeführt hatte.

KLAGEN AN STELLA

Von Hölderlin später in der Hs datiert: *im Sommer. 87.* An Immanuel Nast schreibt Hölderlin im Januar oder Anfang Februar 1787: *jemand anders, dessen Begegnisse mir näher ans Herz gehen, als meine, wurde beleidigt* (vgl. v. 6 f.) — gemeint ist Louise. Vgl. *An Stella.*
Erster Druck: Franz Zinkernagel: Neue Hölderlin-Funde. Neue Schweizer Rundschau 1926.
Unter der Überschrift ein Schema des (wohl von Hölderlin erfundenen) Versmaßes:

Stella ersetzt, nachdem dieser Name schon in den Gedichten *An Stella* und *An die Nachtigall* verwendet worden war, den unter Klopstocks Einfluß zunächst gewählten Namen *Fanny.*
Abgerissene Rufe, unvollendete Sätze, häufige Gedankenstriche und eine ständiger Wechsel der Anrede (Stella — Menschen — Gott) kennzeichnen den Stil, der so einen im ›Klagen‹ befangenen Zustand darstellt.

AN MEINE FREUNDINNEN

Von Hölderlin in der Hs datiert: *1787* (wohl eigenhändig aus *1786* verbessert); »vermutlich an die Freundinnen in Markgröningen gerichtet, die sich um diese Zeit zahlreich in sein Stammbuch . . . eintrugen« (Hell. 1, 365).
Erster Druck: August Sauer: Ungedruckte Dichtungen Hölderlins. In: Archiv für Litteraturgeschichte 13 (1885).
Die Gliederung des Gedichts ist kunstvoll: das *Aber* (v. 9) trennt ›Trauer‹ (Str. 1 und 2) und ›Wonne‹ (Str. 3 und 4) des *Leidenden*; hiermit sich verschränkend, gehören aber Str. 1 und 4 durch die gemeinsame Anrede an die *Mädchen* zusammen.

Nach wie vor ist der Gegensatz zwischen dem *Gewirre der Welt* und der Tugend, der *hehren Gefährtin* (*An Stella*, v. 15 f.), maßgebend (vgl. die Gedichte von 1785). Während früher jedoch das ›Umfallen‹ der Tugend (*Das menschliche Leben*, v. 39), ihre Verführung durch die Welt, betont wurde, wird hier, in einer neuen Festigkeit beim Aussprechen des eigenen Wesens, die Reinerhaltung des Herzens als die einfache Tatsache genannt, die dem Ich *Trost* im Leiden gibt (vgl. die Erl. zu *An meinen B.* und *Die Stille*).

MEIN VORSATZ

Von Hölderlin in beiden erhaltenen Hss datiert: *1787*. Endgültig überarbeitet wohl erst am Anfang der Tübinger Zeit. Vgl. die Erl. zur Ode *Männerjubel.*
Erster Druck: August Sauer: Ungedruckte Dichtungen Hölderlins. In: Archiv für Litteraturgeschichte 13 (1885).
Das erste Gedicht, das als Ganzes dem Streben zum *herrlichen Ehrenpfad* — d. h. dem *Vorsatz*, dichterische Vollkommenheit zu erreichen — gewidmet ist (Vorklänge dazu: *An die Nachtigall*, v. 15 f. und wohl auch *An Stella*, v. 15 f.; vgl. ferner *Der Unzufriedne*, v. 3). Vgl. später bes. *Der Lorbeer*, *Männerjubel*, *An die Vollendung*, *Die heilige Bahn*, *Zornige Sehnsucht*, *An die Ehre.*
10 *Hekatombe . . .* : Ein den Göttern dargebrachtes Opfer von hundert Rindern.
11 Hier zuerst wird *Pindar* genannt, dessen Dichtung für Hölderlins späte Hymnen entscheidende Anregungen gab.
12 *Klopstocksgröße*: Vgl. *Der Lorbeer*, v. 9; *Die Stille*, v. 56; *Am Tage der Freundschaftsfeier*, v. 52.

AUF EINER HEIDE GESCHRIEBEN

Von Hölderlin in der Hs datiert: *1787*.
Erster Druck: August Sauer: Ungedruckte Dichtungen Hölderlins. In: Archiv für Litteraturgeschichte 13 (1885).
Hexameter (vgl. *Adramelech*). Einfluß von Klopstock, Ossian

(die Szenerie!) und Fr. L. Graf zu Stolberg (auf diesen deuten insbesondere die häufigen Wiederholungen).
33 *der Freundschaft Hütten*: Vgl. Klopstock, »Der Zürchersee«, v. 73; ferner *An meinen B.*, v. 7.

DIE UNSTERBLICHKEIT DER SEELE

Von Hölderlin in der Hs datiert: *1788.*
Erster Druck: [Christoph Theodor Schwab:] Neu aufgefundene Jugendgedichte Friedrich Hölderlins. Morgenblatt für gebildete Leser 1863. Nr. 34 u. 35.
»Die nicht erhaltene Urfassung dieser Ode hat Hölderlin mit einigen andern Gedichten Magenau zur Begutachtung vorgelegt, der in seinem Briefe vom 10. Juli 1788 einige *freundschaftliche Winke* gibt. Hölderlin hat sich nach diesen Winken gerichtet. Nicht alle von Magenau getadelten Ausdrücke lassen sich in der endgültigen Fassung wiederfinden. So meint er, *gestäubt* passe nicht zu *Regen,* weil *erquikend* dabei stehe; vielleicht ist v. 18 an die Stelle der hier gerügten Wendung getreten. Ferner schreibt Magenau, *jagt der Strom* sei niedrig, *lieber tobt — stürzt*; möglicherweise stand das ›niedrige‹ Wort in v. 37, wo Hölderlin dann *brauset* dafür eingesetzt oder gar durch Vertauschung des *Stroms* mit einem *Sturm* das ganze Bild geändert hätte. Genauer läßt sich die Stelle des Briefs auf das Gedicht beziehen, wo der Dichter 1) belehrt wird, *hundert jare* sei ein sehr geringes Alter einer Eiche, und wo 2) der Ausdruck *wipfelt ihr Leben* nicht gefällt: v. 26 f. werden in der Urfassung etwa so gelautet haben: ›Ha! diese Eiche — wipfelt ihr Leben nicht So stolz empor, als stünde sie hundert Jahr?‹ Schwieriger ist die Rekonstruktion der Strophe, worin dem Kritiker die Ausdrücke *In seinem Grimm, — paken, — Splitter aussäen* ›zu gemein zu solcher Hymne‹ scheinen, und wo er *die Orione, Uranus und Syrius* ganz wegwünscht. Vermutlich ist v. 46 *der Sonnen und Monde Heer* für die Namen der Gestirne eingesetzt. *In seinem Grimm* aber ist in demselben Vers stehen geblieben, ja es steht in der Fassung, die der endgültigen vorangeht, sogar am Anfang des nächsten Verses noch

einmal. . . Hölderlin hat hier also die Auffassung des Kritikers nicht geteilt. Die Wiederholung aber, die in der endgültigen Fassung dann getilgt wird, erweckt den Eindruck, als sei hier nachträglich geflickt. Die von Magenau verworfene Strophe mag so ausgesehen haben: ›Auf zum Orion schäumet der Ozean In seinem Grimm, zu paken den Uranus, Den Syrius in ihren Höhen, Splitter zu säen in seine Tiefen.‹ — Ob der Klopstockische Ausdruck *Allmacht des Schaffenden* und der Ossianische *Sohn der Nacht* in dieser oder in einer andern Ode gestanden haben, wird in Magenaus Brief nicht ganz klar. — Als Überschrift der Urfassung aber wird man, da Magenau einfach von *der Seele* spricht, annehmen dürfen: *Die Seele*« (Beißner, StA 1, 351).
An die *Unsterblichkeit der Seele* wird entgegen allen Zweifeln (v. 101) geglaubt (v. 119); die Gewißheit dieses Glaubens ruft, angesichts der Vergänglichkeit auch der gewaltigen irdischen Dinge, Jauchzen und Jubel hervor. Die Wahl des an sich konventionellen Themas bezeugt, daß Hölderlin schon in dieser frühen Zeit leidenschaftlich nach etwas Beständigem außerhalb der Vergänglichkeit des Irdischen sucht. Die inhaltliche Bestimmung dieses Beständigen, die hier noch auf ganz traditionelle, christlich-pietistische Weise erfolgt, wandelt sich später; die Grundfigur des Entgegensetzens von Ewigem und Wechselndem bleibt.
6 *Schlummernde*: Plural; gemeint sind wohl die *Schöpfungen* (v. 5) bzw. *Hain*, *Flur*, *Tal*, *Hügel* (v. 3).
17—20 Abhängig vom Anfang von Klopstocks Ode »Der Zürchersee«:

Schön ist, Mutter Natur, deiner Erfindung Pracht
Auf die Fluren verstreut, schöner ein froh Gesicht,
Das den großen Gedanken
Deiner Schöpfung noch einmal denkt.

37—72 ». . . mit dem Sturm, dem Meer, der Erde und der Sonne [werden] schon die vier Elemente genannt . . . , die später Eigenwert erhalten, während sie hier als Schöpfung Gottes nur eine untergeordnete Bedeutung haben« (Böckmann S. 13 f.).
93 *Eloa*: Vgl. *Die Meinige*, v. 171.

108f. *so mag das Mitleid / Zu Tigern fliehn, zu Schlangen Gerechtigkeit*: Vgl. Schiller, »Die Räuber« (V. 2), Karl Moor: »Das Erbarmen ist zu den Bären geflohen.«

DER LORBEER

Von Hölderlin in der Hs datiert: *1788.*
Erster Druck: Litzmann 1896.
Das Gedicht nimmt das Thema der Ode *Mein Vorsatz* auf: das Streben nach dichterischer Größe. Hier ist abzulesen, wie sich der neue Gegensatz zwischen *Lorbeer* und Unbedeutendheit aus dem alten Gegensatz zwischen der *Tugend* und dem *Gewirre der Welt* (*An meine Freundinnen,* v. 10) entwickelt: der Lorbeer nimmt den Platz der *Tugend* ein; das Streben nach ihm kann sich, wie diese, nur fern vom *schnadernden* (= schnatternden) *Gedränge* der eitlen Welt (v. 1) entfalten. Das Schwanken zwischen dem ›glühenden‹ (v. 3) Drang zum *Lorbeer* und dem Zweifel an der eigenen Befähigung ist in der Reihe der dem Lorbeer gewidmeten Gedichte (vgl. *Mein Vorsatz*) häufig. — Mit den drei folgenden, ebenfalls gereimten Gedichten in vierzeiligen Strophen ist *Der Lorbeer* innerlich verbunden.
2 *Vertraute! Einsamkeit!*: Vgl. die Erl. zu *Die Stille.*
9 *Klopstock*: Vgl. *Mein Vorsatz,* v. 12; *Die Stille,* v. 56; *Am Tage der Freundschaftsfeier,* v. 52.
13 *Young*: Edward Young (1683—1765), dessen »Night Thoughts« (1742) die deutsche Dichtung der Empfindsamkeit stark beeinflußten. Hölderlin schreibt *Yung.*

DIE EHRSUCHT

Von Hölderlin in der Hs datiert: *1788.*
Erster Druck: [Christoph Theodor Schwab:] Neu aufgefundene Jugendgedichte Friedrich Hölderlins. Morgenblatt für gebildete Leser 1863. Nr. 34 u. 35.
Die Wendung gegen Tyrannen und Pfaffen ist von Schubart und Schiller beeinflußt. Offenbar bildet Hölderlin die ›Schan-

denliste‹ aus Schillers »Venuswagen« nach (vgl. Siegmund-Schultze S. 68 f.). — Das Gedicht grenzt implicite zugleich die hier gemeinte eitle (v. 4) Ehrsucht gegen das Streben des Dichters nach Ruhm ab, das in gleichzeitigen Gedichten erscheint (vgl. *Mein Vorsatz* und die dort genannten weiteren Gedichte; ferner die Erl. zu *Der Lorbeer*).

DIE DEMUT

Von Hölderlin in der Hs datiert: *1788.*
Erster Druck: August Sauer: Ungedruckte Dichtungen Hölderlins. In: Archiv für Litteraturgeschichte 13 (1885).
Vgl. *Der Lorbeer.*
2 *Dominiksgesicht*: Vgl. *An die Ruhe*, v. 11.
12 *Hermann*: Klopstock hatte, besonders durch sein 1769 erschienenes Bardiet »Hermanns Schlacht«, Begeisterung für den Cheruskerfürsten geweckt (StA 1, 359).
31 *Außenglanz*: Hinweis auf das Thema des vorigen Gedichts.

DIE STILLE

Von Hölderlin in der Reinschrift datiert: *1788.*
Erster Druck: [Christoph Theodor Schwab:] Neu aufgefundene Jugendgedichte Friedrich Hölderlins. Morgenblatt für gebildete Leser 1863. Nr. 34 u. 35.
»An diesem Gedicht, besonders an seinem Anfang, fällt die Ähnlichkeit der Melodie mit dem späteren Lied An die Natur . . . auf. Seckel S. 112 bemerkt mit Recht ›eine flüssigere, regsamere Sprachbewegung, eine wirkliche und echte Weichheit und Schmiegsamkeit des Rhythmus‹, die nach der Unterbrechung durch die härtere und starrere Gebärde der Tübinger Hymnen im Gott der Jugend und in dem Lied An die Natur wieder zutage tritt (vgl. auch Seckel S. 118 f.). — Die Götter Griechenlandes von Schiller, die für das Gepräge der hymnischen Dichtung des jungen Hölderlin dann vorbildlich werden, waren im Märzheft 1788 des Wielandschen Merkur erschienen und dem Dichter der Stille offenbar be-

kannt. — Im Silbenmaß behauptet Hölderlin noch einige Selbständigkeit: er baut keine achtzeilige Strophe mit verkürzter Schlußzeile, sondern bleibt zunächst bei den in den vorigen Gedichten an Stelle der antiken Odenmaße wiederaufgenommenen gereimten Vierzeilern, in denen er (durch retardierende Verlängerung immer des dritten und vierten Verses gegenüber den beiden ersten Zeilen) Eintönigkeit zu vermeiden weiß. — Die ersten 13 Strophen blicken, im Praeteritum, elegisch zurück in die Kindheit, die nächsten sechs Strophen (v. 53—76) betrachten die Gegenwart des Jünglings, die letzten vier (v. 77—92) schauen hinaus in die Zukunft des Mannes. Diese Gliederung ist deutlich bezeichnet durch die Adverbien *Jetzt* (v. 53) und *einst* (v. 77)« (Beißner, StA 1, 362). So gibt das Gedicht »des Dichters frühe Neigung [kund], in seinem Werk die drei Zeitstufen Vergangenheit, Gegenwart und Zukunft miteinander zu verknüpfen« (Mojašević a. a. O. S. 51 f.).
Schon in dieser frühen Zeit schart Hölderlin in seinen Gedichten einen Kreis von ideellen ›Gefährtinnen‹ um sich, d. h. von Eigenschaften und Verhaltensweisen, die seinem Wesen entsprechen und dessen Entwicklung fördern: so die *Tugend*, die ausdrücklich als *hehre Gefährtin* bezeichnet wird (*An Stella*, v. 15 f.), ferner die Reinheit des Herzens (*An meine Freundinnen*), die *Einsamkeit* (sie ist die *Vertraute*; *Der Lorbeer*, v. 2) und hier die *Stille*. Diese Bereiche schaffen gleichsam das Klima, in dem die eigentliche Berufung des jungen Dichters sich einzig und allein entfalten kann. Es ist eine bedeutende Leistung der Besinnung auf das eigene Wesen, daß diese ›Gefährtinnen‹ so früh erkannt und bezeichnet werden.

24 *Nach dem dreigefüßten Roß am Hochgericht*: Vielleicht ist mit dem *Roß* der (*dreigefüßte*) Galgen gemeint (vgl. dagegen StA 1, 362).

54 *Ossian*: Vgl. *Auf einer Heide geschrieben.*

56 *Klopstock*: Vgl. *Mein Vorsatz*, v. 12; *Der Lorbeer*, v. 9; *Am Tage der Freundschaftsfeier*, v. 52.

62/64 *ist / wischt*: Schwäbischer Reim.

Miljan Mojašević: Stille und Maß. In: Hölderlin-Jb. 1963/64, S. 44—64.

SCHWÄRMEREI

Von Hölderlin in der Hs datiert: *1788*.
Erster Druck: August Sauer: Ungedruckte Dichtungen Hölderlins. In: Archiv für Literaturgeschichte 13 (1885).
Strophen- und Satzbau zeigen den Einfluß der Lyrik des jungen Schiller.
13 *Stella*: Vgl. *An Stella*.

DER KAMPF DER LEIDENSCHAFT

Von Hölderlin in der Hs datiert: *1788*.
Erster Druck: 1) v. 1—4: [Christoph Theodor Schwab:] Neu aufgefundene Jugendgedichte Friedrich Hölderlins. Morgenblatt für gebildete Leser 1863. Nr. 34 u. 35; 2) das Ganze: Otto Güntter: Ungedrucktes von Hölderlin. Der Schwäbische Bund 1 (1920).

HERO

Von Hölderlin in der Hs datiert: *1788*.
Erster Druck: August Sauer: Ungedruckte Dichtungen Hölderlins. In: Archiv für Litteraturgeschichte 13 (1885).
»Magenau schreibt am 10. Juli 1788, die *Hero* sei artig, nur sei hie und da des Reims wegen der schönere Gedanke unterdrückt. — *Steht* — *Thränen von der Wange w e h t* sei wider den Sprachgebrauch, vermutlich habe das *steht* das *weht* veranlaßt; er habe noch einige weitere durch Reimnot erzwungene ungebräuchliche Ausdrücke gefunden, die er indessen nicht nennt. So läßt sich nicht feststellen, welchen Umfang die durch Magenaus Beurteilung angeregte Bearbeitung der Urfassung hat: die gerügte Stelle ist jedenfalls getilgt. Der Kritiker fragt noch, warum Hölderlin nicht die elegische Versart gewählt habe, die doch zu sanftem Ausdruck gemacht zu sein scheine« (Beißner, StA 1, 365).
»Das Silbenmaß dieses melodramatisch bewegten Gedichtes ist aufgelockert durch zahlreiche, unregelmäßig verteilte Dop-

pelsenkungen. ... Dem Gedicht liegen die Briefe 18 und 19 aus Ovids Heroiden zugrunde ... Schillers Ballade Hero und Leander ist erst im Juni 1801 entstanden« (Beißner, StA 1, 366).
7 *ohn' ihn ist alles Hölle*: Vgl. Bürgers »Lenore«, v. 83 f.: »Bei ihm, bei ihm ist Seligkeit, Und ohne Wilhelm Hölle!« (vgl. Grosch S. 28).

DIE TECK

Von Hölderlin in der Hs datiert: *1788.*
Erster Druck: August Sauer: Ungedruckte Dichtungen Hölderlins. In: Archiv für Litteraturgeschichte 13 (1885).
Hexameter (vgl. *Adramelech* und *Auf einer Heide geschrieben*). Einfluß von Fr. L. Graf zu Stolberg (vgl. *Auf einer Heide geschrieben*).
Die Teck: Berg bei Nürtingen.

Wolfgang Binder: Sinn und Gestalt der Heimat in Hölderlins Dichtung. In: Hölderlin-Jb. 1954, S. 46—78, bes. S. 55. — Ryan S. 132 bis 134.

AM TAGE DER FREUNDSCHAFTSFEIER

Von Hölderlin in der Hs datiert: *1788.*
Erster Druck: August Sauer: Ungedruckte Dichtungen Hölderlins. In: Archiv für Litteraturgeschichte 13 (1885).
Die Datierung verwehrt es, das Gedicht auf den Tübinger Freundschaftsbund mit Neuffer und Magenau zu beziehen (so z. B. Siegmund-Schultze S. 100 f.). Hölderlin trat am 21. Oktober 1788 in das Tübinger Stift ein und lernte Neuffer und Magenau erst hier kennen. Im Jahre 1788 kann also zur Zeit der ersten Heumahd (vgl. v. 77—85) dieser Tübinger Bund nicht geschlossen, geschweige denn bald darauf (vgl. *jüngst*, v. 77) besungen worden sein. Sonderbar bleibt freilich, daß demnach ein anderer Dreierbund vor dem Tübinger, der diesem nicht nur in der Zahl der Freunde, sondern auch im Geiste ganz ähnlich ist, anzusetzen wäre (denn als

real ist dieser Bund z. B. angesichts der konkreten Angaben über die Jahreszeit seiner Gründung wohl jedenfalls zu denken). Daß Hölderlin irrtümlich auf 1788 (statt 1789) datierte, ist unwahrscheinlich: die Hs der Hymne bildet den Schluß des Marbacher Quartheftes, »worin [Hölderlin] im Sommer 1788 die lyrische Ernte der Klosterjahre in sorglichen Reinschriften sammelte« (Beck, StA 6, 536). — Hölderlins Brief an Nast (wohl 6. September 1788): *O Bruder! Bruder! warum mirs wirklich so wohl ist! — weil ich vorgestern etwas vollendet hab', davon mir so manches Dutzend Tage lang der Kopf glühte* — ist vielleicht auf dieses Gedicht zu beziehen (so Beißner, StA 1, 369; vgl. Beck a. a. O.; Siegmund-Schultze S. 82 denkt dagegen an *Die Unsterblichkeit der Seele*).
Erster Versuch in freirhythmischen Versen, beeinflußt von Fr. L. Graf zu Stolberg und Schubart, weniger von Goethe (vgl. Beißner, StA 1, 370).
Die Hymne beginnt mit dem Wunsche des Dichters, *Helden zu singen*, und führt sogleich zwei Beispiele dafür an (v. 8—33). Die Freundschaft mit den beiden angeredeten *Brüdern* soll ihn zu weiteren Gesängen der Heldenverehrung ›ermutigen‹ (v. 34—42). Dichtung und Freundschaft sind aufeinander bezogen. Daher sind auch v. 54—72 (erst wenn er anerkannt ist, darf der Dichter ein noch prächtigeres Fest feiern) keine »Abschweifung« (so Siegmund-Schultze S. 97); die Freundschaft soll vielmehr diesen Tag der Anerkennung herbeiführen helfen. Sie hat bereits das Verdienst, den Überdruß des Dichters am *weichlichen* Geschlecht der Gegenwart (das also im Gegensatz zu den verehrten *Helden* steht) und seine daraus entstandene ›Lebensmüdigkeit‹ überwunden zu haben (v. 86—141). So kann der Schluß des Gedichts bekräftigend den Bogen zum Anfang zurück schlagen: die Freundschaft wird zu künftigen Heldengesängen ermutigen. — Das im Grund echte und bleibende Bedürfnis Hölderlins zur Heldenverehrung findet in diesen Jahren noch übersteigerten Ausdruck; kraftgenialisch-ungebärdige Partien wie v. 8—33 stehen scheinbar beziehungslos neben Gedichten, in denen Stille, Einsamkeit und Tugend als die eigentlichen Begleiterinnen gepriesen werden (vgl. *Die Stille*).
22 *Suezia*: Schweden.

23 *Pultawa*: Im Nordischen Krieg erlitt Karl XII. von Schweden 1709 bei Pultawa (Ukraine) eine vernichtende Niederlage durch Peter d. Gr. von Rußland.
41 *Gustav*: Gustav Adolf von Schweden.
42 *Eugenius*: Prinz Eugen von Savoyen, der edle Ritter.
51 *Stella*: Vgl. *An Stella. Schatten*: Schattenriß.
52 *Klopstock*: Vgl. *Mein Vorsatz*, v. 12; *Der Lorbeer*, v. 9; *Die Stille*, v. 56.
60 *unsers Fürsten Fest*: »Wohl der Geburtstag des Herzogs Carl Eugen, der 11. Februar. Das Gedicht, das den bei der Geburtstagsfeier 1788 öffentlich abgelegten, in den Versen 61—72 erinnerten dichterischen Schwur enthält, ist verschollen. Daß es sich dabei um keine Fiktion handelt, bezeugt der Anfang des Briefs an die Mutter vom Februar 1788: *Verzeihen Sie, daß ich letzten Botentag nicht geschrieben habe. Sie werden wohl selbst daran gedacht haben, daß gerade am Tag, wo ich sonst Briefe schrieb, unsers Herzogs Geburtsfeier war. Ich hatte die Ehre bei unserm Festin als Dichter aufzutreten*« (Beißner, StA 1, 371).

AN LOUISE NAST

Wohl beim Abschied von Maulbronn, Ende September 1788, entstanden.
Erster Druck: Carl C. T. Litzmann: Friedrich Hölderlins Leben. Berlin 1890.
Die Überschrift fehlt in der Hs. Freirhythmische Verse. Louise (vgl. *An Stella*) widmete Hölderlin — wohl ebenfalls zum Abschied — die Verse:

Es wechsle wie sie will die Zeit!
Es mögen ihre Jahre schwinden!
Nie wird sie unsre Zärtlichkeit!
O bester Freund verändert finden
Drum keine Wünsch und Schwüre heit
Dann unser Bund ist — für die Ewigkeit!

von

Deiner Louise.

MÄNNERJUBEL

Von Hölderlin in der Hs datiert: *1788*.
»Die endgültige Fassung der 1787 entstandenen Ode Mein Vorsatz schließt sich auf demselben Blatt unmittelbar an und ist unterschrieben: *Hölderlin*. Das deutet auf die Absicht hin, die beiden Gedichte in einen Almanach zu geben, . . .« (Beißner, StA 1, 372).
Erster Druck: 1) v. 1—40: Schwab 1846; 2) das Ganze: [Chr. Th. Schwab:] Neu aufgefundene Jugendgedichte Friedrich Hölderlins. Morgenblatt für gebildete Leser 1863, Nr. 34 und 35.
Beißner hebt »das großartige revolutionäre Pathos« dieses Gedichts hervor, »das — ›vor der Zeit!‹, ein Jahr schon vor dem Sturm auf die Bastille — in mitreißendem Schwung Gerechtigkeit, Freiheit und die löwenstolze Liebe des Vaterlands ruft« (Hölderlin heute. Stuttgart 1963, S. 23).
Die drei Anfangsstrophen sind diesem Anruf an die drei *Töchter Gottes* (v. 1, 30) gewidmet. Die vierte schlägt, in Form von zwei Fragen, die Brücke von der *Erhabenheit* der Angerufenen zur Menschenwelt (*Wer wagts . . . Wer gründt . . . ?*). Dieser gelten die drei folgenden Strophen (5—7; Jubel der Menschen: *wir sind der Erhabnen Söhne*), so daß den Angerufenen und Anrufenden die gleiche Strophenzahl zugeordnet ist. Str. 7, die letzte dieser zweiten Dreiergruppe und zugleich die mittlere des Gedichts, begründet die Beziehung zwischen der Götter- und Menschenwelt: der *Gott der Götter* wünscht, *seine Welt zu verherrlichen*, und hat deshalb den Menschen einen *Funken der Göttlichen* eingepflanzt. — Nach diesem Höhepunkt des *Jubels* gilt die zweite Gedichthälfte den Leiden, die den Menschen aus ihrer bevorzugten Stellung erwachsen. Str. 8 entspricht der vierten, sowohl in der Frageform wie in der überleitenden Funktion (von der *Wonne* zum *dulden*). Die abschließende Wiederaufnahme der

fünften Strophe läßt den *Jubel* (v. 17, 49 und Titel) an Anfang und Ende der den Menschen gewidmeten Strophenreihe stehen, relativiert so die Leiden und bindet die beiden sich um die mittlere Strophe gruppierenden Gedichthälften zusammen.
1—12 Beißner erinnert (StA 1, 373) an Pindars 13. Olympisches Siegeslied, wo die drei Töchter der Themis (Ordnung, Gerechtigkeit, Friede), die Horen, genannt werden. Später (Bruchstück 49) schreibt Hölderlin diese Pindarstelle ab; er mag sie aber schon in den Klosterschulen, wo Pindar gelesen wurde, kennengelernt haben.
13f. Schon der *Anfang eurer Erhabenheit* steht wie *Riesengebirge* vor dem, der zu schauen wagt.
25f. Vgl. *Hymne an die Göttin der Harmonie*, v. 73—76, und dort die Erl.
44—46 Syntaktisch so zu verbinden: *bei Kannibalen/Sich Väter . . . / . . . aufzusuchen.*

DIE BÜCHER DER ZEITEN

Wohl 1788.
Erster Druck: Litzmann 1896.
Freirhythmische, reimlose Verse (vgl. *Am Tage der Freundschaftsfeier*).
»Das Gedicht ist ein lautschallendes Deklamationsstück in Schubarts Manier« (Lehmann S. 225). Guardini zitiert es (S. 491 f.) »als Beispiel für die früheste Vorstellung [Hölderlins] von Christus ... Die Uneigentlichkeit der Empfindungen und Gedanken liegt zutage. Sie wird besonders fühlbar, wenn man Sprache und Gedankenqualität des Gedichts mit der ebenfalls aus früher Zeit stammenden Hymne ›An den Genius Griechenlands‹ vergleicht.« Das Weltbild ist traditionell christlich. Die Beispiele für »Böse« und »Gut« im Weltlauf stehen nebeneinander, ohne daß der Versuch einer vertiefenden Deutung ihres Zugleich gemacht würde, und verstärken so den Eindruck einer grellen Undifferenziertheit. Daß die Hymne mit einer Lobpreisung der *guten Fürstenhand* endet, wirkt wie eine Verengung ihrer weitgespannten Thematik

und läßt vielleicht auf eine Entstehung aus offiziellem Anlaß schließen.

141 *Kommet wieder, Menschenkinder!*: Vgl. Psalm 90,3.

162 *Leviathanserleger*: Leviathan = Meeresungeheuer.

AN DIE VOLLENDUNG

Wohl 1788.

Erster Druck: 1) ohne die 5. Strophe: Carl Müller-Rastatt: Aus Friedrich Hölderlins Schülerjahren. Neues Tagblatt, Stuttgart, 18. Juni 1893; 2) das Ganze: Hell. 1, 1913.

Freirhythmische Verse, zu Vierzeilern geordnet. Die Überschrift fehlt in der Hs.

Das Wesen der gemeinten *Vollendung* ist ganz weit — nicht nur religiös (Siegmund-Schultze S. 72), sondern zugleich menschlich-künstlerisch — zu fassen. Im Streben nach ihr treffen sich die Zeiten und *Welten* (v. 7), die *Väter* und der Dichter selbst samt seiner Epoche. Die *Vollendung* bleibt also nicht einer einzigen Epoche, Stilrichtung oder Religion vorbehalten; sie wird auch nicht einzig in der Zukunft gesucht. Die *Väter* sind vielmehr möglicherweise zu ihr *eingegangen* (v. 29), so daß die Gegenwart allenfalls auf andere Weise denselben Grad von *Vollendung*, nicht aber einen höheren erreichen kann. Darin zeigt sich ein unvoreingenommenes und z. B. dem christlichen Denken schon jetzt nicht ausschließlich verpflichtetes Weltbild.

Die Genauigkeit des symmetrischen Gedicht-Aufbaus (vgl. Siegmund-Schultze S. 72 f.) wird äußerlich nicht nur durch die (leicht variierende) Wiederaufnahme der Anfangsstrophe am Schluß, sondern auch dadurch angezeigt, daß am Beginn und Ende je zwei fragende Strophen stehen.

21f. Wohl ein Zeugnis für Winckelmanns Wirkung (Siegmund-Schultze S. 74), der das Wesen der griechischen Kunst als »edle Einfalt und stille Größe« bestimmt hatte. Daher darf vermutet werden, daß das Wort *Väter* (v. 24, 32) auch die Griechen der Antike einschließt. Vgl. die Erl. zu *Lied der Liebe*.

DIE HEILIGE BAHN

Wohl 1789.
Erster Druck: Hell. 1, 1913. Die Überschrift fehlt in der Hs.
Metrisches Schema (wohl Hölderlins Erfindung) in der Hs:

◡ — ◡ — ◡ — ◡ ◡ ◡
— ◡ ◡ —, — — ◡ ◡ —
— ◡ ◡ —, — ◡ — ◡ — ◡
— ◡ — ◡ ◡ — ◡ — ◡

Fragment. Frühes Bekenntnis zum Beruf des Dichters (vgl. *Mein Vorsatz*). Die Dichter ›konkurrieren‹ (vgl. v. 22) auf einer Kampfbahn; *Aristoteles* (v. 12) als Kunstrichter hat den Vorsitz beim Wettkampf.
5 *jene*: Kein Gegensatz zu *Diese* v. 3; vielmehr Überleitung zur konkreten Beschreibung der *heiligen Bahn.*

KEPPLER

Von Hölderlin in der Hs datiert: *1789.*
Erster Druck: Schwab 1846.
Das Versmaß ist von Klopstocks Oden »Siona«, »Stintenburg« und »Die deutsche Sprache« übernommen (Viëtor S. 20, Siegmund-Schultze S. 104).
Anregung, insbesondere zur Zusammenstellung Kepplers mit Newton, gab Hölderlin wohl das »Schreiben über einen Versuch in Grabmälern nebst Proben« von Johann Jakob Azel (Wirtemberg. Repertorium, 1782). Hierin Entwurf des Grabmals für Keppler, einer Urne auf einem Würfel mit Basrelief: » . . . Newton folgt der Fakel nach, die ihm Keppler darhält. . . . « (vgl. v. 12, 19 f., 27). Dazu entwarf Schiller eine Inschrift: »Ioannes Kepplervs/fortvna maior/Nevtoni/per sidera/dvctor« (vgl. v. 11: *leitete*). (Diese Hinweise zuerst bei Siegmund-Schultze S. 105.)
Johannes Keppler (1571—1630), geb. zu Weil der Stadt in Schwaben; Isaac Newton, der *Denker in Albion*, (1642 bis 1726).

16 *Suevia*: Schwaben.
29 *Hekla*: Vulkan auf Island.
33 Vgl. *An Thills Grab*, v. 13.

AN THILLS GRAB

Von Hölderlin in der Hs datiert: *1789*.
Erster Druck: Schwab 1846.
Johann Jakob Thill (1747—1772), schwäbischer Dichter.
6 O *Vater!*: Hölderlins Vater starb, wie Thill, im Jahre 1772.
13 *den Redlichen Suevias*: Vgl. *Keppler*, v. 16, 33.
30 *der Pfad zur Vollkommenheit*: Auch hier das Streben des jungen Dichters zur Vollendung (vgl. *An die Vollendung*). Der *Pfad* dorthin ist *Die heilige Bahn* (vgl. dieses Gedicht). Dort wie hier am Schluß nach kurzem ›Zagen‹ (v. 29) der Mut zum Beschreiten des *dornenvollen* Wegs.
36 *Neuffer*: Christian Ludwig Neuffer (1769—1839), Freund Hölderlins seit der Zeit im Tübinger Stift bis ca. 1800.

GUSTAV ADOLF

Von Hölderlin in der Hs datiert: *1789*.
In Benedikte Nauberts anonym erschienenem Roman »Geschichte der Gräfin Thekla von Thurn, oder Scenen aus dem dreyssigjährigen Kriege« fand Hölderlin *den großen Gustav mit so viel Wärme, so viel Verehrung geschildert* . . . (an Neuffer, Dezember 1789). Seine Gedichte auf Gustav Adolf entstanden aber schon vor dieser Lektüre, spätestens in den Herbstferien 1789 (vgl. Beißner, StA 1, 386 und Beck, StA 6, 545 f.).
Erster Druck: 1) v. 53—76: Schwab 1846; 2) das Ganze: Franz Zinkernagel: Neue Hölderlin-Funde. Neue Schweizer Rundschau, 1926.
Besonders im Stilmittel der Wiederholung zeigt sich der Einfluß von Fr. L. Graf zu Stolberg und seinen freirhythmischen Hymnen (»Freiheitsgesang aus dem zwanzigsten Jahrhundert«, 1775). Vgl. Adolf Beck: Hölderlin und Friedrich Leo-

pold Graf zu Stolberg. Die Anfänge des hymnischen Stiles bei Hölderlin. In: Iduna, 1944, S. 88—114, bes. S. 92 f.
19 *Lusitania*: Portugal.
62 Gustav Adolf siegte bei Breitenfeld in der Nähe von Leipzig (*Lipsia*) am 17. September 1631 über Tilly.
63 Tilly fiel bei Rain am Lech, 1632.
64 *Todestal*: Schlachtfeld von Lützen. Hier fiel Gustav Adolf am 16. November 1632.

ENDE EINER GEDICHTFOLGE AUF GUSTAV ADOLF

1789.
Vgl. das vorige Gedicht.
Erster Druck: 1) v. 1—28: Litzmann 1896; 2) v. 29—52: Carl Müller-Rastatt: Aus Friedrich Hölderlins Schülerjahren. Neues Tagblatt, Stuttgart, 18. Juni 1893.
45—48 Vgl. *An die Ehre*, v. 9—12.

SCHWABENS MÄGDELEIN

Wohl Ende Oktober 1789 (Hölderlin an Neuffer, Dezember 1789: *Über die schöne Melodie* [diese ist nicht bekannt] *hab' ich gleich nach der Vakanz ein Liedchen gemacht.* Die Vakanz dauerte etwa bis zum 20. Oktober). Das *Liedchen*, »wohl auf ein geselliges Zusammensein mit der Schwester und ihren Freundinnen in den Ferien zurückgehend« (Beck, StA 6, 543), wurde einem Brief an die Mutter (kurz vor dem 25. November 1789) beigelegt: *Hier der lieben Rike das versprochene Liedchen* (*Rike:* Hölderlins Schwester Heinrike).
Erster Druck: Karl Müller-Rastatt: Aus dem Nachlasse von Friedrich Hölderlin. Blätter für literarische Unterhaltung 1893, Nr. 27.
Die Überschrift fehlt in der Hs. Volkstümlicher Stil, angeregt durch Schubarts Schwabenlied (1788, beginnend: »So herzig wie die Schwaben,/Gibts halt nichts weit und breit«). Das Schwabenlied von Carl Philipp Conz (Stäudlins Schwäbi-

scher Musenalmanach 1782), der seit 1789 als Repetent am Tübinger Stift wirkte, verwendet dasselbe Versmaß wie Hölderlins Lied.

ZORNIGE SEHNSUCHT

Wohl 1789.
Erster Druck: Carl Müller-Rastatt: Friedrich Hölderlin. Zum 50. Todestage des Dichters. Vom Fels zum Meer 1892—93.
Die Überschrift fehlt in der Hs (Beißner hat sie v. 16 entnommen).
Die *Sehnsucht* nach *Männerwerk, Lorbeer* und *Vollendung* entstammt hier vor allem dem Abscheu gegen den (im Tübinger Stift empfundenen) Mangel an Freiheit (v. 1—4). Weil die Sehnsucht also aus einer Wendung gegen etwas entsteht, ist sie nicht eigentlich rein (wie etwa im Gedicht *An die Vollendung*), sondern ›zornig‹. Dieser Zorn ruft einen eindrucksvollen Tatendrang hervor, verschüttet aber zugleich andere Wesenszüge Hölderlins wie das Angewiesensein auf Freundschaft und auf Harmonie mit der Natur (v. 17—20).
2 *wie ein Gekerkerter*: Am 10. November 1789 erhielt Hölderlin eine sechsstündige Karzerstrafe. Eine Beziehung auf dieses Erlebnis klingt hier jedoch allenfalls nur an.
6 *Ruhe beglückt mich nicht*: Hier ist die untätige Ruhe gemeint; vgl. dagegen das Lob der wahren, *Riesenkraft* schenkenden Ruhe im nächsten Gedicht.
21 *Mana*: Stammvater der Germanen, Sohn des Gottes Tuisto.
28 In der Hs folgt der Beginn einer Fortsetzung: *Dann lohnt —*

AN DIE RUHE

Wohl 1789.
Erster Druck: Schwab 1846.
Vgl. die Erl. zum vorigen und zum nächsten Gedicht.
Entstanden wohl unter dem Eindruck von Fr. L. Graf zu Stolbergs Aufsatz »Über die Ruhe nach dem Genuß und über

den Zustand des Dichters in dieser Ruhe«. Bei Stolberg wie bei Hölderlin ist die Ruhe ein schöpferischer Zustand des Geistes (vgl. Beck a. a. O. S. 99 f.). Auch Höltys »Hymnus an die Morgensonne« hat offenbar auf Hölderlins Ode gewirkt (vgl. Grosch S. 27).

Der v. 5 beginnende *Lobgesang* auf die Ruhe spricht nicht mehr vom Ich der 1. Strophe (sonst wären, bei Hölderlin undenkbar, die Wendungen *große Seele* [v. 23], *der Herrliche* [v. 25] und *das Götterwerk* [v. 22] auf das Ich des Dichters bezogen), sondern ist Jean-Jacques Rousseau gewidmet (vgl. Alewyn und Burger a. a. O. gegen Beißner, StA 1, 392). V. 10—28 gelten dem »personifizierten und mit den Zügen Rousseaus gezeichneten Genius revolutionären Schöpfertums« (Burger a. a. O.); die Schlußverse sprechen, direkter, von Rousseaus Grab auf einer Insel im Park von Ermenonville.

Das Lob der Ruhe scheint dem Tatendrang des vorigen Gedichts zu widersprechen. Wie dieses *ein Männerwerk* erstrebt, zielt jedoch auch die Ode an die Ruhe letztlich auf ein Werk (*das Götterwerk*, v. 22). Ruhe ist nicht Untätigkeit, sondern ermöglicht als inständige Sammlung schöpferische *Riesenkraft* (v. 10). Die der Ruhe und Stille und die dem schöpferischen Tatendrang gewidmeten Gedichte zielen gleichermaßen auf die *Vollendung*. Ist diese durch ein *Götterwerk* erreicht, so kann der Mensch *ewig ruhn* (*An die Vollendung*, v. 4, 36).

11 *Dominiksgesichter*: Vgl. *Die Demut*, v. 2. Wohl auf die als heuchlerisch empfundene höfische Welt zu beziehen. Herzuleiten von »Dominique«, Bühnenname des Schauspielers Biancolelli und Name der von ihm geschaffenen komischen Figur; von Hölderlin auf die Akteure der *Narrenbühnen der Riesenpaläste* (*Auf einer Heide geschrieben*, v. 29) übertragen (vgl. Alewyn a. a. O.).

Adolf Beck: Hölderlin und Friedrich Leopold Graf zu Stolberg. Die Anfänge des hymnischen Stiles bei Hölderlin. In: Iduna, 1944, S. 88—114. — Heinz Otto Burger: Die Hölderlin-Forschung der Jahre 1940—1955. In: DVjs 1956, S. 329—366, bes. S. 340 f. — Richard Alewyn: »Dominiksgesichter«. In: Hölderlin-Jb. 1963/64, S. 77 f.

AN DIE EHRE

Wohl 1789.
Erster Druck: Karl Müller-Rastatt: Aus dem Nachlasse von Friedrich Hölderlin. Blätter für literarische Unterhaltung 1893, Nr. 27.
1 *Einst war ich ruhig*: Hier ist wieder, wie in der Ode *Zornige Sehnsucht*, die Ruhe des unschöpferischen Tändelns gemeint (v. 1 f., 17 f.). Angesichts heroischer Ideale wie des *Lorbeers* oder der *Ehre* wird nur dieser Aspekt des Wesens der Ruhe gesehen; erst wenn die Ruhe selbst zum Thema wird, zeigt sich, daß sie es ist, die als Quelle der schöpferischen Kraft den wahren Aufschwung ins Heroische ermöglicht (vgl. *An die Ruhe*).
9—12 Vgl. *Ende einer Gedichtfolge auf Gustav Adolf*, v. 45—48. Leicht abgewandeltes »Selbstzitat« (Lehmann S. 114), als solches gekennzeichnet durch die folgende Wendung *So rief ich*.
19 *Mana*: Vgl. *Zornige Sehnsucht*, v. 21.

EINST UND JETZT

Wohl 1789.
»Aus dem handschriftlichen Zusammenhang geht hervor, daß der erste Entwurf zu diesem Gedicht nach der Ode An die Ehre entstanden ist, darauf Die Weisheit des Traurers (oder doch deren erster Entwurf) und dann erst die endgültige Fassung Einst und Jetzt« (Beißner, StA 1, 394 f.).
Erster Druck: Karl Müller-Rastatt: Aus dem Nachlasse von Friedrich Hölderlin. Blätter für literarische Unterhaltung 1893, Nr. 27.
Ein Vergleich dieses Gedichts, das die *Kinderträume von Größ' und Ruhm* (v. 34) fahren läßt, mit den vorangehenden, die mit unterschiedlichem Elan nach *Lorbeer* und *Ehre* streben, bestätigt Hölderlins Wort, es sei *ewig Ebb' und Flut* in seinem Gemüt (an Neuffer, 8. November 1790). Daß aber der grundlegende Gegensatz zwischen dem Streben nach *Größ' und Ruhm* und den Widrigkeiten der Welt oder des

eigenen Ichs immer wieder neu abgewandelt wird, zeigt zugleich die Beständigkeit des Gefühls, zur Dichtung berufen zu sein.

»Drei einleitende Strophen kündigen das Thema an (in den beiden ersten Strophen beginnen drei Zeilen mit dem Wort *Einst*); drei Kernstrophen führen den Rückblick auf das *Einst* durch; die drei entsagenden Schlußstrophen setzen sich deutlich durch das an den Anfang gestellte Wort *Jetzt* ab« (Beißner, StA 1, 397).

10 *nicht,*: fehlt in der Hs.

DIE WEISHEIT DES TRAURERS

Von Hölderlin in Hs[2] datiert: *1789.*

Erster Druck: Carl Müller-Rastatt: Aus Friedrich Hölderlins Schülerjahren. Neues Tagblatt, Stuttgart, 18. Juni 1893.

Die Überschrift lautet in der Hs *Die Weisheit des Trauers.* Der erste Druck verbessert dies in: . . . des Trauerns.

1 *Wünsche*: Irdisch-weltliche Wünsche (die erste Niederschrift setzt zunächst *Erdenwü*[nsche]).

Quäler des Unverstands: Unverständige Quäler (Klopstokkischer Stil; vgl. Grosch S. 15).

4 *Heilig mein Sang*: Frühes Bewußtsein des Bereichs, dem die eigene Dichtung zugeordnet ist; freilich wird das Wort *heilig* hier noch ganz konventionell verwendet.

6 *Cecilia*: In der ersten Niederschrift *Narzissa* (Stieftochter Youngs). Mommsen (a. a. O. S. 34 f.) deutet den Namen *Cecilia* als Anspielung auf Cäcilia Metella, die Frau des »Tyrannen« Sulla: dadurch erhalte das Gedicht »in Wahrheit geradezu den Charakter eines Schmähgedichts gegen den Herzog Karl Eugen von Württemberg«.

21—24 In der Hs eingeklammert ohne Ersatz.

32 Vgl. *Zornige Sehnsucht*, v. 2.

48 Die metrischen Zeichen stehen in der Hs.

Momme Mommsen: Traditionsbezüge als Geheimschicht in Hölderlins Lyrik. In: Neophilologus 1967, S. 32—42, 156—168, bes. S. 32—40.

SELBSTQUÄLEREI

Wohl 1789.
Erster Druck: Carl Müller-Rastatt: Friedrich Hölderlin. Sein Leben und sein Dichten. Bremen 1894.
Fragment. Die Überschrift fehlt in der Hs.

BURG TÜBINGEN

Ende 1789 oder Anfang 1790.
Erster Druck: [Christoph Theodor Schwab:] Neu aufgefundene Jugendgedichte Friedrich Hölderlins. Morgenblatt für gebildete Leser 1863 Nr. 34 u. 35.
Thematisches Vorbild ist insbesondere Friedrich Matthissons »Elegie in den Ruinen eines alten Bergschlosses geschrieben« (1787).
»Hier waltet im Stil zum ersten Mal die große Schillersche Linienführung, die den späteren Hymnen an die Ideale der Menschheit eigen ist. Jede Strophe fällt mit einer einzigen langen Periode aneinandergereihter, gleichgebauter Sätze zusammen« (Siegmund-Schultze S. 111). Zugleich wählt sich dieses Gedicht — anders als die vorangehenden, den Stimmungen und inneren Leitbildern des Ich gewidmeten Oden — einen Gegenstand außerhalb des Ich, an dem es diese Leitbilder darlegt. Auch dieses objektivierende Element leitet — trotz der unterschiedlichen Thematik — zu den Tübinger Hymnen hinüber, die die besungenen Mächte und Ideale ebenfalls als objektive Gegebenheiten, nicht mehr als private Leitbilder des Ich, begreifen.
10 *Mana*: Vgl. *Zornige Sehnsucht*, v. 21.
60 *Thuiskon*: Tuisto, vgl. *Zornige Sehnsucht*, v. 21.

LIED DER FREUNDSCHAFT

Erste Fassung. 1790.
Erster Druck: Taschenbuch von der Donau Auf das Jahr

1824, hg. v. Ludwig Neuffer (mit wohl von Neuffer stammenden Abweichungen von der Hs).
Unter der Überschrift steht in der Hs: *Am Tage der Einweihung eingeschrieben*, nämlich in das Bundesbuch des Dichterbundes, den Hölderlin, Magenau und Neuffer 1790 geschlossen hatten. Hierin von Hölderlin ferner: *Lied der Liebe* und *An die Stille*.
Erstes Gedicht in der äußeren Form der ›Tübinger Hymnen‹ (aber 6zeilige Strophen; später meist 8zeilige). Dem Anlaß und Thema entsprechend, preist dieses gesellige Lied jedoch noch keine kosmische, sondern eine im menschlichen Bereich wirkende Macht.
Hölderlin verwendet hier zum ersten Mal die griechischen Götternamen (vgl. Böckmann S. 44).
29 *Lyäus*: Bacchus.

LIED DER FREUNDSCHAFT

Zweite Fassung (»möglicherweise gleichzeitig mit der zweiten Fassung des Liedes der Liebe« entstanden; Beißner, StA 1, 407).
Erster Druck: StA 1, 1943.
Eine Korrektur in v. 70 der Hs (*Still* aus *All*; vgl. 1. Fssg. v. 64) legt nahe, daß es sich hier um die spätere Fassung handelt.

LIED DER LIEBE

Erste Fassung. 1790.
Erster Druck: [Ludwig Neuffer:] Nachtrag einiger Gedichte, von Friedrich Hölderlin. I. Zeitung für die elegante Welt 1829 Nr. 172.
Unter der Überschrift steht in der Hs: *Am zwoten Aldermannstage.*, d. h. am Tage der zweiten Zusammenkunft des Dichterbundes (vgl. die Erl. zu *Lied der Freundschaft*), dem 20. April 1790.
Einfluß der Auffassung der Liebe bei Leibniz, Shaftesbury

und Schiller (vgl. Viëtor S. 40 ff.; Lehmann S. 33). »Der Plan, dem das Wirken der Liebeskraft dient, ist die Weltharmonie. Die Vorstellung, daß die scheinbar so bunte Mannigfaltigkeit der Welt nichts sei, als Vielheit eines — allerdings kaum zu überschauenden — Systems, bedeutete für Hölderlin die Erlösung von einer ganzen Reihe von Rätseln. Die ersten Gedichte hatten frohlockt über Tugend, geklagt über unbegreifliches Leid, Freundschaft gefeiert, Opfertod verehrt; aber warum alle diese irgendwie wichtig genommenen Dinge geschahen, ihre sittliche Notwendigkeit wurde nirgends begriffen. . . . Nun brachten die Lektüre des Leibniz und das Erlebnis von Schillers Idealismus die großartige Vorstellung einer ›schönen und gerechten‹ Weltordnung, deren Harmonie prästabiliert, welche selbst als die bestmögliche erschien; und deren bewegende Kräfte die edelsten waren, die auch der Mensch in sich fühlte. Ein gewaltiger Optimismus strömte aus solcher Vorstellung in [Hölderlins Dichtung] ein« (Viëtor S. 42).

Gegenüber der Hymne *An die Vollendung* (vgl. dort v. 17—20) wird der Wirkungsbereich der Liebe aufs äußerste erweitert: dort war Liebe eine menschliche Seelenkraft, die die Annäherung an das Ideal der Vollendung ermöglichte; hier ist sie eine kosmische, das Weltall bewegende Macht, die im Menschen ebenso wie in der Natur am Werk ist. Das Wesen des Menschen ist damit nicht mehr auf gelegentliche, stimmungshaft bedingte Übereinstimmung mit der umgebenden Natur angewiesen (vgl. *Zornige Sehnsucht*, v. 17—20, 28); es weiß sich vielmehr in einer von Stimmungen unabhängigen Harmonie mit dem ›Sinn‹ des Weltganzen und gewinnt so erst sein eigentliches Fundament. Ein *hohes Wesenband* (v. 12) vereinigt alles, was ist. Dieses Bewußtsein ermöglicht den Jubel und den ehernen Rhythmus des hymnischen Tons.

Das Walten der Liebe wird aufsteigend von seiner geringsten bis zu seiner höchsten Manifestation verfolgt, vom Kosen des Lüftchens mit den Blumen bis zum Jüngsten Gericht (v. 17—48). Vorauf gehen eine Einleitungsstrophe, die die Situation (Gang in die Natur) schildert, aus der das Lob der Liebe erwächst, und eine zweite, die Schwestern und Brüder

zum Jubel auffordert. Mit dieser korrespondiert die gleichsinnige Schlußstrophe.
37—40 Früher Ansatz zum späteren dreistufigen Geschichtsbild Hölderlins (göttlich erfüllte Frühzeit — Verfall — Wiederkehr des Göttlichen).

Zum Begriff der Liebe beim jungen Hölderlin vgl. Wolfgang Schadewaldt: Hölderlin und Homer. 1. Teil. In: Hölderlin-Jb. 1950, S. 2—27, bes. S. 18—22.

LIED DER LIEBE

Zweite Fassung. »Wohl nicht allzulange nach der ersten entstanden« (Beißner, StA 1, 410).
Erster Druck: Die Einsiedlerin aus den Alpen. [Hg.] v. Marianne Ehrmann. 2. Bändchen, Zürich 1794.
Vgl. *Hymne an die Liebe* (dritte Fassung des Lieds der Liebe).

AN DIE STILLE

1790.
Erster Druck: [Ludwig Neuffer:] Nachtrag einiger Gedichte, von Friedrich Hölderlin. III. Zeitung für die elegante Welt 1829 Nr. 174.
Unter der Überschrift steht in der Hs: *Am dritten Aldermannstage*, d. h. am Tage der dritten Zusammenkunft des Dichterbundes (vgl. die Erl. zu *Lied der Freundschaft*), dem 1. Juni 1790.
Vgl. *Die Stille.* Dieses frühere Gedicht (1788) schilderte konkrete Situationen, die dem Dichter das Erlebnis der Stille brachten. Jetzt dagegen lassen die Situationen z. T. die reale Erfahrung des Dichters hinter sich (vgl. *Wüste, der Stürme Land*), z. T. übersteigen sie jede Möglichkeit der Verwirklichung (vgl. *Hades, Orion*). Nicht nur das individuelle Erlebnis des Dichters, sondern ein Menschheitserlebnis soll dargestellt werden (vgl. *Millionen bauen dir Altäre*, v. 35). Wesen und Wirkungsbereich der Stille werden aufs äußerste

ausgeweitet. Sie ist im schöpferischen Urgrund (*In des Chaos Tiefen*, v. 16) beheimatet und wirkt von daher auf alle Zeiten. In neuer Unbedingtheit wird sie in einem kosmisch-metaphysischen Bereich angesiedelt (sie ist eine *Göttin*, v. 39); zugleich damit wird die Begründung ihrer Bedeutsamkeit für den Menschen von den Zufälligkeiten der realen Erfahrung gereinigt. Vgl. die Erl. zu *Lied der Liebe*.
9—12 Vgl. Psalm 139, 8: »Führe ich gen Himmel, so bist du da. Bettete ich mir in die Hölle, siehe, so bist du auch da« (Hinweis bei Grosch S. 9).

HYMNE AN DIE UNSTERBLICHKEIT

1790.
Erster Druck: Zeitung für die elegante Welt 1832 Nr. 220 (von Neuffer besorgt, mit Abweichungen von dem zu v. 73—112 erhaltenen Entwurf; es bleibt offen, ob diese auf eine verschollene Reinschrift oder auf Änderungen Neuffers zurückgehen).
Gliederung in zwei Hälften zu je sieben Strophen; spiegelbildlich symmetrischer Bau des Ganzen:
1. Hälfte (1—3—3 Strophen): Erlangung der Gewißheit der Unsterblichkeit. — Str. 1: Einleitendes Lob der Unsterblichkeit. — Str. 2—4: Auch das gewaltigste Endliche ist vergänglich, aber die Seele ist der Vergänglichkeit enthoben. — Str. 5—7: Nach Zweifeln die Gewißheit der Existenz der Unsterblichkeit.
2. Hälfte (3—3—1 Strophen): Auf Grund dieser Gewißheit unangefochtene Preisung der Unsterblichkeit. — Str. 8—10: *Heil uns*, wenn die Seele in allem (Tugend, Denken, Widerstand gegen Despoten, Kampf fürs Vaterland) dem Befehl der *Göttin* (v. 28) Unsterblichkeit folgt. — Str. 11—13: Der Lohn der Unsterblichkeit ist *im Gräbertale* (auf Erden) *allgewaltig*. (Str. 11 bezieht sich auf Str. 3 [vgl. v. 17 *im Gräberlande*], Str. 12 auf die in Str. 8—10 genannten Situationen, Str. 13 auf Str. 2 [vgl. v. 9 *Orionenheere*, v. 10 *Plejaden*, v. 16 *Unsterblichkeit*] zurück). — Str. 14: Schluß-

strophe, der Eingangsstrophe entsprechend; der Sänger verstummt vor der Größe seines Gegenstandes.
1—8 Vgl. *Hymne an die Göttin der Harmonie*, v. 1—8.

MEINE GENESUNG. AN LYDA

Wohl Ende 1790.
Erster Druck: Musenalmanach fürs Jahr 1792. Hg. v. Gotthold Friedrich Stäudlin.
Lyda: Elise Lebret (1774—1839), Tochter eines Tübinger Universitätsprofessors, die Hölderlin *aus Gelegenheit einer Auktion* kennengelernt hatte (an Neuffer, 8. November 1790). Vgl. Beck, StA 6, 564/6; ders.: »Die holde Gestalt«. In: Hölderlin-Jb. 1953, S. 54—62.
Das individuelle Liebeserlebnis wird aus dem Zusammenhang des kosmischen Denkens der Tübinger Gedichte verstanden; nur so ist es gleichsam würdig, im Gedicht zu erscheinen. Der Dichter hatte die *freundliche Natur* (v. 14) um Abwendung seines Kummers gebeten (eine bedeutsame neue Stufe gegenüber den Gedichten von 1789, die das Einverständnis mit der Natur gegenüber dem Streben nach Ehre und Lorbeer hintansetzten; vgl. z. B. *Zornige Sehnsucht*). Die gegenwärtige Liebe, die dem Dichter neue Kraft gibt, erscheint so wie eine Frucht jener Bitte an die Natur. Die Liebe unter Menschen ist daher auch nicht rein menschlich-psychologisch verstehbar; sie ist vielmehr eine Erscheinungsform der im ganzen Kosmos wirkenden Liebeskraft (vgl. *Lied der Liebe* und dort die Erl.). Von dorther stammt ihre heilende und begeisternde Macht. So verharrt der Dichter auch nicht bei seinem individuellen Erlebnis: über die gegenwärtige Liebe zu Lyda hinaus blickt er auf das *ferne Ziel*, zu dem sie ihn begeistert (vgl. Lehmann S. 40 f.).

MELODIE. AN LYDA

Wohl Ende 1790.
Erster Druck: Schwab 1846.
Lyda: Vgl. die Erl. zu *Meine Genesung. An Lyda*.

Die kosmische Liebeskraft (vgl. *Lied der Liebe*) bewährt sich auch darin, daß sie die Seele des Menschen und die Melodien der Welt (die Laute, die die Wesen von sich geben) zueinander führt und aneinander bindet (v. 4). Dieses Thema des Gedichts wird an vielen Beispielen (Str. 2—8) durchgeführt (Str. 2—4: *Naturgesang*, Str. 5: Übergang zu Melodien der Kunst [*Saitenspiele*], denen Str. 6—8 ganz gewidmet sind). Str. 9 nimmt die erste wieder auf (v. 1 f.—71 f.). Vgl. Lehmann S. 41—44.

HYMNE AN DEN GENIUS GRIECHENLANDS

Wohl Ende 1790.
Erster Druck: Litzmann 1896.
Unvollendet. Freirhythmische Strophen (vgl. *Am Tage der Freundschaftsfeier*), beeinflußt von Fr. L. Graf zu Stolberg (vgl. Beck a. a. O. 1944). Während der Arbeit am Gedicht setzt Hölderlin zu einer Umformung in Reimstrophen an, verwirft diesen Versuch aber nach den ersten 14 Zeilen:

Jubel! aus Kronions Hallen
Schwebst auf Aganippens Flur
Du im strahlenden Gefieder
Hold und majestätisch nieder
Erstgeborner der Natur
Schönster von den Brüdern allen!

Bei Olympos güldnen Thronen!
Bei der Göttlichen, die dich gebahr
Was auch Hohes ist und war
In der Menschheit weiten Regionen,
was auch je erstarkt und siegesreich
Angebetet von der Völker Zungen
Deiner Brüder sich emporgeschwungen
Keiner, keiner ist dir gleich.

Frühes, bedeutsames Zeugnis der Hinwendung Hölderlins zum Griechenland der Antike. Als wesentlicher Zug des alten griechischen Geistes erscheint die *Liebe* (v. 20, 30, 35, 36, 38, 44, 51). Marie Joachimi-Dege (4. Teil, S. 126) sieht

darin, daß Hölderlin diesen (christlichen) Begriff auf die Antike anwendet, ein frühes Zeugnis für sein »Streben . . ., das klassische Ideal mit dem christlichen zu verschmelzen«. Die Möglichkeit, daß Hölderlins Herkunft und sein theologisches Studium bei der Wahl dieses Begriffs einen gewissen Einfluß hatten, ist nicht völlig abzuweisen. Die hier und in anderen Gedichten dieser Zeit gemeinte *Liebe* umfaßt jedoch einen anderen Bereich als die »Liebe« der christlichen Lehre: nicht in erster Hinsicht die Liebe der Menschen untereinander und zu Gott, sondern das Verbunden- und Aufeinander-angewiesensein aller Teile der Welt — womit auch jene ›menschlich-göttliche‹ Liebe erfaßt ist —, und das In-Erscheinung-Treten dieses Verbundenseins ist für sie entscheidend (vgl. v. 37—39, 44—51; ferner *Hymne an die Göttin der Harmonie*, v. 55, und die Erl. zum *Lied der Liebe*).
Die Epiphanie des Genius Griechenlands wird als gegenwärtig besungen (vgl. *Schwebst*, v. 6). Da der Schluß fehlt, muß offenbleiben, ob damit eine Wiederkehr dieses Genius in der Gegenwart oder ein intensives Sichversetzen des Dichters in die Antike angedeutet ist (vgl. Beck a. a. O. 1950). Dies letztere ist wohl wahrscheinlicher, weil auch einmalige Geschehnisse der Antike, deren Wiederkehr gewiß nicht angedeutet werden soll, präsentisch dargeboten werden (v. 36—42). Der spätere Gedanke Hölderlins, daß die Gegenwart in einer neuen Blütezeit der Geschichte das Erbe der Antike anzutreten bestimmt ist, läge demnach hier noch nicht vor.
3f. *Erstgeborner / Der hohen Natur*: In dieser bedeutsamen geschichtlichen Position des Genius ist diejenige vorgebildet, die Griechenland als die erste große Manifestation der Verbundenheit von Erde und Himmel, Menschen und Göttern dann in Hölderlins Spätwerk einnimmt. Vgl. »Grundzüge der Dichtung Hölderlins«, oben S. 16 ff.
36—39 Orpheus bat seine Gemahlin Eurydike durch seinen Gesang aus der Unterwelt los. — *Auge der Welt*: die Sonne. Orpheus erstieg in der Frühe das Pangaiongebirge, um Helios als erster zu sehen (vgl. Beck a. a. O. 1944, S. 103, Anm. 1; Schadewaldt a. a. O. S. 10; ferner Adolf Beck: »Das Auge der Welt«. Herkunft einer Metapher. In: Hölderlin-Jb. 1953, S. 64—67).

41 f. *Mäonide*: Sohn Mäons, Homer. *Trunken* ist er, weil er *Aphroditäs Gürtel ersieht* und so die Schönheit erblickt. Die Verbindung der Trunkenheit mit Homer ist bei Stolberg vorgebildet, in dessen lyrischem Schauspiel »Der Säugling« Dionysos zum Knäblein Homer sagt: »Dein Blick sei trunken! trunken sei dein Herz!« (vgl. Beck a. a. O. 1944, S. 103).

Adolf Beck: Hölderlin und Friedrich Leopold Graf zu Stolberg. Die Anfänge des hymnischen Stiles bei Hölderlin. In: Iduna, 1944, S. 88—114, bes. S. 101—104. — Ders.: Hölderlins ›Hymne an den Genius Griechenlands‹. In: Überlieferung und Auftrag. Otto Heuschele zum 50. Geburtstag. Stuttgart 1950, S. 49—58. — Wolfgang Schadewaldt: Hölderlin und Homer. Erster Teil. In: Hölderlin-Jb. 1950, S. 2—27, bes. S. 6—15.

AN LYDA

Wohl Ende 1790 oder Anfang 1791.
Erster Druck: Karl Müller-Rastatt: Aus dem Nachlasse von Friedrich Hölderlin. Blätter für literarische Unterhaltung 1893 Nr. 27.
Fragment. Die Überschrift fehlt in der Hs.
Lyda: Vgl. die Erl. zu *Meine Genesung. An Lyda.*
1—4 Vgl. *Hymne an die Freiheit* (*Wonne säng' ich . . .*), v. 5—8.
5 Vgl. *Meine Genesung. An Lyda*, v. 23.
8 Ähnliche Wendungen häufig in den Gedichten dieser Zeit. Die Tübinger Konzeption des Kosmos klammert Geschichte und Zeitlichkeit noch weitgehend aus (vgl. »Grundzüge der Dichtung Hölderlins«, oben S. 10—12).

HYMNE AN DIE GÖTTIN DER HARMONIE

Ende 1790 oder erste Hälfte 1791.
Unter dem Einfluß der Leibnizschen Lehre von der prästabilierten Harmonie formte Hölderlin eine ursprünglich

geplante Hymne an die Wahrheit zum vorliegenden Gedicht um (an Neuffer, 8. November 1790: *Leibniz und mein Hymnus auf die Wahrheit hausen seit einigen Tagen ganz in m. Capitolium. Jener hat Einfluß auf diesen*).
Erster Druck: Musenalmanach fürs Jahr 1792. Hg. v. Gotthold Friedrich Stäudlin.
Die zentrale Hymne der Tübinger Zeit. Sie ist an *Urania*, die *Königin der Welt* (v. 16) gerichtet, die als solche den in der Welt waltenden Grundcharakter der *Harmonie* auch den anderen Göttinnen mitteilt, denen die benachbarten Hymnen gelten (vgl. »Grundzüge der Dichtung Hölderlins«, oben S. 10 f.). In seinem Handexemplar des Stäudlinschen Musenalmanachs fürs Jahr 1792 setzt Hölderlin später die Worte *Geist der Natur* (= Bruchstück 13) über diese Hymne (vgl. Beißner: Iduna 1944, S. 77) — eine Auszeichnung des Gedichts vor den Nachbarhymnen, die zugleich andeutet, daß der Dichter diese frühe Darstellung des Wesens der Welt später, als er dieses Wesen schon *Geist der Natur* nennt, nicht ganz verwirft; er schlägt durch Setzung des korrespondierenden Namens eine Brücke zu seiner Frühzeit.
Da die Welt im ganzen als ›harmonisch‹ betrachtet wird, erhält sie den Charakter unbedingter Einheit. Das ist gleichsam der Ausgangspunkt der Entwicklung des Welt-Verständnisses bei Hölderlin. Später, insbesondere seit den theoretischen Aufsätzen der ersten Homburger Zeit, wird die Einheit der Welt stark differenziert, bleibt aber als ein Grundzug des Hölderlinschen Welt-Begriffs bestehen (vgl. die Erl. zu: *Hymne an die Freiheit* [*Wonne säng' ich . . .*] und *Hymne an die Liebe*).
Die *Harmonie* der Welt verwirklicht sich durch *Liebe* (v. 55; vgl. *Lied der Liebe* und *Hymne an den Genius Griechenlands*). Indem die *Königin der Welt* selbst *der Liebe großen Bund* stiftet, wird das göttlich-kosmische und also übermenschliche Wesen der Liebe bekräftigt. Der Liebesbund wird existent, indem *reine Liebe* (v. 107) den Menschen zu einem ›reinen‹ *Priestertum* (v. 90—92) befähigt, das dem ›reinen‹ *Heiligtum* der *Wahrheit* (v. 116) dient. Der Reinheit der kosmischen Harmonie, Schönheit, Wahrheit und Liebe antwortet die Reinheit des Menschen. Ein Geflecht von Entspre-

chungen gleicher Eigenschaften in den verschiedenen Teilen der Welt ermöglicht und bestätigt das Dasein von Harmonie und Liebe.
Meine Welt ist deiner Seele Spiegel (v. 61): die Göttin selbst hat das Entsprechungsverhältnis von *Welt* und *Seele*, die Teilhabe des Menschen am Wesen des Weltganzen, ›geschaffen‹ (v. 64). Zugleich hat sie den Menschen dazu bestimmt, ihres *Reichs Gesetze zu ergründen* (v. 75) und das in ihren *Schöpfungen* (v. 76) ruhende Wesen zu entbinden. In solchem ›Ergründen‹, im Erscheinenlassen des Wesens der Welt, bestehen *Dienst und Priestertum* des Menschen.
Die Vorstellung des von gewaltigen Mächten harmonisch durchwalteten Kosmos und das beglückende Bewußtsein, daß der Mensch am Wesen dieses Kosmos teilhat, befreien aus der relativen Enge des moralisch-pietistisch bestimmten Weltbildes der früheren Lyrik. Der neue Jubel des hymnischen Tons entspricht dem neuen Weltverständnis.
Symmetrischer Aufbau (sieben-drei-sieben Strophen). Erster Teil: Lob der Göttin und Darstellung ihres Wirkens; Mittelteil: Rede der Göttin an ihren Sohn, den Menschen; Schlußteil: Aufruf des Dichters zu Huldigung, Dienst und Feier der Göttin. — (Eine Rede der Göttin bildet auch in den beiden Hymnen an die Freiheit den Mittelteil; in der Hymne an die Schönheit [2. Fssg.] steht sie am Schluß.)
»Das Silbenmaß . . . ist das in den Gedichten *Burg Tübingen, An die Stille, Hymne an die Unsterblichkeit, Melodie an Lyda* und *An Lyda* bereits erprobte und wird auch später noch verwendet in der *Hymne an die Muse*, in beiden *Hymnen an die Freiheit* und in den Gedichten *Griechenland* und *An die Natur*. Es stellt also eine ausnehmend bevorzugte Strophe dar: achtmal fünffüßige Trochäen, klingende und stumpfe Ausgänge in regelmäßigem Wechsel, Reimordnung: a b a b , c d c d « (Beißner, StA 1, 438).
Das Motto lautet in Wilhelm Heinses Roman »Ardinghello und die glückseligen Inseln« (erschienen 1787): »Und die Liebe ward geboren, der süße Genuß aller Naturen für einander, der schönste, älteste und jüngste der Götter, von Uranien der glänzenden Jungfrau, deren Zaubergürtel das Weltall in tobendem Entzücken zusammenhält.«

1—8 Vgl. *Hymne an die Unsterblichkeit*, v. 1—8 (diese Hymne hat Hölderlin selbst nicht veröffentlicht; so konnte er die Verse leicht variiert in das vorliegende Gedicht übernehmen).
1—4 . . . 9 f. Gegenläufige Bewegungsrichtungen in den beiden Anfangsstrophen (*Nahet . . . meine Liebe dir — Weht Begeisterung den Sänger an*), wodurch die ›harmonische‹ Wechselbeziehung zwischen Mensch und Kosmos (s. o.) schon zu Beginn unvermerkt gestaltet wird.
11f. Vgl. v. 67 f.
16 *Urania*: Aphrodite-Urania, verbindet als *Königin der Welt* Züge der homerischen Aphrodite (zauberhafter Gürtel der Schönheit; vgl. das Motto, ferner *Hymne an den Genius Griechenlands*, v. 41) mit solchen der »großen Himmelskönigin Urania, die Aphrodite von ihrem asiatischen Uranfang her gewesen ist« (W. Schadewaldt in: Hölderlin-Jb. 1950, S. 11). Zur Gestalt der Urania in Schillers »Künstlern« vgl. Beißner, StA 1, 438 f.
73—76 Vgl. *Männerjubel*, v. 21—26. An beiden Stellen eine Frühform des später ausgeprägten Hölderlinschen Gedankens, daß die Götter den Menschen brauchen, damit er in ihrem Namen teilnehmend fühle (vgl. *Der Rhein*, v. 109 ff.).

HYMNE AN DIE MUSE

1790 oder Frühjahr 1791.
Erster Druck: Musenalmanach fürs Jahr 1792. Hg. v. Gotthold Friedrich Städlin.
Angeredet ist die *Muse* des *Gesanges* (v. 47), womit insbesondere die Dichtkunst gemeint ist (vgl. die Beziehung des Dichters selbst zur Angeredeten, 1. und 2. Strophe). Auch die Muse ist, wie die Göttin der Harmonie (vgl. das vorige Gedicht), eine *Königin* — nicht, wie jene, die *Königin der Welt*, aber, entsprechend ihrer auf den menschlichen Bereich beschränkten Wirksamkeit, die *Königin der Geister* (v. 14). Die Hymne will den zwischen den *Geistern* (vgl. auch v. 98, 114) und ihrer *Königin* bestehenden *Bund . . . Unzertrennbarer . . . binden* (v. 7; vgl. auch v. 109). Die Geister — das

sind die ›Reinen‹ (v. 114), die *Auserkornen* (v. 94), *Denen sie* [die Muse] *den Adel anerschuf* (v. 110) — werden zu *Priestern* (v. 89) der Muse bestellt (vgl. v. 108). Die zwischen Priestern und Göttin vermittelnde Empfindung ist *die reine Liebe* (v. 119). — Das alles sind innerhalb der enger gezogenen Grenzen dieses Gedichts Analogien zu den Verhältnissen in der *Hymne an die Göttin der Harmonie* (vgl. dort die Erl.).

Der Bereich der Muse wird zur *Natur* (v. 93 f., 117) in Beziehung gesetzt, die den *Auserkornen* ihre *zauberische Schale* bereitet und ›darbietet‹: nur die *reinen Geister*, die Priester der Muse, besitzen vermöge ihrer *reinen Liebe* Empfänglichkeit für die Natur und können für den *Gesang* von ihr lernen. So ist die Natur schon hier, wenn auch noch in Ansätzen, der umfangend-gewährende Bereich, auf den die Dichtung bezogen und angewiesen ist.

Aufbau in drei-sechs-sechs Strophen: Anruf der Göttin — Nennung ihrer belebenden Eigenschaften und Wirkungen — Begeisterung der Priester.

Silbenmaß: Wie in der *Hymne an die Göttin der Harmonie*.

3 *Pieride*: Die Musen wurden dem Zeus von Mnemosyne in der mazedonischen Landschaft Pieria, am Abhang des Olymp, geboren.

5—8 Diese Verse stammen aus der Hymne an die Wahrheit (v. 1—4), dem Entwurf zur *Hymne an die Göttin der Harmonie*.

69—72 Vgl. v. 21—24. Die Wiederholung bildet den Abschluß des mittleren und den Übergang zum letzten Teil der Hymne (s. o.).

91 *Aegide*: Schild des Zeus und der Pallas Athene.

Kurt Wendt: Hölderlin und Schiller. Eine vergleichende Stilbetrachtung. Berlin 1929 (Vergleich der *Hymne an die Muse* mit Schillers »Künstlern«).

HYMNE AN DIE FREIHEIT

1790 oder erste Hälfte 1791.

Erster Druck: Musenalmanach fürs Jahr 1792. Hg. v. Gotthold Friedrich Stäudlin.

An eins der Ideale der Französischen Revolution gerichtet. Die Freiheit erscheint hier als *Göttin* (v. 15); sie wird dem Raum des menschlichen Verfügens entrückt. Als geistig-ideale Macht ruft sie ihrerseits die Menschen dazu auf, frei zu sein. Die Revolution ist eigentlich Antwort auf diesen göttlichen Ruf. Angerufen von der Gottheit, ergreift oder versäumt der Mensch seine Bestimmung. Darin zeigt sich schon hier, in noch vielfach entlehnten Formen, eine Grundfigur auch der späten Dichtung Hölderlins.
Im Bewußtsein, daß der jetzt ergangene Ruf der Freiheitsgöttin eine neue Geschichtsepoche heraufführen wird (vgl. *Freies kommendes Jahrhundert!*, v. 72), gibt die Hymne in der Rede der Göttin die bisher ausführlichste Darstellung des dreistufigen Hölderlinschen Geschichtsbildes (vgl. *Lied der Liebe*, v. 37—40): ursprüngliche Einigkeit von Menschen und Göttern (*Unschuld*, v. 18) — Entzweiung (*Zwist*, v. 63) beider in der Nachtzeit (vgl. v. 43) des *Übermuts* — bevorstehende bzw. beginnende Versöhnung. Die *Liebe* (vgl. z. B. *Hymne an die Göttin der Harmonie*, *Hymne an die Muse*) ist auch hier die zentrale, Götter, Menschen und alle Wesen einigende Kraft (vgl. z. B. v. 17, 25, 27, 29, 45, 57, 59, 63, 74, 102).
Eine Rede der Göttin bildet auch in den Hymnen an die Göttin der Harmonie und an die Freiheit (*Wonne säng' ich* . . .) den Mittelteil; in der Hymne an die Schönheit (2. Fssg.) steht sie am Schluß.
Silbenmaß: Wie in der *Hymne an die Göttin der Harmonie*.
Vgl. das gleichnamige Gedicht aus dem Jahre 1792.

KANTON SCHWEIZ

1791 oder Anfang 1792.
Erster Druck: Poetische Blumenlese fürs Jahr 1793. Hg. v. Gotthold Friedrich Stäudlin.
Frühere Versuche in Hexametern: Vgl. *Adramelech*, *Auf einer Heide geschrieben*, *Die Teck*.
In der Ostervakanz 1791 hatte Hölderlin mit den Freunden Christian Friedrich Hiller und Friedrich August Memminger eine Reise in die Schweiz unternommen (vgl. Hölderlins

Brief an die Mutter von Anfang April 1791; ferner *An Hiller*).

Auf den Angeredeten werden wesentliche Eigenschaften des *Priesters* aus den gleichzeitigen Hymnen übertragen (vgl. *Hymne an die Göttin der Harmonie*): *Liebe*, Sinn für ›Schönheit‹ und *Freiheit*, und *Einfalt*, die der *Reinheit* des Priesters verwandt ist (v. 6—8; vgl. dazu *An Hiller*, v. 1—22).

Unter dem Eindruck der Schweizer Landschaft unternimmt auch das Gedicht gleichsam einen Ausflug in anschaulichere Gefilde; der nicht hymnischen, sondern darstellenden Haltung entspricht der Hexameter. Der gelösten Stimmung gelingen schon, anders als in dem starreren Versgewand der Hymnen, Verse von elastischer Kraft, die auf den Stil des *Hyperion* vorausdeuten (z. B. 36 f., 45—47). Zugleich bleiben aber auch im Bereich des Landschaftserlebnisses die hymnischen Ideale stets gegenwärtig: die Schweiz ist das Land der *Freiheit* par excellence (vgl. v. 19, 40, 50, 61, 65, 74, 78, 79); in ihr gedeiht die *Einfalt* (v. 46); die *majestätische* (v. 39) Landschaft (vgl. auch *herrlich Gebirg*, v. 71 und 74) kommt dem Sinn fürs Herrliche und Schöne (v. 7) entgegen. So antwortet das Land vollkommen dem Wesen des Angeredeten (s. o.). Diese Entsprechung zwischen Mensch und Natur ist eine Form der Verwirklichung des ›hohen Wesenbandes‹ der Liebe (vgl. *Lied der Liebe*, 1. Fssg. v. 12).

15f. Die gleiche Situation in Klopstocks Ode »Der Zürchersee« (Beißner, StA 1, 448).

18 *Rheinsturz*: Vgl. *An Hiller*, v. 25—27.

34 *Lego*: Sagenhafter schottischer See (in Ossians Dichtung).

40 *Väter der Freien*: Die Eidgenossen vom Rütli.

44 *Hirte*: Abraham; *Tochter von Laban*: Rahel.

45 *Arkadiens Friede*: Vgl. *An Hiller*, v. 29.

74 Anm.: Bei *Morgarten* siegten die Schweizer 1315 über Herzog Leopold von Österreich.

HYMNE AN DIE MENSCHHEIT

1791.

Erster Druck: Poetische Blumenlese fürs Jahr 1793. Hg. v. Gotthold Friedrich Stäudlin.

Mit dem Hymnus an die Menschheit bin ich bald zu Ende. Aber er ist eben ein Werk der hellen Intervalle, und die sind noch lange nicht klarer Himmel! Sonst hab' ich noch wenig getan; vom großen Jean Jacques mich ein wenig über Menschenrecht belehren lassen, und in hellen Nächten mich an Orion und Sirius, und dem Götterpaar Kastor und Pollux geweidet, das ists all! Im Ernst, Lieber! ich ärgre mich, daß ich nicht bälder auf die Astronomie geraten bin. Diesen Winter soll's mein angelegentlichstes sein (Hölderlin an Neuffer, 28. November 1791).

Das Wort *Menschheit* meint in der Sprache des 18. Jahrhunderts häufig ›Menschlichkeit, Menschsein‹, oft aber auch schon im heutigen Wortsinn ›Gesamtheit der Menschen‹. Hier liegt wohl sicher diese zweite Bedeutung vor. (Vgl. z. B. die Anrede an *mein brüderlich Geschlecht*, v. 6. Wenn ferner in der besseren Zukunft *die Menschheit* sich *wieder angetraut* wird [v. 24], so kann das sinnvoll nur meinen, daß die bisher beziehungslos nebeneinander lebenden Menschen nunmehr wieder zu einer wahren Gemeinschaft, zur *Menschheit*, zusammenwachsen. Vgl. dagegen Beißner, StA 1, 454.)

Die Hymne knüpft an das von der Freiheitsgöttin (vgl. *Hymne an die Freiheit*, 1790/91) entworfene Geschichtsbild an; sie läßt die neue Epoche der wiederhergestellten Einigkeit zwischen Menschen und Göttern schon in der Gegenwart beginnen.

Str. 2—4, durch den gleichen Einsatz mit *Schon* zusammengeschlossen, besingen das erneute Aufblühen von *Schönheit*, *Liebe*, *Freiheit* und *Wahrheit*. Die 5. und 6. Strophe kündigen an: *Der Enkel Heer geneußt der Ernte Wonnen* (v. 39). Unter diesem Gesichtspunkt preisen Str. 7—10 erneut die zuvor besungenen Mächte und betrachten ihre Wirksamkeit als eingetreten. Die Zeit der *Ernte* ist da; eine erfüllte Ruhe tritt an die Stelle des Kampfes (vgl. v. 44, 79).

Die Entsprechung der beiden Strophengruppen (2—4; 7—10) gipfelt darin, daß v. 30 in v. 76 wiederholt wird. In der Erweiterung der zweiten Gruppe von drei auf vier Strophen verkörpert sich unmittelbar die ›Entfaltung‹ der besungenen Mächte zum vollen Wirken.

»Das in dem Gedicht *Dem Genius der Kühnheit* . . . ein zweites Mal vorkommende jambische Silbenmaß erhält dadurch seinen besondren Klang, daß von den acht in regelmäßigem Wechsel klingend und stumpf ausgehenden Zeilen ... die erste immer vier Hebungen zählt, alle übrigen fünf« (Beißner, StA 1, 453).

Motto: »Die Grenzen des Möglichen in der moralischen Welt sind weniger eng, als wir meinen. Unsere Schwachheiten nur, unsere Laster, unsere Vorurteile ziehen sie zusammen. Die niedren Seelen glauben nicht an große Männer: gemeine Sklaven lächeln mit spöttischer Miene bei dem Wort Freiheit« (Rousseau: »Du contract social ... «, Buch 3, Kap. 12).

4 *Hesperidenwonne*: Die Hesperiden, unsterbliche Jungfrauen, bewachten weit im Westen im Garten der Götter die goldenen Äpfel des Lebensbaumes.

9—16 Vgl. das Stammbuchblatt für Seckendorf (Sept. 1792).

18 *Liebe*: Zur Liebe als kosmischer Macht (vgl. *Band der Sterne*, v. 17) vgl. *Lied der Liebe*, *Hymne an den Genius Griechenlands*, *Hymne an die Göttin der Harmonie*.

36 *Orellana*: Der Amazonenstrom, so genannt nach seinem Entdecker Johannes Orellana; *im Sturze*: Hölderlin denkt offenbar an einen Wasserfall (ursprünglich hatte er statt Orellana *Niagara* gesetzt).

49—56 In der erfüllten Ruhe der *Ernte*zeit — in der *Vollendung* der Menschheit also (vgl. v. 88) — dient die Kunst nicht mehr zu Kampf und Aufruf; sie ist dann *nur* noch melodischer Ausdruck der bestehenden Vollendung. In diesem *nur* liegt keine Herabminderung; Melodie der Vollendung zu sein, ist vielmehr die *Meister*schaft der Kunst (vgl. v. 51: *gleiche Meisterzüge* soll auch die Tugend vollbringen). Die Vollendung bewirkt zugleich, daß die *Begeisterung* leicht und *In Fülle* schaffen kann (v. 53 f.; *lesbische Gebilde*: Lieder, nach Lesbos, der Insel des Alkaios und der Sappho).

59 *Tyndariden*: Die Brüder Kastor und Pollux, die Dioskuren; Sinnbilder höchster Freundschaft.

67, 72 *Vaterland*: Das ebenfalls auf die gesamte Menschheit bezogene Sehnen nach Freiheit konkretisiert sich dennoch in vaterländischem Denken.

HYMNE AN DIE SCHÖNHEIT

1791.
Erster Druck: Erste Fassung (leicht abweichend): Hell. 1, 1913. Zweite Fassung: Poetische Blumenlese fürs Jahr 1793. Hg. v. Gotthold Friedrich Stäudlin.
Die Hs der 1. Fssg. ist von Hölderlin auf *Jun. 91.* datiert. Neuffer legt auch die 2. Fssg. in das Jahr 1791 (in Einzelheiten abweichender Druck dieser Fassung in: Zeitung für die elegante Welt 1829 Nr. 188—189).
Der Dichter schwingt sich zunächst zum Thron der Göttin *über Orionen* (v. 11) auf (Str. 1—3), wo er die *Schönheit in der Urgestalt* (v. 15) gewahrt. Von dort blickt er *zur Erde nieder* (v. 31); hier kann zwar nicht die *Urgestalt* der Göttin geschaut werden, aber *im holden Schleier* (v. 68) des Schönen, wie es sich in Natur (Str. 5—6) und Kunst (Str. 8—10) darbietet, erspähen die *Söhne* (die Künstler) dennoch die *Mutter* (v. 66). Die Rede der Göttin (Str. 12—14) kehrt am Ende zum hohen Ausgangspunkt der Hymne zurück, so daß die ›irdischen‹ Strophen von den ›überirdischen‹ umrahmt werden.
Die angeredete Göttin ist *Urania* (v. 70); als Aphrodite-Urania ist sie identisch mit der Göttin der Harmonie (vgl. *Hymne an die Göttin der Harmonie*, v. 16). Wie diese spricht sie von der *Weltenharmonie* (v. 115), wie dort wird der Mensch (hier insbesondere der Künstler) als ihr Sohn dargestellt, und wie dort ist es dessen Aufgabe, als *Priester* (v. 74, 82, 92) die Harmonie der Göttin und der Welt *nachzubilden* (v. 113; dem entspricht in der *Hymne an die Göttin der Harmonie* die allgemeine Bestimmung des Menschen, *Schöpfer* [der göttlichen] *Schöpfungen zu sein* [v. 76]).
Während Urania in jener ersten Hymne ihre Rede noch in der Aufforderung an den Menschen gipfeln ließ, sie, die Mutter, zu lieben (v. 78), sieht sie hier offenbar, daß diese Weisung bereits befolgt wird, daß sich ihr *des Sohnes Herz* schon *naht* (v. 135). Das entspricht dem gesteigerten Optimismus der *Hymne an die Menschheit* (s. d.).
Das Motto der 2. Fssg. entnahm Hölderlin nicht unmittelbar dem Kantschen Text; er fand es vielmehr im Motto von F. H.

Jacobis »Allwills Briefsammlung« (erschienen im Frühjahr 1792). Hölderlins Motto stimmt mit dem ersten Satz des Jacobischen wörtlich überein. Der entsprechende Satz Kants (»Kritik der Urteilskraft«, § 42) lautet dagegen: »Man wird sagen: diese Deutung ästhetischer Urteile auf Verwandtschaft mit dem moralischen Gefühl sehe gar zu studiert aus, um sie für die wahre Auslegung der Chiffernschrift zu halten, wodurch die Natur in ihren schönen Formen figürlich zu uns spricht« (vgl. Paul Böckmann in: Hölderlin-Jb. 1961/62, S. 209—211).

Die folgenden Verszahlen beziehen sich, wie die oben angeführten, auf die 2. Fssg.:

13 *Dämonen*: Vgl. *Hymne an die Muse*, v. 23 u. 71.

16—20 Vgl. die variierende Wiederholung dieser Verse: v. 96—100.

17 *Schöpferin*: Vgl. *Hymne an die Göttin der Harmonie*, v. 76. Auch diese Übereinstimmung bekräftigt die Identität der Urania in beiden Hymnen (s. o.).

52 Die *Natur* ist die *Tochter* Uranias (diese Beziehung wird sehr bewußt gesetzt, der Vers gegenüber der 1. Fssg. eigens verändert); damit ist sie zugleich die Schwester des Künstlers und des Menschen schlechthin, der ja der Sohn Uranias heißt (vgl. *Hymne an die Freundschaft*, v. 1 f.).

65 Dieser Vers ist wohl nicht als Anrede an Urania (so Beißner, StA 1, 154), sondern als Apposition zu *Gesange* aufzufassen (so auch Böhm I, 59), denn sinngemäß kann Urania kaum als *Bild* der *Antiphile* (der Geliebten) gelten — sie ist vielmehr (vgl. v. 69 f.) deren Urbild; wohl aber stellt der *Gesang* ein *Bild* der Antiphile vor Augen. In v. 61—65 der 1. Fssg. wurde ein solches *Bild* deutlicher ausgeführt; die 2. Fssg. verkürzt es zur Formel.

70 *Urania*: Der Name wird am Ende der siebten Strophe, also genau in der Mitte der Hymne, genannt.

77 *Jachus*: Jacchus, Dionysos.

84 Die drei *Horen* (Göttinnen der Jahreszeiten) sind Eunomia (Ordnung), Dike (Gerechtigkeit) und Eirene (Friede).

111 *Genieße*: Ältere Form von ›Genusse‹.

123 *Hesperidenblüte*: Vgl. *Hymne an die Menschheit*, v. 4.

HYMNE AN DIE FREIHEIT

Vor Mitte April 1792 (vgl. die Erl. zu v. 80).
Erster Druck: Poetische Blumenlese fürs Jahr 1793. Hg. v. Gotthold Friedrich Stäudlin.
Gegenüber der gleichnamigen Hymne von 1790/91 (s. d.) erhält die Freiheit hier einen gesetzhafteren Zug. Während jenes Gedicht negativ von *des Gesetzes Rute* (v. 49) sprach, die als Gegenbild zur *Unschuld* die Epoche des *Übermuts*, des *langen Zwistes* zwischen Göttern und Menschen charakterisierte, wird das Gesetz jetzt positiv als zum Wesen auch der Freiheit gehörig begriffen (v. 31—40). Das Gesetz der Freiheit steht dem der Liebe sehr nahe (v. 35 f., 47 f., 59 f.) und charakterisiert wie dieses nunmehr den ›unzerbrüchlichen Bund‹ der *Welt* (v. 46—48, 58—60), also gerade den eigentlich erstrebenswerten Weltzustand, von dem nur der Mensch noch *abgefallen* ist (v. 61). Damit wird der Begriff der Freiheit bedeutsam vertieft, zumal das gesetzhafte Element *zartes Leben* und *bunte Freude* (v. 33 f.) nicht beeinträchtigt. Die gesetzhafte Freiheit wird ausdrücklich gegen die zügellose abgegrenzt (v. 30).
Diese Besinnung auf das Wesen der Freiheit steht im Rahmen einer Besinnung auf das Wesen der Welt im ganzen. Hatte die *Hymne an die Göttin der Harmonie* die Welt noch schlechthin und undifferenziert als harmonisch bezeichnet (v. 62), so unterscheidet die Hymne an die Freiheit zwischen den großen Weltbereichen der *Unermeßlichkeit* (v. 32, 72) und der *Endlichkeit* (v. 80). Die *Unermeßlichkeit* selbst hat das Gesetz der Freiheit ›berufen‹ (v. 31 f.) und so die Bewahrung *zügelloser Elemente* vor der ›Vernichtung‹ (v. 29 f.) ermöglicht. Das Gesetz, und letztlich also die Unermeßlichkeit, ordnet und erhält die Endlichkeit. Das faßliche Bild für diese Beziehung ist Helios' belebende Gabe an die Erde (v. 53—56), wie überhaupt Sterne und Sternbilder als Repräsentanten der ordnenden Funktion der Unermeßlichkeit häufig genannt werden.
Die Unterscheidung von Unermeßlichkeit und Endlichkeit differenziert die harmonische Einheit der Welt, obwohl diese Differenzierung keineswegs betont wird. Zugleich bindet

aber der *brüderliche Bund* (v. 31) die Welt als Ganzes *unzerbrüchlich*, fester denn je zusammen. Der Unterschied beider Bereiche wird noch nicht als ein die Harmonie gefährdendes Element begriffen (vgl. die Erl. zu: *Hymne an die Göttin der Harmonie*; *Hymne an die Liebe*; ferner »Grundzüge der Dichtung Hölderlins«, oben S. 13 ff.).
Wie in der ersten *Hymne an die Freiheit* steht auch hier eine Rede der Göttin im Mittelpunkt (dort wurde der Mensch direkt angeredet, hier erscheint er in der dritten Person); der Mensch ist auch hier der Sohn der Göttin-Mutter, die Rede soll die gestörte Einigkeit zwischen beiden wiederherstellen.
5—8 Vgl. *An Lyda*, v. 1—4.
26 *Evan*: Dionysos.
45—48 Diese Verse werden v. 57—60 wiederholt.
51 *Tyndariden*: Vgl. *Hymne an die Menschheit*, v. 59.
80 Nach Mitte April 1792 bittet Hölderlin brieflich seinen Freund Neuffer, er möge dem Herausgeber des ersten Drucks, Stäudlin, eine nachträgliche Korrektur dieses Verses übermitteln (vor *Könige der Endlichkeit* stand ursprünglich ein überzähliges *Brüder!*; dieses soll weggestrichen werden): *Es liegt mir viel daran, eine solche gemeine poëtische Sünde nicht vor die Augen des Publikums kommen zu lassen.*
81—88 Innerhalb der hymnischen Begeisterung dieser Jahre, die das Eintreten des erhofften besseren Weltzustandes vielfach schon vorwegnimmt, überrascht der offenbare Zweifel dieser Strophe an der baldigen Verwirklichung der besungenen Freiheit (vgl. bes. v. 86). Eine Besinnung auf den *Gott der Zeiten* (bedeutsames erstes Auftreten dieses Begriffs; vgl. *Der Zeitgeist*, v. 2) und sein wechselvolles Wesen ist nötig, um das Bewußtsein der Möglichkeit einer Besserung wachzuhalten. Vielleicht ist dieser Zweifel u. a. auch durch die vom Herzog damals beabsichtigte (und 1793 durchgeführte) Reform der Statuten des Tübinger Stifts ausgelöst worden. Über den antiliberalen Geist der Reformpläne empört, war Hölderlin wie viele seiner Mitzöglinge entschlossen, das Stift zu verlassen, wenn die Pläne nicht geändert würden (vgl. seinen Brief an die Schwester von Ende Februar oder Anfang März 1792: *Wir müssen dem Vaterlande, und der Welt ein*

Beispiel geben, daß wir nicht geschaffen sind, um mit uns nach Willkür spielen zu lassen; dazu Beck, StA 6, 598 f.).
92 *Urania*: Vgl. *Hymne an die Göttin der Harmonie* und *Hymne an die Schönheit*, 2. Fssg.
94 *Hyperion*: Beiname des Sonnengottes.
97 *Minos*: Der Totenrichter.
101 *Catone*: Gerechte, sittlich tüchtige Männer wie Marcus Porcius Cato Censorius.
105—112 »Nicht mehr für den trägen Stolz, sondern für sich selbst arbeiten die braune Schnitterin und der fröhliche Winzer«: so stellt diese Strophe die »Aufhebung der Privilegien« (z. B. der Feudalrechte des Adels) dar, die sich in der Französischen Revolution vollzog (Lehmann S. 67).
107 *Ceres*: Römische Göttin des Ackerbaus.

HYMNE AN DIE FREUNDSCHAFT

Wohl 1792.
Erster Druck: Poetische Blumenlese fürs Jahr 1793. Hg. v. Gotthold Friedrich Stäudlin.
Zur Datierung: am 6. März 1792 schreibt Magenau an Hölderlin: »Daß Du uns eine Hymne widmen willst, ist bieder gedacht.«
Das Versmaß entspricht Schillers Lied »An die Freude«. Vgl. *Lied der Freundschaft*, 1. u. 2. Fssg.
Aus einer konkreten Situation, dem *ernsten Fest* (v. 8) des *Bundes* (v. 4) der drei Freunde, erwächst das Lob der Freundschaft als einer kosmisch-göttlichen Macht, die der Liebe nahesteht. Darin wird die lebensunmittelbare Wirksamkeit des kosmisch-göttlichen Bereichs besonders deutlich.
Anknüpfend an den Begriff der *Unermeßlichkeit* in der vorangehenden Hymne (s. d.), gipfelt das Gedicht darin, das Streben der Menschen zur *Unendlichkeit* (v. 90) zu preisen. Diese erscheint als *Ozean* (v. 92), als *Meer*, in das *die Ströme rinnen* (v. 101), als der Ort, wo *Seel' in Seele sich ergießt* (v. 100): der Schluß der Hymne kann sich nicht genug tun im sehnenden Heraufrufen der (durch die Freundschaft vorbereiteten) *Vereinigung der* Individuen (v. 96), die zugleich

das Endliche im Unendlichen auflösen würde. Freundschaft und Liebe sind — unausgesprochen — letztlich die Wegbereiter der auflösenden Vereinigung. Als kosmische Mächte ziehen sie den Menschen in den gefährdenden Bereich der Unendlichkeit. Untergründig und dem Dichter wohl noch unbewußt, gerät das hymnische Preisen damit an die Grenze des dem Menschen Möglichen. Die nächste Hymne spricht dies deutlich aus.

13 und 87 *Tyndariden*: Vgl. die Erl. zur *Hymne an die Menschheit*, v. 59; ferner hier die Erl. zu v. 47 f.

27—32 Hölderlin setzt die *Freundschaft* mit Harmonia gleich, der Gattin des Kadmos, die nach griechischer Sage die Tochter von *Ares* und Aphrodite war. Aphrodite heißt *Cytherea* nach der Insel Kythera, die sie nach ihrer Geburt zuerst betreten haben soll. *Der Erde Sohn* ist der Mensch; er sieht *staunend* die auf die Erde herabgestiegene Freundschaft, die *Heldin*, die sichtbar die Eigenschaften ihrer Eltern trägt.

47 f. Bezieht sich auf die *Tyndariden* (v. 13, 87) Kastor und Pollux, deren Freundschaft auch vor *des Orkus Toren* nicht haltmachte.

49 *Hebe*: Göttin der Jugend, Mundschenkin der Götter.

73—80 Es ist ein Hölderlin ganz eigentümlicher Zug, sich zum *Dank* für die scheinbar selbstverständlichen Lebensgaben gedrängt zu fühlen. Vgl. Adolf Beck: Hölderlin. Humanität und Dank. In: Humanismus und Christentum. Hamburg (1955), S. 21—27. — Gerd Rockel: Die Haltung des Dankes und ihre Bedeutung im Denken und Dichten Hölderlins. Diss. Hamburg 1964.

80 *Weinenden entflammten Dank*: Vgl. Klopstock, »Der Messias« 11, 309: »Also rief er, und weint', entflammt von Dank und von Wonne.« Friedrich Leopold Graf zu Stolberg, »Homer« (1775) v. 2 f.: »Freudiger, entflammter, weinender Dank/Bebt auf der Lippe« (Hinweis von Beißner, StA 1, 466).

83 *Minos*: Vgl. die Erl. zur vorigen Hymne, v. 97.

HYMNE AN DIE LIEBE

Wohl Frühjahr 1792.
Erster Druck: Poetische Blumenlese fürs Jahr 1793. Hg. v. Gotthold Friedrich Stäudlin.
Dritte Fassung des *Lieds der Liebe* (s. d.). Gegenüber den beiden ersten Fassungen werden das *Priestertum* der *Freude* (v. 3) und das *Vaterland* (v. 36) neu eingeführt — beides Themen, die in den nach dem *Lied der Liebe* entstandenen Hymnen entwickelt wurden (vgl. die Hymnen an die Göttin der Harmonie, an die Muse, an die Schönheit). Ferner wird auf rein christliche Wendungen verzichtet (v. 2: *auf grüner Flur* statt *auf Gottes Flur*; die frühere 6. Strophe, die in klopstockisch-christlichem Sinne das Wirken der Liebe im Bereich des *Gottes der Götter* und beim Jüngsten Gericht darstellte, fehlt): der zu schaffende Kosmos soll auf einer umfassenderen Grundlage als der christlichen dargestellt werden. — Endlich wird die letzte Strophe entscheidend umgeformt. An die Stelle der einfachen Aufforderung, der Liebe zu jauchzen, tritt die Nennung dessen, was *durch die Liebe* (v. 41) eigentlich geschieht: die Seele naht der *Unendlichkeit* (v. 48). Von der kosmischen Kraft der Liebe beseelt, fühlt sich der Mensch gedrängt, den ganzen Raum dieses Kosmos, eben die *Unendlichkeit*, geistig auszumessen. Dieses Unterfangen steht unter zwielichtigen Vorzeichen. Wohl wird es durch einen ungebrochen hymnischen Ton unterstützt; aber es ist *vermessen* (v. 47), und die Geister, die so handeln, sind ›trunken‹ und *schwinden* zu den Sternen (v. 43 f.). Zum ersten Mal wird damit eine offenbare Gefahr angedeutet, die mit der hymnischen Haltung verbunden ist: die Gefahr der Hybris, der Überschreitung der dem endlichen Menschen gesetzten Grenze. Dies ist nicht mehr eine Gefährdung von außen — durch die Mächte, die am *Priestertum* nicht teilhaben, durch *Stolz* und *Lüge, Wollust* und *des Erdelebens Tand* —, sondern eine Gefährdung, die im Wesen des Priestertums selbst begründet ist. Das Grundproblem der Dichtung Hölderlins: die Frage, wie das endliche menschliche Wesen, das am Unendlichen teilhat (vgl. die Erl. zur *Hymne an die Göttin der Harmonie*), im Widerstreit des

Endlichen und des Unendlichen bestehen kann, deutet sich hier an (vgl. die Erl. zur vorigen Hymne; ferner »Grundzüge der Dichtung Hölderlins«, oben S. 13 ff.).

HYMNE AN DEN GENIUS DER JUGEND

Wohl Frühjahr 1792.
Erster Druck: Poetische Blumenlese fürs Jahr 1793. Hg. v. Gotthold Friedrich Stäudlin.
Der Genius der Jugend ist insofern *Herrscher in der Götter Stamme* (v. 7, 43), als er das Jugendlich- und Wirksam-Bleiben der kosmischen Mächte ermöglicht (Str. 11—13). Ihm ist ferner die ständige Wiederbelebung der Natur (Str. 3—5) und die zeitweilige des Ich (v. 1—4; Str. 6—10) zu danken.
Obwohl also ein neu erwachtes (v. 2) Bewußtsein jugendlicher Empfindungskraft den Dichter beflügelt, das den Ausgangspunkt und vermutlich auch den Keim des Gedichts bildet, werden die Strophen, die die gegenwärtige Verfassung des Ich ausführlicher schildern (Str. 6—10), gerade umgekehrt von einem häufigen *noch* bestimmt (v. 50, 51, 56, 60, 64, 66, 68, 72, 79), das eben nicht so sehr die Neuheit und Frische des Gefühls, sondern das Bevorstehen seines ›Erkaltens‹ (v. 109) ausdrückt. Die Gegenläufigkeit beider Sehweisen bildet einen Hauptreiz dieser Hymne und läßt die zugrundeliegende dichterische Haltung näher bestimmen. Der Dichter überläßt sich nicht einfach dem Gefühl wiederhergestellter *Geistesmacht* (v. 4), sondern blickt über diesen gegenwärtigen Zustand hinaus in die Zukunft. Dabei erkennt er dessen Vergänglichkeit. Zeigen sich schon hierin innere Freiheit und Abstand vom augenblicklichen Gefühl, so mehr noch in Folgendem: obwohl er erkennt, daß seine eigene Jugend *erkalten* wird, vermag er dem *Genius der Jugend* eine begeisterte Hymne zu widmen. Der Genius wirkt unabhängig vom Ich im Ganzen der Welt; daher muß die Hymne eine entsprechende Unabhängigkeit erreichen, um ihm gewachsen und angemessen zu sein. Über das Individuelle und

Psychologisch-Erlebnishafte hinaus ist Hölderlin dem Kosmos als Ganzem und seinen Mächten verpflichtet.
Vgl. *Der Gott der Jugend*. Zum anaphorischen *Noch* vgl. *An Neuffer / Im März. 1794.*
38 *Tellus*: Die Erde.
58 *Jeder lesbischen Gestalt*: Vgl. *Hymne an die Menschheit*, v. 53.
69 *Pluton*: König der Unterwelt.
89—92 *Eos . . . Tithon*: Eos, die Göttin der Morgenröte, raubte Tithonos und erbat von Zeus Unsterblichkeit für ihn, vergaß aber die Bitte um ewige Jugend. — Böhm (I, 62 f.) weist auf Herders Aufsatz über Tithon und Aurora hin (erschienen im Mai 1792), aus dem Hölderlin im Juli 1794 einige Sätze für Neuffer abschreibt.

AN EINE ROSE

Spätestens Sommer 1793.
Erster Druck: Die Einsiedlerin aus den Alpen. [Hg.] v. Marianne Ehrmann. 4. Bändchen, Zürich 1793.
Vielleicht an Rosine Stäudlin (1767—1795) gerichtet, die Schwester Gotthold Friedrich Stäudlins (des Herausgebers der Poetischen Blumenlese; vgl. die ersten Drucke der vorangehenden Hymnen) und Braut Neuffers. Zwar sind die Verse scheinbar »zu einer Huldigung für eine schöne Frau nicht eben gut geeignet« (Beißner, StA, 1, 471); andererseits ist eine Verwendung des Wortes *Röschen* (v. 5) ohne den Gedanken an Rosine kaum denkbar. Vgl. *Freundeswunsch / An Rosine St.* — Grosch S. 41 verweist auf das Vorbild Matthissons.
Offenbar mehr als ein Jahr nach dem vorigen Gedicht entstanden. Ende Juli 1793 schreibt Hölderlin an Neuffer: *Ich fand bald, daß meine Hymnen mir doch selten in dem Geschlechte, wo doch die Herzen schöner sind, ein Herz gewinnen werden, und dies bestärkte mich in meinem Entwurfe eines griechischen Romans.*
1792 also wurde der bisher geübte hymnische Stil aufgegeben und die Arbeit am *Hyperion* begonnen. Es kann nur vermutet werden, daß diese Entwicklung auch durch das

Auftauchen des Bewußtseins von einem gefährdenden Wesenselement des *Priestertums*, das die Hymnen dem Menschen zuwiesen, gefördert wurde (vgl. die Erl. zu *Hymne an die Liebe*).
Seit 1793 entstehen neben dem Roman wieder einige Gedichte. Sie sind, im ganzen, stiller und zugleich konkreter als die Hymnen. Das Gedicht *An eine Rose* zeigt schon in der Wahl des Gegenstandes eine größere Nähe zum Naturhaft-Dinglichen. Statt der großen kosmischen Mächte wird ein Naturwesen angeredet, in dem jene Mächte wirken. Die *Natur* (v. 4), die in den Hymnen als *Tochter* Uranias, der Königin der Welt, auftrat (*Hymne an die Schönheit*, 2. Fssg., v. 52), erscheint hier als die ›Mutter‹ selbst (v. 1) und demgemäß als *Allbelebend* (v. 4). Sie ist an die Stelle der abstrakten Ideale getreten und hat deren Wesen in sich aufgenommen. Damit wird alles Seiende Kind der Natur, so daß die Rose und das Ich in dieser Hinsicht auf gleicher Ebene stehen (vgl. *dich und mich*, v. 3, 6; *unser Schmuck*, v. 5). Der Gedanke der ewigen Verjüngung des Ganzen trotz des Alterns des Einzelnen (v. 5—8) knüpft an die *Hymne an den Genius der Jugend* an (s. d.).

AN HILLER

Sommer 1793.
Erster Druck: Uhland-Schwab 1826.
Hiller (vgl. *Kanton Schweiz*) plante, nach Abschluß des Studiums (1793) nach Amerika auszuwandern. Hölderlin schrieb ihm das Gedicht zum Abschied (vgl. v. 47 ff.). Bis Juli 1795 hat Hiller seine Absicht nicht durchgeführt; allenfalls war er zwischen Juli 1795 und Februar 1797 in Amerika (in dieser Zeit fehlen Einträge in seinem Stammbuch; vgl. Wilhelm Ungewitter: Ein Stammbuch aus Hölderlins Freundeskreis. Sitzungsberichte der Altertumsgesellschaft Prussia zu Königsberg . . . , Königsberg 1889; ferner Adolf Beck in: Hölderlin-Jb. 1947, S. 37—44).
9 *Natur*: Vgl. die Erl. zu *An eine Rose*, v. 4.
20—22 Anspielung auf Hillers zeichnerische Begabung.

23—46 Vgl. *Kanton Schweiz.*
47—50 Zum Gegensatz des irdischen Alterns und der ewigen Jugend vgl. *Hymne an den Genius der Jugend* und *An eine Rose.*
54/60 *Vielleicht . . . Vielleicht . . .* : Daß beide Möglichkeiten nebeneinandergestellt werden, zeigt, daß die Auswanderung noch nicht fest beschlossen war. Die *Scheidestunde* (v. 47) meint zunächst nur Hillers jedenfalls feststehenden Abschied von Tübingen (vgl. auch v. 68 f.).
55 *Pepromene*: Das Schicksal.

DEM GENIUS DER KÜHNHEIT

1793/1794.
Erster Druck: (Neue) Thalia. Hg. v. Schiller. 4. Teil. 6. Stück des Jg. 1793 (erschienen um Neujahr 1795).
Erste Erwähnung des Plans zu diesem Gedicht: *Du wirst lachen, daß mir in diesem meinem Pflanzenleben neulich der Gedanke kam, einen Hymnus an die Kühnheit zu machen. In der Tat, ein psychologisch Rätsel!* (an Neuffer, bald nach dem 14. September 1792). Ende Juni 1793 ist eine erste, nicht erhaltene Fassung fertig; Hölderlin liest sie in Tübingen vor. Bald danach schickt er sie Stäudlin; dieser sandte sie weiter an die von Ewald herausgegebene Zeitschrift Urania, wo sie aber auch nicht gedruckt wurde. Auf Aufforderung Schillers (Ende 1794) sandte Hölderlin diesem die Umarbeitung der Hymne (vgl. Hölderlins Brief an Hegel, 26. Januar 1795). — Zum Versmaß vgl. *Hymne an die Menschheit.*
Die *Kühnheit* erscheint schon in der *Hymne an die Göttin der Harmonie* (Hinweis von Lehmann S. 75): dort hauchte die Göttin dem Menschen Kühnheit ein, damit er ihres Reichs Gesetze ergründe (v. 73—76). Verglichen mit der umfassenden Thematik jenes Gedichts ist die Kühnheit nur ein Detail im Kosmos der Hymnen; aber eben als einem Detail eignet ihr entsprechend höhere Faßlichkeit und Konkretheit (vgl. die Erl. zu *An eine Rose*; ferner Hölderlins Brief an

Neuffer, gegen Mitte April 1794: *Übrigens komm' ich jetzt so ziemlich von der Region des Abstrakten zurück, in die ich mich mit meinem ganzen Wesen verloren hatte.*).

Das Bewußtsein von der inneren Gefährdung des *Priestertums* der Hymnen war gestiegen (vgl. die Erl. zu *Hymne an die Liebe*); in den hymnischen Jubel mischen sich jetzt trauervolle Töne (vgl. *die lebensmüde Brust*, v. 28); entsprechend steigt das Bedürfnis nach einem Mitstreiter und Beschützer des reinen Menschen. Ein solcher wird im Genius der Kühnheit gefunden (vgl. v. 65—67). Er, vor dem sich *das Unermeßliche* (die *Unendlichkeit*; *Hymne an die Liebe*, v. 48) ausbreitet (v. 1 f.), ist freilich in besonderem Maße gefährdet; er wird verleitet, das Unermeßliche als *Beute* zu betrachten (v. 1) und damit in ›trunkenen‹ *Übermut* zu verfallen (v. 11 f.; vgl. *Hymne an die Liebe*, v. 43 ›trunken‹, v. 47 *vermessen*). Dieselbe Gefahr des ›wilden‹ ›Taumels‹ (v. 7 f.) droht dem Gesang, der sich dem Genius ganz überläßt.

Als Retter aus der Gefahr erscheint die *Not* (v. 13), die dem ins *Unermeßliche* drängenden Genius die Schranke des Endlichen vorhält. Sie stellt die nunmehr positiv zu verstehende *Fessel* bereit (*Hymne an die Liebe*, v. 42), von der sich nur der Vermessene ›loswindet‹. — Mit der Wahl des Themas der *Kühnheit* und mit der positiven Bewertung der *Not* fügt Hölderlin seiner Dichtung deutlich heroische Züge hinzu (vgl. v. 18).

Die Kühnheit wird in drei Menschengruppen angetroffen: den ›Heroen‹ (v. 17—24), den *Künstlern* (v. 29—48) und den *Verkündigern des ew'gen Lichts* und der *Wahrheit* (v. 49—64).

4 *Pluton*: König der Unterwelt. Vgl. *Hymne an den Genius der Jugend*, v. 69.

5 *Ortygia*: »Die Insel des Dionysos, Naxos, ist hier vermutlich mit der Insel Delos verwechselt worden, die auch *Ortygia* hieß, aber keine Beziehung zu dem *Rebengott* hat« (Beißner, StA 1, 475).

16 *Löwenhaut*: Hinweis auf Herkules, der den nemëischen Löwen bezwang.

34 *Mäons Sohn*: Homer; vgl. *Hymne an den Genius Griechenlands*, v. 41 f.

36 *die ewige Natur*: Vgl. die Erl. zu *An eine Rose.*
47 *Hesperiden*: Vgl. *Hymne an die Menschheit*, v. 4.
59 *Sardanapale*: Sardanapal, König von Ninive, durch Genußsucht berüchtigt.
64 *Nemesis*: Göttin der Gerechtigkeit.

GRIECHENLAND. AN ST.

1793/1794.
Erster Druck: (Neue) Thalia. Hg. v. Schiller. 4. Teil. 6. Stück des Jg. 1793 (erschienen um Neujahr 1795). Eine frühere, um eine Strophe längere und in Einzelheiten abweichende Fssg. erschien in: Urania. Hg. v. J. L. Ewald. 3. Band, 4. Stück, April 1795. Eine zwischen diesen beiden Drucken stehende weitere Fssg. ist abschriftlich überliefert.).
Gerichtet an Gotthold Friedrich Stäudlin (1758—1796; vgl. die Erl. zu *An eine Rose*). Einfluß der »Götter Griechenlandes« von Schiller und, für einige Einzelmotive, des Gedichtes »Phantasieflug nach Griechenland« von Conz.
Hölderlins Brief vom Juli 1793 an Neuffer enthält ein Seitenstück zum Griechenbilde dieses Gedichts: *Zwar schrieb ich an Stäudlin: Neuffers stille Flamme wird immer herrlicher leuchten, wenn vielleicht mein Strohfeuer längst verraucht ist; aber dieses vielleicht schreckt mich eben nicht immer, am wenigsten in den Götterstunden, wo ich aus dem Schoße der beseligenden Natur, oder aus dem Platanenhaine am Ilissus zurückkehre, wo ich unter Schülern Platons hingelagert, dem Fluge des Herrlichen nachsah, wie er die dunkeln Fernen der Urwelt durchstreift, oder schwindelnd ihm folgte in die Tiefe der Tiefen, in die entlegensten Enden des Geisterlands, wo die Seele der Welt ihr Leben versendet in die tausend Pulse der Natur, wohin die ausgeströmten Kräfte zurückkehren nach ihrem unermeßlichen Kreislauf, oder wenn ich trunken vom Sokratischen Becher, und sokratischer geselliger Freundschaft am Gastmahle den begeisterten Jünglingen lauschte, wie sie der heiligen Liebe huldigen mit süßer feuriger Rede, und der Schäker Aristophanes drunter hineinwitzelt, und endlich der Meister, der göttliche Sokrates selbst mit seiner*

himmlischen Weisheit sie alle lehrt, was Liebe sei — da, Freund meines Herzens, bin ich dann freilich nicht so verzagt, und meine manchmal, ich müßte doch einen Funken der süßen Flamme, die in solchen Augenblicken mich wärmt, u. erleuchtet, meinem Werkchen, in dem ich wirklich lebe u. webe, meinem Hyperion mitteilen können, und sonst auch noch zur Freude der Menschen zuweilen etwas an's Licht bringen.

Die Tendenz zu konkreterer Darstellungsweise (vgl. die Erl. zu *An eine Rose* und *Dem Genius der Kühnheit*) zeigt sich hier in der unmittelbaren Anrede an den Freund und in der Wahl des Themas *Griechenland*: das Gedicht ist nicht mehr einer der abstrakten kosmischen Mächte, sondern der konkreten Weltepoche gewidmet, in der sich diese Mächte zuerst in vollkommener Weise manifestiert haben. Darin berührt es sich mit der *Hymne an den Genius Griechenlands* (s. d.); es behandelt das Thema jedoch nicht mehr hymnisch, sondern elegisch. Während die Hymnen von der Hoffnung auf die bevorstehende Wiederbelebung des Bundes zwischen Göttern und Menschen beflügelt waren (vgl. u. a. die Erl. zur *Hymne an die Freiheit* [*Wie den Aar . . .*]), trauert dieses Gedicht um den Verlust der *bessern Tage* der Antike (v. 33). Ein wiederholtes *Ach* (v. 17, 27, 33, 53) und die von v. 1—36 fast durchgehend in der Form des unerfüllbaren Wunsches gehaltene Aussage bestimmen den Ton. Der Todeswunsch des Dichters, mit dem das Gedicht ausklingt (vgl. schon *Dem Genius der Kühnheit*, v. 28: *die lebensmüde Brust*), ist — ebenso wie das dem Freunde zugerufene *Stirb!* (v. 39) — die äußerste Konsequenz der Tatsache, daß das *Element* der edlen Geister (v. 40), eben der Bund zwischen Göttern und Menschen, in der Gegenwart nicht existiert. Das Bestehen dieses Bundes ist nicht nur wünschenswert, sondern eine Bedingung des Lebens selbst. — Der durchgehend elegische Ton bewirkt eine neue Einheitlichkeit der Stimmung und des Aufbaus.

2 *Cephissus*: Vgl. *Der Gott der Jugend*, v. 39.

5 *Aspasia*: Geliebte des Perikles.

11 *Von Minervens heil'gem Berge*: Von der Akropolis.

31 *Hesperiden*: Vgl. *Hymne an die Menschheit*, v. 4.

41 *Attika*: Landschaft um Athen.
47 *Ilissus*: Vgl. *Der Gott der Jugend*, Erl. zu v. 39.
50 *Alcäus und Anakreon*: Griechische Dichter.

Franz Rolf Schröder: Die Platane am Ilissos. In: GRM 1954, S. 81 bis 107, bes. S. 105.

AN NEUFFER. IM MÄRZ. 1794

Erster Druck: Die Einsiedlerin aus den Alpen. [Hg.] v. Marianne Ehrmann. 3. Bändchen, Zürich 1794. In einem zweiten Druck (Taschenbuch für häusliche und gesellschaftliche Freuden von Carl Lang. Heilbronn 1797) lautet der Titel: »Lebensgenuß. / An Neuffer. / 1794«; in einem dritten (Taschenbuch von der Donau Auf das Jahr 1825, hg. v. Ludwig Neuffer): »Trost. / An Neuffer / im März 1794.«
Das Gedicht steht in einem undatierten Brief an Neuffer (wohl Anfang April 1794), eingeleitet von folgenden Worten: *Hier inzwischen eine Kleinigkeit für Dich. Sie ist das Produkt einer fröhlichen Stunde, wo ich an Dich dachte. Du sollst einmal etwas besseres haben. Du kannst das kleine Ding ja mir halb zur Strafe halb zum Lohn in die Einsiedlerin transportieren, oder wohin Du willst. —*
Neuffer: Vgl. die Erl. zu *Lied der Freundschaft* und *Einladung an Neuffer.*
Zum anaphorischen *Noch* (v. 1—5) vgl. die *Hymne an den Genius der Jugend* und dort die Erl.
3f. *Liebe . . . Hoffnung*: Diese Worte sind noch ganz aus dem Sinnzusammenhang der Tübinger Hymnen zu verstehen: *Liebe* als kosmische Macht, als *hohes Wesenband* (*Lied der Liebe*, 1. Fssg. v. 12); *Hoffnung* auf die Wiederherstellung dieses Wesenbandes in der nahen Zukunft (vgl. das Verzweifeln an dieser Hoffnung im vorigen Gedicht).
8 *Natur*: Vgl. *An eine Rose.*

DAS SCHICKSAL

1793/1794.
Erster Druck: (Neue) Thalia. Hg. v. Schiller. 4. Teil. 5. Stück des Jg. 1793 (erschienen November 1794).

Magenau an Neuffer, 23. November 1793, über Hölderlins »Plane«: »Ein Hymnus an das Schicksal soll seine nächste Arbeit werden, darin ihn der Kampf der Menschen Natur mit der Notwendigkeit am meisten beschäftigen wird.«
Hölderlin an Neuffer (um den 20. Oktober 1793): *In meinem Kopf ists bälder Winter geworden, als draußen. Der Tag ist sehr kurz. Um so länger die kalten Nächte. Doch hab' ich ein Gedicht an*

— »die Gespielin der Heroën
Die eherne Notwendigkeit

angefangen. — An Stäudlin und Neuffer, 30. Dezember 1793: *Das Gedicht an das Schicksal hab' ich beinahe zu Ende gebracht während der Reise.* — An Schiller im April 1794 mit dem vollendeten Gedicht: *Ich nehme mir die Freiheit, ein Blatt beizulegen, dessen Unwert in meinen Augen nicht so sehr entschieden ist, daß ich es mir zur offenbaren Insolenz anrechnen könnte, Sie damit zu belästigen, dessen Schätzung aber eben so wenig hinreicht, mich aus der etwas bangen Stimmung zu setzen, womit ich dieses niederschreibe. / Sollten Sie das Blatt würdigen, in Ihrer Thalia zu erscheinen, so würde dieser Reliquie meiner Jugend mehr Ehre widerfahren, als ich hoffte.* — An Neuffer, Mitte April 1794: *Mein Gedicht an das Schicksal wird wahrscheinlich diesen Sommer in der Thalia erscheinen. Ich kann es jetzt schon nimmer leiden. Überhaupt hab' ich jetzt nur noch meinen Roman im Auge.* — Schiller scheint das Gedicht in einer nicht erhaltenen Antwort an Hölderlin *sehr gut aufgenommen zu haben* (an Neuffer, 10. Oktober 1794). — Vgl. den Brief vom November 1794 an Neuffer (Schilderung von Hölderlins Besuch bei Schiller in Jena; dieser gibt ihm das Stück der Thalia, in dem soeben [zugleich mit dem Fragment von Hyperion] das Gedicht an das Schicksal erschienen ist; den ebenfalls anwesenden Goethe erkennt Hölderlin nicht).
Die hymnische Stimmung (vgl. z. B. *Triumph!*, v. 21) erwächst hier aus derselben Erkenntnis, die z. B. im Gedicht *Griechenland* äußerste Trauer und Sehnsucht nach dem Tode hervorgerufen hatte: aus der Erkenntnis, *daß die Welt kein Arkadien ist* (an Neuffer, 10. Oktober 1794; vgl. *Wohl ist Arka-*

dien entflohen, v. 61), daß der Liebesbund zwischen Göttern und Menschen in der Gegenwart nicht verwirklicht wird. Dieser Mangel der Gegenwart ist eine höchste *Not*. Statt ihr in Trauer zu erliegen, vergegenwärtigt Hölderlin jetzt die positive Wirkung, die die Not auf *Heroën* der Vergangenheit ausübte, und zieht daraus die Lehre für sich selbst und seine Zeit. Damit wird ein Ansatz des Gedichts *Dem Genius der Kühnheit* fortgeführt (vgl. dort bes. v. 13). Die *Not*, die als die wesentliche Macht des Schicksals erkannt wird (v. 5f.), ist der zentrale Begriff des Gedichts (v. 6, 25, 33, 41, 51, auch 64). Nicht mehr nur der intakte Liebesbund der Wesen und nicht mehr nur die Hoffnung auf seine Wiederbelebung, sondern gerade die Not seiner Entferntheit wird würdiges Thema des Gesangs. An die Stelle des sehnsüchtigen Rückblicks nach Arkadien tritt das Bekenntnis zum Leben in der *ehernen Notwendigkeit* (v. 64). Damit wird zugleich Abschied von der Jugend genommen (v. 65—80). Die Heroen sind jedoch nicht nur dem Kampf und der Not, sondern auch der *Natur* verbunden; diese ist ebenso wie die *eherne Notwendigkeit* ihre *Mutter* (v. 12, 63): in der Not lebend, sind die Heroen bestrebt, einen reinen Naturzustand wiederherzustellen. Die Gefahr des Übermuts, die dem *Genius der Kühnheit* drohte (s. d.), ist durch diese doppelte Bindung des heroischen Wesens ebenso gebannt wie die Gefährdung, die die *Lust* der *Unendlichkeit* dem Menschen bereitete (vgl. *Hymne an die Liebe*).
M. Montgomery (Friedrich Hölderlin and the German Neo-Hellenic Movement. Oxford 1923, S. 214—217) weist auf ein stoizistisches Element der Gedankenwelt dieser Hymne hin und vermutet, daß Carl Philipp Conz, der damalige Repetent am Stift und Verfasser der »Abhandlungen für die Geschichte und das Eigenthümliche der späteren Stoischen Philosophie«, Hölderlin in dieser Hinsicht anregte (vgl. Beißner a. a. O. S. 18—21).
Der Aufbau der Hymne ist dreiteilig: Str. 1—3, 4—8, 9—11 (vgl. Beißner a. a. O. S. 26—29). Das Versmaß tritt, später, auch bei Schiller im Gedicht »Die Ideale« 1795 auf.
Motto: »Die das Schicksal fußfällig verehren, sind weise«, frei nach dem Prometheus des Aeschylus.

9—16 Auf Herkules zu beziehen; vgl. *Dem Genius der Kühnheit*, v. 16.
32 *Cypria*: »Beiname der Aphrodite Anadyomene, der Schaumgeborenen, nach ihrer vornehmlichsten Kultstätte Paphos auf der Insel Cypern« (Beißner, StA 1, 486).
35 *Dioskuren*: Vgl. *Hymne an die Menschheit*, v. 59.
66 *Pepromene*: Vgl. *An Hiller*, v. 55.
81—84 Diese Verse wählte Hölderlins Halbbruder Karl v. Gock als Grabschrift des Dichters aus.

Friedrich Beißner: Hölderlins Hymne an das Schicksal. In: F. B.: Hölderlin. Weimar 1961, S. 15—30 (zuerst in: Publications of the English Goethe Society XXI, 1950—51, S. 81—106).

FREUNDESWUNSCH / AN ROSINE ST.—

Vor Mitte April 1794.
Erster Druck: Taschenbuch für häusliche und gesellschaftliche Freuden von Carl Lang. Heilbronn 1797. (Mit einigen Abweichungen in: Taschenbuch von der Donau Auf das Jahr 1824. Hg. v. Ludwig Neuffer.)
Hölderlin an Neuffer, gegen Mitte April 1794: *Hier, lieber Bruder! hast Du das Kind des Frühlings und der Freundschaft, das Liedchen an Deine Selma. Freilich sollte ein solcher Vater und eine solche Mutter eher einen Adon, wie Bürgers hohes Lied, als einen solchen armen Schelm erzeugen. Übrigens bin ich zufrieden wenn nur eine ganz kleine Spur seines Vaters und seiner Mutter merkbar ist in ihm. ... Introduziere mein Liedchen so gut als möglich bei Deiner Selma, daß sie nicht zürnt.*
Gerichtet an Rosine Stäudlin (vgl. *An eine Rose*). Ihr poetischer Name im zitierten Brief ist *Selma*.
Gliederung: zwei-eine-zwei Strophen. Die beiden Anfangsstrophen sind zu einem Satz verbunden; sie schildern die stille (v. 15), elegisch-arkadische Stimmung, die dem Wesen der Angeredeten gemäß ist (das Vorbild für solche Verse gab Matthisson; vgl. Grosch S. 41). — Die mittlere Strophe beginnt mit der einzigen direkten Anrede und endet mit der Nennung der Mutter *Natur* (vgl. *An eine Rose*). Zwischen

diesen beiden Polen, der Angeredeten und der Natur, waltet das ›hohe Wesenband‹ der *Liebe* (v. 21; vgl. *Lied der Liebe*, 1. Fssg. v. 12) ganz im Sinne der Tübinger Hymnen; daher kann das *edle Herz* zum Kosmos als Ganzem (*Sterne . . . Erde*, v. 17 f.) in Beziehung gesetzt werden. — Die beiden Schlußstrophen sind durch die Wünsche für die Angeredete zusammengeschlossen; Stimmung und Naturbilder entsprechen in lockerer Form denen der Anfangsstrophen.

DER GOTT DER JUGEND

1794/1795.
Erster Druck: Musen-Almanach für das Jahr 1796. Hg. v. Schiller.
Umarbeitung der *Hymne an den Genius der Jugend* (vgl. Hölderlin an Neuffer, 10. Oktober 1794). Wohl zusammen mit dem Gedicht *An die Natur* am 4. September 1795 an Schiller gesandt, der beides an Wilhelm von Humboldt weitergibt (vgl. Humboldts Brief an Schiller vom 28. September 1795; ferner die Erl. zu *An die Natur*).
»Das Silbenmaß, 8 dreifüßige Jamben in der Reimordnung a b a b , c d c d , klingend und stumpf in regelmäßigem Wechsel, kommt bei Hölderlin nur in diesem Gedicht vor, in Matthissons Gedichten aber sehr häufig. / Schillers Rezension der Gedichte Matthissons, die am 11. und 12. September 1794 in der (Jenaischen) Allgemeinen Literatur-Zeitung erschienen war, mag Hölderlin ermutigt haben, in dem neuen Ton fortzufahren: keinesfalls hat sie den Stilwandel veranlaßt; denn daß schon das Liedchen An eine Rose und noch andere Gedichte an Matthisson anklingen, ist längst bemerkt worden (vgl. Grosch S. 40 f.). — Die Nachahmung beschränkt sich jedoch auf einige äußerliche Requisiten und das Silbenmaß« (Beißner, StA 1, 491).
Gegenüber der *Hymne an den Genius der Jugend* ist die hymnische Haltung aufgegeben zugunsten eines milderen, elegischen Tons. Der Genius bzw. Gott der Jugend wird nicht mehr direkt angeredet und gepriesen; das Gedicht begnügt sich damit, ihn an seinem ›Walten‹ zu erkennen. Der elegische

Charakter zeigt sich wie in *Griechenland* im sehnsüchtigen Rückblick auf die Antike, hindert hier jedoch nicht die Erkenntnis: *So schön ist's noch hienieden!* (v. 41). Damit wird eine eigentümliche Verbindung von Vergangenheit (vgl. den maßstabgebenden Rückblick auf die Antike), Gegenwart und Zukunft (diese ist durch das häufig wiederholte *Noch* implizit anwesend) erreicht, die den nur rückwärts gewandten elegischen Blick überwindet.

Die ersten drei Strophen bilden Ein Satzgefüge (zwei Strophen den Vorder-, die dritte den Nachsatz); ebenso sind die nächsten drei Strophen gebaut (Lehmann S. 82). Diese Parallelität der beiden Strophengruppen bewirkt eine Analogie zwischen dem Ich (bzw. dem angeredeten Du; Str. 1—3) und der Welt (Str. 4—6): *Der Gott der Jugend waltet / Noch über dir und mir*, so wie die Welt *noch* so schön ist wie einst. Damit wird das inhaltlich Ausgesagte bestätigt: *So schön ist's* in der Tat *noch hienieden*; denn das wesentliche Kriterium der Schönheit — die Gleichgestimmtheit von Mensch und Welt, in der sich das ›hohe Wesenband‹ der Liebe (vgl. *Lied der Liebe*, 1. Fssg. v. 12) manifestiert — wird so unmittelbar in seinem gegenwärtigen Walten gezeigt. Daher kann die Schlußstrophe, die die dritte wieder aufnimmt, an die Stelle von *Des Herzens Frühling* (v. 22) *Das Bild der Erde* (v. 54) setzen und so den harmonischen Bezug von Ich und Welt direkt darstellen.

25 *Tibur*: Tivoli am *Anio* (v. 32).

39 *Cephissus*: Humboldt schreibt (s. o.) an Schiller über dieses Gedicht: Es »hat ein sehr angenehmes Silbenmaß. Eine Stelle darin habe ich vorläufig geändert. Es heißt, daß der Cephissus um Platons Hallen, und durch Oliven floß; beides kann er nicht, da er ein Böotischer Fluß war. Ich habe Ilissus gesetzt, doch warte ich vor dem Abdruck erst Ihre Antwort ab, ob Sie etwas dagegen haben.« Hölderlin selbst hatte statt *Cephissus* zuerst *Ilissus* gesetzt. In Böotien gab es einen, in Attika zwei Flüsse des Namens *Cephissus*.

Franz Rolf Schröder: Die Platane am Ilissos. In: GRM 1954, S. 81 bis 107, bes. S. 105 f.

AN DIE NATUR

1795.
Erster Druck: Schwab 1846.
Vgl. das vorige Gedicht. Humboldt an Schiller, 2. Oktober 1795: »Dasselbemal schickten Sie mir zwei Stücke von Hölderlin: der Gott der Jugend und an die Natur. Das Erstere hatte ich schon früher bekommen, und das Letztere hatten Sie durchstrichen. Ich bin nun in Ungewißheit, ob Sie es früher durchstrichen hatten, und nun doch gedruckt wissen wollen, oder ob Sie vergessen hatten, daß Sie mir den Gott der Jugend schon geschickt hatten [Beißner StA 1, 492 vermutet, daß es sich hier um eine Abschrift handelt] und jenes nur mitgeschickt hatten, weil es auf demselben Blatt stand. Ich behalte es, bis ich Antwort erhalte, um so mehr zurück, als es mir, ob es gleich gewiß nicht ohne poetisches Verdienst ist, doch im Ganzen matt scheint, und so sehr an die Götter Griechenlands erinnert, eine Erinnerung, die ihm sehr nachteilig ist.« Schiller nahm das Gedicht nicht auf, obwohl er es zunächst für die Horen vorgesehen hatte (vgl. Beißner StA 2, 1000). Hölderlin an Neuffer, März 1796: *Daß Schiller den Phaëton nicht aufnahm, daran hat er nicht Unrecht getan, und er hätte noch besser getan, wenn er mich gar nie mit dem albernen Probleme geplagt hätte; daß er aber das Gedicht an die Natur nicht aufnahm, daran hat er, meines Bedünkens nicht recht getan. Übrigens ist es ziemlich unbedeutend, ob ein Gedicht mehr oder weniger von uns in Schillers Almanache steht. Wir werden doch, was wir werden sollen . . .*
Entstanden unter dem Eindruck der naturfremden Philosophie Fichtes, dessen Vorlesungen Hölderlin 1795 in Jena hörte.
Aufbau in viermal zwei Strophen. Die beiden ersten Strophenpaare, jeweils aus Einem Satz bestehend, vergegenwärtigen die frühere Beziehung des Ich zur *Seele der Natur* (v. 32) so mächtig, daß die Klage um ihren Verlust (v. 49 ff.) dadurch fast relativiert wird; was so lebensvoll beschworen wird, kann nicht ganz verloren sein. Die Trauer um die verlorene innere Beziehung zur Natur bezeugt jedenfalls, daß der Dichter an dieser Beziehung als einer Notwendigkeit

festhält und sich nicht dem Fichteschen Denken ausliefert, obwohl dieses sein eigenes Empfinden so nachhaltig gestört hat. In der Tat bringt die folgende Frankfurter Lyrik die endgültige Wiederbelebung des Verhältnisses zur Natur.

Michel (S. 155—156) betont gegenüber der äußeren Ähnlichkeit dieser Elegie mit Schillers Gedicht »Die Götter Griechenlandes« — jeweils »Gegenüberstellung einer ehemals lebensvollen und einer nun erloschenen Naturbeziehung« — die innere Selbständigkeit Hölderlins: »Schiller stellt das antike Weltbild gegen das moderne, er stellt mythische Naturschau gegen die Naturerkenntnis der modernen Naturwissenschaften. Seine ›Götter Griechenlands‹ sind eine kulturphilosophische Elegie, mit einer Spitze gegen Wissenschaft und Christentum, von der sich Schiller kaum klar gemacht hat, wie schief sie gefaßt ist und wie sie sich gegen Teile seiner eignen Position kehrt. Schiller trauert einem mythologischen Scheine nach, von dem er selbst aussagt, daß er niemals etwas andres war als Schein. Sein Gedicht sagt: ›Und was nie empfinden wird, empfand‹ und weiter: ›An der Liebe Busen sie zu drücken / Gab man höhern Adel der Natur‹. Diese Aussagen stellen sich selbst auf die Seite der Meinung, daß Bäume, Quellen, Felsen empfindungslos *sind* und es von jeher waren, daß alle höhere Würde der Natur ihr von uns *verliehen* ist, nicht ihr innewohnt. / In Hölderlins Gedicht handelt es sich nicht um eine kulturphilosophische Allgemeinbetrachtung mit der Farbe einer vergeblichen regressiven Sehnsucht, sondern um ein streng persönliches Erlebnis mit durchaus realem Gegenstand: um den Gegensatz zwischen der Naturverschwisterung seiner Kindheit und der Lebensdürre, die sich nun als eine wachsende Wüste in ihm aufgetan hat. Nicht das Verschwinden eines schönen, tröstlichen *Scheines* beklagt er, sondern die geschwundene Fühlung mit einer *Wirklichkeit*, der ›Seele der Natur‹, die ewig war und ewig sein wird. Die Natur in ihrer Lebensfülle und Schönheit bleibt ihm wahr, herrlich und seelenvoll wie je. Nur er selbst findet sich von ihr geschieden.«

Jürg Peter Walser: Hölderlins Archipelagus. Zürcher Beiträge zur deutschen Literatur- und Geistesgeschichte, hg. v. Emil Staiger, Nr. 18. Zürich und Freiburg i. Br. 1962, S. 218 ff.

AN DIE UNERKANNTE

Wohl Anfang 1796 (vermutlich am 24. Juli 1796 an Schiller gesandt, von diesem aber nicht gedruckt; vgl. die Erl. zu *Diotima*, mittlere Fassung).
Erster Druck: Litzmann 1896.
Die Unerkannte wird von Lehmann (S. 91 f.) und Beißner (StA 1, 496) mit der *Seele der Natur* (*An die Natur*, v. 32) identifiziert, »deren heilende Macht der Dichter . . . nun wiederzuerkennen beginnt« (Beißner a. a. O.). Obwohl diese Deutung auf die Eigenschaften der *Unerkannten* weithin zutrifft, bleibt zu bedenken, ob die Erläuterung *die Unerkannte*, die vom Gedicht gerade nicht beim Namen genannt wird, einfachhin benennen darf. Vielleicht bleibt die Deutung dem Text gemäßer, wenn sie die Unerkannte als solche bewahrt. Statt ihren Namen auszusprechen, führt das Gedicht, indem es manche ihrer Eigenschaften nennt, zu ihrem noch unbekannten Wesen hin. Im Verschweigen des Namens mag sich das Finden einer neuen Benennung für die Gemeinte vorbereiten, die angemessener ist als der alte Name *Seele der Natur;* dieser wird hier und künftig nicht mehr verwendet.
»Die Form weist die höchste Vereinfachung auf: es [das Gedicht] ist ein einziger Satz, eine einzige unbeantwortete Frage. Von dem jugendlichen Optimismus [der Tübinger Hymnen], der die Welt in einer reichen Fülle wohlbegründeter Gesetzmäßigkeiten, in einer anschaulichen göttlichen Harmonie zu erfassen hofft, ist nichts geblieben als die gefühlsmäßige Überzeugung einer unerkennbaren, unergründlichen Weltseele« (Lehmann S. 92). Dieser Vorgang ist jedoch nicht als Ausdruck einer Resignation zu werten; in ihm kündigt sich vielmehr das befreiende Hinfinden zu einer ursprünglicheren Auslegung der Welt an.
22—24 *Dulder*: Odysseus, König von *Ithaka*, wurde auf

seinen Irrfahrten von *Alcinous*, dem König der Phäaken, gastlich aufgenommen.

AN HERKULES

Wohl 1796 (vermutlich am 24. Juli 1796 an Schiller gesandt; vgl. die Erl. zu *An die Unerkannte*).
Erster Druck: Karl Müller-Rastatt: Aus dem Nachlasse von Friedrich Hölderlin. Blätter für literarische Unterhaltung 1893, Nr. 27.
Die Überschrift fehlt in der Hs. Anregung für die Hymne gab wohl Hölderlins Übersetzung des Briefes der Dejanira an Herkules aus Ovids Heroiden, von der v. 1—40 der Hs der Hymne umschlossen werden.
Das Gedicht zeigt den Einfluß der naturfremden Tatphilosophie Fichtes, dessen Vorlesungen Hölderlin in Jena gehört hatte. Ein früher ungekanntes Selbstgefühl beherrscht den Dichter (v. 5—8, 39 f.). »Ein absolut sicheres Wissen um den Wert des eigenen Daseins spricht aus diesen Versen [5—8] . . . Dieses Gefühl der erreichten Vollendung ist ganz neu . . . gegenüber dem Drang zur Vollendung, der in der Schicksalshymne [1793/94] der herrschende Grundton war . . . « (Hötzer a. a. O. S. 45). Die Bedeutung der kosmischen Lebensmächte, denen sonst Dank und Liebe des Dichters galten, tritt hier zurück. Der Olymp wird als *Beute* gesehen (v. 43), während er sonst als Wohnung der Götter galt, die dem Menschen ohnehin die Teilhabe am Kosmos gewähren. Das Ich stellt sich hier gegen das All; es lebt nicht aus der Teilhabe an ihm. Die Gefahr einer bindungslos-hybriden Tatentschlossenheit entsteht. Damit zeigt das Gedicht jedoch eine einseitige Stilisierung des Hölderlinschen Lebensgefühls dieser Zeit, dessen Ganzheit keineswegs so eindeutig ist (vgl. *An die Unerkannte*).
»Die Hymne schließt in dem sicheren Wissen um die Fülle des eigenen Daseins, das auch die erste Strophe beherrscht. Anfang und Ende des Gedichts sind nicht zufällig durch die Verwendung derselben Zeit, des Präsens, verbunden. Das Lebensgefühl der Gegenwart spricht sich im Präsens aus, wäh-

rend das R i n g e n um die Vervollkommnung in der Vergangenheit dargestellt wird« (Hötzer a. a. O. S. 47).
7 *Kronion*: Zeus, der Sohn des Kronos.
41 *Sohn Kronions*: Herkules ist Sohn des Zeus und der Alkmene.

Ulrich Hötzer: Die Gestalt des Herakles in Hölderlins Dichtung. Stuttgart (1956), bes. S. 42—47. — Momme Mommsen: Hölderlins Lösung von Schiller. Zu Hölderlins Gedichten »An Herkules« und »Die Eichbäume« ... In: Jb. d. dt. Schillergesellschaft 1965, S. 203 bis 244.

DIE EICHBÄUME

Wohl 1796.
Erster Druck: Die Horen, hg. v. Schiller, 1797, 10. Stück.
Unter dem Titel in der spätesten der drei vorhandenen Hss die Bemerkung: *als Proëmium zu gebrauchen.*
V. 14—17: In der spätesten Hs eingeklammert. Darunter ein Prosaentwurf: O *daß mir nie nicht altere, daß der Freuden daß der Gedanken unter den Menschen, des* [der?] *Lebenszeichen keins mir unwert werde, daß ich seiner mich schämte, denn alle brauchet das Herz, damit es Unaussprechliches nenne.* Zu dem offenbar geplanten längeren Gedicht, auf das dieser Entwurf deutet, sollten wohl die nicht getilgten Verse 1—13 *als Proëmium* (s. o.) dienen.
Das Gedicht leitet eine Reihe von Hexameter-Dichtungen ein. Die Wiederaufnahme der Langzeilen (vgl. *Kanton Schweiz*) geht Hand in Hand mit einer wirklichkeitsnäheren Haltung. Konkrete Naturwesen werden statt abstrakter Begriffe besungen. Zugleich aber bleibt die von den Hymnen errungene Weiträumigkeit des gestalteten Sinnbereichs erhalten; die Bäume verweisen auf *Himmel* und *Erde* (v. 5 f.), sie lassen einen weiten *Raum* (v. 10) gegenwärtig sein (vgl. Böckmann S. 155). Dieser Lebensraum der Naturwesen ist letztlich von der Ganzheit der aus *Himmel* und *Erde* bestehenden Welt bestimmt. Das Zugleich von konkretem Motiv und ausgreifend-verweisender Weiträumigkeit ist das befreiend Neue dieser Verse.

Den Rahmen für die Darstellung der Eichbäume gibt die *zahmere Welt* (v. 5), in der das Ich leben muß (v. 1—3, 14 bis 17). »Die Eichbäume sind hier nicht nur Erwecker bestimmter Gefühle, sondern Symbole. Titanen nennt sie der Dichter, so wie er Fichte und die Weimarer Dichterfürsten Titanen genannt hat. Er hat den Bäumen gegenüber ein zwiespältiges Gefühl ebenso wie diesen großen Männern gegenüber. . . . Das gesellige Leben, wo sich eins ans andre schmiegt in Liebe und Hingebung, und der Eichwald, der freie Bund selbständiger großer Persönlichkeiten, stehen einander als zwei entgegengesetzte Gesellschaftsideale gegenüber« (Lehmann S. 98 f.).

14—17 Vgl. Hölderlins Situation im Hause des Frankfurter Bankiers Gontard.

J. Rysy: Heimkehr zum Wort. In: Der Deutschunterricht, 1949, S. 64—75, bes. S. 66—71. — Werner Kraft: Die Eichbäume. Über ein Gedicht Hölderlins. In: Neue literarische Welt, 1953, Nr. 19. — Ernst Stein: Überlegungen zu einigen Gedichten Hölderlins. In: Deutschunterricht, 1955, S. 428—435 und 500—507 (darin u. a.: Die Eichbäume [zu Rysy, s. o.]). — Momme Mommsen: Hölderlins Lösung von Schiller. Zu Hölderlins Gedichten »An Herkules« und »Die Eichbäume« . . . In: Jb. d. dt. Schillergesellschaft 1965, S. 203 bis 244. — Rudolf D. Schier: Trees and Transcendence. Hölderlin's ›Die Eichbäume‹ and Rilke's ›Herbst‹. In: German Life & Letters, 1966—1967, S. 331—341.

AN DEN FRÜHLING

Wohl Frühjahr 1797. Unvollendet.
Erster Druck: Litzmann 1896.
»Die Grundlage dieses . . . Frühlingsgedichtes ist die Wechselbeziehung von Frühling und Freude. Nicht mehr wie in den früheren Hymnen ist die Freude ein abstraktes Ideal, eine Göttin; vielmehr ist sie als innere Wirklichkeit genommen, die dazu führt, die Veranlassung der Freude feiernd herauszuheben. So stellt sich die hymnische Anrede in einem neuen Sinn ein. . . . Die nah vertraute Naturerscheinung wird im Nennen zur mythischen Person, nicht aber wird ein Begriff

allegorisiert. Zugleich ist damit der Naturlyrik selber ein neuer Weg gezeigt. Es wird nicht ein realistisches oder idyllisches Frühlingsbild gegeben, wie in der eigentlichen Stimmungslyrik, sondern der Frühling wird Anlaß des hymnischen Preisens. Es ist das Entscheidende, daß das Gedicht dazu führt, die Natur in ihren einzelnen Erscheinungen feiernd anzusprechen. . . . Wenn die Natur dadurch personhaft genommen wird, so ist sie darum doch nicht vermenschlicht. Sie ist Person nur, sofern sie angesprochen wird; . . . Es ist ein Ansprechen, das nicht Antwort erwartet, sondern nur Zeichen der Verehrung, der Frömmigkeit ist« (Böckmann S. 161).

Der Befreiung aus den Fesseln des Winters, die der *Frühling* bringt, entspricht das Wiedererwachen des eigenen Gefühls für die Natur (v. 2—5). Dieses äußert sich im freudigen Nennen einzelner Naturwesen (v. 5—8) und alsbald im ekstatischen Anruf dessen, der die Wesen jetzt zuinnerst belebt, des Frühlings (v. 9—12). Ihm gelten acht gehäufte An- und Ausrufe. Der *Strom* (v. 12—16), der *die Fessel* (= Akkusativ, vgl. dagegen StA 1, 504), nämlich das winterliche Eis, zerriß, feiert als der Befreite den Frühling. Zugleich ist er als der, dessen Wesen im Aufbruch besteht (vgl. u. a. die Erl. zu *Der Main*), dem Frühling verwandt. Die belebend-einigende Kraft des Frühlings läßt das Ich nicht länger vereinzelt sein: es findet sich, gemäß seiner Bestimmung, mit anderen Menschen (v. 13) und mit den Naturwesen zusammen und kann diese *Schwester*, *Bruder* und *Mutter* nennen (v. 5, 16 f., 28; auch 25, 27). Der Frühling läßt die sonst vergessene innere Verwandtschaft aller Wesen zur Erscheinung kommen.

Die unvollendeten Schlußstrophen (nach v. 26 läßt die Hs eine ganze Seite frei) deuten die Darstellung eines Frühlingstages vom Morgen (v. 22 ff.) bis zum Abend (v. 27 ff.) an. Diese verliert sich nicht in Kleinteilig-Realistisches, sondern bleibt von einem weiten Raum umschlossen: die Erde wird, wie mit einem Blick aus dem Weltall, als die Dahintanzende gesehen (v. 17—19), und über ihr walten die Sternbilder (v. 29 f.). Zu dieser Weiträumigkeit vgl. die Erl. zu *Die Eichbäume*.

2 *wie Luna den Liebling*: Die Mondgöttin Luna besucht

nachts den Jüngling Endymion, der sich von Zeus ewigen Schlaf und ewige Jugend erbeten hat.

AN DEN AETHER

Wohl erste Hälfte 1797. Zusammen mit *Der Wanderer* und dem ersten Band des *Hyperion* am 20. Juni 1797 an Schiller geschickt (vgl. Hölderlins Begleitbrief, ferner Schillers Brief vom 27. Juni an Goethe, dem er die Hs schickte, Goethes Antwort vom 28. und Schillers Brief vom 30. Juni; C. G. Körners Brief an Schiller vom 25. Dezember 1797).
Erster Druck: Musen-Almanach für das Jahr 1798, hg. v. Schiller.
Der Äther wird als das allgegenwärtige, belebend-*beseelende* (v. 9) Element besungen, dem alle Wesen zustreben und das die innere Einheit des Alls verkörpert und anzeigt. Er wird nicht als bloßes Naturelement begriffen, sondern als der *Himmlische* (v. 12, vgl. auch v. 4 f.). Als solcher ist er der *Vater* (v. 2, 7, 28, 40, 51). Das Ich fühlt sich, zusammen mit allen anderen Wesen, als sein Kind.
Der mittlere Teil des Gedichts (v. 6—47) stellt in der Form der Reihung dar, wie sich die einzelnen Bereiche der Lebewesen zum Äther verhalten und zu ihm streben. Zunächst die *Pflanzen* (v. 12), *Fische* (v. 17) und *edeln Tiere der Erde* (v. 19). Dann, auf der Höhe des Gedichts, am genauen Beginn seiner zweiten Hälfte, mit einem neu ansetzenden *Aber* (v. 27), werden die *Vögel* genannt, die dem Äther am unmittelbarsten zugehören. Hier, wo das Sehnen der Wesen sich erfüllt, wird der unermeßliche Ätherraum mit dem unscheinbaren Namen *Haus* benannt (v. 30). Statt *im Hause* hatte Hölderlin zunächst *in der Höhe* geschrieben. *Im Hause*: damit ist der Äther unmittelbar als natürlicher, zugewiesener Lebensraum dargestellt. Der Name *Haus* erfährt, auf den Ätherraum bezogen, eine Erweiterung ins Riesenhafte; zugleich aber begrenzt er das Riesenhafte in eine geschlossene Form. Gleiche Aufgaben hat das Wort *Halle* (v. 28, 36). Hier bereiten sich die großen Landschaftsdarstellungen der späteren Gedichte vor (vgl. *Brot und Wein*, v. 55—58; *Friedensfeier*, v. 1—9).

Gegenüber den begünstigten, *glücklichen Vögeln* (v. 27) leben die Menschen, die als der nächste große Lebensbereich genannt werden, in der *Gefangenschaft* (v. 36); sie sind an die Erde gefesselt. Ihr vergebliches Sehnen in den Äther (v. 31—47) wird von diesem selbst gestillt (v. 48—52). Die Schlußstrophe entspricht, auch in der Länge, der ersten und stellt wie diese den Äther als den *Treu und freundlich* (v. 1) Gewährenden dar: er gibt jedem Wesen seinen Anteil und läßt damit ein himmlisch-irdisches Maß in der Welt walten. Das Ich beugt sich diesem Maß (vgl. die Erl. zu *Der Wanderer* und *Des Morgens*).
35 *den seligen Knaben*: Ganymed.

Emil Lehmann: Hölderlins Gedichte »Der Wanderer« und »An den Äther«. Jahresbericht des k. k. Staats-Obergymnasiums zu Landskron in Böhmen. 1911. — Rudolf Malter: Hölderlins Gedicht »An den Äther«. Versuch einer Deutung. In: Saarbrücker Beiträge zur Ästhetik. Saarbrücken 1966, S. 31—42.

DER WANDERER

Wohl erste Hälfte 1797 (vgl. die Erl. zu *An den Äther*).
Erster Druck: Die Horen, hg. v. Schiller, 1797, 10. Band, 6. Stück. Hiernach der Text. Ob Schiller Änderungen des Wortlauts vorgenommen hat, ist nicht auszumachen, da nur frühere Fassungen, nicht die Vorlage des Drucks hs erhalten sind. Beißner (StA 1, 521 f.) vermutet, daß Schiller nur relativ selten eingegriffen hat. — Im ersten Druck kein Absatz nach v. 18 und 36. — Vgl. die zweite Fassung aus dem Jahre 1800.
V. 1—36: Wanderung des *Flüchtlings* (v. 70) in die extremen Zonen, in das *Feuer des Süds* (v. 1—18) und zum *Eispol* (v. 19—36).
Diese »beiden einleitenden Abschnitte . . . sind genau gleich lang: je 18 Zeilen. Die Symmetrie wird dadurch noch verstärkt, daß beide Male vier Zeilen objektiv berichtend vorangehen und die fünfte (v. 5 und 23) mit einem gefühlsbetonten *Ach!* fortfahren. Diese fünften Zeilen sind überdies ganz gleich gebaut, sie ›reimen‹ aufeinander: *Ach! nicht*

sprang . . . hier, Ach! nicht schlang . . . hier« (Beißner, StA 1, 521). Schröder a. a. O. weist auf die Tradition der antiken Drei- bzw. Fünfzonenlehre (kalte — gemäßigte — heiße Zone) hin, der auch Goethe mit seiner Rede »Zum Schäkespears Tag« (1771) verpflichtet ist: » . . . Zona torrida [muß] brennen und Lappland einfrieren . . . , daß es einen gemäßigten Himmelsstrich gebe.«
Grund der Wanderung war, wie die Wendungen *Flüchtling* und *das strebende Herz* (v. 39) andeuten, ein Ungenügen an der *milderen Sonne* (v. 83) der Heimat und ein Verlangen nach weiteren Räumen und Erfahrungen.
Die beiden Extreme haben jedoch das Streben nicht befriedigt. Sie werden weitgehend durch Negationen charakterisiert (vgl. v. 5 ff.: *Ach, nicht sprang, . . . Bäche stürzten hier nicht . . . Keiner Herde verging . . .* ; analog v. 23 ff.). Gerade die gemäßigten Verhältnisse, vor denen der Flüchtling doch geflohen ist, vermißt er in Süd und Nord. In die *glückliche Heimat* zurückgekehrt (v. 37 ff.), erkennt er sie als sein eigentliches Lebenselement. Sie ist ihm trotz seines Abfalls *treu . . . geblieben* (v. 69). Ihr gilt als Dank an die Verkannte eine Fülle blühender Bilder. Der Treue der Heimat antwortet jetzt das *Getreuer*werden des Heimgekehrten (v. 83).
Dieses getreuere, weisere Leben (getreuer nämlich als der bewußtlosere *Schlaf der Kindheit* [v. 81] und als die Flucht nach Süd und Nord) stellt sich im Schlußvers als ein Friedlichwerden und frohes Ruhen unter Blumen dar. Der Drang *höher und weiter* hinaus (v. 82), zu dem die heimatliche Sonne antrieb, erfüllt sich in einem tieferen, wahreren Erfahren der alten Heimat selbst. *So durchlauf ich des Lebens / Bogen und kehre, woher ich kam* (*Lebenslauf*, v. 3 f.). Die spätere Neufassung der Elegie freilich formt den Schluß um und erweitert ihn (vgl. dort die Erl.). Ihr genügt nicht das bloße Ruhen unter Blumen, das sich wohl zu wenig von einem nur arkadischen Leben mit der Natur unterscheidet.

Emil Lehmann: Hölderlins Gedichte »Der Wanderer« und »An den Äther«. Jahresbericht des k. k. Staats-Obergymnasiums zu Landskron in Böhmen. 1911. — Böckmann S. 155—160. — Erich Ruprecht: Wanderung und Heimkunft. Hölderlins Elegie »Der

Wanderer«. Stuttgart 1947 (behandelt bes. die zweite Fassung). — Andreas Müller: Die beiden Fassungen von Hölderlins Elegie »Der Wanderer«. In: Hölderlin-Jb. 1948/49, S. 103—131. — Franz Rolf Schröder: Hölderlins Elegie »Der Wanderer«. In: GRM 1951/52, S. 233—235. — Momme Mommsen: Traditionsbezüge als Geheimschicht in Hölderlins Lyrik. In: Neophilologus 1967, S. 32—42, 156—168, bes. S. 40 f.

AN EINEN BAUM

Wohl 1797.
Erster Druck: Friedrich Seebaß: Neues von Hölderlin. Wissen und Leben, 1922.
Die Überschrift fehlt in der Hs. Diese ist eine Abschrift Christoph Schwabs. In v. 15 hat Schwab *Baum* aus *Traum* verbessert. Seebaß liest dennoch *Traum*, verkennt daher die Anrede an einen Baum und läßt das Gedicht auch in dem von ihm herausgegebenen zweiten Band der Propyläenausgabe (S. 41) »An Diotima« gerichtet sein. V. 16, 24—26, auch 21 f. machen aber, über das Zeugnis von Schwabs Verbesserung hinaus, deutlich, daß ein Baum angeredet ist.
Die innere Situation, von der die verlorenen Anfangsverse dieser Elegie bestimmt waren und von der die erhaltenen Verse ausgehen, ist nicht ganz leicht zu erschließen. Einen Hinweis gibt v. 22: der angeredete Baum bleibt ewig *meiner Geliebtesten Bild*. Er bezeichnet also nicht nur den Ort, an dem die Liebenden verweilen, sondern die Geliebte, Diotima, selbst. Diese Ineinssetzung liegt auch dem Anfang des Fragments zugrunde. Der Anblick eines frei stehenden, selbständigen, gleichsam nur dem Himmel und der Erde verantwortlichen Baumes hat dem Dichter den Vergleich mit der Geliebten nahegelegt, die im Getümmel der Gegenwart ebenso innerlich frei, nur dem göttlichen Zusammenhang allen Lebens verpflichtet, dasteht. An diesen Vergleich hat der verlorene Anfang wohl den Gedanken ›wenn auch ich ein solcher Baum wäre‹ angeschlossen, denn v. 1—14 des Fragments sprechen von den Liebenden als von zwei gleichgearteten Wesen. Diese Verse malen die Reinheit, Freiheit und Unbedingtheit eines gemeinsamen Baumdaseins aus. Da diese Vorstel-

lung nie Wirklichkeit werden kann, stehen v. 1—14 im Konjunktiv. Oben zögen die Gestirne ihre Bahn (v. 1—3), *Aber in unsrem Innern*, in unserem Gezweige und Blattwerk, *Wandelte neidlos der Gott unserer Liebe dahin* (v. 5 f.): der durch die Blätter ziehende Lufthauch würde den *Duft* der Blüten beider Bäume, der als ihre *Seele* begriffen wird, vermischen (v. 7) und so die Liebenden einigen. Mit v. 14 endet die Ausmalung des Baumdaseins; v. 15 sieht den Baum wieder als ein Gegenüber.
Die Liebe bewirkt Entsprechung von innen und außen: der *Gott unserer Liebe* (v. 6) ist *ein Bild der Fürsten des Himmels* (v. 5). Gleiche Wesenskräfte wirken in den Liebenden und im Kosmos. Die Liebe ist nicht ein gesteigerter Zustand, der eine bloß poetisch überhöhte Stimmung schafft. In ihr erscheint vielmehr das Wesen des Menschen und der Welt, das *innig unendliche Leben* (v. 11), die Einigkeit aller Wesen untereinander. Hyperion nennt diese innig-einige Einheit auch die *gleiche Lieb' und Gegenliebe* der Wesen (StA 3, 82). Weil sie in der Liebe zu ihrem eigentlichen Wesen kommen, sind die Liebenden *frei* (v. 11).

Paul Böckmann in: Anzeiger f. dt. Altertum. 1930, S. 45 f.

AN DIOTIMA

Wohl 1797.
Erster Druck: Jena und Weimar. Ein Almanach des Verlages Eugen Diederichs in Jena, 1908.
Fragment. Archilochisches Versmaß (ein Hexameter und die erste Hälfte eines Pentameters wechseln ab).
Am Bilde eines sommerlichen Gewitters gestaltet das Gedicht *die Freude* (v. 1), nämlich die Verbundenheit aller Wesen, die den Liebenden im Strömen des Regens offenbar wird. Die Darstellung des Verbundenseins beginnt schon ansatzweise in den drei einleitenden *Wie*-Vergleichen (v. 3, 6): daß der Dichter z. B. *Zweige* und *Locken*, *Saitenspiel* und Wechsel von *Schatten und Licht*, vergleichen kann, beruht auf einer allen Dingen letztlich innewohnenden Verwandtschaft.

Die Beziehung der Wesen zueinander, ihr Angewiesensein aufeinander zeigt sich bereits in unscheinbaren Vorgängen: daß Zweige in den Lüften fliegen (v. 1 f.), erweist das innige Miteinanderleben beider. *Erde* und *Himmel* sind durch *Regen und Sonnenschein* in ständigem Wechselspiel begriffen (v. 5). Der *Strom* endlich ist des Himmels *Bruder* (v. 11 f.). Das ist keine poetische Wendung, sondern die Aussage eines Wesensverhältnisses: im Strom erscheint *des Himmels Bild* (v. 16); er spiegelt den Himmel und ist ihm, dem Regenspender, überdies als der Wasserführende verwandt.
Das Zueinandergehören aller Wesen führt zeitweise gar zu *froher Verwirrung* (v. 26). Der Regenschleier, der über allem liegt, vereinigt und ›verwirrt‹ die Einzelformen. Dieser optische Eindruck ist aber nur der Abglanz des Höhepunktes der *Freude*, die von der verwirklichten Wesensnähe hervorgebracht wird. Freude ist also hier (und sonst bei Hölderlin) nicht psychologisch verstehbar; sie ist kein nur menschlicher Zustand. Auch übertragen die Liebenden nicht bloß ihr Gefühl der Freude auf die Natur. Diese ist vielmehr von sich her freudig. Die Liebe ermöglicht es dem Menschen, der im Wesen der Dinge liegenden Freude ansichtig zu werden.
Die Syntax des Gedichts spiegelt die Einigkeit aller Wesen: wie kaum jemals sonst häuft sich hier das strömend-verbindende *Und*, die syntaktische Gestaltung der inneren Einigkeit des Auszusagenden. Selbst an einer Stelle, wo die Handschrift abbricht (v. 15), wo also die zu setzenden Worte noch nicht feststanden, wird doch schon der Anschluß durch *Und* hergestellt. Vgl. »Grundzüge der Dichtung Hölderlins«, oben S. 11 f.

DIOTIMA

Bruchstücke einer älteren Fassung: 1796.
Erster Druck: StA 1, 1943.
Mittlere Fassung: wohl am 24. Juli 1796 an Schiller geschickt, von diesem jedoch nicht gedruckt (er tadelte in einem Brief vom 24. November 1796 die »Weitschweifigkeit ..., die in einer endlosen Ausführung und unter einer Flut von

Strophen oft den glücklichsten Gedanken erdrückt«).
Erster Druck: Schwab 1846 (vorher, mit Varianten, die vielleicht auf Neuffer zurückgehen: (Ludwig Neuffer:) Nachtrag einiger Gedichte von Friedrich Hölderlin. XV. Zeitung für die elegante Welt 1829 Nr. 245 f.).
Jüngere Fassung: am 16. Februar 1797 an Neuffer geschickt, diesem jedoch erst am 3. Juli 1799 endgültig zum Druck übergeben, nachdem Hölderlin das Gedicht zwischendurch im August 1797 an Schiller gesandt und dieser wiederum keinen Abdruck vorgenommen hatte.
Erster Druck: Taschenbuch für Frauenzimmer von Bildung, auf das Jahr 1800. Hg. von Neuffer.

Eine älteste Fassung (Anfang 1796; 8 Strophen zu 8 Zeilen; Überschrift: *Athenäa*; Anfangszeile: *Da ich noch in Kinderträumen*) ist verschollen, aber von Gustav Schlesier bezeugt. (Über dessen Aufzeichnungen zu einer unvollendet gebliebenen Hölderlin-Monographie vgl. Wilhelm Böhm in: Deutsche Rundschau 1923, S. 65—84 und 177—197; bes. S. 70 f.)

Verhältnis der Fassungen zueinander: Die ältere hatte (nach Schlesier) in ihrer vollständigen Form 16 Strophen zu 8 Zeilen; die mittlere hat 15 Strophen zu 8 Zeilen; die jüngere 7 Strophen zu 12 Zeilen. In der mittleren Fassung ist »die zweite Strophe der älteren Fassung . . . getilgt, die sechste und siebente zu einer zusammengefaßt und umgestaltet (v. 33—40)« (Beißner, StA 1, 534). Zur jüngeren Fassung: »es entsprechen sich v. 12 der jüngern Fassung und v. 16 der mittleren, ferner: 24 und 32; 32 und 40; 37 und 49; 44 und 60; 52 und 72; (56 und 68!); ein Zwischenstück ist ohne genaue Entsprechung; 73 und 105« (ebd., 535).

Zur mittleren Fassung:
96 Nach diesem Vers ist eine Strophe eingeklammert:

Schöners, denn in jeder Zone
Unsers Himmels Licht erzeugt,
Größers, denn wovor die Krone
Willig ein Jahrhundert beugt,
Freude, die kein Aug' ergründet,

Die in Lethes frommem Hain
Nur die freie Seele findet,
Ist, du Teure! dein und mein.

Die mittlere Fassung hatte also vor dieser Einklammerung auch 16 Strophen, wie die ältere.
105 *Tyndariden*: Kastor und Pollux, die Söhne des Tyndareos.
117 *Hore*: Die Horen waren die Göttinnen der Jahreszeiten.

Zur jüngeren Fassung:
81—84 »Diese Verse bekunden am deutlichsten die innere Wandlung seit der mittleren Fassung, deren letzte Strophe von der Rückkehr in das tätige Leben, nach dem Untergang in der *Begeisterung*, nicht so bejahend spricht« (Beißner, StA 1, 535).

Joachim H. W. Rosteutscher: Archetypik in den drei Fassungen des Gedichtes »Diotima«. In: Worte und Werte. Bruno Markwardt zum 60. Geburtstag. Berlin 1961, S. 349—354.

AN DIE KLUGEN RATGEBER

Wohl 1796.
Erster Druck: B. Seuffert: Gedichte Hölderlins. In: Vierteljahrschrift für Litteraturgeschichte, hg. von B. Seuffert, 1891. Vermutlich eine der Beilagen zum Brief an Schiller vom 24. Juli 1796 (*Ich bin so frei, verehrungswürdiger Herr Hofrat, Ihnen einen kleinen Beitrag zur künftigen Blumenlese zu schicken*). Schiller nahm das Gedicht nicht in seinen Musenalmanach auf. Darauf äußerte Hölderlin am 20. November 1796 *die Bitte, daß Sie die unglücklichen Verse, die keinen Platz finden konnten in Ihrem diesjährigen Almanache, mir wieder zur Durchsicht geben möchten*, . . . Schiller schickte die Hs jedoch nicht zurück; sie verblieb, von ihm mit roter Tinte korrigiert, bei seinen Redaktionspapieren. Vgl. das folgende Gedicht.
10 *Hesperien*: Abendland (zu Hölderlins späterer Verwendung dieses Namens vgl. u. a. »Grundzüge der Dichtung Hölderlins«, oben S. 16 ff.).

DER JÜNGLING AN DIE KLUGEN RATGEBER

Wohl 1797.
Erster Druck: B. Seuffert: Gedichte Hölderlins. In: Vierteljahrschrift für Litteraturgeschichte, hg. v. B. Seuffert, 1891.
Zweite Fassung des vorigen Gedichts, die Hölderlin im August 1797 an Schiller absendet: *Ihrer Erlaubnis gemäß, schick' ich Ihnen das Gedicht an die klugen Ratgeber. Ich hab' es gemildert und gefeilt, so gut ich konnte. Ich habe einen bestimmteren Ton hineinzubringen gesucht, so viel es der Charakter des Gedichts leiden wollte.* Schiller nahm das Gedicht auch jetzt nicht auf.

SÖMMERRINGS SEELENORGAN UND DAS PUBLIKUM

Wohl 1797.
Erster Druck: Carl C. T. Litzmann: Hölderlinstudien. In: Vierteljahrschrift für Litteraturgeschichte, hg. v. B. Seuffert, 1889.
Samuel Thomas von Sömmerring (1755—1830), berühmter Arzt, Verfasser eines Buches »Über das Organ der Seele« (Königsberg 1796). Die Hs dieses und des folgenden Epigramms ist in Sömmerrings Handexemplar des genannten Werkes eingeklebt.

SÖMMERRINGS SEELENORGAN UND DIE DEUTSCHEN

Wohl 1797.
Vgl. die Erl. zum vorigen Gedicht.

GEBET FÜR DIE UNHEILBAREN

Wohl 1797.
Erster Druck: Friedrich Seebaß: Unbekannte Gedichte von Hölderlin. In: Der grundgescheute Antiquarius 1, 1922.
2 *verständig*: Ironisch gemeint. Eine Vorstufe des Verses lautet: *Daß sie sehen, wie ganz unverständig sie sind.*

GUTER RAT

Wohl 1797.
Erster Druck: Litzmann 1896.
»Es ist nicht unwahrscheinlich, daß dieses Epigramm wie auch Die Vortrefflichen und Die beschreibende Poesie, vielleicht auch gar Advocatus diaboli, aus dem tiefen Unmut hervorgegangen ist, den die abermalige Ablehnung der Gedichte Diotima und An die klugen Ratgeber durch Schiller hat erregen müssen. Schiller hatte ja in seinem Brief vom 24. November 1796 den guten Rat erteilt, die philosophischen Stoffe zu fliehen, also den *Verstand* nicht im Gedicht zu zeigen, und der Sinnenwelt näher zu bleiben, also *treulich das Faktum* zu erzählen« (Beißner, StA 1, 541).

ADVOCATUS DIABOLI

Wohl 1797.
Erster Druck: Robert Wirth: Beiträge zur Kritik und Erklärung Hölderlins. III. In: Archiv für Litteraturgeschichte, hg. v. F. Schnorr von Carolsfeld, 1886.
Vgl. die Erl. zu *Guter Rat.*
Überschrift: ›Anwalt des Teufels‹. Marie Joachimi-Dege (4, 137) bezieht den Titel auf das *Genie* des Textes; dagegen Beißner (StA 1, 541): Die Rolle des Advocatus diaboli »übernimmt Hölderlin . . . , um der blinden Verehrung des Genies entgegenzuwirken, das den Auftrag des vorwärtsweisenden Geistes verkennt . . . «.
In der Hs unter v. 2 Ansatz zu einer Fortsetzung: *Wohl sind Monarchien auch gut,*

DIE VORTREFFLICHEN

Wohl 1797.
Erster Druck: Böhm², 1909.
Die Überschrift fehlt in der Hs.
Vgl. die Erl. zu *Guter Rat.*

DIE BESCHREIBENDE POESIE

Wohl 1797.
Erster Druck: Litzmann 1896.
Vgl. die Erl. zu *Guter Rat.*
Das abschätzig und ironisch betrachtete ›Beschreiben‹ (vgl. den Titel) ist das Erzählen des bloßen *Faktums* (v. 2), das blind bleibt, da ihm der Blick auf die übergreifenden Zusammenhänge fehlt, innerhalb derer das Einzelfaktum erst seine eigentliche Bedeutung zeigt. Zudem ermangelt das so verstandene Beschreiben einer ursprünglichen Weltschau, die in der wahren *Poesie* der Darstellung jeder Einzelheit zugrunde liegt. Vgl. *An die jungen Dichter*, v. 6 und die Erl. dazu.

FALSCHE POPULARITÄT

Wohl 1797.
Erster Druck: Litzmann 1896.
Naturwesen (*Baum*) und *Kind* sind — im Gegensatz zu dem sich erniedrigenden falschen *Menschenkenner* — aufgeschlossen für Höheres. Dieser Wesenszug beider zeigt sich überall in Hölderlins Dichtung (vgl. u. a. die Erl. zu *Des Morgens* und *Da ich ein Knabe war . . .*). Insbesondere haben sie noch ein unverstelltes Verhältnis zum Bereich des Ursprungs und der Reinheit, dem alle Wesen entstammen (vgl. u. a. die Erl. zu *Der Rhein*, v. 46 f.). Zu diesem Bereich zurückzufinden und zurückzuführen, wäre Aufgabe des wahren *Menschenkenners.*

AN DIOTIMA

Wohl 1797.
Erster Druck: Litzmann 1896.
Jedes der drei Distichen enthält einen abgeschlossenen Satz. Die Stellung der syntaktischen Einheiten und Satzteile im Pentameter ist jeweils der im Hexameter weitgehend entgegengesetzt, so daß jedes Distichon eine Tendenz zum Chi-

asmus (kreuzweiser Stellung) aufweist (bes. deutlich in v. 3 f.). Diese Entgegensetzung der zusammengehörigen Verse entspricht der inhaltlichen Spannung des Gedichts, dem Gegensatz, in dem Diotima zu ihrer Zeit steht.
Das erste Distichon ist dem einsamen Leben Diotimas in einer ihr innerlich fremden Umwelt gewidmet, das zweite ihrem Streben nach wahren, ursprungsnahen Lebensverhältnissen. Das dritte wendet sich der Ursache ihrer Einsamkeit, dem Wandel der *Zeit*, zu. Damit stellt der Schluß des Gedichts dem Suchen (v. 4) nach der *schöneren Zeit* (v. 5) hart die tatsächlichen Weltverhältnisse gegenüber. Die Gegenwart Diotimas erscheint, gegenüber der *Jugend der Welt* (v. 4), der Antike, als *Winter* (v. 1) und *Nacht* (v. 6). Der kraftvoll gefügte, auf dunkle Vokale gestimmte Schlußvers gestaltet eine maßlose, von elementarem Chaos beherrschte Zeit. Auch im Spätwerk Hölderlins wird die Gegenwart als *Nacht* begriffen. — Vgl. das folgende Gedicht.

DIOTIMA

Wohl 1797.
Erster Druck: Uhland-Schwab 1826. Erweiterung des vorigen Gedichts, in der Hs unmittelbar anschließend.
Mit dem Aufruf zur Besänftigung des *Chaos* der Gegenwart (v. 1—8) wird hier gegenüber der ersten Fassung (*Schönes Leben! du lebst ...*) eine weitere zeitliche Dimension, die der Zukunft, hinzugefügt. Das zeigt sich syntaktisch in der beherrschenden Stellung der Imperative (v. 1, 3, 7, 8). Die bessere Zukunft kann nur durch ein Wiedererstehen dessen heraufgeführt werden, was im Grunde schon von jeher besteht, in der Gegenwart aber vergessen ist: *der Menschen alte Natur die ruhige große* (v. 5) muß wieder den ihr gebührenden Platz einnehmen. Sie, das Alte, Begründende, ist gegenwärtig unter dem verwirrend Neuen der *gärenden Zeit* (v. 6) verschüttet.
Die Verse der ersten Fassung bilden in gewandelter und verkürzter Form den Schlußteil (v. 9—12). Diotima wird nicht mehr angeredet, sie erscheint in der dritten Person. Ihr

einsames Dasein wird, wie das einleitende *Denn* (v. 9) zeigt, gleichsam als die dringlichste Begründung dafür angeführt, daß das *Chaos der Zeit* enden muß. Diotimas Person ist jetzt ganz in den übergreifenden Ablauf der Geschichtsepochen einbezogen.
2 Dieser in der Hs so überlieferte Vers müßte vielleicht sinngemäß richtiger so gelesen werden: *Wonne der Himmlischen, Muse*, . . . Dafür spricht die bei der jetzigen Lesung bestehende Unklarheit der Wendung *Wonne der himmlischen Muse* und die Zäsur des Pentameters nach *himmlischen*, die ohnehin eine mögliche attributive Zugehörigkeit dieses Wortes zu *Muse* nicht zur Wirkung kommen ließe. Die angerufene *Muse* wäre Urania, die *Göttin der Harmonie* (vgl. die an sie gerichtete Hymne, bes. v. 25—28). Den Hinweis auf dieses Textproblem verdanke ich Herrn H. K. Zimmermann, Frankfurt a. M.

EINLADUNG AN NEUFFER

Zwischen 1789 und 1793.
Erster Druck: 1) v. 28—31: Schwab 1846; 2) das Ganze: Carl C. T. Litzmann: Hölderlinstudien. In: Vierteljahrschrift für Litteraturgeschichte, hg. v. B. Seuffert, 1889.
Die Überschrift fehlt in der Hs.
Christian Ludwig *Neuffer* (1769—1839), einer der nahen Freunde Hölderlins seit den Tübinger Stiftsjahren.
Das Gedicht wird mit Rücksicht auf die sich anschließende spätere Fassung erst an dieser Stelle eingeordnet. Seebaß und Pigenot (Hell. 1, 371 f.) setzen das Gedicht in das Jahr 1789, »als Antwort auf ein ungedrucktes Gedicht Neuffers: Meinem lieben Hölderlin zu seinem Geburtstage den 28. (sic) Mai 1789«. Beißner (StA 1, 543 f.) dagegen setzt die Entstehung — mit einem Hinweis auf den »im Stil ähnlichen dichterischen Brief *An Hiller*« — auf »spätestens 1793 in Nürtingen«. Der Stil — viele Gedankenstriche, Wiederholungen (v. 1 f., 3, 6 f., 14), drastische Wendungen (v. 9 f.) — hat freilich auch Parallelen in den Gedichten um 1789.

EINLADUNG / SEINEM FREUND NEUFFER

Wohl 1797.
Erster Druck: Taschenbuch von der Donau Auf das Jahr 1825, hg. v. Ludwig Neuffer. Nicht hs überliefert. Spätere Fassung des vorigen Gedichts. Datierung im ersten Druck: *(Frankfurt 1797.)* Neuffer hat Hölderlin im Herbst 1797 in Frankfurt besucht.
Ob Neuffer als Herausgeber des ersten Drucks 1825 Textänderungen vorgenommen hat, ob gar die ganze Fassung »als willkürliche Umarbeitung Neuffers zu betrachten« ist (Hell. 1, 372), ist nicht zu entscheiden.
7—11 Neuffers Braut Rosine Stäudlin (vgl. das Gedicht *Freundeswunsch. An Rosine St.* —) starb im Frühling 1795.

AN NEUFFER

1797/98. Fragment.
Erster Druck: Friedrich Seebaß: Unbekannte Gedichte von Hölderlin. In: Der grundgescheute Antiquarius 1, 1922.
Neuffer: Vgl. die Erl. zu *Einladung an Neuffer.*
3 *Einen Himmel empfängst du*: Diese Beseligung, die der Sprechende auf den Freund überträgt, entstammt der in der Begegnung mit Diotima (vgl. die Erl. zu v. 7) entstandenen *Freude* (v. 3). Zum Wesen der Freude bei Hölderlin vgl. die Erl. zu *An Diotima* (*Komm und siehe die Freude um uns . . .*).
7 *auch sie*: Diotima.

DIE MUSSE

1797. Fragment.
Erster Druck: 1) V. 27—37: Böhm², 1911; 2) das Ganze: Friedrich Seebaß: Unbekannte Gedichte von Hölderlin. In: Der grundgescheute Antiquarius 1, 1922.
Spricht man bei diesem Gedicht von »einer gewissen Verwandtschaft der Grundhaltung . . . zur idyllischen Stimmung« (Beißner, StA 1, 549), so muß das Wort »idyllisch« einen

umfassenden Sinn annehmen, soll es das Wesen dieser Verse treffen. Denn hier wird der *Geist der Ruh'* (v. 37) mit dem *Geist der Unruh* (v. 29) zusammen gesehen; beide sind *aus Einem Schoße geboren* (v. 37); sie sind als Söhne der *Natur* (v. 36) trotz ihrer scheinbaren Gegensätzlichkeit zuinnerst geeint. Diesem umfassenden Blick auf das Ganze des *Lebens der Welt* (v. 41) entspricht es, daß das Ich bald *Wie ein liebender Ulmbaum* im Felde steht (v. 10 f.), bald *zum Adler* wird (v. 18) und somit im *All der Natur* (v. 19), nicht an einem begrenzten Platze, zu Hause ist. Daher kann ihm auch, nur scheinbar unvermittelt, auf einem friedlich-abendlichen Gang jählings *der geheime / Geist der Unruh* (v. 28 f.) gegenwärtig werden. Dessen Darstellung wird von einem hart ansetzenden *Aber* eingeleitet (v. 27); seine reißende Gewalt ist syntaktisch gestaltet, indem ihm ein einziges Satzgefüge gewidmet wird, das sich, voll stauender und spannender Einschiebsel, über elf Verse erstreckt (v. 27—37).
Die Muße, als Titel eines in dieser Weise umfassenden Gedichts, ist die innere Verfassung dessen, der die gegensätzlich-einheitliche Ganzheit des *Lebens der Welt* anschaut und zu ihr gehört. So ist auch das glückliche Wohnen (v. 43) im Leben der Welt nicht etwa ein einseitiges Bekenntnis zum *Geiste der Ruh'*, es bekräftigt vielmehr die einzige Zugehörigkeit des Menschen zum Ganzen, zur *Natur* (v. 19, 36).
Das Gedicht ist eng mit dem folgenden verwandt (*Die Völker schwiegen, schlummerten* . . . , vgl. dort bes. v. 4).
26 Nach diesem Vers sind in der Hs zwei Verse eingeklammert:
Kehrend aus fernem Land geleitet auf einsamer Straße
Seinen Wagen und spricht mit den Rossen der glückliche Fuhrmann.
40 Auch hier folgt ein eingeklammerter Vers:
Dann ist mein Abendgebet: sei wie dir dünket, o Schicksal,
41 *Wald da*: Diese Worte sind ergänzt aus einem hs einzig vorhandenen *W*.

Werner Kirchner: Hölderlins Entwurf ›Die Völker schwiegen, schlummerten‹. In: Hölderlin-Jb. 1961/62, S. 42—67.

DIE VÖLKER SCHWIEGEN, SCHLUMMERTEN ...

1797.
Erster Druck: Hölderlins Werke, hg. v. Manfred Schneider, Stuttgart 1921.
Fragment (nach v. 19 ist in der Hs mehr als eine Seite freigelassen). Vgl. die Erl. zu *Die Muße.*
Die Lokalisierung der *Walstatt* (v. 14) in v. 15 (*Rhein, Tiber*) und die beiden nach v. 11 eingeklammerten Verse (s. u.) lassen keinen Zweifel daran, daß Hölderlin hier die Kämpfe des ersten Koalitionskrieges (1792—1797) zum Thema nimmt. Vielleicht bezieht sich daher auch *dir* (v. 20) auf Napoleon. Der Krieg wird jedoch einem übergeordneten, geistig-schicksalhaften Zusammenhang eingegliedert; sein ›historischer‹ Charakter tritt zurück, weil der Krieg als die diesmalige Konkretisierung des *alten Geistes der Unruh* (v. 4) erscheint. Dennoch wählt Hölderlin hier eine direktere Form der Darstellung geschichtlicher Vorgänge (vgl. die geographisch und zeitlich genauen Angaben in v. 15 f., auch in den beiden eingeklammerten Versen) als sonst (vgl. die Erl. zu *An eine Fürstin von Dessau).* Darin zeigt sich wohl, daß er dem Thematisch-Faktischen gegenüber noch nicht dieselbe innere Freiheit wie sonst gewonnen hat. Es mag daher kein Zufall sein, daß das Gedicht unvollendet blieb (vgl. die ebenfalls fragmentarische Ode *Buonaparte*).
4 *Geist der Unruh*: Vgl. *Die Muße*, v. 29.
11 Nach diesem Vers sind in der Hs zwei Verse eingeklammert:
Fünf Sommer leuchtete das große Leben
Ein unaufhörlich Wetter unter uns
21f. Vgl. *Der Neckar*, v. 29 f.

Werner Kirchner: Hölderlins Entwurf ›Die Völker schwiegen, schlummerten‹. In: Hölderlin-Jb. 1961/62, S. 42—67.

BUONAPARTE

Wohl noch 1797.
Erster Druck: Carl Müller-Rastatt: Friedrich Hölderlin. Sein Leben und sein Dichten. Mit einem Anhange ungedruckter Gedichte Hölderlins. Bremen 1894.
Unvollendeter Entwurf. Noch die Ausgabe von Marie Joachimi-Dege (1909) reihte das Gedicht, auch auf Grund falscher Lesungen, in die Abteilung »Aus der Zeit der Umnachtung« ein.
Buonaparte: Napoleon Bonaparte. »Der geschichtliche Hintergrund dieses Gedichts ist der italienische Feldzug 1797/98, wo Napoleon in traumhafter Geschwindigkeit die gegnerischen Heere niederwerfend zum ersten Male sein Feldherrngenie offenbarte« (Hell. 3, 492). Die Gestalt Napoleons beschäftigte Hölderlin noch öfter (vgl. *Die Völker schwiegen, schlummerten ...*; *Dem Allbekannten*; Bruchstück 25 und 38; auch die Erl. zu *Der Prinzessin Auguste von Homburg* und zu *Friedensfeier*).
Napoleon erscheint nicht unmittelbar als Heerführer oder überhaupt als Person, sondern als eine zersprengende geistige Kraft (v. 4 f.), die dem *Geist der Natur* (v. 7) verwandt ist. Vgl. zu dieser ›ungegenständlichen‹ Darstellungsweise die Erl. zu *An eine Fürstin von Dessau*. Die Tatsache, daß das Gedicht unvollendet blieb, entspricht dem Umstand, daß sein Gegenstand sich ihm entzieht: *Er kann im Gedichte nicht leben und bleiben* (v. 9).

EMPEDOKLES

Erster Entwurf 1797, Ausführung vielleicht erst 1800.
Erster Druck: Aglaia. Jahrbuch für Frauenzimmer auf 1801. Hg. v. N. P. Stampeel.
Erster Entwurf:

Empedokles

In den Flammen suchst du das
Leben, dein Herz gebietet und pocht und
Du folgst und wirfst dich in den
Bodenlosen Aetna hinab.

Perlen zerschmelzt' im Weine die Königin,
Die Verschwenderin! mochte sie doch
Hättest nur du nicht deine Perlen
Die schönen Kräfte deines Lebens
Dem alten gärenden Becher geopfert.

Kühn war, wie das Element das ihn hinwegnahm,
Der Getötete, kühn und gut,
Und ich möchte ihm folgen, dem heiligen Manne,
hielte die zarte Liebe mich nicht.

Empedokles, griechischer Dichter und Philosoph (5. Jh. v. Chr.), stürzte sich in den Ätna. Von 1797 bis 1800 arbeitete Hölderlin an seinem (unvollendeten) Empedokles-Drama. Empedokles sucht den Tod im Ätna, weil er *das Leben* sucht (v. 1). Dieses Leben leuchtet ihm im göttlichen *Feuer* (v. 2) der Tiefe entgegen. Das Feuer als das verzehrende Element versammelt das im irdischen Dasein Vereinzelte, indem es seine individuelle Form vernichtet, in die göttliche Einheit. Empedokles strebt bedingungslos aus der Vereinzelung in diese Einheit als in das wahre *Leben*. So ist auch der Empedokles des Dramas schon im ersten Entwurf *ein Todfeind aller einseitigen Existenz, und deswegen auch in wirklich schönen Verhältnissen unbefriedigt, unstet, leidend, bloß weil sie besondere Verhältnisse sind* . . . (StA 4, 145).
Der Dichter, das Ich des Gedichts, fühlt das Streben, *dem Helden* zu *folgen* (v. 11 f.), also gleichfalls *Ins All zurück die kürzeste Bahn* (*Stimme des Volks*, erste erweiterte Fassung, v. 13) zu nehmen. Zugleich aber hält ihn *die Liebe* (v. 12) davon zurück. Sie hält ihn im Leben und ermöglicht ihm das Bleiben. So ist das Gedicht ein Zeugnis für die entscheidende Einsicht Hölderlins, daß an die Stelle des empedokleischen Sturzes ins All das *Bleiben im Leben* (*Der Frieden*, v. 32) treten muß. Vgl. »Grundzüge der Dichtung Hölderlins«, oben S. 13 f.
5f. Kleopatra trank (nach Plinius) Perlen, die in Weinessig aufgelöst waren, und gewann so die Wette, sie könne bei einer Mahlzeit zehn Millionen Sesterzen verzehren.

AN DIE PARZEN

Vor Juni/August 1798. (In diesen Monaten schickt Hölderlin dieses und die folgenden Gedichte [bis zu *Die scheinheiligen Dichter*, ausgenommen wohl *Stimme des Volks*] in zwei Sammelhss an Neuffer.)
Erster Druck: Taschenbuch für Frauenzimmer von Bildung, auf das Jahr 1799. Hg. v. C. L. Neuffer.
Dieses Gedichtes wegen machte sich Hölderlins Mutter Sorgen um den Sohn. Er schreibt ihr daraufhin am 8. Juli 1799 aus Homburg: *Das Gedichtchen hätte Sie nicht beunruhigen sollen, teuerste Mutter! Es sollte nichts weiter heißen, als wie sehr ich wünsche einmal eine ruhige Zeit zu haben, um das zu erfüllen, wozu mich die Natur bestimmt zu haben schien.* Hölderlin paßt sich mit dem ihm eigenen Takt der Vorstellungswelt der Mutter an und versucht, so weit wie möglich ihre eigene Sprache zu sprechen, ohne darum doch etwas ›Falsches‹ über sein Gedicht zu sagen.
Daß die Bitte um Zeit zu reifem Gesang an die *Parzen* gerichtet wird, ist nicht mythologische Einkleidung, sondern Ausdruck des Gefühls unbedingter Zugehörigkeit zu einem göttlich-schicksalhaften Bereich, dem die Gewährung der Lebensgaben entstammt. Gegenstand der Dichtung wird hier das Dichten selbst (vgl. u. a. die Erl. zu *Dichterberuf*). Das Gedicht ist *das Heil'ge* (v. 7). Darin, daß es das Heilige nicht nur zum Gegenstand hat, sondern es zugleich selbst ist, verbirgt sich ein Grundproblem der reifen Dichtung Hölderlins: die Möglichkeit der Hereinnahme des Unendlich-Göttlichen in eine irdische Form. Vgl. »Grundzüge der Dichtung Hölderlins«, oben S. 13 f.

Ernst Stein: Hölderlin: An die Parzen. Hinweise zur Gedichtbehandlung im 11. Schuljahr. In: Deutschunterricht, 1952, S. 317—323. — Wilhelm Schneider: Liebe zum deutschen Gedicht. Freiburg i. Br. 1952, S. 45—55. Werner Kraft: Wort und Gedanke. Kritische Betrachtungen zur Poesie. Bern u. München 1959, S. 90 ff. — Erich Trunz: Die Formen der deutschen Lyrik in der Goethezeit. In: Gratulatio. Festschrift für Christian Wegner zum 70. Geburtstag am 9. September 1963. Hamburg 1963, S. 110—129, bes. S. 113 f.

DIOTIMA

Vor Juni/August 1798 (vgl. die Erl. zu *An die Parzen*).
Erster Druck: Taschenbuch für Frauenzimmer von Bildung, auf das Jahr 1799. Hg. v. C. L. Neuffer. Vgl. die spätere, erweiterte Fassung.
Das zweistrophige Gedicht ist dreiteilig gebaut. Die drei Teile sind der Gegenwart, Vergangenheit und Zukunft zugeordnet. Am Anfang (v. 1 f.) das Unverstandensein Diotimas in der Gegenwart; dann (v. 3—5) das vergebliche Suchen nach den gewesenen *zärtlichgroßen Seelen*, den Griechen (dieses Suchen beherrscht die Mitte des Gedichts; seine Intensität bewirkt ein Strophen-Enjambement); am Ende (v. 6—8) der Ausblick auf den erhofften *Tag*, der Diotimas Wesen gerecht wird. Symmetrisch entsprechen sich die beiden Anrufe im zweiten und vorletzten Vers.
An der ersten Strophe stellt Wolfgang Binder die Verwirklichung des alkäischen Silbenmaßes bei Hölderlin dar (vgl. »Formen der Lyrik Hölderlins«, oben S. 26): ». . . hier entsprechen metrische Gliederung und Satzgefüge einander völlig: drei Sätze und drei Strophenteile, die Zäsuren in den beiden Stollen kehren als leichte Interpunktionen wieder. Eine innere Antithetik . . . ist deutlich spürbar: hier Diotima, dort die Sphäre der anderen, das heilige und das heillose Dasein. In dieser Antithetik wurzelt das Faktum (Stollen), das sich noch auf dem engen Raum derselben Strophe in die Deutung (Abgesang) entfaltet. Eine konzentrierte Form des Strophenbaus, die für die Oden dieser Zeit im allgemeinen charakteristisch ist und auch im asklepiadeischen Maß vorkommt (vgl. *Die Liebenden*). Der alkäische Charakter der Strophe liegt vielmehr darin, daß das antithetische Prinzip nicht unmittelbar, in einer allgemeinen Wahrheit, sondern mittelbar, in einem individuellen Zustand, nicht in einer gesetzlichen Beziehung, sondern in einem konkreten Vorgang zum Ausdruck kommt. Die asklepiadeische Leitstrophe [vgl. die Erl. zu *Sokrates und Alcibiades*] sprach einen Gedanken in abgezogener Allgemeingültigkeit aus, ein Begriff stand dem anderen in funktionaler Entsprechung gegenüber. Die alkäische gestaltet einen bestimmten Vorgang, der aus der tragi-

schen Berührung zweier Sphären folgt, und zwar in jenem ›undulierenden‹ [= wellenartig bewegten] Auf und Ab, das wir als das Charakteristicum dieses Silbenmaßes ermittelt haben« (a. a. O. S. 95 f.; zur zweiten Strophe vgl. ebd. S. 106 f.).

6 *Doch eilt die Zeit*: Ein frühes Beispiel für einen charakteristischen Kurzsatz (vgl. »Grundzüge der Dichtung Hölderlins«, oben S. 15 f.). Seine Kürze wird nach dem vorangehenden Langsatz (v. 1—5), der noch dazu das Strophenende überspielt, besonders fühlbar. Dieser Gegensatz wird verstärkt durch das adversative *Doch*. Kurzsätze werden im Spätwerk Hölderlins sehr häufig.

Wolfgang Binder: Hölderlins Odenstrophe. In: Hölderlin-Jb. 1952, S. 85—110.

AN IHREN GENIUS

Vor Juni/August 1798 (vgl. die Erl. zu *An die Parzen*).
Erster Druck: Taschenbuch für Frauenzimmer von Bildung, auf das Jahr 1799. Hg. v. C. L. Neuffer.

An Diotimas *Genius* gerichtet. Die Syntax des Gedichts entwickelt sich zu immer größerer Vielgestaltigkeit und Lockerung. Einer ungegliederten syntaktischen Einheit (v. 1) folgt ein durch den nachgeholten Anruf gegliederter Vers (v. 2). Während in diesem ersten Distichon zweimal dasselbe Verb (*send*) benutzt wird — ein Analogon zu der relativen Ungegliedertheit der Syntax —, bringt v. 3 gleich zwei neue Verben; zusammen mit dem hier zuerst auftretenden, satzverbindenden und den syntaktischen Ablauf lockernden Und schaffen sie ein schnelleres Tempo. Das führt hier auch zum ersten Enjambement (*nicht/Sehn*), das schnell zu v. 4 überleitet, der den ersten und noch dazu durch eine Apposition gegliederten Nebensatz bringt. Das dritte Distichon schließt sich unmittelbar an, da es denselben Satz weiterführt, mit einem nochmaligen, sich jetzt aber auf zwei Verse ausweitenden Nebensatz, in den überdies ein Relativsatz stauend eingefügt wird.

Hand in Hand mit dieser syntaktischen Entwicklung nähert

sich der Sinn, gleichsam vom Rande her, immer mehr dem Zentrum des zu Sagenden: er schreitet fort von der einleitenden Bitte um *Blumen* und *Frücht'* bis zur vorwegnehmenden Darstellung der Vereinigung Diotimas mit den geistesverwandten Menschen des Altertums. — Der Verlauf des Gedichts besteht so im fortschreitenden Aufschließen der Möglichkeiten des Satzes und des Sinnes. Besondere Einheitlichkeit gibt ihm der durchgehend imperativische Charakter.
6 *Phidias*: Griechischer Bildhauer, 5. Jh. v. Chr.

ABBITTE

Vor Juni/August 1798 (vgl. die Erl. zu *An die Parzen*).
Erster Druck: Taschenbuch für Frauenzimmer von Bildung, auf das Jahr 1799. Hg. v. C. L. Neuffer.
An Diotima gerichtet. Die erste Strophe ist der Störung der *Götterruhe* der Geliebten gewidmet. Die zweite ordnet dieser Aussage ein vergleichendes Bild zu, das die Störung als vorübergehend erweist. Der Anruf des letzten Verses (*du süßes Licht!*) kann daher wiederum auf das ungestörte Wesen der Geliebten zielen und somit im Aussagewert der Anrede der ersten Zeile (*Heilig Wesen!*) entsprechen.
1 *Heilig Wesen! gestört* . . . : Im Hinblick auf den in diesem Vers um zwei Silben vor der Zäsur des Asklepiadeus liegenden syntaktischen Einschnitt sagt Wolfgang Binder (Hölderlin-Jb. 1952, S. 103): »Hier ist das Silbenmaß selbst *gestört*, namentlich wenn man . . . die Wurzel ›heil‹ in *heilig* hört. Auf engstem Raum treten die Kontrastworte zusammen, man könnte das Kolon *Heilig Wesen! gestört* geradezu ein metrisches Oxymoron nennen.«
4 *manche gelernt*: Uhland-Schwab 1826: *manche, getrennt* (entgegen dem ersten Druck). Auch Chr. Th. Schwab druckt in seiner Ausgabe von 1846 »getrennt«. Er meint sich im Jahre 1872 »ganz zuverlässig« zu erinnern, daß diese Lesart »auf einer Änderung von Hölderlins Hand« beruht habe. Aus inneren Gründen ist es nicht wahrscheinlich, daß diese Erinnerung zutrifft.

Johannes Klein: Wie legt man Gedichte aus? In: Wirkendes Wort, 1950/51, S. 79—91, bes. S. 83—86.

STIMME DES VOLKS

Vor Juni/August 1798 (?, vgl. die Erl. zu *An die Parzen*).
Erster Druck: Taschenbuch für Frauenzimmer von Bildung, auf das Jahr 1800. Hg. v. C. L. Neuffer. Vgl. die gleichnamigen, erweiterten Fassungen aus den Jahren 1800/1801.
Die *Stimme des Volks*, die etwa als Gestimmtheit und Ausdruck des jeweiligen Volksgeistes zu verstehen ist, wird mit *Gottes Stimme* (v. 1) gleichgesetzt (vgl. das Wort »vox populi, vox dei«) und mit dem *Rauschen* der *Wasser* verglichen (v. 4). Damit sind der menschliche, der göttliche und der naturhafte Bereich in Beziehung und Entsprechung zueinander gebracht. Die Ahnung der Jugend (v. 1 f.) ist in der Gegenwart zu einem bewußteren Sagen (v. 2) geworden. (So heißt es auch im *Fragment von Hyperion* von 1794: *So müssen . . . die Ahndungen der Kindheit dahin, um als Wahrheit wieder aufzustehen im Geiste des Mannes* [StA 3, 180].) Die Wendung *ja, und ich sag' es noch* deutet an, daß dieses bewußtere Sagen sich gegen geheime Einwände durchgesetzt hat, die nicht genannt werden — an ihrer Stelle etwa steht der Gedankenstrich v. 2 —, die man aber aus dem Folgenden erschließen kann. Die Wasser rauschen *doch auch* unbekümmert *Um meine Weisheit*. Eine Beirrung war also wohl davon ausgegangen, daß die *Stimme des Volks* sich gleichfalls nicht *Um meine Weisheit* kümmert. Auch sie geht *meine Bahn nicht* (v. 7; das Volk ist noch nicht, wie der Dichter, bemüht, in eine neue Nähe zu den Göttern zu gelangen), und dennoch ist ihr Weg *richtig* (denn die Bemühung um die Götter darf nicht zur Unzeit übereilt werden). Das Gedicht zeugt so von der Selbstbescheidung des Ich, von seiner Einsicht in die Eigengesetzlichkeit der Volksstimme; zugleich aber auch vom Bewußtsein der Richtung der eigenen *Bahn*. Die *Stimme des Volks* wird zudem als Glied eines übergreifenden göttlichgeschichtlichen Zusammenhangs (v. 1) begriffen. Das wird für Hölderlins Geschichtsdenken entscheidend.

Anton Gail: Der Dichter und das Volk. Hölderlins »Stimme des Volks« im Deutschunterricht. In: Zs. f. dt. Bildung, 1939, S. 225—229. — Wolfgang Kayser: Friedrich Hölderlin. Stimme des Volks.

In: Die deutsche Lyrik, hg. v. Benno von Wiese. Düsseldorf 1956, S. 381—393 (behandelt vorzugsweise die zweite erweiterte Fassung von 1801).

EHMALS UND JETZT

Vor Juni/August 1798 (vgl. die Erl. zu *An die Parzen*).
Erster Druck: Taschenbuch für Frauenzimmer von Bildung, auf das Jahr 1799. Hg. v. C. L. Neuffer.
Die Stimmungen des Ich wechseln nicht nur die Tageszeit; zugleich tritt auch eine Verschiebung in ihrem Wesen ein. *In jüngern Tagen* herrschten subjektive Gemütsregungen, Frohsinn und Weinen. *Jetzt* dagegen ist der prüfende Zweifel, mit dem der Tag begonnen wird (v. 3), dem Dasein zugewandter als das frühere Weinen; er erscheint zudem nur eingebettet in ein umfassenderes Tun des Ich, eben das Beginnen des Tages. Ebenso ist die Heiterkeit des Tagesendes (v. 4) gelassener und tiefer als das unbeschwerte Frohsein der Jugend. Das Ende des Tages ist auch *Heilig*. *Heilig* und *heiter* sind vor allem keine bloßen Regungen des Ich (wie früher Frohsinn und Weinen), sondern Eigenschaften des Tagesendes selbst, durch die die Stimmungen des Ich erst hervorgerufen werden. Dessen jetzige Haltung beschränkt sich somit nicht mehr auf subjektive Empfindungen, sondern ist mehr dem Gegenständlich-Ursächlichen zugewandt. Dieser Wandel in der Grundhaltung ist wohl auch der Grund dafür, daß die wahre Heiterkeit jetzt am *Ende* des durchlebten Tages, unter Einbeziehung alles dessen, was in ihm erfahren wurde, gefunden werden kann.

LEBENSLAUF

Vor Juni/August 1798 (vgl. die Erl. zu *An die Parzen*).
Erster Druck: Taschenbuch für Frauenzimmer von Bildung, auf das Jahr 1799. Hg. v. C. L. Neuffer. Vgl. die gleichnamige, erweiterte Fassung aus dem Jahre 1800.
Das Niedergezogen- und Gebeugtwerden ist gegenüber dem

Streben des Geistes in die Höhe kein bloßes Hemmnis (vgl. die positiven Wendungen *Schön* und *gewaltiger*). Vielmehr ist das Aufstreben des Geistes, für sich genommen, eine Gefahr, und der Zug zur Erde, zur Bindung an Wesen und Dinge (durch *Liebe* und *Leid*) bedeutet die notwendige Gegenbewegung, die die Einseitigkeit des Aufstrebens korrigiert. Vgl., auf einer späteren Stufe, die Ode *Mein Eigentum*, bes. v. 25 ff.; ferner »Grundzüge der Dichtung Hölderlins«, oben S. 13 f.

Wolfgang Binder: Abschied und Wiederfinden. Hölderlins dichterische Gestaltung des Abschieds von Diotima. In: Festschrift Kluckhohn-Schneider. Tübingen 1948, S. 317—344, bes. S. 320. — Clemens Heselhaus: Friedrich Hölderlin. Lebenslauf. In: Die deutsche Lyrik, hg. v. Benno von Wiese. Düsseldorf 1956, S. 375—380. — Werner Kraft: Wort und Gedanke. Kritische Betrachtungen zur Poesie. Bern u. München 1959, S. 28—35.

DIE KÜRZE

Vor Juni/August 1798 (vgl. die Erl. zu *An die Parzen*).
Erster Druck: Taschenbuch für Frauenzimmer von Bildung, auf das Jahr 1799. Hg. v. C. L. Neuffer.
Frage- und Antwortstrophe wie in der Ode *Sokrates und Alcibiades*; analog ist auch der Aufbau der Gedichte *Die Liebenden* und *Menschenbeifall*.
Die Anfangssätze beider Strophen entsprechen sich bis in die Silbenzahl hinein. Sie enthalten den Kern der Frage und den Kern der Antwort. Daß das sinngemäß Wesentliche jeweils mit solcher Prägnanz vorangestellt wird, entspricht der fast aggressiven Knappheit in der inneren und äußeren Form der Kurzoden (vgl. »Grundzüge der Dichtung Hölderlins«, oben S. 12).

DIE LIEBENDEN

Vor Juni/August 1798 (vgl. die Erl. zu *An die Parzen*).
Erster Druck: Taschenbuch für Frauenzimmer von Bildung, auf das Jahr 1799. Hg. v. C. L. Neuffer. Eine spätere, erweiterte Fassung ist die Ode *Der Abschied*.

Ein einfacher Vorgang, die Trennung zweier Liebenden, führt unmittelbar zu einer Einsicht in das Wesen des Menschen. Das Wollen, Wähnen und Kennen (v. 1, 3) reicht nicht in den Grund dieses Wesens. Dort *waltet ein Gott.* Auf diesen weist der Schrecken (v. 2) hin, der die Trennung im wahren Lichte zeigt.
V. 1 und 3 sind den geringen Möglichkeiten des menschlichen Wähnens und Erkennens, v. 2 und 4 den machtvollen Schikkungen, die vom *Gott in uns* ausgehen, und diesem selbst gewidmet.
V. 1/2 und 3/4 stehen sich hier nicht eigentlich wie Frage und Antwort (vgl. die Erl. zu *Die Kürze*), sondern wie Frage und tiefere Einsicht gegenüber. Daß die Schlußverse keine unmittelbare Antwort auf die vorangehende Frage geben, entspricht der Einsicht *wir kennen uns wenig.*
Das Gedicht nennt das Geheimnis des menschlichen Wesens, ohne es zu enträtseln, und bricht unmittelbar danach ab. Die Spannung zwischen *Wir* und *Gott,* die nur innerhalb einer Einheit beider möglich ist (vgl. v. 4), wird, karg und schroff in eine einzige Strophe gefügt, stehen gelassen.

Wolfgang Binder: Abschied und Wiederfinden. Hölderlins dichterische Gestaltung des Abschieds von Diotima. In: Festschrift Kluckhohn-Schneider. Tübingen 1948, S. 317—344, bes. S. 319 und 332 ff.

MENSCHENBEIFALL

Vor Juni/August 1798 (vgl. die Erl. zu *An die Parzen*).
Erster Druck: Taschenbuch für Frauenzimmer von Bildung, auf das Jahr 1799. Hg. v. C. L. Neuffer.
Wie in *Die Kürze* und *Sokrates und Alcibiades* entsprechen sich auch hier beide Strophen wie Frage und Antwort. Diese Dialektik des formalen Aufbaus geht Hand in Hand mit einer Dialektik des Gehalts. Das Gedicht wendet sich von einer eigenen Position her gegen die ihm begegnende Position der Menge (vgl. Horaz: »Odi profanum volgus . . . «). Die eigene kommt in v. 1 f. und 7 f., die der Menge im Mittelteil (v. 2—6) zu Wort. Somit sind die formale und die inhaltliche Dialektik ineinander verschränkt; die inhaltliche

überspielt das Ende der ersten Strophe, das im formal-dialektischen Aufbau (Frage — Antwort) die Zäsur ist.
In diesem Gedicht fällt das oft zitierte Urteil über die eigene Jugenddichtung: *stolzer und wilder, Wortereicher und leerer.* Diese frühere Haltung wird jetzt als Gewaltsamkeit gebrandmarkt (v. 6): der Wortreichtum fällt gewaltsam über die Dinge her und prägt ihnen sein eigenes Wesen auf, statt sie in der Haltung der Liebe (v. 2) von ihnen selbst her zur Sprache zu bringen.
Heselhaus (a. a. O. S. 366) sieht den Gedichtvorgang als eine »Wiedergewinnung des gestörten Selbstvertrauens«: »Obwohl das Gedicht . . . dem Titel nach den *Menschenbeifall* zum Gegenstand hat, handelt es von der Selbstrechtfertigung der Liebe. Der Liebende muß sich hier rechtfertigen, weil er durch die Liebe aus der Menge ausgesondert ist. Die Rechtfertigung wird dadurch gewonnen, daß die Aussonderung in der abschätzigen Wendung gegen die Menge als eine Auserwählung verstanden wird. . . . Das Gedicht vom Menschenbeifall wird so zu einem Gedicht der Selbstvergewisserung.«
Aus dem Brief an Neuffer vom August 1798, in dem Hölderlin dem Freund einige Kurzoden (*Gedichtchen*) sandte, zitiert Heselhaus eine Stelle, in der er, wiederum im Hinblick auf die Wiedergewinnung des Selbstvertrauens, »den Schlüssel zur Interpretation des Gedichtes *Menschenbeifall*« (a. a. O. S. 368) sieht: *Uns selber zu verstehn! das ists, was uns emporbringt. Lassen wir uns irre machen an uns selbst, an unserm* θειον, *oder wie Dus nennen willst, dann ist auch alle Kunst und alle Müh umsonst. Drum ists so viel wert, wenn wir fest zusammenhalten, und einander sagen, was in uns ist; drum ist es unser eigner größter Schade, wenn wir uns aus ärmlicher Rivalität p. p. trennen und vereinzeln, weil des Freundes Zuruf unentbehrlich ist, um mit uns wieder eins zu werden, wenn unsre eigne Seele, unser bestes Leben uns entleidet worden ist, durch die Albernheiten der gemeinen Menschen, und den eigensinnigen Stolz der andern, die schon etwas sind.*
Das Gedicht selbst dagegen sagt nichts mehr von einer Störung des Selbstvertrauens, die überwunden werden müßte. Auch die einleitende rhetorische Frage verlangt kaum »nach Bestätigung und Rechtfertigung der neuen Liebe« (a. a. O. S.

365); vielmehr weist sie ruhig hin auf die in der Liebe eingetretene Wandlung, derer das Ich gewiß ist.
»... am Ende steht die Identität des Selbst mit dem Göttlichen. Die kühne Verkündigung des Gedichts erweist sich philosophisch als die Kühnheit der Identitätsphilosophie. Das heißt aber, auf das Ästhetische hin gesehen: Dichtung ist nur aus dem Beisichsein, wie es Liebe, Freundschaft und der enthusiastische *heilige* Zustand gewähren, möglich, nicht mehr aus der Verlockung des Ruhms oder aus dem Geizen um Menschenbeifall. Das Gedicht ... wird damit auch zu einem Gedicht eines neuen dichterischen Programms, das Hölderlins reife Dichtung ankündigt« (Heselhaus a. a. O. S.368).

Clemens Heselhaus: Friedrich Hölderlin. Menschenbeifall. In: Die deutsche Lyrik, hg. v. Benno von Wiese, Düsseldorf 1956, S. 364 bis 368.

DIE HEIMAT

Vor Juni/August 1798 (vgl. die Erl. zu *An die Parzen*).
Erster Druck: Taschenbuch für Frauenzimmer von Bildung, auf das Jahr 1799. Hg. v. C. L. Neuffer.
Die Strenge, die zum Kunstcharakter der Kurzoden gehört, liegt hier — außer der grundlegenden Kürze — in der Tatsache, daß das Gedicht es bei den beiden fragenden Strophen bewenden läßt. Die Fragen bleiben unbeantwortet.
Die erste Strophe ist in zwei und zwei Verse gegliedert: zunächst das Bild vom *Schiffer*, dann die Situation des Ich. Die gegensätzliche Lage beider kommt darin zum Ausdruck, daß dem *Schiffer* ein Aussage-, dem Ich ein Wunsch- und ein Fragesatz gewidmet sind; die dortige Erfüllung ist hier versagt. Die Strenge der Komposition geht noch weiter: jeweils im ersten Vers der beiden Strophenteile erscheint die Heimat (*heim*, *v.* 1 — *Heimat*, v. 3), jeweils im zweiten die eingebrachte Ernte (v. 2, 4); die unterschiedliche Stimmung des Schiffers und des Ich wird am Anfang und Ende der Strophe, also jeweils an prägnanter Stelle genannt (*Froh*, v. 1 — *Leid*, v. 4).
Die zweite Strophe setzt das Fragen des Ich fort. Die eine

Frage der Anfangsstrophe (v. 4) entfaltet sich in zwei Fragen (v. 5 f., 6—8); und das Wesen der *Heimat* (v. 3) wird konkretisierend auseinandergelegt in die *holden Ufer* und die *Wälder meiner Kindheit.* Dementsprechend zeigt sich auch das zunächst undifferenziert genannte *Leid* (v. 4) jetzt anschaulicher als *der Liebe Leiden* und als Mangel an Ruhe (v. 8). Das Gedicht drängt also in seinem Verlauf zu Entfaltung und zunehmender Differenzierung der Aussage. Daher ist die Strenge, mit der es sich eine noch weitergehende Entfaltung verbietet, um so fühlbarer. So trägt das Gedicht den Keim für die spätere Erweiterung in sich (vgl. die sechsstrophige Ode *Die Heimat*).

Wolfgang Binder: Sinn und Gestalt der Heimat in Hölderlins Dichtung. In: Hölderlin-Jb. 1954, S. 46—78.

DER GUTE GLAUBE

Vor Juni/August 1798 (vgl. die Erl. zu *An die Parzen*).
Erster Druck: Taschenbuch für Frauenzimmer von Bildung, auf das Jahr 1799. Hg. v. C. L. Neuffer.
» . . . der Vierzeiler . . . [knüpft] an eine Krankheit Diotimas an und geht auf die durch sie erregten Stimmungen ein. Aber das geschieht nicht so, daß eine einmalige, an einen bestimmten Augenblick gebundene Gefühlslage gestaltet würde, wie oft bei Goethe. Vielmehr wird die typische Bedeutung eines solchen Geschehens für das Innenleben herausgehoben, so daß das besondere Gefühl sich in die großen, allgemeinen Bewegungen der Seele einfügt. Dadurch entsteht eine eigentümlich einfache Größe des Sagens. Schon die Anrede, mit der das Gedicht beginnt, gibt die Doppelheit von Individuellem und Allgemeinem zu erkennen. . . Gewiß ist damit die Hinwendung zu Diotima gegeben, aber doch so, daß Diotima in ihrer allgemeinen Bedeutung sichtbar wird und als Vertreterin des schönen Lebens überhaupt erscheint. . . . Das augenblickliche Erleben wird bewältigt, indem es vom fühlenden Herzen aufgenommen und auf die bleibenden Ordnungen, auf Liebe, Furcht, Glaube bezogen wird« (Böckmann S. 172 f.).

IHRE GENESUNG

Vor Juni/August 1798 (vgl. die Erl. zu *An die Parzen*).
Erster Druck: Taschenbuch für Frauenzimmer von Bildung, auf das Jahr 1799. Hg. v. C. L. Neuffer. Vgl. die gleichnamige, erweiterte Fassung aus dem Jahre 1800.
Die beiden Anfangsstrophen bilden den ersten Teil des Gedichts: beide rufen die *Natur* und ihre Mächte, die *Götter* an; beide stellen Fragen; bei beiden steht die entscheidende Frage am Schluß des zweiten Verses (*ihr heilt sie nicht* — *heitern sie alle nicht*). In diesen Strophen scheinen die natürlichen Verhältnisse aus der Ordnung geraten zu sein; die Natur, deren *Freundin* (v. 1) Diotima doch ist, heilt die Kranke nicht, obwohl sie *Allbelebende* Kraft hat.
Die dritte Strophe, gleichsam die Antwort auf die vorhergehenden Fragen, zeigt die Wiederherstellung der gestörten Ordnung. Die Natur erweist sich jetzt, dem Schein zum Trotz, als die *Allbelebende*, und *heilige Lebenslust* kehrt wieder.
Diotima ist durchaus vom Umgang mit der Natur und von der liebevollen Erziehung durch die Götter bestimmt; sie hat ihr Wesen nicht aus sich selbst, nicht aus einer subjektiven Seele des Individuums, sondern aus der Zugehörigkeit zur Natur und zu den Göttern. Diese Grundbestimmung des reinen Menschen bei Hölderlin wird in der antwortenden dritten Strophe durch die Wendung ›Lebenslust tönt ihr‹ gestaltet: die Wiederkehr der Lebenslust trifft die Genesende als eine Gabe der Natur; sie ist kein im Ich entspringender psychischer Vorgang.
Ein scheinbar alltägliches Ereignis, eine Krankheit der Geliebten, wird in den weitesten Zusammenhang gestellt. Die Selbstverständlichkeit, mit der das geschieht, zeigt die Ursprünglichkeit der Hölderlinschen Erfahrung des göttlich bestimmten Zusammenhangs aller Wesen.

DAS UNVERZEIHLICHE

Vor Juni/August 1798 (vgl. die Erl. zu *An die Parzen*).
Erster Druck: Taschenbuch für Frauenzimmer von Bildung,

auf das Jahr 1799. Hg. v. C. L. Neuffer. Eine spätere, erweiterte Fassung ist die Ode *Die Liebe.*
»Der Frieden der Liebenden ist kein angemaßtes Privileg, sondern Ausdruck der innersten Natur der Liebe. Warum ihr das Recht frommer Schonung zusteht, wird das Gedicht *Die Liebe* später geschichtsphilosophisch begründen. Hier steht es aus der Vollmacht des Erlebnisses einfach fest. Die Bekräftigung ist aber als die stärkste gemeint, die möglich ist; denn die Verbrechen, die gemessen an der Mißachtung der Liebe vor Gott noch verzeihbar erscheinen, und die Hölderlin sonst unter dem Stichwort *des Genius Feinde* (*Abschied*, v. 3) beschäftigen, hat er geradezu als Angriff auf die Lebenssubstanz des Künstlers wie des Volkes empfunden« (Binder a. a. O. S. 319).

Wolfgang Binder: Abschied und Wiederfinden. Hölderlins dichterische Gestaltung des Abschieds von Diotima. In: Festschrift Kluckhohn-Schneider. Tübingen 1948, S. 317—344.

AN DIE JUNGEN DICHTER

Vor Juni/August 1798 (vgl. die Erl. zu *An die Parzen*).
Erster Druck: Taschenbuch für Frauenzimmer von Bildung, auf das Jahr 1799. Hg. v. C. L. Neuffer.
In v. 1—3 kommt das erhoffte Reifen der Kunst *zur Stille der Schönheit* zur Sprache; die folgenden fünf, durch sieben Imperative bestimmten Verse weisen den Weg zur Erlangung dieser Reife. Der erste der Imperative (v. 4) schließt einerseits die erste Strophe bedeutsam ab, weil er die Grundbedingung des Reifens nennt; zum andern gewährleistet er die Verbundenheit beider Strophen, weil er den imperativischen Charakter schon in der ersten Strophe einsetzen läßt.
Die *Stille der Schönheit,* das Ziel des Reifens, ist kein bloß ästhetischer Zustand; vielmehr ist die Frömmigkeit (v. 4) ihre Grundbedingung. »Zur Schönheit gehört als Wesen nicht nur die Stille, sondern in ihr das Heilige, Göttliche« (Kayser a. a. O. S. 230). Daher wird Liebe zu den *Göttern* (v. 5) und Bindung an die *Natur* (v. 8) gefordert (vgl. die Erl. zu *Der Mensch* und *Die Launischen*).

Zu dem Widerspruch, daß das Gedicht viele Lehren erteilt, selbst aber fordert, nicht zu lehren (v. 6), vgl. Kayser a. a. O. (zu erwägen ist jedoch auch, ob sich das *nicht* v. 6 nur auf *beschreibet* bezieht; vgl. *An unsre großen Dichter*, v. 6: *gebt die Gesetze*. Das Gesetzgeben könnte eine Analogie zum Lehren sein).
Zum Verbot des Beschreibens (v. 6) vgl. das Epigramm *Die beschreibende Poesie;* von dort her ist das verpönte Beschreiben als das Abschildern des bloß Faktisch-Realen zu verstehen. V. 7 (*der Meister*) läßt an Hölderlins eigenes Verhältnis zu Schiller denken; erst allmählich gelang es ihm, sich aus der Abhängigkeit von Schillers Dichtung zu lösen.

Wolfgang Kayser: Das sprachliche Kunstwerk. Bern 1948, S. 226 bis 239. — Wolfgang Binder: Sprache und Wirklichkeit in Hölderlins Dichtung. In: Hölderlin-Jb. 1955/56, S. 183—200, bes. S. 186 f.

AN DIE DEUTSCHEN

Vor Juni/August 1798 (vgl. die Erl. zu *An die Parzen*).
Erster Druck: Taschenbuch für Frauenzimmer von Bildung, auf das Jahr 1799. Hg. v. C. L. Neuffer. Vgl. die gleichnamige, erweiterte Fassung.
Vgl. Hyperions Scheltrede auf die Deutschen (StA 3, 153 ff.), in der jedoch ein ungleich schärferer Ton als in diesem Gedicht herrscht. Auch ist das Ziel der Kritik jeweils ein anderes: dort richtet sie sich gegen die *gottverlaßne Unnatur* der Deutschen, hier gegen ihre Tatenarmut. Das Gedicht ist durchaus versöhnlich gestimmt, es spricht ohne Affekt und ohne sich ein gültiges Urteil anzumaßen: die zweite Strophe räumt ein und hofft wohl gar, daß die zuvor ausgesprochene Kritik fehl am Platze sein und sich als *Lästerung* enthüllen könnte. So zeigt sich, daß Hölderlins Zürnen in jedem Fall ein Zorn aus Liebe ist (vgl. *ihr Lieben*, v. 7): *Hast du Liebe genug so zürn aus Liebe nur immer* (Bruchstück 26, v. 6).

DIE SCHEINHEILIGEN DICHTER

Vor Juni/August 1798 (vgl. die Erl. zu *An die Parzen*).
Erster Druck: Taschenbuch für Frauenzimmer von Bildung, auf das Jahr 1800. Hg. v. C. L. Neuffer

Das Gedicht wendet sich gegen den nur allegorischen Gebrauch der Götternamen, der in so vielen Dichtungen des 18. Jahrhunderts herrscht und seinen Grund in dem Verlust des Glaubens an die Realität der Götter hat (v. 2 f.). Der Glaube ist durch bloßen, unfruchtbaren *Verstand* (v. 2) zersetzt worden. Hölderlins Dichtung beruht demgegenüber auf unmittelbarer Erfahrung der Realität der Götter, wobei diese Erfahrung ihm zugleich den Dank (v. 4) für die von den Göttern empfangenen Gaben zu einer inneren Notwendigkeit macht.

5—8 Wohl nicht so zu verstehen, daß die mißbräuchliche Anwendung der göttlichen Namen gleichwohl eine Weise der Anwesenheit der Götter ist, sondern als »sarkastisch-ironische« Fortsetzung der Polemik (vgl. Adolf Beck in: Hölderlin-Jb. 1948/49, S. 235, Anm. 1 und Wolfgang Binder in: Hölderlin-Jb. 1961/62, S. 120).

8 *Mutter Natur*: Vgl. *Der Mensch*, v. 23 und die Erl. dazu.

DEM SONNENGOTT

Vor dem 30. Juni 1798. Zusammen mit den Gedichten *Sokrates und Alcibiades, An unsre großen Dichter, Vanini, Der Mensch* am 30. Juni 1798 an Schiller geschickt. Dieser nahm, vielleicht nur aus Platzmangel, nur die beiden kürzesten, *Sokrates und Alcibiades* und *An unsre großen Dichter*, in seinen Musenalmanach 1799 auf. Vgl. Beck, StA 6, 878.

Erster Druck: Schwab 1846.

Das Gedicht stellt die Sonne als einen *Götterjüngling* und ihren Untergang als ein Zeichen dar, daß der Gott die Menschen verläßt. Die Menschen der Gegenwart des Dichters erfahren und *ehren* (v. 8) den Gott nicht mehr. Der Gott entzieht sich ihnen. Dieser Entzug währt seit dem Erlöschen des antiken Göttertages.

Das Walten des Sonnengottes ist nicht schon dadurch gewährleistet, daß die Menschen — was alltäglich geschieht — den Sonnenschein wahrnehmen. Der Gott waltet erst dann, wenn sein Scheinen eigens als göttlich erfahren wird.

Angesichts des Weggangs des Sonnengottes wendet sich die

zweite Hälfte des Gedichts (die Hälften sind auch durch die syntaktische Verbundenheit von je zwei Strophen gekennzeichnet) der *Erde* zu. Erde und Sonnengott sind innig aufeinander verwiesen; das Gedicht *Der Mensch* (s. d.) nennt beide als die Eltern des Menschen. So trauern jetzt Mutter und Sohn um den Vater. Die Trauernden entschlummern (v. 11), ein Zeichen dafür, wie weit sich der belebende Gott entfernt. Diese Zeit der Götterferne ist von Ungewißheit erfüllt (*Nebel und Träum'*, v. 14; auch schon *dämmern*, v. 1; vgl. zum Bild des Schlummers auch *An unsre großen Dichter*).
Ein Grundelement des Hölderlinschen Geschichtsdenkens — und von der Geschichte, die wesentlich durch die Weg- und Zuwendung der Götter bestimmt wird, handelt ja dieses Gedicht — ist jedoch der Dreischritt. So steht auch hier der Hinweis auf die Wiederkehr des *Geliebten* am Ende. Von ihr ist das Wiedererstehen von *Leben und Geist* (v. 16) des Menschen abhängig. Der Mensch kann die Erfahrung des Gottes als eines solchen nicht erzwingen; er ist angewiesen zu warten, *Bis der Geliebte wiederkömmt*, bis der Gott von neuem zuläßt, daß er erfahren wird. Vgl. das folgende Gedicht.

Clemens Heselhaus: Friedrich Hölderlin: Dem Sonnengott. In: Die deutsche Lyrik, hg. v. Benno von Wiese, Düsseldorf 1956, S. 369—374.

SONNENUNTERGANG

1798/99. Beißner (StA 1, 556—558) vermutet, daß Hölderlin auch dieses Gedicht schon im Juni oder August 1798 an Neuffer sandte (vgl. die Erl. zu *An die Parzen*); L. v. Pigenot dagegen (Hell. 3, 496) setzt die Entstehung auf Grund der unten erwähnten Ähnlichkeit mit einer Stelle aus dem *Empedokles*-Drama erst um die Mitte des Jahres 1799 an.
Erster Druck: Taschenbuch für Frauenzimmer von Bildung, auf das Jahr 1800. Hg. v. C. L. Neuffer. Spätere, kürzere Fassung des vorigen Gedichts (vgl. dort die Erl.).

Im Plan der dritten Fassung des *Empedokles*-Dramas kehren manche Motive dieses Gedichts wörtlich wieder: *friedlich*, *sagt er* [Empedokles], *soll dieser Abend sein, kühle Lüfte wehn, die Liebesboten, und freundlich von den Himmelshöhn herabgestiegen, singt der Sonnenjüngling dort sein Abendlied, und goldner Töne voll ist seine Leier* (StA 4, 166).
Gegenüber *Dem Sonnengott* ist die zweite Gedichthälfte fortgefallen. Damit verzichtet Hölderlin auf den letzten Teil des Dreischritts, der im Hinweis auf die Wiederkehr des Geliebten gipfelte (*Dem Sonnengott*, v. 15 f.). Der Weggang des Gottes steht jetzt am Ende; er wird dadurch stärker betont; die Verlassenheit der Zurückgebliebenen erscheint auswegloser.
Ferner wird jetzt für den Sonnenuntergang ein Bild aus dem Bereich der Töne gewählt und einheitlich durchgeführt: statt Blicken (*Dem Sonnengott*, v. 3, 6) jetzt Lauschen (v. 3); statt des Badens der Locken das *Abendlied auf himmlischer Leier*; ebenso ist der Gott nicht mehr *müde seiner / Fahrt*, sondern *goldner Töne / Voll.*
Endlich wird der *Götterjüngling* zum *Sonnenjüngling* (v. 4). »So unscheinbar diese Veränderung zu sein scheint, so wichtig ist sie für den neuen Charakter des Gedichts. Sie entspricht nämlich der Abänderung des Titels, in welchem nicht mehr mythologische Vorstellungen aufgerufen werden, sondern das Naturphänomen selbst genannt wird. Das ist ein Zeichen dafür, daß Hölderlin nun auf die Mythologisierung verzichtet. Er begnügt sich mit der Personifizierung« (Heselhaus a. a. O. S. 374). Dadurch, daß der Name »Gott« weggefallen ist, ist jedoch die Göttlichkeit des *Sonnenjünglings* um nichts geringer geworden. Das zeigt sich darin, daß die Schlußverse unverändert erhalten geblieben sind: auch dem *Sonnenjüngling* gebührt fromme Verehrung. Indem diese Verehrung sich jetzt auf das Naturwesen selbst richtet, enthüllt sich dessen immanente Göttlichkeit unmittelbarer, als wenn sie direkt ausgesprochen würde.

Clemens Heselhaus: Friedrich Hölderlin: Dem Sonnengott. In: Die deutsche Lyrik, hg. v. Benno von Wiese, Düsseldorf 1956, S. 369 bis 374.

SOKRATES UND ALCIBIADES

Vor dem 30. Juni 1798 (vgl. die Erl. zu *Dem Sonnengott*).
Erster Druck: Musen-Almanach für das Jahr 1799, hg. v. Schiller.
Alcibiades, Neffe des Perikles, war ein Schüler des *Sokrates*. Vgl. seine Lobrede auf diesen in Platons »Gastmahl«.
Die beiden Strophen entsprechen sich wie Frage und Antwort. Zu dieser formalen Antithese tritt die sachliche (s. u.), so daß das Gedicht zunächst durchaus auf der Spannung von Gegensätzen aufgebaut zu sein scheint. Das Tiefste — das Lebendigste, Reife — Jugend, Weisheit — Schönheit stehen sich gegenüber. Aber ihr Unterschied wird nur von der Fragestrophe, nicht auch von der antwortenden betont (obwohl in dieser die formale Antithetik ihren Höhepunkt erreicht). Die zweite Strophe ist vielmehr von Liebe (v. 5), Verstehen (v. 6) und Zuneigung (v. 7 f.) bestimmt. *Die Weisen* lieben *das Lebendigste*, weil sie in ihm die Verkörperung des *Tiefsten* finden. So ist das Denken des *Tiefsten* zugleich Voraussetzung dafür, daß das eigentliche Wesen des *Lebendigsten* gefunden werden kann. Damit ist aber die mögliche Gegensätzlichkeit von Weisheit und Schönheit überwunden. Für den, der *das Tiefste gedacht* hat, öffnet sich inmitten der Gegensätze ihre innerste Gemeinsamkeit.
Wolfgang Binder erläutert die zweite Strophe als eine reine Verwirklichung des asklepiadeischen Silbenmaßes (vgl. »Formen der Lyrik Hölderlins«, oben S. 27): »In wenigen Strophen Hölderlins ist das Gesetz des Asklepiadeischen so rein verwirklicht wie in dieser. Um mit Äußerlichem zu beginnen: die grammatischen Einschnitte fallen mit den Zäsuren und Versgrenzen zusammen, die drei Sätze entsprechen genau den beiden Stollen und dem Abgesang (v. 3 und 4). Zugleich tritt die logische Gliederung überdeutlich hervor: ein zweiseitiger Gedanke wird dreimal variierend ausgesprochen, drei Begriffspaare stehen einander in den drei Strophenteilen, je auf deren Hälften antithetisch verteilt, gegenüber: das Tiefste — das Lebendigste, die Jugend — die Welt, die Weisen — das Schöne. Und nun beachte man den kunstvollen Chiasmus in dieser Anordnung: die Entsprechun-

gen überkreuzen sich jedesmal. Auch die grammatische Form enthält einen Chiasmus (v. 1: Relativsatz — Hauptsatz, v. 2: umgekehrt), aber nur in den beiden Stollen. Der metrische Gegensatz zwischen den unerbittlich streng profilierten Stollen und dem weicheren, breiter ausschwingenden Abgesang ... ist aufs feinste im Satzstil nachgezeichnet. ... Das Überraschendste an dieser Strophe ist freilich nicht der Formcharakter, sondern der Umstand, daß sich hier in logisch-antithetischer Zuspitzung ein Gedanke ausdrückt, der weit jenseits logischer Bereiche seine Heimat hat. Warum neigen sich die Weisen dem Schönen zu? Hier spricht ein Tiefsinn, ein Wissen um geheime Lebenszusammenhänge in einer Form, die ihm geradezu kontradiktorisch entgegengesetzt zu sein scheint. Das erst ist der ganze Hölderlin ...« (a. a. O. S. 94 f.).

Friedrich Beißner: Miszellen zu Hölderlin I. In: Zs. f. dt. Philologie, 1934, S. 258—260. — Wolfgang Binder: Hölderlins Odenstrophe. In: Hölderlin-Jb. 1952, S. 85—110. — Martin Heidegger: Was heißt Denken? Tübingen 1954, S. 9.

AN UNSRE GROSSEN DICHTER

Vor dem 30. Juni 1798 (vgl. die Erl. zu *Dem Sonnengott*). Erster Druck: Musen-Almanach für das Jahr 1799, hg. v. Schiller. Vgl. *Dichterberuf*, die erweiterte Fassung dieser Ode.

Freude (vgl. v. 1) entsteht, wenn sich die innere Wesensnähe der Dinge verwirklicht (vgl. die Erl. zu *An Diotima*). So besteht auch das Wecken des Bacchus, der der *Freudengott* ist, im Verwirklichen dieser Nähe. Er wird daher im Spätwerk auch der *Gemeingeist* (StA 2, 753, 3) genannt (vgl. die Erl. zu *Der Einzige*).

Seinem Wirken sollen die Dichter entsprechen. Ihr Vermögen, die Schlafenden zu wecken, ist ebensowenig wie das Geben der *Gesetze* (v. 6) als Ausdruck der schöpferischen Persönlichkeit zu verstehen. Der Dichter ist nicht freies Subjekt, er gehorcht nicht seiner Eigengesetzlichkeit, sondern ist an

seine Zugehörigkeit zur Natur gebunden. Dieser entnimmt er die zu verkündenden Gesetze. Die Kürze, zu der Hölderlin sich zwingt, erlaubt hier freilich nicht die volle Entfaltung dieser Konzeption des dichterischen Wesens.
Während die erste Strophe in erzählendem Ton gehalten ist, wird die zweite von fünf Imperativen beherrscht (vgl. *An die jungen Dichter*, v. 4—8). Das Nebeneinander dieser stark unterschiedenen Aussageweisen ist bezeichnend für die Form der Kurzoden.

Momme Mommsen: Dionysos in der Dichtung Hölderlins ... In: GRM 1963, S. 345—379, bes. S. 347 f.

VANINI

Vor dem 30. Juni 1798 (vgl. die Erl. zu *Dem Sonnengott*).
Erster Druck: B. Seuffert: Gedichte Hölderlins. In: Vierteljahrschrift für Litteraturgeschichte, hg. v. B. Seuffert, 1891.
Lucilio *Vanini* (1585—1619), italienischer Gelehrter, Pantheist, in Toulouse als Ketzer verbrannt. Eins seiner Werke heißt »De admirandis naturae reginae deaeque mortalium arcanis« (1616). Hölderlin nimmt Vaninis Naturverehrung ganz als Zugehörigkeit Vaninis zur *heil'gen Natur* (v. 10). Der heiligen *Göttermutter* (*Der Mensch*, v. 23) zugewandt, ist Vanini selbst der Heilige (v. 4). Als solcher hat er der Natur selbst entsprochen, wenn er nach seinem Märtyrertod darauf verzichtete, rächend vom Himmel her zurückzukommen (v. 4 f.): die Natur lehrt den *alten Frieden* (v. 12), die Versöhnung der Gegensätze durch deren innerste Gemeinsamkeit. Vgl. *Hyperion*: *Versöhnung ist mitten im Streit, und alles Getrennte findet sich wieder* (StA 3, 160). Das zuinnerst Gemeinsame, das den *alten Frieden* ermöglicht, ist die Zugehörigkeit aller Wesen zur Einheit des Weltganzen und ihrer aller Verbundenheit im *gemeinsamen Geiste* (vgl. *Wie wenn am Feiertage ...*, v. 43).
Die beiden ersten Strophen machen sich diese von der Natur selbst bestimmte Haltung noch nicht zu eigen; sie geben vielmehr der Empörung über das Unrecht Ausdruck, das

Vanini geschehen ist. Die Erregung zeigt sich in der dort vorherrschenden Frageform, in einem Anruf (v. 4) und im drängenden Übergreifen des Sinn- und Satzzusammenhanges von Strophe zu Strophe. Das *Doch* (v. 9) nimmt die Empörung zurück und leitet die gefestigt-beruhigte Aussage der Schlußstrophe ein, die in die eigentliche, der Natur entsprechende und daher umfassende Anschauungsweise einlenkt.

DER MENSCH

Vor dem 30. Juni 1798 (vgl. die Erl. zu *Dem Sonnengott*).
Erster Druck: 1) Uhland-Schwab 1826 (nach einem Entwurf, mit dem Untertitel »Fragment«). 2) B. Seuffert: Gedichte Hölderlins. In: Vierteljahrschrift für Litteraturgeschichte, hg. v. B. Seuffert, 1891 (nach der Reinschrift).
Die Überschrift hieß zunächst *Der Geburtstag des Menschen.* Schon im ersten Entwurf wurde dann *Geburtstag* gestrichen.
Letzte Form des ersten Entwurfs:

Hervorgeblüht aus den Wassern, o Erde!
Waren deiner Berge Gipfel noch kaum,
Und dufteten, neugeborener Wälder voll
Lustatmend über dem Ozean,

Die ersten seligen Inseln!
Und es sahe der Sonnengott
Mit Liebesblick
Die holden Erstlinge
Blumen und Bäume, lächelnde Kinder
Seines Geistes und deines Glücks,

Da auf der schönsten der Inseln,

unter den Trauben
Lag einst, (nach Nacht)
In dämmernder Morgenstunde geboren

Deines Schoßes üppigste Frucht;
Und schon blickt wohlbekannt
Zum Vater Helios auf
Der Knab' und wählt die süßen
Beere versuchend,
Zur Amme die heilige Rebe

Aufwächst er und ihn scheuen die Tiere
Denn ein andrer ist er, wie sie,
Auch gleicht er dem Vater und dir nicht
Denn kühn und einzig ist [Helios Geist] *mit deiner Freude*
Mutter Erde! vereint in ihm.

Ach! darum folgt er auch dir nicht
Und nicht dem Vater, umsonst führst du
An zarten Banden den Flüchtling gefangen
Es halten nimmer deine Gaben ihn auf,
Forteilend sucht' er ein Besseres sich

Und die herdereichen Wiesen des Ufers gefallen ihm nicht
Ins nackte Gewässer ins blütenlose, muß er hinaus
den Berg Durchwühlt er, und spähet im Schacht,
ob schon

Und sein Friede währet nicht lange.

Den[n] *sterben muß* [die] *Wonne* [des] *Mais, und*

Doch schneller zerreißt, und schröcklicher
Deine großen Harmonien, o Menschennatur
Das unerbittliche Schicksal.

Zur Textfassung. Der Mensch erscheint als der Sohn von Erde und Himmel (*Mutter Erde*, *Vater Helios*, v. 13 f.). Ihm ist weniger und mehr als den Eltern gegeben: er hat nicht wie sie ein in sich ruhendes Wesen, sondern zu ihm gehört das Streben und damit wesenhafte Un-ruhe (v. 23 f.). Er strebt aber nach dem, was höher ist als die Eltern, nach dem Höch-

sten, der *Göttermutter . . . Natur.* (Vgl. *Wie wenn am Feiertage . . .*, v. 21—23: . . . *sie, sie selbst, die älter denn die Zeiten / Und über die Götter des Abends und Orients ist, / Die Natur . . .*). Die Götter stehen nicht über der Natur; sie sind ihr eingegliedert. *Natur* ist zu dieser Zeit Hölderlins Name für Einheit und Wesen des Weltganzen — ohne daß dieses dadurch auf eine ›bloß naturhafte‹ Bedeutung reduziert würde. Der heutige eingeschränkte Sinn des Wortes ›Natur‹ ist hier fernzuhalten.
Die entscheidenden Verse 23 f. schließen die erste Gedichthälfte ab. Die zweite ist den Folgerungen gewidmet, die dem Menschen aus seinem Streben erwachsen. Er muß die *exzentrische Bahn* (vgl. die Vorrede zum *Fragment von Hyperion*) durchlaufen. Davon zeugen sein *Übermut* (v. 26), seine Wildheit (v. 28), sein Ausgeschlossensein von einem nur arkadischen Leben mit der Erde (v. 25—27), die Ausfahrt in die Weite und Tiefe (v. 29—36) und das Leben *im Zwist* (v. 42). Dennoch und gerade so ist er *Der seligste* (v. 46) und der *Starke* (v. 48), denn er allein weiß von der *Göttermutter*, er allein strebt zu ihr.

HYPERIONS SCHICKSALSLIED

1797/98.
Erster Druck: *Hyperion oder der Eremit in Griechenland* von Friedrich Hölderlin. Zweiter Band. Tübingen 1799.
Drei Zeilen unter dem ersten Entwurf der Elegie *Der Wanderer* stellen möglicherweise die erste Konzeption dar:

Wandelt ewig freigegeben
Frei in stiller Selbstgewalt
Unter euch ein

Das Lied ist aus dem *Hyperion* in die »Gedichte« herübergenommen. Die Überschrift fehlt im Roman; sie entspricht den dort vorangehenden Worten Hyperions: *Ich wollte mich stärken, ich nahm mein längstvergessenes Lautenspiel hervor, um mir ein Schicksalslied zu singen, das ich einst in glücklicher unverständiger Jugend meinem Adamas nachgesprochen* (StA 3, 143).

Hyperion hat nach dem Scheitern seiner Kriegspläne in der Seeschlacht von Chios den Tod gesucht, ist verwundet und von Alabanda gepflegt worden, hat Abschied von diesem genommen und will nun zu Diotima auf die Insel Kalaurea zurückkehren. In Erwartung seines Schiffes singt er das *Schicksalslied.* Unmittelbar danach erreicht ihn Diotimas Abschiedsbrief und die Nachricht von ihrem Tode.

Die Kenntnis dieser inhaltlichen Zusammenhänge des Romans ist jedoch für das Verständnis des Gedichts nicht notwendig. Auch im Roman erwächst das Lied nicht erst aus der skizzierten Situation; Hyperion hat es vielmehr einst von Adamas gelernt. Schon dies deutet auf seine höhere Gültigkeit, die es der Beschränkung auf eine konkrete Situation enthebt. Vielleicht wäre daher der allgemeinere Titel »Schicksalslied« angemessener.

Die Götter sind *Schicksallos*, Menschen aber haben Schicksal. Dort Ewigkeit, Seligkeit, Stille, Klarheit; hier Zeitlichkeit, Leid, Unrast, Blind- und Ungewißheit. Die Wesensäußerungen der *Himmlischen*, wie sie sich in den ihnen zugeordneten Verben ausdrücken, sind von müheloser Unbewußtheit: wandeln, atmen, blühen, blicken. Die Sterblichen aber *schwinden, fallen*, werden *geworfen.* Sie sind des Leides fähig (v. 19), nicht aber die Götter. Deren Schicksallosigkeit ist nicht nur ein Vorzug. Sie entbehren auch, nämlich das Bewußtsein und das Leiden- und Fühlenkönnen. Das Vollkommene wäre nicht vollkommen, könnte es fühlend eines Anderen außer ihm selbst inne werden (vgl. *Der Rhein*, v. 105—114). Im *Schicksalslied* sind jedoch die späteren Gedanken der Rheinhymne nur implizite angelegt; der Nachdruck liegt hier auf dem ungeheuren Abstand, der Götter und Menschen trennt, auf dem Gefälle, das von v. 1 bis zu v. 24 führt: *droben im Licht . . . ins Ungewisse hinab.*

Dieser Unterschied spiegelt sich im Satzbau: in v. 1—15 kurze, klare, ruhige syntaktische Einheiten; kaum hemmen Einschiebsel den mühelosen Ablauf der Sätze. In der Schlußstrophe dagegen Ein großes Satzgefüge (bes. v. 18—24), dessen Vielformigkeit dem ausgesagten Menschenschicksal seine angemessene Gestalt gibt: das Beziehungswort *hinab* (v. 24) wird von v. 18 her über zwei große Einschiebsel (v.

20—23) hinweg aufgespart, wodurch sich den Versen Spannung und Sog zum Ziel — und zugleich die Stauung durch Hemmnisse, die sich vor das Ziel legen — mitteilen.
Dem Thema nach gehören die beiden ersten Strophen (die dem Bereich der *Himmlischen* gelten), der Form nach die beiden letzten Strophen (jede hat neun Verse) zusammen (vgl. Beißner, StA 3, 483). Zu dieser Verzahnung des Gesamtaufbaus kommt hinzu, daß die beiden thematisch sich unterscheidenden Gedichtteile (v. 1—15, 16—24) analog gebaut sind. Die erste Strophe redet die *seligen Genien* unmittelbar an, die zweite spricht in dritter Person von ›den‹ *Himmlischen* (v. 8). Entsprechend erscheint in der Schlußstrophe zunächst das ›Wir‹ unmittelbar (*uns*, v. 16), danach werden in dritter Person *Die leidenden Menschen* (v. 19) genannt. Das bedeutet jeweils eine Wendung ins Unpersönliche und damit eine Festigung der Aussage. Diese zweimalige Festigung wirkt dem Gefälle (s. o.) des Gesamtablaufs entgegen. Das Zusammenspiel von Gefälle und Festigung bringt eine überpersönliche Ausgeglichenheit hervor, die dem Wesen des ›Schicksals‹ Gestalt gibt.

Konrad Gaiser: Die »Schicksalslieder« von Goethe und Hölderlin. Lehrererwägungen ... In: Der Deutschunterricht, 1949, S. 5—17.— Max O. Mauderli: Mahomets Gesang und Hyperions Schicksalslied. In: Rolf King: Goethe on human creativeness and other Goethe essays. Athen (1950), S. 77—102. — R. Eppelsheimer: Hyperions ›Schicksalslied‹ im Gegensatz zu Hyperions Schicksal. Eine Kontextstudie. In: Archiv für das Studium der neueren Sprachen und Literaturen, 1962, S. 34—39.

DA ICH EIN KNABE WAR ...

Wohl 1798.
Erster Druck: Schwab 1874 (v. 8—15: Uhland-Schwab 1826).
Die Überschrift fehlt in der Hs. Entsprechend der Hs sind auch im Druck die Verse der ersten Strophe eingerückt.
Das Dasein des *Knaben* war *sicher* (v. 4); er lebte *Mit den Blumen* und war unbewußt der *Liebling* der Götter. Die ar-

kadische Harmonie der Jugendzeit kannte noch nicht die Beirrung durch das *Geschrei . . . der Menschen* und durch die bewußteren Bedingungen des eigenen späteren Lebens. Der Knabe war *Schicksallos, wie der schlafende/Säugling* (*Hyperions Schicksalslied*, v. 7 f.). Dieser Zustand des Kindes kann in der Weite und Ursprünglichkeit seiner Beziehung zum Kosmos und zu den Göttern durch keine spätere Form des Menschseins übertroffen werden. Ihm eignet schon das Innestehen im ›Ganzen‹, und daher ist auch er schon auf seine Weise vollkommen. Ihm fehlen freilich noch Wesenszüge späterer Stufen des Menschenlebens, wie die Fähigkeit zum Nennen (v. 20 f.). Das Mit-Namen-Rufen der Götter und Mächte, eines der grundlegenden Elemente der reifen Dichtung Hölderlins, erscheint hier implizite als eine Aufgabe des Dichters.

Es muß offenbleiben, ob das Gedicht in der vorliegenden Form vollendet ist. Der erste Druck faßt es als Fragment auf (Punkte am Schluß). Es wäre immerhin möglich, daß der Darstellung der Kindheit die Gegenüberstellung späterer Lebensalter folgen sollte. Das entspräche der antithetisch gestuften Darstellungsweise Hölderlins, die sonst kaum einen reinen, ›einstufigen‹ Rückblick kennt (vgl. *Der Gott der Jugend*, v. 41: *So schön ists noch hienieden!*; *An die Natur*, v. 49: *Tot ist nun . . . die jugendliche Welt*). Andererseits hat der Schlußvers die Geschlossenheit und Macht eines echten Schlusses.

13—15 *Endymion . . . Luna*: Vgl. die Erl. zu *An den Frühling*, v. 2.

Ladislaus Mittner: Motiv und Komposition. In: Hölderlin-Jb. 1957, S. 73—159.

ACHILL

Ende 1798.
Erster Druck: Schwab 1846. Die vier letzten Verse sind nicht hs, sondern nur bei Schwab überliefert. Die eigenen Wendungen *Noch am fliehenden Tag* (v. 26) und *für voriges Gut* (v. 27), die im Prosa-Entwurf noch nicht vorkommen, machen aber wahrscheinlich, daß Schwab auch für diese Verse noch eine (jetzt verlorene) Versfassung Hölderlins kannte, sie also nicht etwa selbst auf Grund des Prosa-Entwurfs hergestellt hat (vgl. StA 1, 589).
Prosa-Entwurf (die Zeilenbrechungen entsprechen der Hs):

Achill.
Herrlicher Göttersohn, da sie die Ge-
liebte dir nahmen, Gingst du hinaus
ans Gestad,
Und es rollten vom Heldenauge
die Tränen, In die heiligen
Wogen hinab, in die stille Tiefe
sich sehnend, wo unter den Wassern
in friedlicher Grotte
die Göttin des Meers,
wohnt, seine Mutter, die
bläuliche Thetis.
Lieb war ihr der Jüngling, an
den Ufern seiner heimatlichen
Inseln, hatte sie ihn groß gezogen,
den kühnen Sinn mit dem Liede
der Welle genährt, und die Arme
des Knaben im Bade gestärkt.
Und sie hörte die Weheklage des
Sohns dem seine Geliebte die Frechen
Genommen, kam zärtlich herauf,

und stillte mit tröstender Rede
die Schmerzen des Sohns.
Wär ich dir gleich, herrlicher
Jüngling, daß ich, vertraulich wie du
der Götter einem
es klagen könnte, denn — —
Aber ihr hört jegliches Flehn
ihr Guten! und seit ich
lebe, hab' ich fromm dich geliebt,
du heiliges Licht,
und deine Quellen, Mutter
Erd! und deine schweigenden
Wälder, doch zu wenig ließ in Liebe o Vater
Aether! die Seele von dir
O lindert mir ihr heilgen
Götter der Natur, mein Leiden
und stärkt mir das Herz, damit
ich nicht ganz verstumme, daß [ich]
lebe, und eine kurze Zeit
mit fromme[m] *Gesang euch Himm-*
lischen danke, für Freuden
vergangener Jugend, und
dann nimmt gütig zu
euch den Einsamen auf.

Ende September 1798 hatte Hölderlin Frankfurt und Diotima verlassen. Der Verlust der Geliebten ruft den Vergleich der eigenen Lage mit der Achills hervor. »Im Trostbedürfnis fühlt er [der Dichter] sich seinem Helden Achill verwandt. Das ist die Analogie, von der das Gedicht lebt« (Binder a. a. O. S. 322). Achills Schmerz wurde von der Mutter Thetis gestillt; der Dichter erbittet sich ein Gleiches von den *Guten Göttern* (v. 19), den Mächten *Licht, Erd', Aether* (v. 20—22). In der Elegie *Der Wanderer* (2. Fssg.) werden diese als die *einigen drei* (v. 99) angerufen. Die Sänftigung des Leidens (v. 23) soll nicht im Vergessenkönnen des Gewesenen bestehen, sondern in der Ermöglichung eines reinen, von Bitterkeit nicht getrübten Dankes (v. 26 f.) für die einmal erlebte Erfüllung. Ein solcher Dank ist nur als *Gesang*

(v. 26) möglich. — Das Fortschreiten vom mythischen Bild (v. 1—14) zur Aussage der eigenen Betroffenheit (v. 15—28) spiegelt sich in der Syntax: die episch-maßvolle Schilderung der Achill-Szene steigert sich in den Versen der großen Bitte (v. 19—28) zu einem gleichsam ekstatischen, von sieben An- und Ausrufen erregten Satzgefüge.

1—14 Vgl. Ilias 1, 348—430. Schon in Maulbronn (1786 bis 1788) hatte Hölderlin den ersten Gesang der Ilias und einen Teil des zweiten in Prosa übersetzt. Zur Gestalt Achills vgl. die beiden Aufsätze Hölderlins *Über Achill* (StA 4, 224 f.).

1 *Geliebte*: Agamemnon nahm dem Achill im Lager vor Troja seine Lieblingssklavin Briseis.

Friedrich Beißner: An Kallias. Ein Aufsatz Hölderlins . . . In: Iduna 1944, S. 51—75, bes. S. 63 ff. — Wolfgang Binder: Abschied und Wiederfinden. Hölderlins dichterische Gestaltung des Abschieds von Diotima. In: Festschrift Kluckhohn-Schneider. Tübingen 1948, S. 317—344, bes. S. 320—323. — Jürgen Isberg: Hölderlin in Homburg 1798—1800. Das Werk und der Wandel des Weltbildes. Diss. Hamburg 1954, S. 210—215.

MEINER VEREHRUNGSWÜRDIGEN GROSSMUTTER

Ende 1798 (vgl. Hölderlins Brief an seinen Bruder vom 1. Januar 1799).

Erster Druck: Zeitung für die elegante Welt, 1824, Nr. 146.

Der Großmutter mütterlicherseits (Johanna Rosina Heyn, 1725—1802) zu ihrem in Wahrheit 73. Geburtstag (30. Dezember 1798) gewidmet. — Den mittleren Teil (v. 9—18) bildet eine Darstellung Christi. Sie ist angeregt durch den christlichen Glauben der Großmutter und nennt den Kern ihrer geistigen Welt. So wird auf eine dem Anlaß und dem Gegenstand angemessene Weise eine wirkende himmlische Macht ins Gedicht eingeführt. Indem der Enkel das Wesen der Großmutter zu diesem *Erhabenen* (v. 20) in Beziehung setzt (v. 19 f., auch schon v. 7 f.), würdigt er sie aufs schönste.

Das Gedicht steht noch vor dem Beginn der erneuten Einbeziehung Christi in das dichterische Weltbild Hölderlins (vgl. u. a. die Erl. zur Elegie *Brot und Wein*). Es zeigt noch nicht die später stark von der Tradition abweichende Auffassung Christi. Dennoch wird die Meinung, die Beziehung des Dichters zu seinem Gegenstande sei nicht ursprünglich (Guardini S. 494), dem Gedichte nicht voll gerecht. Der oben genannte Brief bezeugt: ... *die Töne, die ich da berührte, klangen so mächtig in mir wieder, ... die Vergangenheit und Gegenwart meines Lebens wurde mir dabei so fühlbar, daß ich den Schlaf nachher nicht finden konnte, und den andern Tag Mühe hatte, mich wieder zu sammeln.* Als Allversöhnender (v. 13, vgl. auch v. 15) besitzt Christus hier eine einzigartige Kraft zur Verwirklichung der Einheit und Ganzheit der Welt. Und allein die ganz eigene Wendung *Freund unserer Erde* (v. 8) zeugt von der Teilnahme des Dichters. Das Gedicht hält, seinem Anlaß entsprechend, die Mitte ein zwischen der Aussage und dem Verbergen des Eigenen.

GÖTTER WANDELTEN EINST ...

1799.
Erster Druck: Böhm [2], 1909. Die Verse 1—6 und 7—16 sind in der Hs weit voneinander getrennt; zwischen ihnen ist ein Auszug aus A. W. Schlegels Rezension des Neufferschen Taschenbuchs auf das Jahr 1799 (erschienen in der [Jenaischen] Allgemeinen Literaturzeitung vom 2. März 1799) eingeschoben. Das ergibt einen Anhaltspunkt für die Datierung des Bruchstücks.
Die Überschrift fehlt in der Hs. Über v. 7 steht die Ziffer *4*: ein Zeichen, daß der überlieferte Text fragmentarisch ist; mit v. 7 beginnt der vierte Abschnitt des Gedichts. — Angeredet ist Diotima. Die Liebe zu ihr erschöpft sich nicht in einem selbstgenügsamen Füreinander der Liebenden, sondern ringt *nach schönerer Zeit* (v. 8) und ist *göttlichem Geiste* treu (v. 15). *Licht* und *Aether* (v. 14) als die unkörperlichsten, allgegenwärtigen Elemente zeugen am reinsten von diesem Göttlichen; daher sind die Liebenden in ihrer Nähe (v. 14 bis 16).

11f. Spätere, erweiternde Bleistift-Variante:

ihr schufet euch einst ihr Einsamen liebend
Nur von Göttern gekannt eure geheimere Welt.
Ihr Verwaisten, so lebtet ihr fromm in genügsamer Stille

13f. Frühere Fassung:

Denn die Sterbliches nur besorgt, hinab in den Orkus
Sank die Menge, doch sie fanden zu Göttern die Bahn.

Vgl. damit *Elegie*, v. 105 f.:

Dien' im Orkus, wem es gefällt! wir, welche die stille
Liebe bildete, wir suchen zu Göttern die Bahn.

»*Götter wandelten einst* ... ist zweifellos eine Vorstufe, ein Keimgedicht zur *Elegie*, wie die erste Fassung der Verse 13 und 14 deutlich bezeugt« (Isberg a. a. O. S. 216).
14 *hinauf*: Spätere Bleistift-Variante: *zurück*.

Jürgen Isberg: Hölderlin in Homburg 1798—1800. Das Werk und der Wandel des Weltbildes. Diss. Hamburg 1954, S. 216—220.

HÖRT' ICH DIE WARNENDEN ITZT ...

Wohl erste Hälfte 1799.
Erster Druck: Hell. 3, 1922.
Die Hs steht auf einer Manuskriptseite der ersten Fassung des Dramas *Der Tod des Empedokles*. Die vorangehenden Verse des Dramas sprechen von einer Warnung, die die Götter dem Empedokles zuteil werden ließen, damit ihm das Glück der Götternähe nicht *Zur Torheit ... würde* (v. 1679). Diese Warnung mag der Anlaß gewesen sein, daß gerade hier die Verse von den *Warnenden* eingeschoben wurden, mit denen ja ebenfalls Götter (v. 5) gemeint sind. Und ebenso wie Empedokles sich hier am Rande der Hybris bewegt oder ihr gar schon verfallen war, so auch diese Verse: sie verwerfen das Hören auf die Götter zugunsten eines letztlich unhölderlinischen Sich-selbst-Gehörens (v. 7).

ABSCHIED

Wohl Sommer 1799.
Erster Druck: Schwab 1846 unter dem Titel »Abschiedsworte. An Diotima«. Unvollendet.
Die drei Anrufe v. 6, 7 f., 9 f. meinen die entfernte Diotima, die somit die beiden ersten Abschnitte des dreiteilig-symmetrischen Aufbaus (Strophe 1/2—3—4/5) bestimmt. Jeder der drei Teile nennt eine besondere Weise des *Abschieds*. Zunächst (v. 1—8) wird der Abschied von der Geliebten als das Vergessenwerden von ihr (v. 5) verstanden und einer ungewissen Zukunft, dem Fall des eigenen schmachvollen Todes, zugewiesen. Der zweite Teil (v. 9—12) erkennt jedoch den furchtbaren Vorrang, den der tatsächlich schon vollzogene Abschied aus der Nähe der Geliebten vor jenem möglichen geistigen Abschied des Vergessens hat. Dieser faktische Abschied zieht den eigenen Tod unausweichlich in die Nähe (vgl. *bald*, v. 10). Dem entspricht der dritte Teil (v. 13—17), der aus der vollkommenen Vereinsamung (v. 15) — Diotima wird jetzt nicht mehr genannt — den Tod als den nunmehr bedingungslosen Abschied herbeiruft.
Die zunehmende Näherung des Todes erscheint in der Folge der Zeitangaben: 1) *Wenn . . . Dann . . . doch eher nicht!* 2) *bald* 3) *heute noch . . . lieber als morgen*. Da der Tod aber immer etwas Kommendes bleibt, zielt der ganze Gedichtvorgang auf die Zukunft (vgl. auch die tragende Rolle der Imperative: *vergiß*, *rette*, *erröte*, *bleiche dich*). Soweit der fragmentarische Charakter urteilen läßt, bringt erst das letzte Wort (*niederwirft*) ein gegenwärtiges Geschehen. Dessen Wucht wird durch diese Erstmaligkeit des Gegenwärtigen und durch die kraftvoll chiastische Wortstellung (*der Schmerz mich, Mich der Tötende*) erzeugt. Dies ist eins der ausweglosesten Gedichte Hölderlins; die Überwindung des Genius durch seine Feinde (v. 3 f.), die anfangs nur eine Möglichkeit der Zukunft ist, wird am Ende als tatsächlich schon eintretend empfunden.
16 *Scheidewege*: »Der Ort des Scheidens, nicht der Entscheidung, vgl. *Menons Klagen*, v. 83« (Binder a. a. O. S. 324, Anm. 1).

Wolfgang Binder: Abschied und Wiederfinden. Hölderlins dichterische Gestaltung des Abschieds von Diotima. In: Festschrift Kluckhohn-Schneider. Tübingen 1948, S. 317—344, bes. S. 323 f.

EMILIE VOR IHREM BRAUTTAG

1799.
Erster Druck: Taschenbuch für Frauenzimmer von Bildung, auf das Jahr 1800. Hg. v. C. L. Neuffer.
Hölderlin plante 1799 die Herausgabe einer Zeitschrift *Iduna*. Der Verleger Steinkopf in Stuttgart war, nach Neuffers Vermittlung, nicht uninteressiert und erbat sich zunächst, gleichsam als Probe, »eine ganz kleine Erzählung oder Roman über Emilie, der der Charakter eines recht edlen, vortrefflichen Mädchens gegeben werden müsse« (Auszug Gustav Schlesiers). Eine solche Geschichte war nämlich bereits in Neuffers bei Steinkopf erschienenem Taschenbuch für Frauenzimmer von Bildung auf das Jahr 1799 angekündigt worden. Daraufhin schrieb Hölderlin die kleine Verserzählung und sandte sie Neuffer am 3. Juli 1799 (vgl. den Brief von diesem Tage): *So flüchtig ich diesen Versuch geschrieben habe, so darf ich Dir doch sagen, daß ich mir bewußt bin weniges ohne dramatischen oder allgemeinpoetischen Grund gesagt zu haben.*
»Auf den ›Hyperion‹ verweist . . . die Briefform der Erzählung . . . [und] der korsikanische Freiheitskampf unter Paoli (1726—1807) [gegen Genua], der hier den historischen Hintergrund bildet wie im ›Hyperion‹ der Freiheitskampf der Griechen. Die Heldin des Gedichtes, Emilie, lenkt mit einer ganzen Reihe von Zügen in das Diotimabild des ›Hyperion‹ und in das Pantheabild des ›Empedokles‹ ein« (Michel S. 351).
Hölderlin schreibt Neuffer am 4. Dezember 1799, er habe die Emilie *leichtsinnig genug hingeworfen . . . , aus Notwendigkeit und Dienstfertigkeit*; dennoch hat er auch diesem schlichten Thema die großen Grundmotive seines Dichtens mitgegeben, wie wenig dies auch vom Standpunkt des Verlegers aus notwendig oder wohl gar erwünscht gewesen sein

mag (zu Steinkopfs Wunsch nach populärer Schreibweise vgl. StA 6, 969, 11—27). Vom Ausmaß der zugrundeliegenden theoretischen Erwägungen des Dichters gibt der Brief an Neuffer vom 3. Juli (s. o.) einen Begriff.
Die »zarte und edle Dichtung« (Guardini S. 120) entfaltet sich auf dem Grunde des Göttlichen und der Natur. Die Segensworte des Vaters an Emilies und Armenions Brauttag (v. 546—572), die diesen Grund zur Sprache bringen, nennen den schicksalausteilenden *Gott*; die *Hoffnung* und den *Dank*, mit deren Hilfe der Mensch das Schicksal bestehen kann; und das mitteilende Wirken des Menschen auf seine Welt. Ein Wirken in großem, geschichtlichem Sinn ist zudem die Teilnahme des Bruders Eduard am Befreiungskrieg Korsikas. Geschichtliches Handeln ist seit dem *Hyperion* ein entscheidendes Motiv in Hölderlins Dichten: es soll das der geschichtslosen Natur zugewandte Wesen des reinen Menschen, das Diotima am vollkommensten verkörpert, öffnen für das Werden und für *die Organisation, die wir uns selbst zu geben im Stande sind* (vgl. die Vorrede zum *Fragment von Hyperion*). Hyperion ist zu solchem Handeln bestimmt, kommt jedoch nicht über seinen unreifen, von Diotima nicht gebilligten und auch erfolglosen Kriegszug hinaus. Die Sache Eduards in Korsika — ebenfalls ein Kriegszug — ist zwar gut (*Wir tun, was sich gebührt*, v. 101). Armenion aber, wohl entschlosseneren und größeren Wesens als Eduard (vgl. v. 223 bis 228), nimmt nicht am korsischen Kriege teil. Das mag ein Hinweis sein, daß er auf dem Wege ist, geschichtliches Handeln reiner, nämlich kampflos zu verwirklichen. Denn zu den befreiend Wirkenden gehört auch er, wie seine Namensverwandtschaft mit Arminius andeutet. Das wird jedoch nicht mehr ausgeführt; es würde den hier gesetzten Rahmen sprengen. Die weiterführende Gestaltung des Problems des Handelns bleibt dem Empedokles-Drama vorbehalten.
111 *der stille Römer*: Horaz. Aus dessen 16. Epode hat Hölderlin »einige Verse frei übersetzt . . . : v. 113—122 entsprechen den Versen 39—48 bei Horaz, v. 122 f. dem Vers 53, v. 124—126 den Versen 63 f.« (Beißner, StA 1, 602).
190f. *ins Land/Des Varustals*: Auf seiner Reise nach Kassel und Driburg (Juli—September 1796) hatte Hölderlin auch

das Tal gesehen, *wo Hermann die Legionen des Varus schlug* (vgl. seinen Brief an den Bruder vom 13. Oktober 1796). Auf dieser Reise wurden Diotima und Hölderlin von Wilhelm Heinse (1746—1803) begleitet, dem Hölderlin besondere Verehrung entgegenbrachte: *Es ist wirklich ein durch und durch trefflicher Mensch. Es ist nichts Schöners, als so ein heitres Alter, wie dieser Mann hat* (an den Bruder, 6. August 1796); *Er ist ein herrlicher alter Mann. Ich habe noch nie so eine grenzenlose Geistesbildung bei so viel Kindereinfalt gefunden* (an Neuffer, 16. Februar 1797). »Es ist durchaus möglich, daß Heinse . . . in der Emilie für die Gestalt des Vaters Modell gestanden hat« (Beißner, StA 1, 603).
208 *Braga*: Nordischer Gott der Dichtkunst. *Hertha* (=Nerthus): Nordische Göttin der Fruchtbarkeit.
553f. *Großes Glück/Zu tragen*: Vgl. *Germanien*, v. 63 f.

Emil Lehmann: Hölderlins Idylle »Emilie vor ihrem Brauttag«. Reichenberg 1925 (Prager Deutsche Studien, 35. Heft). — Wolfgang Binder: Hölderlins Namenssymbolik. In: Hölderlin-Jb. 1961/62, S. 95—204, bes. S. 174—181.

DIE LAUNISCHEN

Das Gedicht war dem undatierten Brief an Neuffer (*Ich schicke Dir hier einige Gedichte . . .*, zweite Hälfte des Juli 1799) beigelegt.
Erster Druck: Taschenbuch für Frauenzimmer von Bildung, auf das Jahr 1800. Hg. v. C. L. Neuffer.
Das Gedicht spricht zunächst (v. 1—9) vom Ich, dann (v. 9 bis 20) allgemein von den Dichtern der Natur. In beiden Bereichen verläuft die dargestellte Stimmungskurve vom Zürnen zur Ruhe. Das knappste Wort für das spannungsreiche Wesen der Dichter bildet die Mitte des Gedichts (v. 10 f.): *. . . trauern und weinen leicht, / Die Beglückten.* In der Spannung zwischen Beglückung (v. 11) und Beirrung (v. 14) findet der Dichter durch den Wink der Natur in ihr *Gleis* (v. 16) zurück. Im Gleis der Natur zu sein, ihr zu *gehorchen* (v. 18), ist seine eigentliche Beglückung. Dieses Gehorchen ist die Grundkraft seines Wesens; es ist die Fähigkeit zum reinen, selbstlosen Vernehmen des Geistes der Natur:

Voll schweigender Kraft umfängt / Den ahnenden, daß er bilde die Welt, / Die große Natur (Der Tod Empedokles, 2. Fssg. v. 535—537). Das Gedicht hebt jedoch nicht die Auszeichnung hervor, die das so verstandene Gehorchen bedeutet; es erscheint als kindliche Lenksamkeit (vgl. v. 19 f.). Die Dichter zeigen sich hier, zumal ihre Reizbarkeit hervorgehoben wird, in einem unscheinbaren Aspekt ihres Wesens; zugleich aber stehen sie, als Dichter der Natur, wie selbstverständlich in ihrem eigentlichen Lebensraum.

DER TOD FÜRS VATERLAND

Erster Entwurf spätestens 1797; Endfassung in der zweiten Hälfte des Juli 1799 an Neuffer geschickt (vgl. die Erl. zu *Die Launischen*).
Erster Druck: Taschenbuch für Frauenzimmer von Bildung, auf das Jahr 1800. Hg. v. C. L. Neuffer.
Erster Entwurf:

O *Schlacht fürs Vaterland,*
Flammendes blutendes Morgenrot
Des Deutschen, der, wie die Sonn, erwacht

Der nun nimmer zögert, der nun
Länger das Kind nicht ist
Denn die sich Väter ihm nannten,
Diebe sind sie,
Die den Deutschen das Kind
Aus der Wiege gestohlen
Und das fromme Herz des Kinds betrogen,

Wie ein zahmes Tier, zum Dienste gebraucht.

Ein zweiter Entwurf hat den Titel *Die Schlacht*. Seine erste (nicht gestrichene) Strophe lautet:

O *Morgenrot der Deutschen, o Schlacht! Du kömmst*
Flammst heute blutend über den Völkern auf,
Denn länger dulden sie nicht mehr sind
Länger die Kinder nicht mehr, die Deutschen.

Diese Verse sind inhaltlich noch mit dem ersten Entwurf verwandt, haben aber schon die Form der Endfassung. Sie werden ersetzt durch die sich anschließende endgültige Fassung der ersten Strophe.

Während der erste Entwurf noch deutlich auf die politische Lage der Entstehungszeit zielt, verträgt das Gedicht in der Endfassung »jede besondere Auslegung, und es ist ein törichter Streit, ob sie nun im besonderen die Marathonische oder die Varusschlacht oder den neueren Befreiungskampf der Griechen gegen die Türken oder der Deutschen gegen eigene und fremde Unterdrücker betreffe. Alle diese besonderen Motive schwingen eben mit, und in allen zusammengenommen ist der Gedichtgehalt noch nicht erschöpft« (L. v. Pigenot, Hell. 3, 489).

Die Liebe zum Vaterland ist bei Hölderlin kein ›Patriotismus‹. Sie gilt hier dem Vaterland als dem Vertreter der gerechten Sache: die *Jünglinge*, die es verteidigen, sind die *Gerechten* (v. 6), die Feinde die *Ehrelosen* (v. 8). Deshalb kann das Wort *Vaterland* dem Gedicht den Grundton geben (Überschrift, v. 7, 13, 14, 22). Auch daß die *Helden und ... Dichter aus alter Zeit* den Gefallenen *freundlich* und *brüderlich* aufnehmen, rückt die Sache des Vaterlands ins rechte, höhere Licht: die großen Vorbilder — und nicht nur solche des Kampfes — billigen sie.

Je zwei Strophen bilden einen Abschnitt des Gedichtaufbaus. Darauf deutet auch das Strophen-Enjambement (v. 4 f., 12 f., auch 20 f.). Auf die Darstellung der Schlacht und ihres sittlichen Sinnes (v. 1—8) folgt die Bitte um Gewährung der Teilnahme und der Tod des Ich (v. 11—16), dann die bestätigende Aufnahme durch die Alten und die Verkündigung des Sieges (v. 17—24).

Ernst Stein: Überlegungen zu einigen Gedichten Hölderlins. In: Deutschunterricht, 1955, S. 428—435 u. 500—507.

DER ZEITGEIST

In der zweiten Hälfte des Juli 1799 an Neuffer geschickt (vgl. die beiden vorigen Gedichte).

Erster Druck: Taschenbuch für Frauenzimmer von Bildung, auf das Jahr 1800. Hg. v. C. L. Neuffer.
Die Ode ist eins der Zeugnisse für Hölderlins Ringen um die Einbeziehung des Geschichtlichen, des Werdens in seine Dichtung (vgl. die Erl. zu *Wie wenn am Feiertage . . .* ; ferner »Grundzüge der Dichtung Hölderlins«, oben S. 12). Dieser Prozeß ist hier noch keineswegs abgeschlossen: noch jetzt sucht der Dichter oft *Rettung von dir* (v. 6), dem *Gott der Zeit* (v. 2). Dem entspricht, daß um die offene Begegnung mit ihm, dem *Vater*, erst gebeten wird (v. 9 f.). Frucht dieser Bitte ist, daß in den beiden Schlußstrophen zwei mögliche Grundhaltungen des Menschen gerecht nebeneinandergestellt werden können, die dem Zeitlosen und die dem Zeitlichen zugewandte. Jene, die Haltung des früheren Hölderlin, wird nicht einseitig abgewertet: auch ihr *begegnet . . . ein Gott* (v. 14/16); aber größere Macht und Wahrheit erfährt der, der sich dem Zeitgeist stellt. In der (späteren) Ode *Mein Eigentum* preist der Dichter jedoch wiederum die Ferne der *mächtgen Zeit*: er muß die wahre Haltung zur Zeit unter immer neuen Beirrungen erringen.

Ernst Stein: Überlegungen zu einigen Gedichten Hölderlins. In: Deutschunterricht, 1955, S. 428—435 u. 500—507. — Ryan S. 77 bis 79.

ABENDPHANTASIE

Spätestens Juli 1799.
Erster Druck: Brittischer Damenkalender, 1800. Auf der Rückseite der Hs der Entwurf zu dem Gedicht *Des Morgens*, betitelt *Morgenphantasie*.
Die Frage des *heimatlosen Sängers* (*Der Main*, v. 26) nach dem Grund seiner Heimatlosigkeit und, unvermittelt folgend, die Zeile *Am Abendhimmel blühet ein Frühling auf* bilden die Mitte des Gedichts (v. 11—13). Sie gehören wohl wie Frage und Antwort zusammen. Ein Abendrot am Himmel (vgl. *Purpurne Wolken*, v. 16) gibt den Hinweis, daß der Abend kein Ende, sondern einen Anfang (*Frühling*) vorbereitet (vgl., auf einer späteren Stufe, die dritte Entwurfs-

phase zu *Friedensfeier*, v. 77—79: *Denn sieh! es ist der Abend der Zeit, die Stunde / wo die Wanderer lenken zu der Ruhstatt. Es kehrt bald / Ein Gott um den anderen ein*). Diesem Verheißenen muß der Sänger zugewandt bleiben; er kann daher nicht wie die Menschen sonst (v. 1—8) sein Geschäft niederlegen und ruhen. Seine Heimatlosigkeit ist ein Zeichen, daß er erst im Künftigen Heimat finden kann. *Törig* (v. 18) ist zwar seine Bitte, mit den Wolken zum Himmel gelangen zu dürfen, wo schon jetzt Frühling herrscht (v. 15—17); und die Einsamkeit, in die er sich wiederum gewiesen sieht (v. 19 f.), besagt, daß er den Frühling auf der Erde erwarten muß. *Törig* ist aber nicht der *Zauber* (v. 19) selbst. Die Verheißung des Frühlings hat Bestand; sie kann zwar *verscheucht* (v. 18), aber nicht ungeschehen gemacht werden. Wenn der Schluß geneigt ist, angesichts des irdischen Leids der Einsamkeit in den *Schlummer* zu flüchten und das Erfahrene als Träumerei der *Jugend* anzusehen, so behält der *Zauber* dennoch seine unscheinbar wirksame Macht.

Friedrich Beißner: Zu den Oden ›Abendphantasie‹ und ›Des Morgens‹. In: Hölderlin-Gedenkschrift 1943, S. 240—246. — Jürgen Isberg: Hölderlin in Homburg 1798—1800. Das Werk und der Wandel des Weltbildes. Diss. Hamburg 1954, S. 221—225. — Otto Schönberger: Das Vorbild einer Hölderlin-Ode. In: Jahresbericht des Alten Gymnasiums Würzburg. 1958/59, S. 50—55. — Ryan S. 103 f.

DES MORGENS

Spätestens Juli 1799.
Erster Druck: Brittischer Damenkalender, 1800.
Der erste Entwurf ist, als Gegenstück zu dem Gedicht *Abendphantasie* (vgl. dort die Erl.), *Morgenphantasie* betitelt (vgl. Sengle a. a. O. S. 138):

Der Garten glänzt vom Taue; beweglicher
Eilt schon dahin die Quelle; die Pappel neigt
Ihr schwankes Haupt und im Geblätter
Rauscht es und schimmert; und um die grauen

Gewölke streifen rötliche Flammen dort
Verkündende, sie wallen geräuschlos auf
Wie Fluten am Gestade wogen
Höher und höher die Wunderbaren.

Komm nun, o komm und eile mir nicht zu schnell
Du goldner Tag! Zum Gipfel des Himmels auf
Denn offner fliegt vertrauter dir mein
Auge, du Freudiger! zu so lang du

In deiner Schöne jugendlich blickst und noch
Zu herrlich nicht zu stolz mir geworden bist.
Du möchtest immer eilen, lieber,
Könnt ich empor wie die Morgenwinde

Mit dir, mit dir! doch lächelst des Sängers du
Des Übermüt'gen daß er dir gleichen möcht'
Und wandelst schweigend mir, indeß ich
Sinne nach Namen für dich, vorüber!

Sengle hebt die eigene Bedeutung dieser frühen Fassung hervor: »Hier ist der Dichter bis zuletzt der Gegenüberstehende, der Ausgeschlossene. Es ist nicht nur unmöglich, dem Tage zu gleichen; schon das Bemühen des Dichters ihn zu nennen, d. h. sein Dichter zu sein, bleibt ohne Antwort. Groß wölbt sich der tragische Bogen vom Lächeln über das Schweigen des Tages bis zu seinem Vorübersein in dem sinnschweren, syntaktisch hervorgehobenen Schlußwort ›vorüber‹. Unser ursprüngliches Gefühl, daß dieser Bogen in der endgültigen Fassung zerbrochen wurde, wird durch diese Fassung zur Gewißheit« (a. a. O. S. 135). Gegen Sengles Abwertung der Endfassung vgl. Ryan S. 182 Anm. 45.
Der zweiteilige Aufbau der Endfassung (wie auch schon der *Morgenphantasie*) ist durch das Hinzutreten des Ich (v. 9) bestimmt. Die beiden Eingangsstrophen gestalten die Weise, in der die einfach-reinen Wesen der Natur (*Rasen, Quelle, Buche, Gewölke*) sich dem kommenden Tage und damit dem Göttlichen (v. 16) zuwenden: sie entsprechen seinem Aufgang mit steigender Bewegtheit, ohne von dem ihnen vorgezeich-

neten Wesen abzuweichen. Demgegenüber mißt sich das Ich (v. 9 ff.) dem Tage nicht so problemlos an; es möchte ihm *gleichen* (v. 18) und überschreitet damit *übermütig* (v. 17) die ihm gesetzte Grenze. Aber auch sein Übermut ist *froh* (v. 17), und die korrigierende Weisung des göttlichen Tages braucht nur ein Lächeln (v. 16) zu sein: das Ich greift den leisesten Wink auf und kehrt in die ihm angemessene Bescheidung zurück, die die Naturwesen (v. 1—8) auf ihre Weise stets eingehalten hatten. Die Spannung zwischen dem Flug ins Göttliche und dem Gang auf *stillem Pfad* der Erde ist ins Reine gebracht. So liegt auch noch über dem zeitweiligen Abfall von der richtigen Haltung zum Göttlichen, den das Ich aus zu großer Liebe begeht und erleidet, der freudige Zauber des Morgens.

Das freudige Wesen des Tages (v. 12) beruht darin, daß er als der Göttliche (v. 16) die Wesensmitte der immer göttlich durchwirkten Natur offenbar werden läßt. Das Erscheinen des Göttlichen ist Grund und Wesen der Freude bei Hölderlin. Daher ist dieses dem kommenden Gotte gewidmete Gedicht von freudigen Wörtern bestimmt (vgl. Lüders a. a. O. S. 30). Seine Satzfügung setzt den jeweiligen ›Inhalt‹ unmittelbar in Sprachbewegung um. Die beiden ersten Naturbilder (v. 1 f.) beanspruchen jeweils nur einen kurzen Hauptsatz. Sie gestalten damit die anfängliche Ungelöstheit der Naturwesen, ihr erst beginnendes Erwachen aus dem Befangensein im nächtlichen Schlaf. Innerhalb dieser Gleichheit sind jedoch auch sie differenziert: der zweite Satz (*beweglicher / Eilt schon die wache Quelle*) wird, im Gegensatz zum ersten, durch Adverb und Attribut erweitert. Das entspricht der gleichzeitigen inhaltlichen Steigerung von latenter zu offen vollzogener Bewegung. Der dritte Satz (v. 2—4) gestaltet die zunehmende Bewegtheit durch Auflockerung mittels eines zweifachen *und*. Das vierte Naturbild (v. 4—8) weitet sich dann mächtig aus. Die Apposition *Verkündende* durchbricht die bisherige einfache Reihung von Hauptsätzen; der anschließende Vergleich (v. 7) überhöht die einfache Naturdarstellung durch Einbeziehung des ungegenwärtigen Meeres. — Der Ton ungestümer Unruhe, der mit dem Auftreten des Ich (v. 9) einsetzt, ruft unmittelbar stärkere Unruhe im

Satzbau hervor: während bisher nur eine einzige Stauung des Satzablaufs (*Verkündende*, v. 6) auftrat, finden sich jetzt sieben solche Stauungen, die durch eingeschobene Anrufe (v. 10, 12, 16, 20) und steigernd-parallelen Bau von Satzteilen (v. 9, 11, 14) entstehen.

Friedrich Beißner: Zu den Oden ›Abendphantasie‹ und ›Des Morgens‹. In: Hölderlin-Gedenkschrift 1943, S. 240—246. — Robert Ulshöfer: Hölderlin: Des Morgens und Der gefesselte Strom. In: Der Deutschunterricht, 1948, S. 35—54. — Friedrich Sengle: ›Morgenphantasie‹ und ›Des Morgens‹ oder bessere Fassung und autorisierte Fassung. In: Hölderlin-Jb. 1948/49, S. 132—138. — Wolfgang Binder: Sprache und Wirklichkeit in Hölderlins Dichtung. In: Hölderlin-Jb. 1955/56, S. 183—200, bes. S. 196 f. — Heinz Otto Burger: Die Hölderlin-Forschung der Jahre 1940—1955. In: DVjs 1956, S. 329—366, bes. S. 342. — Detlev Lüders: Das Wesen der Reinheit bei Hölderlin. Diss. Hamburg 1956, S. 26—32. — Ryan S. 181 f.

DER MAIN

1799.
Erster Druck: Brittischer Damenkalender, 1800.
Vgl. die Ode *Der Neckar*, eine spätere Fassung dieses Gedichts (zum Versuch einer Umkehrung dieser Reihenfolge der Entstehung vgl. Böhm II S. 271 f.; Seckel S. 193—198; Friedrich Beißner in: Dichtung und Volkstum 1938, S. 378 f.).
Zunächst überrascht es, daß ein Gedicht mit dem Titel *Der Main* vorwiegend von Griechenland handelt. Erst ab v. 30 ist, in zehneinhalb Versen, vom Main die Rede. Der Wunsch des Dichters, *manches Land der lebenden Erde* zu sehn (v. 1 f.), erscheint nicht als ausreichende Begründung für den Umfang der Griechenland-Partie.
Die Schlußstrophe gibt jedoch den Hinweis, daß der Strom seinem Wesen nach der Fortwallende ist; er verweist in die Ferne. Dem entspricht das Gedicht. Es muß, um dem Stromwesen zu entsprechen, dessen Gestade verlassen. Der Main wallt letztlich *in den Ozean freudig nieder* (v. 40). Als Ver-

sammlung aller Wasser ist der Ozean eine zeichenhafte Verwirklichung des Alls (vgl. *Stimme des Volks*, erweiterte Fssg., v. 13 f.); als Ort der gestaltlosen Vermischung deutet er zugleich auf den Ursprung (vgl. *Der gefesselte Strom*, v. 3). Damit erklärt sich, warum der Dichter vom Strom gerade nach Griechenland gewiesen wird: dort waren die Alten des Alls und des Ursprungs noch eingedenk. Das Zeigen des Stroms in den Ursprung weist den Dichter in das ursprungsnahe Griechenland.
Aber das Wesen des Flusses besteht nicht nur im Zeigen auf etwas Fernes. Ebensosehr verweilt sein Strömen zwischen den Gestaden. Dieses beharrende Element beherzigt das Gedicht ebenfalls, um dem vollen Wesen des Flusses gerecht zu werden (v. 30—40). Die Beherzigung des Beharrens ergänzt das Enteilen des Herzens (v. 2 f.). Das Ineinklangbringen von Enteilen und Beharren, Sichstürzen ins All und Bleiben auf der Erde, ist ein Grundproblem der reifen Dichtung Hölderlins (vgl. »Grundzüge der Dichtung Hölderlins«, oben S. 13 f.).
9 *Sunium*: Kap in Attika.
10 *Olympion*: Olympieion, dem Zeus geweihter Tempel in Athen.

Jürgen Isberg: Hölderlin in Homburg 1798—1800. Das Werk und der Wandel des Weltbildes. Diss. Hamburg 1954, S. 231—235. — Ryan S. 184 f.

ΠΡΟΣ ΕΑΥΤΟΝ

Wohl 1799.
Erster Druck: Hell. 4, 1916. Überschrift = ›an sich selbst‹.

SOPHOKLES

Wohl 1799.
Erster Druck: Uhland-Schwab 1826.
»Wie später besonders die ›Anmerkungen‹ zu seinen Übersetzungen des ›Oedipus Rex‹ und der ›Antigone‹ des Sopho-

kles betonen, sieht der Dichter das Wesen der Tragödie in der Begegnung von Mensch und Gott (= *das Freudigste*), die sich im tragischen Untergang (= *Trauer*) vollzieht« (Hölderlin. Werke und Briefe. Hg. v. Friedrich Beißner und Jochen Schmidt. 3 Bde. Frankfurt a. M. 1969. Bd. 3, S. 12).

DER ZÜRNENDE DICHTER

Wohl 1799.
Erster Druck: Uhland - Schwab 1826.
Die Überschrift fehlt in der Hs; sie stammt von Uhland und Schwab. Vgl. 2. Korinther 3, 6: »Denn der Buchstabe tötet, aber der Geist macht lebendig.«

DIE SCHERZHAFTEN

Wohl 1799.
Erster Druck: Uhland - Schwab 1826.
Die Überschrift fehlt in der Hs; sie stammt von Uhland und Schwab.

WURZEL ALLES ÜBELS

Wohl 1799.
Erster Druck: Litzmann 1896.
Vgl. Hölderlins Brief an seinen Bruder vom 4. Juni 1799: *Nicht so wohl, daß sie so sind, wie sie sind, sondern daß sie das, was sie sind, für das Einzige halten, und nichts anderes wollen gelten lassen, das ist das Übel.*

PALINODIE

Herbst 1799.
Erster Druck: Schwab 1846.
Wohl, entgegen Beißners Annahme (StA 1, 625), vor der Ode *Mein Eigentum* entstanden (vgl. Hötzer a. a. O.). Denn v. 1—3 werden hier erst nach mehrfachen, anders lauten-

den Ansätzen gefunden (StA 1, 625), während sie in *Mein Eigentum* sogleich in endgültiger Gestalt (mit der Abweichung *Hainen* statt *Wipfeln*, v. 3) als Anfang erwogen und dann wieder verworfen werden (StA 1, 620). »Bei der umgekehrten Annahme hätte sich Hölderlin einem an früherer Stelle bereits fixierten Wortlaut in längerem Umformungsprozeß allmählich angenähert, was doch kaum anzunehmen ist« (Hötzer a. a. O. S. 61). Für die Reihenfolge *Palinodie — Mein Eigentum* spricht wohl auch der jeweilige Ort der Niederschrift in der Hs (Stuttgart I, 39): erster Entwurf *Palinodie* S. 21; zweiter Entwurf *Palinodie* S. 20; *Mein Eigentum* S. 18 f.: Hölderlin hat also beim Schreiben einheitlich zurückgeblättert. Ferner ist zu folgern, daß Hölderlin, als er die Ode *Mein Eigentum* begann, das Fragment *Palinodie* als Ganzes verworfen hatte; denn er hätte nicht die Anfangsverse eines weiterhin gültigen (oder noch zu beendenden) Gedichts unverändert in ein zweites übernommen.
Der Titel lautet zuerst *Palinodie*, dann *Götterrecht*, dann wieder *Palinodie*. Dieses Wort bedeutet Widerruf. Der Gegenstand des Widerrufens wird unterschiedlich gedeutet: »Widerruf von dem, was der Dichter in den vorhergehenden Gesängen von sich und seiner innigen Anteilnahme an den göttlichen Kräften des Lebens und der Erde gesagt hat« (Joachimi-Dege 4, 142). Beißner (StA 1, 627 f.) dagegen begreift den Ruf nach *Versöhnung* mit den Göttern (v. 19—21) als den Widerruf der zuvor gegebenen Absage an ein freudiges Leben mit der Natur (Joachimi-Dege waren die Verse 19—21 noch nicht bekannt). Beide Deutungen ergänzen sich: anfangs sagt das Gedicht einer früheren Haltung zum Leben ab; in den Schlußversen widerruft es diese seine eigene Absage. Der Widerruf des Schlusses ist jedoch durch die ungewissen Fragen des Anfangs (v. 1—5) vorbereitet: in ihnen liegt bereits die Möglichkeit einer Wiederkehr der Anteilnahme an der Natur.

Ulrich Hötzer: Die Gestalt des Herakles in Hölderlins Dichtung. Stuttgart 1956, S. 59—68.

MEIN EIGENTUM

Wohl unmittelbar nach dem Fragment *Palinodie* entstanden (vgl. dort die Erl.).
Erster Druck: Schwab 1846.
Im Entwurf, der zunächst den Titel *Der Herbsttag*, dann *Am Herbsttag* trägt, stehen die Worte *So wars am Scheidetage.* Das Gedicht entstand unter dem Eindruck der Wiederkehr der Jahreszeit, die ein Jahr zuvor die Trennung von Diotima brachte. Die Endfassung tilgt diese direkte Anspielung. Der Verlust des früheren Glücks wird jedoch auch jetzt noch genannt (v. 17 f.); er bleibt grundlegend für die Gefühlslage, aus der das Gedicht entstand.
Die mittlere Strophe (v. 25—28) nennt das Gundthema des Gedichts (vgl. *An eine Fürstin von Dessau*, v. 17—20: auch hier ein *Denn*, das die Aussage des Grundthemas einleitet): die *heilige Erde*, der *eigne Grund*, gehört für den *Sterblichen* notwendig zum Leben unter dem *Himmel*; einseitige Hinwendung zu diesem, zum *Tageslichte*, tötet.
Das Glück des *sicheren Mannes* (v. 24), das diesen vor dem Verglühen (v. 26) bewahrt, ist dem Dichter verwehrt. Um sein Dasein zu *retten* (v. 37), ergreift er den *Gesang* (v. 41) als sein eigenstes *Eigentum*. Der Gesang ist als *Garten* sein *fester Boden* (v. 23). In ihm ist er *sicher*; dieses Wort wird ausdrücklich wiederholt (v. 24, 45; vgl. auch die Wiederholung v. 21 *Beglückt* . . . v. 42 *Beglückender*). Die Gefahr des empedokleischen Verbrennens in ungemäßer, einseitiger Liebe zu den *himmlischen Höhen* (v. 29) soll durch unbedingte Treue zum eigenen Wesen, zum Dichterischen, gebannt werden. Die Dringlichkeit und Intensität dieses Versuchs zeigt sich auch darin, daß die drei entscheidenden Strophen des Anrufs an den Gesang (v. 37—48) von einem Satz gebildet werden, während sonst das Strophenende immer mit einem Satzende zusammenfällt. Der Schlußstrophe bleibt jedoch nicht etwa ein Bekenntnis zur schöpferischen Persönlichkeit des Dichters vorbehalten — dieser Begriff ist Hölderlins Dichtung fremd —, sondern die Bitte um Segen an die *Himmelskräfte*. Vgl. die Erl. zu *Der Zeitgeist*.

Walther Killy: Bild und Mythe in Hölderlins Gedichten. Diss.

Tübingen 1947, S. 59 ff. — Meta Corssen: Der Wechsel der Töne in Hölderlins Lyrik. In: Hölderlin-Jb. 1951, S. 19—49, bes. S. 26 bis 29. — Jürgen Isberg: Hölderlin in Homburg 1798—1800. Das Werk und der Wandel des Weltbildes. Diss. Hamburg 1954, S. 226 bis 230. — Ulrich Hötzer: Die Gestalt des Herakles in Hölderlins Dichtung. Stuttgart 1956, S. 60—68. — Ryan S. 110—115.

AN EINE FÜRSTIN VON DESSAU

Wohl November 1799.
Erster Druck: Schwab 1846 unter dem Titel »An die Prinzessin Auguste«.
Die Überschrift fehlt in der Hs. Das Gedicht ist wohl der Erbprinzessin Amalie von Anhalt-Dessau gewidmet, der dritten Tochter des Landgrafen Friedrich V. von Hessen-Homburg (vgl. Kirchner a. a. O.).
Die erste Strophe hat als Einleitung eine Sonderstellung. Ein *oft* geübter Brauch der Götter ist es, Lieblinge zu den Sterblichen zu senden. Damit ist der göttliche Bereich als der tragende Grund des Gedichtvorgangs genannt, denn ihm entstammt auch der jetzt gesandte Liebling, die *Priesterin* (v. 9, 13). Ihr Herkunftsort *Luisium* (v. 5) ist ein Schloß bei Dessau. Hölderlin hatte es 1795 auf einer Fußreise kennengelernt (vgl. seinen Brief an die Schwester vom 20. April 1795). In der Ode ist Luisium jedoch nicht als Schloß gestaltet, sondern als *Tempel* (v. 9) mit *heilger Schwelle* (v. 6); es ist die diesmalige Verwirklichung des *stillen Hauses* (v. 1) der Götter. Eine ›ungegenständliche‹ Darstellungsweise wird spürbar (s. u.). Auch die Angeredete ist nicht als konkrete Person gezeichnet; sie ist *Priesterin* und *heilige Fremdlingin* (v. 25).
Die Priesterin kommt *Zu uns*, zu den Menschen, in einer Zeit der Not. Ankunft und hiesiges Wirken der Priesterin will das Gedicht wesentlich darstellen; ihre friedlich-heilige Herkunftswelt wurde nicht um ihrer selbst willen geschildert (vgl. den syntaktischen Bogen, der sich von v. 5 bis zu v.10 spannt: *So kommst du . . . Zu uns*, und der die Darstellung des Tempelbereichs bereits mit der Spannung des Kommens überlagert).
Die Not der Menschen zeigt sich im *göttlichen Ungewitter*

(v. 11). Anlaß zu dieser Wendung gab der zweite Koalitionskrieg (1799—1801/02). Aber das göttliche Ungewitter ist als Name für den Krieg keine poetische Wendung, sondern nennt das Wesen des Krieges. Das Göttliche zeigt sich wiederum als der tragende Grund irdischen Geschehens. Diese Erfahrung Hölderlins bewährt sich auch und gerade angesichts der Furchtbarkeit eines Krieges.

Die Priesterin tritt in eine zerrissene Welt ein. Dennoch ist das Ungewitter ebenso *göttlich* (v. 11) wie das *Feuer* (v. 14), das sie bislang hütete. Diese Wiederholung gestaltet die Gleichheit des Wesensgesetzes, unter dem Welt und Priesterin trotz aller Verschiedenheit stehen.

Die vierte Strophe, die mittlere, stellt in je zwei Versen das bisherige und jetzige Wirken der Priesterin einander gegenüber. Ein unauffällig-präziser Aufbau zeigt sich: die mittlere Strophe ist vermöge dieser Zusammenschau des Gedichtvorgangs auch die innere Mitte des Gedichts.

Die Priesterin ist mit der Gestalt der Diotima im *Hyperion* verwandt. Zu dieser sagt Hyperion bei seiner Abreise in den Krieg: *Es ist auch gut, daß du bleibst, Diotima! . . . Die Priesterin darf aus dem Tempel nicht gehen. Du bewahrst die heilige Flamme, du bewahrst im Stillen das Schöne, daß ich es wiederfinde bei dir.* Bis in Einzelheiten kehren dieselben Wendungen wieder: *Priesterin, Tempel, heilig, bewahren* (in der Ode: *behüten*), *Flamme* (in der Ode: *Feuer*), *im Stillen.* Dennoch besteht ein bedeutsamer Unterschied: Diotima *darf aus dem Tempel nicht gehen*; die Priesterin der (später entstandenen) Ode aber erfüllt ihr Wesen gerade im Verlassen des Tempels, im Wirken in der Welt. Hölderlins Vorstellung von der Aufgabe des reinen Menschen hat sich entscheidend gewandelt.

Die Priesterin ist jetzt, seit ihrem Gang zu den *Zeitlichen, teurer* als zuvor. Nicht nur den Menschen teurer, weil sie ihnen nun hilft, sondern an sich, unter einem über-menschlichen Gesichtspunkt gesehen. Das erläutert die fünfte Strophe. Die Priesterin gehört zu den *Reinen.* Das besagt: ihr schlichtes Wandeln auf der Erde läßt den *Geist* vernehmlicher werden, der den Menschen zu *dämmernden Gestalten* verblichen war. Dieser Geist ist nicht subjektiver Geist des

Menschen, sondern das belebende Element, das bestimmend im Ganzen der Welt und in jedem ihrer Teile anwesend ist. Er ist den Göttern aufs engste verwandt. Reinheit bringt Rettung aus der Schuld, der die Welt verfiel und deren mahnendes Zeichen das Ungewitter ist. Denn Schuld ist es, den Geist zu vergessen; das, was die Welt beseelt, muß von ihr gekannt sein, damit sie ihm gemäß leben kann. Das Erinnern an den Geist ist die Absicht, die die Götter mit der Sendung eines Reinen verfolgen (vgl. *Damit*, v. 3). Die Reine vollzieht, von sich aus absichtslos, den göttlichen Willen. So ist ihr Gang in die Welt nicht nur den Menschen, sondern auch den Göttern und dem Geiste *teurer*.
Wenn die Priesterin jetzt die Zeiten segnend feiert (v. 15 f.), so braucht sie nicht eigens zur Feier zu rüsten; ihr einfaches Wandeln (v. 17) ist schon die Feier selbst, nämlich das Vernehmlicherwerden des Geistes. Dieser tritt als Maß aller Wesen in die Erscheinung. Sein Vernehmlicherwerden bleibt kein leerer Begriff. Die ungegenständliche Darstellungsweise (s. o. *Priesterin*, *Tempel*, *Ungewitter*) zeigt sich jetzt als die Gestaltung des als geistig erfahrenen Wesens der Dinge. Was als Ungegenständlichkeit erschien, ist Zugehörigkeit zum wesentlichen Bereich. Die Ode tritt in der anspruchslosen Form eines Widmungsgedichts auf; sie gestaltet aber Hölderlins Erfahrung der Götter und des Geistes.
14 Die Varianten zur Wendung *Im Stillen* — zunächst *In heiligem*, dann *Im stillen Haine*, endlich *Im dunkeln Haine* — erinnern an den Beginn von Goethes »Iphigenie«, ebenso diejenigen zu v. 6 (*Aus jenen Schatten*, dann *Aus heilgen Schatten*). Auch Iphigenie ist Priesterin. Hölderlin stand offenbar bei der Konzeption der Ode unter dem Eindruck der ›reinen‹ Iphigenien-Stimmung. Daß die wörtlichen Anklänge jedoch getilgt wurden, deutet nicht nur auf ein Streben nach Selbständigkeit des Ausdrucks, sondern mehr noch auf Unterschiede im Wesen Iphigenies und der Priesterin der Ode. Iphigenie ist nicht so unbedingt wie der reine Mensch Hölderlins dem geistig-göttlichen Bereich eingegliedert. Sie erfüllt nicht vornehmlich göttliche Aufträge, sondern verwirklicht reine Humanität. Daher kann sie sich auch als konkrete Person entfalten.

22 *Bogen*: Der Regenbogen ist ein Zeichen der Verbundenheit von Himmel und Erde; er weist auf den in Zukunft und Vergangenheit (v. 23 f.) waltenden Frieden hin.
26 f. »Anspielung auf die italienische Reise der Fürstin (1795 bis 1796)« (Beißner, StA 1, 630).

Karl Schwartz: Landgraf Friedrich V. von Hessen-Homburg und seine Familie. Homburg 1888[2], Bd. I, S. 113. — Werner Kirchner: Das ›Testament‹ der Prinzessin Auguste von Hessen-Homburg. In: Hölderlin-Jb. 1951, S. 68—120, bes. S. 113 f. — Ders.: Prinzessin Amalie von Anhalt-Dessau und Hölderlin. In: Hölderlin-Jb. 1958/60, S. 55—71.

DER PRINZESSIN AUGUSTE VON HOMBURG

November 1799.
Erster Druck: 1) (nach dem Entwurf) Schwab 1846: v. 1—20 als Schluß der Ode *Gesang des Deutschen*, v. 21—32 als selbständiges Gedicht; 2) (nach der Reinschrift) Carl Schröder: Zu Hölderlin. In: Euphorion, 1899.
»Die Prinzessin Auguste nahm besondren Anteil an Hölderlins Gedichten. Von ihr rühren die wertvollen Abschriften her, die die Mecklenburgische Landesbibliothek in Schwerin verwahrt .... Ihr widmet Hölderlin auch seine Sophokles-Übersetzungen. Die Ode überreicht er ihr an ihrem 23. Geburtstag« (Beißner, StA 1, 631 f.).
2 *hesperisch*: Abendlich.
4 Auch sonst nennt Hölderlin Wesen der Natur *dichterisch* (vgl. *Der Archipelagus*, v. 38; *Heimkunft*, v. 2). Das Dichten der Dinge ist ihr jeweiliges Zeugen von dem auch in ihnen anwesenden *gemeinsamen Geiste* (*Wie wenn am Feiertage . . .*, v. 43). Dieses Zeugen vollzieht sich in ihrem einfachen Dasein.
10 f. Vgl. zum Zeithintergrund die Erl. zu *An eine Fürstin von Dessau*, v. 10 ff.
12 f. Vgl. die Erl. zu *An eine Fürstin von Dessau*, v. 17 bis 20.
14—18 Das *eigene Glück* der *Freigebornen* (Plural!) beruht in ihrem Wesen, freigeboren zu sein. Bislang, in der Zeit des *langen Zweifels* (v. 13) der Götterferne, lebten

sie vereinzelt und daher *einsam.* Die *festlichere Zeit* wird ihnen ebenbürtige Gefährten geben. Der *Heroë* darf nicht mit einem etwaigen Bräutigam der Prinzessin (der ohnehin nicht nachweisbar ist) identifiziert werden. Er ist Glied der erhofften Gemeinschaft derer, die den Geist achten. Kirchner (a. a. O. S. 106 ff.) vermutet, Napoleon sei der gemeinte Heroe. Damit ist jedoch allenfalls der Anlaß, nicht aber der volle Sinn der Wendung bezeichnet. Das Gedicht vermeidet, indem es keinen Namen nennt, eine einengende Festlegung.

20 Ein Versfuß zuviel.

21—32 Analog zu der bisher dargestellten Entwicklung des Weltzustandes *Aus langem Zweifel* zu *festlicherer Zeit* entfalten die drei Schlußstrophen die Situation des Sängers: vom Träumen (v. 21) über das Bewußtwerden des eigenen Auftrages (v. 26—28) bis zur Hoffnung auf dessen Verwirklichung (v. 29—32).

Werner Kirchner: Das ›Testament‹ der Prinzessin Auguste von Hessen-Homburg. In: Hölderlin-Jb. 1951, S. 68—120, bes. S. 105 bis 112.

WOHL GEH' ICH TÄGLICH ...

Vielleicht erst Frühjahr 1800.

Erster Druck: Schwab 1846 unter dem Titel »Nachruf«. Die Überschrift fehlt in der Hs.

»Das letzte Gedicht in der Gruppe des absoluten Leids [um den Verlust Diotimas] . . . Die letzte Strophe erhellt das Ganze: täglich wiederholt der Dichter den Abschied (*Leb immer wohl* bedeutet: leb immer von neuem wohl! Das Keimwort für den Schluß lautete: *Und täglich nehm* [ich] *Abschied von dir,* StA 1, 633). Das Suchen der Geliebten (Strophe 1 und 2) rechnet also auf kein reales Finden. Es ist ein gespenstisch unwirkliches Tun, das die Weise anzeigt, in der der Dichter jetzt existiert: unablässiges Ausweichen ins Einst und Zurückgeworfenwerden ins Jetzt. Es geht hier noch nicht um die Überwindung des Leids, sondern ganz einfach um die Rettung des Lebens, und zwar in ihrer niedersten Form, dem Irren und Fliehen, das noch eben vor dem völligen Hinausfallen ins Nichts bewahrt. So haben wir den tiefsten Punkt erreicht, die unbedingte Preisgegebenheit ans Leid, die ›Mitternacht des Grams‹ — soweit sie im Gedicht sichtbar werden kann; denn eigentlich gehört ihr das völlige Verstummen zu« (Binder a. a. O. S. 326 f.).

2 *Ins grüne im Walde . . .* : Beißner (StA 1, 313 u. 633) fügt diesem metrisch unvollständigen Vers das, wie er meint, versehentlich ausgelassene einsilbige Substantiv zu *grüne* hinzu: *Ins grüne Laub im Walde . . . .* Binder (a. a. O. S. 326 und 328 Anm. 1) ergänzt stattdessen, auch im Hinblick auf *An die Hoffnung*, v. 9: *Ins grüne Tal im Walde . . .*

Wolfgang Binder: Abschied und Wiederfinden. Hölderlins dichterische Gestaltung des Abschieds von Diotima. In: Festschrift Kluckhohn-Schneider. Tübingen 1948, S. 317—344, bes. S. 326—328.

GEH UNTER, SCHÖNE SONNE...

Noch in Homburg entstanden.

Erster Druck: Schwab 1846 unter dem Titel »Am Abend«. Die Überschrift fehlt in der Hs.

Die beiden Anfangsstrophen sind analog gebaut: v. 1 f.—5 f. je zwei Anrufe; v. 2—6 *kannten — erkennt*; v. 3 f.—7 f. je ein *Denn*-Satz; v. 3—7 *stille — stille.* In diesen Entsprechungen verkörpert sich die Entgegensetzung des fremden und des eigenen Wesens. V. 8 leitet über zu Diotima, von der die beiden Schlußstrophen bestimmt sind. In den vier Aus- und Anrufen v. 9 f. gipfelt das Gedicht. Das zeigt sich auch darin, daß die Wendung *des Himmels Botin* der *Sonne* und *Diotima* zugleich zugeordnet ist, so daß die beiden Gedichthälften in diesem Anruf geeint sind. Darüber hinaus wird die Einheit des Ganzen von einem durchgehenden Motiv hergestellt: der Beziehung zwischen oben und unten, Himmel und Erde (vgl. v. 1—4, 5 f., 9, 10—12, 15 f.). In *des Himmels Botin* tritt der Austausch von Himmel und Erde, der die Ganzheit der Welt bezeugt, gestalthaft in die Erscheinung (vgl. »Grundzüge der Dichtung Hölderlins«, oben S. 15).

7 Der Vers lautet in der Hs: *Den göttlich stillehren . . .* Vielleicht ist dies statt der im Text angegebenen Lesung so

zu verbessern: *Denn göttlich' Stille ehren* ... Es entspricht Hölderlins Wesen eher, die göttliche Stille der Sonne zu ehren, zumal diese v. 3 bereits *stille* genannt wird, als dem eigenen Ehren das Prädikat *göttlich* beizumessen. Möglich wäre auch die Konjektur *Denn göttliches stillehren* ... (so Wolfgang Binder in: Hölderlin-Jb. 1961/62, S. 150).

DIE ENTSCHLAFENEN

Erster Druck: Schwab 1846.
Dieses »Epitaph«, das »auf ein kleines Denkmal eingeschrieben« war (Schwab 1846, Bd. 2, S. 306), dichtete Hölderlin im Herbst 1800 in Stuttgart für seinen Freund Christian Landauer; es ist eine (dem Freunde in den Mund gelegte) Grabschrift für Landauers Vater, der am 21. August 1800, und für Landauers Bruder, der am 6. Juni 1800 gestorben war (vgl. Beck, StA 6, 1026). — Vgl. *An Landauer, Das Ahnenbild, Der Gang aufs Land.*

AN LANDAUER

Erster Druck: Schwab 1846.
Die Überschrift fehlt in der Hs.
Zum 31. Geburtstag des Freundes Christian Landauer am 11. Dezember 1800 geschrieben (vgl. *Die Entschlafenen, Das Ahnenbild, Der Gang aufs Land*) und »sicherlich nach einer bestehenden Melodie in geselliger Runde von den 31 Festgästen gesungen« (Beißner, StA 2, 659; die Zahl der Gäste entsprach bei Landauers Geburtstagsfeiern immer der seiner Lebensjahre). Einziges gereimtes Gedicht der Reifezeit. Hellingrath bemerkt (4, S. 294), »der Reim [sei] ... gleichsam neuentdeckt und wesenverschieden von der Reimweise der Jugendhymnen so einfach innig und mächtig ..., wie er auch in den Gedichten der lezten Tübinger Zeit kaum wieder vorkommt.«
12 *Der kluge Gott*: Merkur, der Gott der Kaufleute.

Werner Kraft: Wort und Gedanke. Kritische Betrachtungen zur Poesie. Bern u. München 1959, S. 44 f.

1800—1806

ODEN

GESANG DES DEUTSCHEN

Herbst 1799.
Erster Druck: Schwab 1846.
Aufbau in fünf mal drei Strophen. Die beiden ersten Strophengruppen gelten dem Anruf des Vaterlandes (v. 1—12) und seinen Schönheiten (v. 13—24); die mittlere (v. 25—36) der Erinnerung an das antike Griechenland, das auf einer früheren Wegstrecke des wandelnden *Genius* (v. 37; d. i. des weitereilenden Weltgeistes) von den *Flammen* (v. 36) des Gottes *belebt* (v. 35) war; die beiden Schlußgruppen den Anzeichen, die eine Einkehr dieses *Genius* im *Vaterland* anzudeuten scheinen (v. 37—48) und dem erneuten, nunmehr grüßend-steigernden Anruf der Heimat, dessen feiernder Ton gleichwohl in der letzten Strophe in der drängenden Ungewißheit zweier Fragen ausklingt (v. 49—60).
Das Gedicht, eine der großen vaterländischen Oden Hölderlins, ist »eine begeisterte Begrüßung des seiner geschichtlich bestimmten Erfüllung entgegenreifenden Vaterlands« (Ryan S. 191), das nach Hölderlin dazu ausersehen ist, als Nachfolger des antiken Griechenlands dem *Genius* eine neue irdische Stätte zu bieten und so der Ort einer neuen, nämlich der ›hesperischen‹ Weltepoche zu werden (vgl. »Grundzüge der Dichtung Hölderlins«, oben S. 16 ff.). Das Vaterland erscheint schon als das *Land des hohen ernsteren Genius* (v. 9) und *reifeste Frucht der Zeit* (v. 50), reif nämlich für das Kommen des Genius (v. 37); somit scheint es schon Zeit zur Feier zu sein; zugleich aber säumt und schweigt das Vaterland noch (v. 53), so daß die Einkehr des Genius noch nicht stattfinden kann. Das Gedicht ist durchaus auf die Zukunft gerichtet, auf die Beachtung des Weges, den der wandelnde

Genius nehmen wird. Die freudige Sorge um die Zukunft ruft die häufigen Fragen hervor. So ist die (positiv zu verstehende) Unruhe der Gedichtstruktur (das häufige Neuansetzen, Entgegensetzen und Fragen) ein Abbild der auszusagenden, noch im Übergang befindlichen geistigen Lage des Vaterlandes. Vgl. die Erl. zu *Germanien.*
2 *Allduldend*: Vgl. *Rückkehr in die Heimat*, v. 11 f.
25 *Minervas Kinder*: Die Athener.
33 *Er*: Variante dazu: *der Gott.*
49f. Der *neue Name* dürfte *Hesperien* (›Abendland‹) sein. Vgl. Wolfgang Binder: Hölderlins Namenssymbolik. In: Hölderlin-Jb. 1961/62, S. 95—204; bes. S. 125 f. Vgl. *Brot und Wein*, v. 149 f.
52 *Urania* ist als eine der Musen bei Hölderlin zugleich eine göttliche Gestalt. Auch in der antiken Mythologie ist Urania ein Name für Aphrodite als die Göttin der edlen Liebe. Vgl. *Hymne an die Göttin der Harmonie*, v. 16: *Königin der Welt! Urania.* Als *Göttin der Harmonie* überwindet sie *des alten Chaos Wogen* (ebd. v. 25; vgl. *Gesang des Deutschen*, v. 43 f.).
57 *Delos*: Geburtsinsel und Orakelstätte Apollons. *Olympia*: Ort der olympischen Festspiele.

DER FRIEDEN

Spätherbst 1799.
Erster Druck: Schwab 1846.
Von dieser Ode liegt keine Reinschrift vor (vgl. die Lücken in v. 1 f., 28, 55; das Hypermetron in v. 47; die Konjektur in v. 55). Der Text folgt den Ermittlungen Werner Kirchners (a. a. O.).
Erster Entwurf (Stichworte, über die erste Seite der Hs verteilt):

Helden
Die unerhörte Schlacht
O die du
Der Menschen jähes Treiben

Und unerbittlich. *sein Stamm erzittert.*
heilige Nemesis
triffst du die Toten auch, es ruhten
Unter Italiens Lorbeergärten
so sanft die alten Eroberer
Noch standen ihre Götter pp.
Doch
aber nicht dort allein
Schweiz Rhein
Komm endlich goldner Friede pp. — Didaktischer Ausgang

Die Herbeirufung des ersehnten Friedens bildet die genaue Mitte des Gedichts (Str. 7—9). Die sechs vorangehenden Strophen nennen einleitend (und als Folie für den Ruf nach dem Frieden) den gegenwärtigen Krieg; die sechs abschließenden fragen nach dessen letzter Ursache und stellen dem *Chaos* der Menschenwelt die ewig sichere Ruhe von Erde und Himmel gegenüber.
1f. Beißner schlägt vor, die Lücke etwa so zu füllen: *die alten Wasser, die* [einst der Welt/Schamlosen Frevel deckten,] (StA 2, 394). — Variante zu v. 1: *die alten Wasser Deukalions,* also die Sintflut des Zeus, die das Menschengeschlecht vernichten sollte und der Deukalion und Pyrrha in einem Holzkasten entgingen.
7 *Die unerhörte Schlacht*: Die Revolutionskriege erscheinen hier nicht als vordergründig-historische Ereignisse, sondern »in einer geradezu apokalyptischen Sicht« (Böckmann S. 321) als ›Buße‹, die den Völkern für ihren *üppigen Schlummer* auferlegt wird (v. 24). In der Nachtzeit der Geschichte schlummernd, haben die Völker seit langem die Götter vergessen. Deshalb waltet ein *Fluch* (v. 37), dessen Folge der Krieg ist.
10 *o Rächerin!*: Dieser Anruf bezieht sich, ebenso wie der zweite (v. 13 ff.), auf die erst im dritten Anruf genannte *Nemesis* (v. 18), die rächende Göttin der Gerechtigkeit, die jedem das Gebührende zuteilt. Sie wird auch noch in v. 22 angeredet, so daß die ersten sechs Strophen, die dem Kriege gelten, ebenso durchgehend von der Notwendigkeit der Buße bestimmt sind: Krieg und Buße sind dasselbe.
20 *Italiens Lorbeergärten*: »Mit den Stichworten ›Italien‹,

›Schweiz‹ und ›Rhein‹ [vgl. den Entwurf, Z. 13] sind die Niederlagen, welche die Franzosen während der Abwesenheit des in Ägypten kämpfenden Napoleon erlitten, gemeint« (Kirchner a. a. O. S. 59). Statt der *Schweiz* wird in der Ausführung der *müßige Hirte* (v. 22) genannt. Der *Rhein* erscheint zuletzt in einer Vorstufe von v. 23: *Und haben sie den Schlaf am Rheine* [endlich . . . gebüßt die Völker?]. Damit ist freilich nicht ›bewiesen‹, daß auch noch v. 23 f. der Ausführung die Völker am Rhein meinen (so Beißner a. a. O. S. 101); Hölderlin kann vielmehr beim Übergang von der Vorstufe zur Ausführung seine Intention geändert haben und nunmehr — hier am Ende des einleitenden sechsstrophigen Abschnitts — zusammenfassend alle Völker meinen, die im Abendland von der Buße der Kriege betroffen sind.

23f. Vgl. den Entwurf *Die Völker schwiegen, schlummerten . . .* (dazu Kirchner a. a. O.).

37—60 Diese letzten sechs Strophen sind der im Entwurf [Z. 14] genannte *Didaktische Ausgang*: jetzt erst taucht der Gesichtspunkt auf, daß *Schlummer* und Krieg auf einem Fluch (v. 37) beruhen, der vom Verlust des Maßes (v. 39) heraufbeschworen wurde. Das verlorene Maß selbst wird in den drei letzten Strophen vor Augen geführt: die Ganzheit der Welt, die im Miteinander von Erde (v. 50) und Himmel (v. 57—60) besteht (vgl. »Grundzüge der Dichtung Hölderlins«, oben S. 15). Indem das Gedicht des unwandelbaren Bestehens dieser Ganzheit gedenkt, ist es im höchsten Sinne *didaktisch*: es zeigt das verlorene Maß und weist die Menschen so auf den einzigen Weg, der aus dem *Fluch* heraus zum *Frieden* führt.

41 *Zu lang, zu lang*: Vgl. *An die Deutschen*, v. 13.

55 Diesen in der Hs unvollständigen und verstümmelten Vers (*Wo glühend die Kämpfend und die*) verbessert Schwab so: *Wo glühend sich die Kämpfer und die*, Beißner so: *Wo glühender die Kämpfenden die.*

Ewald Wasmuth: Hölderlins Hymne »Der Frieden«, oder von der Schuld der Väter. In: Zeit und Stunde. Ludwig von Ficker zum 75. Geburtstag gewidmet. Hg. v. Ignaz Zangerle. Salzburg 1955, S. 8—32. — Friedrich Beißner: Hölderlins Ode *Der Frieden*. In:

F. B.: Hölderlin. Weimar 1961, S. 92—109. — Werner Kirchner: Hölderlins Entwurf ›Die Völker schwiegen, schlummerten‹. In: Hölderlin-Jb. 1961/62, S. 42—67 [darin die von der StA abweichende Textherstellung der Ode *Der Frieden*: S. 62 f.]. — Wolfgang Binder: Ergänzende Bemerkungen zu Kirchners Wiederherstellung der Ode ›Der Frieden‹. In: Hölderlin-Jb. 1961/62, S. 67 bis 73.

AN DIE DEUTSCHEN

Wohl um die Jahrhundertwende entstanden.
Erster Druck: Schwab 1846.
Erweiterung der gleichnamigen Kurzode. Vgl. ferner die Erl. zu *Gesang des Deutschen.*
3 *auch wir sind*: In der Kurzode hieß es *auch ihr seid.*
5—12 Erweiterung von v. 5—8 der Kurzode auf zwei Strophen. Dort zwei, hier vier Fragen. Die drängende Intensivierung des Fragens bekräftigt die liebende Sorge um das Geschick der *Deutschen.*
13 *zu lange, zu lang*: Vgl. *Der Frieden*, v. 41.
13—24 In der zweiten Dreier-Strophengruppe wird das ›süße‹ *Leiden* des ›Ahnens‹ (v. 17), des Nur-Ahnen-Könnens des Kommenden, genannt, aus dem die Notwendigkeit des Fragens (v. 5—10) erwuchs. Diese Bedeutung des Ahnens macht zugleich die stete und inständige Beziehung auf die Zukunft spürbar, deren dringlichster Ausdruck die folgenden vier Strophen sind.
25—40 Vier Strophen werden von Einem Satz gebildet, ein Anzeichen für die drängende Kraft des Auszusagenden, ebenso wie das Einsetzen mit drei Anrufungen des *Genius* (v. 25 f.). Das Fragen nach der Zeit seines Erscheinens (*wann* . . ., v. 25 f.) steigert sich etwa ab v. 32 zu einer vorwegnehmenden Vergegenwärtigung seines Daseins. Dieses wird, gegenüber der *Nacht* der Gegenwart, als Anbruch des *Tages* begriffen (v. 30). Das begeisterte Herbeirufen des Genius verbindet sich mit großer Bescheidung des Ich (vgl. *beugen* v. 27, *verstummen* v. 29, *enden* v. 31).
29 Dieser Vers ist unvollständig.
37f. *Pindos, Helikon, Parnassos*: Griechische Berge, die den Musen heilig waren.

40 *Freude*: Vgl. die Erl. zu *An Diotima* (*Komm und siehe ...*) und *Des Morgens.*
41—56 Vgl. *Rousseau*, v. 1—16. Nach der Vorwegnahme des Ersehnten (v. 32—40) die Rückkehr zur Gegenwart, der die Erfüllung noch fehlt. — Die Ode ist unvollendet. Ein Entwurf zur Fortsetzung, die sich offenbar wieder erfüllteren Zeiten, wohl der Vergangenheit, zuwenden sollte, lautet:

Helle Morgen und ihr Stunden der Nacht! wie oft,
O wie Richterin.
Wenn er ihn sah,
Den Wagen deines Triump[hs]
und die Beute gesehn,
Und die Wilden in goldenen Ketten,
Und es sangen die Priester des Friedens
dem liebenden Volk und seinem
Genius Wonnegesang! in den Hainen
des Frühlings!

ROUSSEAU

Wohl um die Jahrhundertwende entstanden.
Erster Druck: 1) v. 25—39: Norbert von Hellingrath: Pindarübertragungen von Hölderlin. Jena 1911; 2) das Ganze: Hell. 4, 1916.
Vgl. folgende Erwähnungen Rousseaus bei Hölderlin: *An die Ruhe*, bes. v. 30—32; *Hymne an die Menschheit*, Motto; *Der Rhein*, v. 139—165. Brief an Neuffer, 28. November 1791: *vom großen Jean Jacques* [hab' ich] *mich ein wenig über Menschenrecht belehren lassen, ...*; Brief an Ebel, 2. September 1795 (Auseinandersetzung mit pädagogischen Prinzipien Rousseaus); Brief an Neuffer, 4. Januar 1799 (Planung eines Aufsatzes über Rousseau *als Verfasser der Heloise* für die von Hölderlin geplante *poëtische Monatsschrift* Iduna).
»Rousseau ist für Hölderlin . . . der Genius, besonders der einsame Seher kat exochen . . . , und damit Träger seiner eigenen Empfindungen, beinahe nur ein anderer Name für Hölderlin« (Hell. 4[3], 327). Hölderlin mag sich Rousseaus

zentrale Forderung ›Zurück zur Natur‹ nach seinem eigenen Begriff von ›Natur‹ gedeutet haben: als Aufforderung an die Menschheit, zur *Göttermutter, der Natur, der / Allesumfassenden* (*Der Mensch*, v. 23 f.) und damit zum Innestehen in dem von göttlichen Kräften durchwirkten Kosmos zurückzufinden. — Die Ode hat, besonders ab v. 17, noch stark entwurfhaften Charakter. Das Komma nach v. 39 zeigt, daß noch weitere Verse beabsichtigt waren.
1—16 Vgl. *An die Deutschen*, v. 41—56. Umformung der dort asklepiadeischen Strophen in alkäische.
3 *Nun schlafe*: Urspr. *Wir schlafen.* (Auch v. 2 hieß anfänglich: *Wir sind und sehn und staunen, . . .*) Ursprünglich war also der *üppige Schlummer* der Völker (*Der Frieden*, v. 24) eine Geschichtsepoche also, gemeint. Durch die Änderung bezieht sich die Stelle nun, im Sinne des Todesschlafs, auf Rousseau (der 1778 gestorben war).
5 *siehet über*: Urspr. *übersiehet.* Die begnadeten Seher schauen weiter als die Menge. Das *doch* (v. 6) stellt keinen Gegensatz zwischen *mancher* (v. 5) und *du* (v. 7) auf; es lenkt vielmehr den Blick auf die Notlage, daß der Seher trotz seiner Schau *ins Freie* sich beim ›Sehnen‹ (v. 6) bescheiden muß; *die Verheißenen* (v. 9) sind noch ausgeblieben.
26 *die ferne Sonne*: Diese ist, ebenso wie die *Strahlen* (v. 27), ein *Bote* (v. 28) des ›freien‹ (vgl. v. 6) Bezirks der Weltganzheit, den die *Götter* (v. 32, vgl. auch v. 6) dem Seher durch *Winke* (v. 31) eröffnen (vgl. »Grundzüge der Dichtung Hölderlins«, oben S. 15).

Heinz Otto Burger: Die Hölderlin-Forschung der Jahre 1940 bis 1955. In: DVjs 1956, S. 329—366, bes. S. 353. — Kurt Wais: Rousseau und Hölderlin. In: Annales de la Société Jean-Jacques Rousseau, 1959—1962, S. 287—308. — Bernhard Böschenstein: La transfiguration de Rousseau dans la poésie allemande à l'orée du 19e siècle: Hölderlin — Jean Paul — Kleist. In: Annales de la Société Jean-Jacques Rousseau, 1963—1965, S. 153—171. — Paul de Man: Hölderlins Rousseaubild. In: Hölderlin-Jb. 1967/68, S. 180—208.

HEIDELBERG

Entwurf 1798, Endfassung 1800.
Erster Druck: Aglaia. Jahrbuch für Frauenzimmer auf 1801. Hg. v. N. P. Stampeel.
Hölderlin hatte Heidelberg zuerst im Juni 1788 auf einer Reise nach Speyer gesehen, dann wieder im Juni 1795 auf der Rückreise von Jena und am Ende desselben Jahres bei der Fahrt nach Frankfurt, endlich im Frühsommer 1800, als er aus Homburg zurückkehrte. Diese letzte Begegnung mit der Stadt gab vermutlich den Anlaß zur Vollendung des Gedichts, diejenige vom Juni 1795 wohl den eigentlichen Grund zu seiner Entstehung (vgl. die Erl. zu v. 9—12).
5f. Spätere Fassung:

Wie der Vogel des Wald[s] *über die wehenden*
Eichengipfel so schwingt über den Strom sich dir

7 *Brücke*: Erbaut 1786—88, zu Hölderlins Zeit also ein modernes Bauwerk.
9 *fesselt'*: Von hier an Vergangenheitsform, erst im letzten Vers wieder ein Präsens.
9—12 Bleistiftentwurf:

Wie von Göttern gesandt, hielt mich ein Zauber fest
Da ich müßig und still über die Brücke ging
Ein vertriebener Wandrer
Der vor Menschen und Büchern floh

Hölderlin war, als *vertriebener Wandrer*, »auf der Flucht vor *Menschen und Büchern*. Kann damit anderes gemeint sein als die Flucht aus Jena? Mit ihr entzog sich Hölderlin im Frühsommer 1795 der Kälte des naturfeindlichen Vernunftidealismus, dem Übergewichte Schillers und der Gewaltsamkeit Fichtes, der die Naturinnigkeit seiner Jugend gestört und damit den Seinsgrund seines Lebens und Schaffens erschüttert hatte. . . . es ist für ihn ein Schicksal, eine Gnade, daß er, . . . unter dem Zwang der Selbsterhaltung einem übermächtig-fremden, mit Eiseskälte ihn umfangenden Bereiche geistiger Bildung entflohen, die Harmonie und Ruhe dieses Landschaftsbildes, und in ihm die reine Ordnung der

Natur, finden durfte« (Beck a. a. O. S. 52 f.). Der Entwurf enthüllt so den »lebensunmittelbaren Grund« (Beck a. a. O. S. 53) des Gedichts. So wichtig diese Feststellung, so entscheidend ist es andererseits, daß die Endfassung den »lebensunmittelbaren Grund« nicht mehr nennt (vgl. dazu Beck a. a. O. S. 53 f.). Seine direkte Nennung würde der dichterischen Intention nicht mehr entsprechen.

13—16 Eine spätere, nicht ganz ausgeführte Fassung lautet:

Aber ferne vom Ort, wo er geboren [ward,]
[Zog] *die dunkle die Lust, welche den Halbgott treibt,*
[Liebend unterzugehen]
Dir den deinen, den Strom hinab.

13 *Jüngling*: Vgl. *Der gefesselte Strom*, v. 1; *Der Rhein*, v. 24.

17—20 Beck (a. a. O. S. 57) sieht den Sinn dieser Strophe in der »Versuchung zum Verweilen im gesicherten Leben.«

21/24 *Aber . . . Doch . . .* : In deutlicher Entgegensetzung werden dem ›flüchtigen‹ Strom (v. 17) *Burg* und *Sonne* zugesellt. Die Burg läßt den Bereich des ›Schicksals‹ (v. 22), die Sonne den Bereich des ›Ewigen‹ (v. 24) anwesend sein. Die unterschiedlichen und doch in der Beziehung aufeinander geeinten Daseinsweisen von Strom, Burg und Sonne lassen, zusammenwirkend, einen Wesensreichtum entstehen, dem der *Zauber* (v. 9) des Ortes entstammt.

21—32 Nachdem in der vierten und fünften Strophe die (horizontale) Bewegung des Stromes, weg von Heidelberg, vorgeherrscht hatte (analog dazu das Wegschenken von *Quellen* und *Schatten*), werden die drei letzten Strophen einheitlich von einer Bewegung von oben nach unten bestimmt (die Burg hängt ins Tal, die Sonne gießt ihr Licht, Wälder und Sträuche blühen herab). Diese Bewegung bringt die Dimension der Höhe und des Himmels hinzu, mündet in den Ort selbst und endet im *Tal* und am *Ufer* (v. 29 f.), so daß die ›Ruhe‹ der Gassen (v. 32) zugleich der angemessene Abschluß der inneren Bewegung des Gedichtablaufs ist. — Die Stadt wird somit vergegenwärtigt im Verfolgen von Bewegungszügen; sie erscheint kaum als statisches Gebilde, sondern läßt vorzugsweise den Zusammenhang durchscheinen, der jedes Einzelwesen — auch die Stadt Heidelberg — mit dem Ganzen der Welt verbindet.

Rudolf Karl Goldschmit-Jentner: Heidelberg als Stoff und Motiv der deutschen Dichtung. Berlin u. Leipzig 1929. — Emil Staiger: Hölderlin: Heidelberg. In: Gedicht und Gedanke, hg. v. Heinz Otto Burger. Halle 1942, S. 167—175 (und öfter). — Adolf Beck: Heidelberg. Versuch einer Deutung. In: Hölderlin-Jb. 1947, S. 47 bis 61 (auch in: Hölderlin-Beiträge 1961). — Wilhelm Schneider: Liebe zum deutschen Gedicht. Freiburg i. Br. 1952, S. 86—98. — Klaus Mugdan: Hölderlins Ode »Heidelberg«. Kritik einer neuen Deutung. In: Neue Heidelberger Jahrbücher. N. F. Jb. 1952/53, S. 106—115. — Ernst Stein: Hölderlins Ode »Heidelberg«. Zu Wilhelm Schneiders Interpretation des Gedichts. In: Deutschunterricht, 1954, S. 706—712. — Walter Silz: Hölderlin's Ode Heidelberg. In: The Germanic Review, 1962, S. 153—170.

DIE GÖTTER

Spätestens Juni 1800.
Erster Druck: Aglaia. Jahrbuch für Frauenzimmer auf 1801. Hg. v. N. P. Stampeel.
Als *Götter* werden der *Aether* (v. 1) und der Sonnengott (v. 4) angerufen. In der zweiten Fassung der Elegie *Der Wanderer* gehören diese, zusammen mit der Erde, zu den *einigen drei* (v. 99). *Götter* sind die wirkenden Naturmächte, die allgegenwärtig und allbelebend das Dasein jedes Einzelwesens bestimmen. Diese Rede von Göttern hat kein spekulatives Element. Sie verlegt die Götter nicht in einen Bereich jenseits aller Erfahrbarkeit, sondern erfährt sie in den einfachen Grundkräften des Daseins, die, recht verstanden, zu den täglichen Erfahrungen des Menschen gehören. Dadurch wird das Göttliche nicht ›bloß naturhaft‹. Das Göttliche und die Natur sind keine getrennten Bereiche, so daß es gar keine bloße Natur gibt. Der *Aether* ist nicht die zum meßbaren Objekt gewordene Luft, wie die Naturwissenschaft sie meint, sondern das allumgebende, lebenspendende Element, in dem das Geheimnis des Gewährens von Dasein verborgen ist. Vgl. »Grundzüge der Dichtung Hölderlins«, oben S. 22 ff.

»Der Genius [vgl. v. 12] hat die Schönheit der Haltung vor dem Schmerz gefunden (Strophe 1, vgl. an den Bruder 2. 11. 97). Mit aristokratischem Stolz blickt er auf die rohen Götterlosen, denen sie versagt ist (Strophe 2). Dieser [Stolz] ist jedoch in fromme Demut gegen die Götter, die solche Rettung schenken (Strophe 1 und 3), so aufgehoben, wie die mittlere Strophe zwischen die beiden äußeren eingebettet liegt« (Binder a. a. O. S. 324 f., Anm. 3).

Wolfgang Binder: Abschied und Wiederfinden. Hölderlins dichterische Gestaltung des Abschieds von Diotima. In: Festschrift Kluckhohn-Schneider. Tübingen 1948, S. 317—344.

DER NECKAR

1800.
Erster Druck: Aglaia. Jahrbuch für Frauenzimmer auf 1801. Hg. v. N. P. Stampeel.
Spätere Fassung des Gedichts *Der Main*. Vgl. dort die Erl. Der Grundgedanke der früheren Fassung, daß das dem heimatlichen Strom gewidmete Gedicht zugleich von Griechenland handeln soll, ist beibehalten worden. Die Neufassung ist um eine Strophe gekürzt; ferner gedenkt sie bereits zu Anfang in drei Strophen des Neckars (der Main dagegen wurde erst in den drei letzten Strophen genannt), so daß die Neckar-Partien (v. 1—12, 34—36) jetzt die Griechenland-Partie (v. 13—34) umrahmen. Zur Bedeutung dieser Beziehung zwischen Griechenland und Deutschland (›Hesperien‹) vgl. »Grundzüge der Dichtung Hölderlins«, oben S. 16 ff.
15 *Paktol*: Fluß in Lydien (Kleinasien), wurde in der Antike als aurifer (goldführend) bezeichnet. Vgl. *Patmos*, v. 35.
16 *Ilion*: Troja.
29—32 Die Änderung dieser Strophe gegenüber dem *Main* (dort v. 21—24) ist für die dichterische Entwicklung Hölderlins zum Spätwerk hin charakteristisch. Im *Main* wurden alle Einzelbilder (*Limonenwald, Granatbaum* u. s. f.) einem durch mehrfache Und-Anschlüsse gegliederten Satzgefüge eingeordnet, dessen Ablauf sie mitzog, ohne daß sie sich zu

eigenständigen syntaktisch-rhythmischen Einheiten ausformten. Dementsprechend gab es nur ein Verb (*ladet*, v. 24). — Jetzt dagegen sind die Und-Anschlüsse seltener; die Satzfügung wird blockhafter. Jedes Einzelbild erhält ein eigenes Verb und damit eine gewisse syntaktisch-rhythmische Eigenständigkeit (vgl. »Grundzüge der Dichtung Hölderlins«, oben S. 15 f.). Während das Verb im *Main* (*ladet*) eine Vermenschlichung der Dingtätigkeiten ausdrückte, gestalten die Verben (*reift*, *blinkt*, *träuft*, *klingen*) jetzt nur solche Vorgänge, die den Dingen als Dingen eigentümlich sind (der Granatbaum ladet nicht ein, er *reift*; u. s. f.). — Zur Wendung *grüne Nacht* vgl. Karl Viëtor: Die Barockformel »braune Nacht«. In: Zs. f. dt. Philologie, 1938, S. 284—298, bes. S. 297 f.

DIE HEIMAT

Sommer 1800.
Erster Druck: Würtembergisches Taschenbuch auf das Jahr 1806 für Freunde und Freundinnen des Vaterlandes.
Erweiterte Fassung der gleichnamigen zweistrophigen Ode. Vgl. dort die Erl.
21—24 Im Zusammenspiel von *himmlischem Feuer* und *Erde* erscheint implizit die Ganzheit der Welt, die dem in die *Heimat* zurückkehrenden Dichter offenbar wird (vgl. »Grundzüge der Dichtung Hölderlins«, oben S. 15).

Wolfgang Binder: Sinn und Gestalt der Heimat in Hölderlins Dichtung. In: Hölderlin-Jb. 1954, S. 46—78.

DIE LIEBE

Sommer 1800.
Erster Druck: Uhland-Schwab 1826.
Erweiterte Fassung des Gedichts *Das Unverzeihliche*. Vgl. dort die Erl.
Gliederung in zwei-drei-zwei Strophen.

Wie alle wesentlichen Worte in Hölderlins Dichtung hat auch die *Liebe* eine weite, den geläufigen Wortsinn übersteigende Bedeutung. Als *Gottes Tochter* (v. 20) gewährt sie allen Liebenden die Teilhabe am Göttlichen. Diese Teilhabe aber ist das Wesen der ersehnten *schönern Zeit* (v. 16). So führt die Liebe, wenn ihr wahres Wesen verwirklicht wird (v. 22 bis 24), *eine beseeltere, / Vollentblühende Welt* (v. 25 f.) herauf, in der Himmel und Erde, Götter und Menschen einander zugetan sind.

2 *O ihr Dankbaren*: Ironisch.

6 Eine Variante lautet: *Da die Tochter der Nacht alles, die Sorge, zwingt?*

knechtische: zugleich im Sinne von »knechtende« zu verstehen.

8 Vermutlich bedeutet *sorglos* hier: ›ohne daß die Menschen ihm die angemessene Sorge (Sorgfalt und *Liebe*) zuwenden‹. Die näher liegende Deutung ›ohne sich um allzuviel Aufgaben und Beschäftigung sorgen zu müssen‹ (StA 2, 424) würde dem Hölderlinschen Begriff des Gottes nicht gerecht. Der Gott sieht nicht in dieser Weise *sorglos* zu, wenn die Menschen in den Bann der knechtischen Sorge geraten. Vielmehr senden die Götter oft hilfreiche Boten, *Damit, erinnert, sich am edlen / Bilde der Sterblichen Herz erfreue* (*An eine Fürstin von Dessau*, v. 3 f. Vgl. auch v. 11 f. dieses Gedichts mit *Die Liebe*, v. 7 f.). Demnach enthielte v. 8, im Gegensatz zu v. 6, einen Hinweis auf die wesentliche *Sorge* um das Göttliche, die das Leben der Menschen und insbesondere der *Dichter* (v. 2) entscheidend bestimmt (vgl. *Dichterberuf*, v. 12 ff.: *denn es gilt ein anders, / Zu Sorg' und Dienst den Dichtenden anvertraut! / Der Höchste, der ists, dem wir geeignet sind, . . .*).

10 *Zur beschiedenen Zeit*: Ein Hinweis darauf, daß Zeiten der knechtischen Sorge ebenso sinnvoll in den Ablauf der Zeitalter gehören, wie der Winter in den Lauf der Jahreszeiten.

Rolf Zuberbühler: Hölderlins Erneuerung der Sprache aus ihren etymologischen Ursprüngen. Berlin 1969, S. 38—49.

LEBENSLAUF

Sommer 1800.
Erster Druck: Uhland - Schwab 1826.
Erweiterte Fassung des gleichnamigen einstrophigen Gedichts. Vgl. dort die Erl.
Es ist nicht übel, wenn man in der Jugend oben hinaus will; aber das reifere Leben neigt sich wieder zum Menschlichen und Stillen (Hölderlin an seine Schwester, Ende April 1797).
3 *umsonst nicht*: Dieser Gedanke ist neu gegenüber der ersten Fassung. Er wird in Strophe 2—4 ausgeführt. Die dort gestaltete Erfahrung (vgl. v. 9), die zum umfassenden Dank *für Alles* (v. 14) führt, ist nur durch das Kehren des Bogens (v. 3 f.), nur durch den von *Liebe* und *Leid* (v. 1 f.) erzwungenen Gang durch alle Bereiche des Daseins möglich.
5—8 Überall, auch auf dem Wege *hinab* (v. 5), auch in scheinbar heillosen Verhältnissen, herrscht noch *ein Recht* (v. 8). Es gibt nichts, was aus diesem weit verstandenen *Recht* herausfallen könnte. Daher muß der Mensch alles ihm Begegnende prüfen (v. 13), um am Ende, durch das in allem anwesende *Recht* genötigt, *für Alles* zu danken (v. 14). — Statt *ein Grades, ein Recht noch* hieß es vorher: *ein lebender* (dann: *liebender*) *Othem*. Das gemeinte *Recht* erweist sich so als der Daseins- und Lebenshauch, der *gemeinsame Geist* (*Wie wenn am Feiertage, . . .* v. 43), der in allem Bestehenden anwesend ist. Die Ersetzung leichter verständlicher Wörter durch ›ungelenkere‹, die aber eine tiefere Wesensschicht des Dargestellten erschließen, gehört zum Stilwillen der späten Dichtung Hölderlins.
9 *Dies erfuhr ich*: Das Auftreten eines solchen Kurzsatzes, der blockhaft und wuchtig zwischen den gegliederten Satzgebilden steht, gehört ebenfalls zum Beginn des Spätstils. Häufungen von Kurzsätzen sind später nicht selten. Vgl. »Grundzüge der Dichtung Hölderlins«, oben S. 15 f.
14 *danken für Alles*: Vgl. Hölderlins Brief an seine Schwester vom 23. Februar 1801 aus Hauptwil: *Du siehest, Teure! ich sehe meinen Aufenthalt wie ein Mensch an, der in der Jugend Leids genug erfahren hat, und jetzt zufrieden und*

ungestört genug ist, um herzlich zu danken, für das, was da ist. Der Dank *für Alles* nimmt nichts Bestehendes aus (vgl. die Erl. zu v. 5—8). Der Dank begreift die Zugehörigkeit aller Wesen zum *gemeinsamen Geiste* und damit zur *ewigen Ordnung* der Welt (*Die Muße*, v. 34). Das Hinfinden zum dankenden Bejahen dieser Ordnung ist der Sinn des menschlichen *Lebenslaufs*.

15f. Diese Verse können leicht als Ausdruck einer »leisen ... Todestrunkenheit« (Bach a. a. O. S. 47) mißverstanden werden. Sie gebieten jedoch dem Aufbruch ins Beliebige, den der bindungslose Mensch planen kann, gerade Halt. Der Mensch hat zwar die Möglichkeit, *Aufzubrechen, wohin er will.* Diese *Freiheit* soll er jedoch ›verstehen‹ (v. 15), nämlich in der rechten Weise gebrauchen lernen. Ist der Dank *für Alles* die Grundhaltung des Menschen geworden, so erweist sich seine *Freiheit* als das Gegenteil der Bindungslosigkeit, nämlich als das Angewiesensein auf das im Danken begriffene *Recht* der Dinge und Wesen.

Rudolf Bach: Deutsche Romantik. Hamburg 1948, S. 41 ff. — Rolf Zuberbühler: Hölderlins Erneuerung der Sprache aus ihren etymologischen Ursprüngen. Berlin 1969, S. 50—66.

IHRE GENESUNG

Sommer 1800.
Erster Druck: Hell. 4, 1916.
Erweiterte Fassung des gleichnamigen dreistrophigen Gedichts. Vgl. dort die Erl.
Vermutlich ist die Erweiterung nicht zum Abschluß gelangt. Ab v. 12 entwirft Hölderlin, ohne die entsprechenden Verse der Textfassung zu streichen, einen neuen Schluß. Dieser lautet, im Zusammenhang ab v. 9:

Ach! schon atmet und tönt heilige Lebenslust
Ihr im reizenden Wort wieder, wie sonst, und schon
Glänzt in zärtlicher Jugend
Seine Blume den Tagsgott an.

Neugeborene, sei unter den Hoffenden
Sei nun freudiges Licht unserer dämmernden
Kranken Erde willkommen
Bei den Weinenden, Götterkind!

DER ABSCHIED

Sommer 1800.
Erste und zweite Fassung.
Erster Druck: erste Fassung: Uhland - Schwab 1826; zweite Fassung: Hell. 4, 1916.
Erweiterte Fassung des einstrophigen Gedichts *Die Liebenden.* Vgl. dort die Erl.
9 *Weltsinn* (zweite Fassung): Weltliche Gesinnung.
14 *Haß*: Die Folge der Entfremdung zwischen Göttern und Menschen, die begann, als die Väter *das Maß verloren* (*Der Frieden,* v. 39; vgl. dort die Erl.).
17—24 Es liegt eine Paradoxie darin, daß der *Lethetrank,* also der Trank des Vergessens aus dem Totenfluß, getrunken werden muß, um das *Tödliche,* nämlich die Sühnung (v. 15), zu der die Liebenden ausersehen sind, vergessen zu machen: auf einem Umweg verschafft sich die tödliche Kraft der Sühnung dennoch Eingang in das Leben der Liebenden.
25—36 Vorwegnahme eines Wiedersehens mit *Diotima* im Totenreich.
26 *hier*: An der *Stelle des Abschieds* (v. 31).
26—28 Die Bedürfnislosigkeit der *Seligen* bedeutet zugleich den Mangel des Fühlenkönnens (vgl. z. B. *Der Rhein,* v. 109 bis 114). Das ergibt sich aus v. 32: wo vorher ›herzlos‹-selige Ruhe war, läßt erst das Betroffensein durch *die Stelle des Abschieds* (v. 31) *ein Herz* erwarmen.
30 *itzt*: Kein Zurückspringen in die Gegenwart; die präsentische Form entsteht vielmehr durch vollkommenes Sichversetzen in die vorweggenommene Zukunft.
die Vergessenen: Vgl. ›selbstvergessen‹.
34 *aus voriger Zeit*: Aus der Zeit des Lebendigseins.

35f. Zuerst:

Und es schimmert noch einmal
Uns im Auge die Jugend auf.

Da das Fühlenkönnen wiederkehrt, der *Geist* also *befreiet* ist, ist jetzt (d. h. in der vorweggenommenen Zukunft) gleichsam ein vollkommener Zustand erreicht, nämlich ein seliger Friede (v. 27 f.), der doch nicht auf das Fühlen verzichten muß. — Im Bilde der zweiten Fassung (*Und die Lilie duftet . . .*) wird das Wunder des wiedererwachten Fühlenkönnens (das Staunen [v. 33] darüber, daß der Zauber des Blumenwesens gefühlt werden kann) konkret gestaltet; zugleich aber wird die Lilie, jenseits aller bildhaften Konkretion, ein Zeichen der überirdischen Vollendung des hier gemeinten Zustands der Liebenden. Dazu trägt die gleichsam unstoffliche Darstellungsweise bei: nur der Duft, nicht die Gestalt der Blume erscheint. Ferner ruft das Wort *Golden,* das von der gelben Farbe der Blume angeregt sein mag, die Vision von etwas Unbedingtem herauf, das jede Erscheinung einer konkreten Blume übersteigt. Vielleicht darf bei den Worten *über dem Bach* wiederum an den Lethestrom gedacht werden (vgl. v. 22), der jedenfalls den Ort der Begegnung mit Diotima bezeichnet. Auch die Lilie selbst weist auf das Totenreich hin; sie ist seit alters die Totenblume.

Böckmann S. 302 f. — Karl Viëtor: Internationale Forschungen zur deutschen Literaturgeschichte. Festschrift für Julius Petersen. Leipzig 1938, S. 157. — Wolfgang Binder: Abschied und Wiederfinden. Hölderlins dichterische Gestaltung des Abschieds von Diotima. In: Festschrift Kluckhohn-Schneider. Tübingen 1948, S. 317 bis 344. — Paul Böckmann: Formgeschichte der deutschen Dichtung. Bd. 1, Hamburg 1949, S. 58—60. — S. S. Prawer: German Lyric Poetry. London 1952, S. 93—111: Hölderlin: *Der Abschied*; *Wie wenn am Feiertage . . . .* — Heinz Otto Burger: Von der Struktureinheit klassischer und moderner deutscher Lyrik. In: Festschrift für Franz Rolf Schröder. Heidelberg 1959, S. 229—240. — Edgar Lohner: Wege zum modernen Gedicht. Strukturelle Analysen. In: Etudes Germaniques, 1960, S. 321—337.

DIOTIMA

Sommer 1800.
Erster Druck: Uhland-Schwab 1826.
Erweiterte Fassung des gleichnamigen zweistrophigen Gedichts. Vgl. dort die Erl.
Drei Verse der zweistrophigen Fassung (v. 3—5) werden hier zu fünfzehn Versen (v. 3—17) erweitert, die alle den *zärtlichgroßen Seelen* (v. 13), den Griechen, gewidmet sind. Immer neue Namen werden für sie gefunden; die Intensität ihrer Vergegenwärtigung bewirkt vier Strophen-Enjambements.
9 *Des Ursprungs . . . gedenk*: Zum Begriff des Ursprungs vgl. u. a. *Dichterberuf*, v. 42; *Der gefesselte Strom*, v. 3; *Die Wanderung*, v. 18 f.; *Der Rhein*, v. 46—53. Vgl. Friedrich Wilhelm Wentzlaff-Eggebert: Die Erfahrung von Ursprung und Schicksal in Hölderlins Lyrik (1795—1801). In: Hölderlin-Jb. 1947, S. 90—126.
10 *Die Dankbarn*: Zum Begriff des Danks vgl. die Erl. zu *Lebenslauf*, erweiterte Fssg., v. 14.
14 *Trauerjahr*: Die Zeit seit dem Erlöschen des antiken Göttertages. Geschichtliche Epochen begreift Hölderlin häufig unter tages- und jahreszeitlichen Namen.

RÜCKKEHR IN DIE HEIMAT

Sommer 1800.
Erster Druck: Für Herz und Geist. Ein Taschenbuch auf das Jahr 1801. Hg. v. Hg. [=Haug].
Im Mai/Juni 1800 kehrte Hölderlin von Homburg *in die Heimat* zurück. Zunächst suchte er seine Mutter in Nürtingen auf, einige Tage später zog er nach Stuttgart zu seinem Freund Landauer.
1 Die Nähe *Italiens* zur Heimat kommt auch in der Hymne *Die Wanderung*, v. 1—4, zum Ausdruck.
7—10 Bleistift-Umarbeitung nach dem Druck:

Und du mein Haus, wo Felder mich und
Heilige Schriften noch auferzogen!
Wie lang ists her, wie lange! die Alten sind
Dahin und draußen starben die Völker auch

11f. *heilig-/Duldendes*: Vgl. *Gesang des Deutschen*, v. 2. Das Vaterland duldet in heiliger Sache, indem es ausharrt, solange die Ferne der Götter dauert. In diesem Dulden sollten seine Söhne es nicht verlassen (v. 13—16); wenn sie *ferne schweifen*, ›duldet‹ das Land also auch durch ihre Untreue.

DAS AHNENBILD

Herbst 1800.
Erster Druck: Uhland-Schwab 1826.
Das Gedicht, »wohl das tröstlich-freudigste Trauergedicht, das je gedichtet worden ist« (Beck, StA 6, 1026), ist im Hause von Hölderlins Freund Christian Landauer (1769—1845) in Stuttgart entstanden (vgl. die Erl. zum vorigen Gedicht; ferner *An Landauer*, *Die Entschlafenen* und *Der Gang aufs Land*). Es gilt dem kurz zuvor, am 21. August 1800 verstorbenen Vater des Freundes, Georg Friedrich Landauer.
Vgl. StA 2, 446 f. und StA 6, 1024—1027.
Überschrift im ersten Entwurf: *Häuslich Leben.*
Motto: »Daß keine Tugend untergehe!«
Das Gedicht selbst gibt keinen Hinweis auf die biographischen Umstände seiner Entstehung. Somit ›ist‹ der *alte Vater* (v. 1) nicht Georg Friedrich Landauer, sondern Ahne und Vater einer Familie schlechthin; Entsprechendes gilt für den *Sohn* (v. 13).
Durchgehend ist die Wechselbeziehung gestaltet, die zwischen dem Dahingegangenen und den Nachkommen besteht, und in der die Forderung des Mottos erfüllt ist. Der *alte Vater* hat den Grund zu dem *bescheidenen Glücke* der Lebenden gelegt (v. 26—28), und im *Dank* des *Festes* (v. 49, 51) beweisen diese, daß sie des Ursprungs ihres Lebens und Glücks eingedenk sind. Auch hier, in konkreten menschlichen Verhältnissen, bewährt sich so ein Grundmotiv des Hölderlinschen

Denkens: nur in der Nähe zum Ursprung und im Dank für die aus ihm empfangenen Gaben erfüllt der Mensch sein Wesen.
5 *Söhnlein*: Der Enkel des Verstorbenen, der im Jahr 1800 vier Jahre alt war.

AN EINE VERLOBTE

Etwa Herbst 1800.
Erster Druck: Deutscher Musenalmanach. Hg. v. Christian Schad. 3. Jg., Würzburg 1853.
Hölderlins Hs ist nicht erhalten. In Marbach (Schiller-Nationalmuseum) zwei Abschriften Mörikes, von dem auch die Überschrift stammt. Wem das Gedicht gilt, ist unbekannt.
21—24 Schneller Übergang zum abschließenden Gegenbild des Dichtertums. In der Art, wie dieses gestaltet ist, zeigt sich Hölderlins besonderer Takt der Selbstverleugnung. Er bleibt hinter seinem eigenen Wissen zurück; das unschädliche Träumen ist für ihn nur ein Aspekt des dichterischen Wesens (vgl. u. a. die Erl. zu *Dichterberuf* und *Dichtermut*).Er schont die Empfängerin, indem er ihr nur dasjenige Bild des Dichters darbietet, das dem Charakter des Widmungsgedichts entspricht. Zwar ist in dem prägnanten Ernst, mit dem die Wesensbestimmungen *unschädlich* und *selig und arm* gegeben werden, auch hier Hölderlins umfassenderer Begriff des Dichtertums spürbar; aber vor allem läßt er hier doch der *anspruchlosen Außenseite* der Kunst ihr Recht werden, *die freilich von ihrem Wesen unzertrennlich ist, aber nichts weniger, als den ganzen Charakter derselben ausmacht* (vgl. Hölderlins Brief an seinen Bruder vom 1. Januar 1799).

Vgl. Ladislaus Mittner: Motiv und Komposition. Versuch einer Entwicklungsgeschichte der Lyrik Hölderlins. In: Hölderlin-Jb. 1957, S. 73—159, bes. S. 77. — Dazu: Friedrich Beißner: Hölderlin. Weimar 1961, S. 279 (Anm. zu S. 111).

ERMUNTERUNG

Wohl Ende 1799 — Anfang 1801.
Erste und zweite Fassung.
Erster Druck: erste Fassung: Hell. 4, 1916; zweite Fassung: Uhland-Schwab 1826.
1 Das menschliche *Herz* ist ein *Echo des Himmels.* Für Hölderlin ist das Wesen des Menschen nicht in einer autonomen Seele des Ich begründet; der Mensch ist nicht der subjektiv-schöpferische Urheber seiner Zustände; sein *Herz* spiegelt vielmehr, wie ein *Echo,* das wider, was vom *Himmel* auf ihn einwirkt. Das menschliche Wesen besteht im Bezogensein auf den Himmel, im Innestehen im himmlisch-irdischen Weltgefüge und in der Teilhabe an ihm (vgl. »Grundzüge der Dichtung Hölderlins«, oben S. 15). Daher ist der Mensch nicht psychologisch, von der als autonom angesetzten Seele her, verstehbar (vgl. Guardini S. 273: »Bei Hölderlin gibt es keine ›Psychologie‹ «). — Vgl. Ulrich Häussermann: Herz. In: Hölderlin-Jb. 1958—1960, S. 190—205.
10 *stillebildend*: Die Stille ist der Raum, in dem der *Othem der Natur* und der Anspruch des *Himmels* vernehmbar sind, in dem sich also das menschliche Wesen entfalten kann.
ein kahl Gefild (2. Fssg.): Akkusativ, auf *dich* (v. 11) bezogen. Ein *kahl Gefild* ist das Herz, solange es die lebenspendende Macht der *Natur* (v. 11) nicht erfährt.
14 *allein*: ›Nicht allein die Haine . . . ‹
es kommt die Zeit: Diese *Hoffnung* (v. 13) Hölderlins auf Beendigung der Zeit der Götterferne ist grundlegend für seine reife Dichtung.
15f. Die Aufgabe des Menschen, ein Mittler zu sein, durch den sich die *göttliche* (*schönere*) *Seele* selbst verkündet, entspricht der Bedeutung, die das Herz als *Echo des Himmels* hat (vgl. die Erl. zu v. 1).
16 *Seele*: Vgl. *seelenvolle* (v. 12). Die göttliche Seele und der *Othem der Natur* (v. 11) zeigen sich so als wesensverwandt.
17—24 Die fünfte und sechste Strophe werden in der zweiten Fassung umgestellt.
20 (2. Fssg.: v. 24) *Froh in den Frohen*: Verschiedene, sich begegnende Wesen werden mit demselben Wort bezeichnet.

Diese Stilfigur ist bei Hölderlin recht häufig. Sie gestaltet die innere Verwandtschaft der äußerlich unterschiedenen Wesen (vgl. *innigst im Innersten gleichen wir uns* [*Hyperion,* StA 3, 159]).

26 Da der Gott *Zukünftiges bereitet,* zeigt sich, daß das Gedicht, indem es ebenfalls entscheidend auf die Zukunft gerichtet ist (vgl. v. 14 und die Erl. dazu), dem Wesen des Gottes entspricht und also auch seinerseits dem *Himmel* als *Echo* antwortet.

NATUR UND KUNST ODER SATURN UND JUPITER

Vollendet spätestens Anfang 1801.
Erster Druck: Uhland-Schwab 1826.
Dem Bereich der *Natur* wird *Saturn* (=Kronos, der mit dem Gott der Zeit [Chronos] identifiziert wird), dem Bereich der *Kunst* der Sohn des Saturn-Kronos, *Jupiter* (*Kronion* [v. 25] = Zeus), zugeordnet. Die *Natur* war das ursprungsnahe und daher *heil'ge* (v. 6) Reich des allumfassenden Kosmos, dessen Elemente, des *gemeinsamen Geistes* (*Wie wenn am Feiertage,* v. 43) eingedenk, sich in liebender Beziehung und innerer Übereinstimmung befanden. In dieser *Natur* herrschte daher *Frieden* (v. 20), es war die *goldene Zeit* (v. 9), die keiner Satzung und keines Gesetzes bedurfte (v. 11 f.). Dort stand die *Wiege* (v. 23) der Zeit, denn die Macht des Zeitablaufs schlummerte noch. Das Licht der *Natur* war die *Dämmerung* (v. 28, 22), deren schützendes Verbergen dem Nichtaussprechen der Gesetze und Namen (v. 11 f.) entsprach.
Die *Natur* war die gewaltige, heilige Epoche der Frühe. Ihr folgte der hohe *Tag* Jupiters (v. 1). In seiner Helle entstanden die Gesetze (v. 2, 27). Er ist die Zeit der Klarheit, der Artikulation, des Herrschens (v. 4) und der *Macht* (v. 20). Die *Kunst,* die sich in diesen Wesenszügen manifestiert, ist notwendig kleiner als das *mühelos*-umfassende Gewähren der alten Natur (v. 10). Die Gesetze der *Kunst* erfassen nur einen Teil des unbegrenzten Naturreiches. Daher verstößt der Undank Jupiters (v. 5—20) gegen das Wesensgesetz, daß das

Kleinere dem Größeren, aus dem es entsprungen ist, Dank schuldet. Erst wenn dieser Dank abgestattet wird, ist die Machtfülle Jupiters (v. 1—4) erträglich und in ihrer geschichtlichen Notwendigkeit bestätigt.

Vgl. den Gebrauch der Begriffe *Natur* und *Kunst* in Hölderlins Brief an seinen Bruder vom 4. Juni 1799: *Philosophie und schöne Kunst und Religion* bewirken, *daß sich der Mensch, dem die Natur zum Stoffe seiner Tätigkeit sich hingibt, den sie, als ein mächtig Triebrad, in ihrer unendlichen Organisation enthält, daß er sich nicht als Meister und Herr derselben dünke und sich in aller seiner Kunst und Tätigkeit bescheiden und fromm vor dem Geiste der Natur beuge, den er in sich trägt, den er um sich hat, und der ihm Stoff und Kräfte gibt; denn die Kunst und Tätigkeit der Menschen, so viel sie schon getan hat und tun kann, kann doch Lebendiges nicht hervorbringen, den Urstoff, den sie umwandelt, bearbeitet, nicht selbst erschaffen, sie kann die schaffende Kraft entwickeln, aber die Kraft selbst ist ewig und nicht der Menschenhände Werk.*

8 *die Wilden vor dir*: Zuerst: *die Söhne der Nacht*, die Titanen, Brüder des Kronos, die dieser in den Tartaros verstoßen hatte.

21—28 Sobald Jupiter dem Vater den Dank (v. 13) abgestattet hat und ihm dient (v. 14), geht, allein durch das Herstellen dieser Beziehung, in seine eigene Herrschaft etwas von dem *Lebendigen*, nämlich *Natur*haften des alten Saturnreiches ein: die scharf geformten Gestalten der Epoche Jupiters erhalten wieder etwas von dem ahnungsvoll verbergenden Dämmern der alten Zeit (v. 22), und die *Zeit* zeigt nicht mehr den betäubenden Wechsel als einzigen Aspekt ihres Wesens, sondern läßt, indem sie zu ihrer *Wiege* im Saturnreich zurückkehrt, die Dauer des *Friedens* (v. 20) ahnen, auf der sie ruht. Diese Bereicherung des bisherigen Wesens des Jupiter-Reiches würde der Dichter fühlen (v. 22); erst dann kann er Jupiter *kennen* (v. 25) und anerkennen. — Damit spricht Hölderlin zugleich seine Auffassung von geschichtlicher Entwicklung aus. Das Neue schuldet dem Alten Dank. Dankt es ihm, so nimmt es etwas vom Wesen des Alten und damit des Ursprungs in sich auf, und erst in dieser Bereicherung kann es sein eigenes Wesen voll entfalten. Nicht blinde Revolution, sondern das Entbinden des Neuen aus dem Ursprung ist nötig.

Emil Staiger: Natur und Kunst oder Saturn und Jupiter. In: E. St.: Meisterwerke deutscher Sprache aus dem 19. Jh. Zürich-Berlin 1943, S. 25 ff. — Wolfgang Binder: Hölderlins Namenssymbolik. In: Hölderlin-Jb. 1961/62, S. 95—204, bes. S. 110—112.

AN EDUARD

Vollendet wohl 1801.
Erste und zweite Fassung. Vgl. die dritte Fassung: *Die Dioskuren.*
Erster Druck: erste Fassung: Uhland-Schwab 1826; zweite Fassung: Robert Wirth: Vorarbeiten und Beiträge zu einer kritischen Ausgabe Hölderlins. Wissenschaftliche Beilage zu dem Programme des Gymnasiums und Realgymnasiums zu Plauen i. V., 1885.
In einem ersten Entwurf heißt die Überschrift: *Bundestreue./ An Sinclair.* Hierin die Verse:

Verflucht die Asche des
der zuerst
Die Kunst erfand aus Liebebanden
Seile zu winden

(vgl. die Erl. zu *Der Rhein*, v. 96—98).
Die Handschrift der 1. Fssg. erwägt dann, bevor der endgültige Titel gefunden wird, folgende Überschriften: *An Bellarmin, An Arminius, An Philokles.* Wenn man annehmen darf, daß der Titel des ersten Entwurfs untergründig seine Gültigkeit behalten hat, so ist *Eduard* der Name für Isaak von Sinclair (1775—1815), den Hölderlin in Jena kennengelernt hatte und dessen tätige Freundschaft — er war Geheimer Regierungsrat in Homburg — dem Dichter eine unschätzbare Hilfe im Leben war. Ihm ist auch die Hymne *Der Rhein* gewidmet. Zu Sinclair vgl. Werner Kirchner: Der Hochverratsprozeß gegen Sinclair. Marburg 1949. — Die folgenden Verszahlen beziehen sich auf die 1. Fssg.

1f. *Freunde . . . Gestirn*: Die *Dioskuren* (vgl. den Titel der 3. Fssg. dieser Ode) Kastor und Pollux.
3 *untertan*: Vgl. *Aber es ist auch nichts herrlicheres auf Erden, als wenn ein stolzes Paar, wie diese* [bezieht sich auf *Aristogiton und Harmodius*], *so sich untertan ist* (*Hyperion*, StA 3, 63). An seine Mutter schreibt Hölderlin am 12. November 1798 über die Freundschaft mit Sinclair: *Es wird auch wirklich wenig Freunde geben, die sich gegenseitig so beherrschen und so untertan sind.*
15 *die Liebe*: Nicht nur die Liebe zum Freund oder zum *Mutterboden* (v. 14), sondern die Liebe schlechthin, die zum Wesen des Menschen gehört, insofern dieser teilhabend dem himmlisch-irdischen Weltgefüge zugewendet ist (vgl. die Erl. zu *Die Liebe*). In der *Nacht* (v. 20), wo die Verbundenheit der Weltteile noch gestört ist, findet die Liebe nichts *Gleiches*, das ihr antwortete.
17 *Wo ist am Tag ihr Zeichen?* ›Wo tritt die *Liebe* (v. 15), von ihrem Wesen zeugend, offen in die Erscheinung?‹
21 Das *Jetzt* antwortet direkt auf die vorangehende Frage *wann* (v. 18 f.). Im *Opfer* also wird die Verkündung des Traums von der Einkehr des neuen Tages *wahr* (2. Fssg.). Der Kampf (v. 21—24) ist somit letztlich das Ringen um die Wiederkehr der Götter. Der Zeithintergrund der Koalitionskriege und die politische Aktivität des Freundes Sinclair werden ganz in den Dienst dieses Hölderlinschen Grundthemas gestellt.
26 *mein Achill!*: Hier zuerst wird der Freund angeredet; vorher erscheint er in der dritten Person. Wiederum, wie schon bei den Dioskuren (v. 1 f.), Anspielung auf ein antikes Freundespaar, Achill und Patroklos.
27f. *Das ernste Wort, . . .* : Im ersten Entwurf: *überlaß dann Meinen Feinden und dem Totenrichter das Urteil.* Der Richtigkeit seiner Sache gewiß, kann der Dichter das Urteil über sein Leben dem Richter und gar den eigenen Feinden überlassen.
33—36 Der *Wiegengesang* der *Weisheit* führt den Menschen an seine und der Menschheit *Wiege* und also in die Nähe des Ursprungs zurück (vgl. *Natur und Kunst . . .*, v. 23). Daher hat das *Dunkel* (v. 34) der Weisheit nichts Nebuloses; es ist

heilig, weil es der *Dämmerung* der ursprungsnahen Frühe entspricht (vgl. *Natur und Kunst . . .*, v. 28).
36 Vgl. die Ode *Der Zeitgeist* und dort die Erl.

DIE DIOSKUREN

Wohl 1802.
Erster Druck: Hell. 4, 1916.
Dritte Fassung der Ode *An Eduard*. Vgl. dort die Erl. Fragment; der Schluß fehlt.
6 *Da niemand mag*: ›Da niemand mein Saitenspiel hören mag‹.
14 *Du spöttischer Boden*: In der ersten Fassung *Du Mutterboden!*, in der zweiten *Du dunkler Boden*. Das Beiwort *spöttisch* ist das unkonventionellste, zugleich das am schwersten verständliche, aber auch das ausdrucksstärkste. Die Änderung ist charakteristisch für den Stil des späten Hölderlin (vgl. die Erl. zu *Lebenslauf*, erweiterte Fssg., v. 8). Der Boden nimmt die Gaben des Gewitters und des Menschen, Zeichen der *Liebe* (1. Fssg., v. 15), entgegen, scheinbar ohne Dank und Erwiderung. So scheint er ihrer zu spotten. Vielleicht aber umgreift sein Spott auch noch die Erweckung dieses Scheins. Von Fassung zu Fassung zieht sich der *Boden* tiefer in die Unzugänglichkeit und Sperrigkeit seines Charakters zurück, so daß unerwartet schroffe und grelle Wesenszüge erscheinen.

UNTER DEN ALPEN GESUNGEN

Wohl Frühjahr 1801.
Erster Druck: Musen-Almanach für das Jahr 1802, hg. v. Bernhard Vermehren.
Hölderlin war vom Januar bis April 1801 Hofmeister bei der Familie von Gonzenbach in Hauptwil in der Schweiz. Hier hat er wohl die Anregung für das Thema dieses Gedichts empfangen. Lothar Kempter (a. a. O. S. 65) vermutet in Hölderlins dreizehnjähriger Schülerin Auguste Dorothea oder in einem anderen Kind aus Hauptwil das »Urbild« der

angeredeten *Unschuld.* Trifft das zu, so ist dieses Urbild sogleich wieder aufzuheben in dem überpersönlichen Bedeutungsraum, den das Gedicht der *Unschuld* anweist (vgl. die Erl. zu v. 1).
Die sapphische Strophenform hat Hölderlin nur hier verwendet. Überschrift zuerst: *Am Fuße der Alpen.*
1—4 Die *Unschuld* erscheint einerseits als Person, die nach Menschenart *im Hause oder draußen* beschäftigt ist. Ihre Darstellung überschreitet aber sogleich die Beschränkung auf eine konkret vorstellbare menschliche Gestalt, eben weil die Gemeinte als *Unschuld* angeredet wird: die Gestalt, in der diese Eigenschaft sich verkörpert, erscheint nicht. Die unbiographisch-ungegenständliche Darstellungsweise ist damit noch weiter getrieben als in der Ode *An eine Fürstin von Dessau* (s. d.), wo die Angeredete durch die Benennung als *Priesterin* immerhin als Person faßbar wurde. Die *Unschuld,* die bei Hölderlin auch vielfach als *Reinheit* erscheint, ist die überpersönliche, nämlich allen Wesen gemeinsame Zugehörigkeit zum Ursprung, die vielfach verschüttet ist, sich aber in manchen Wesen rein erhält (vgl. *Der Rhein,* v. 46 f. und dort die Erl.). Eine nur personhafte Gestaltung würde den Geltungsbereich der *Unschuld* unangemessen einengen.
2 *vertrauteste*: Weil die *Unschuld* dem Ursprung aller Wesen treu geblieben ist und ihn zur Erscheinung bringt, erkennen *Menschen* und *Götter* in ihr ihr eigenstes Wesen wieder.
5—8 Auch *der Mann* erkennt bei manchen Erscheinungen der Welt die innewohnende Güte des Wesens; *oft* aber *staunet er* vor ihnen ohne Verständnis. Die *Reine* dagegen sieht *alles* in seinem eigentlichen, nämlich vom Ursprung her *reinen* Wesen.
16 *Helle*: Wohl Adverb, nicht Vokativ.
19 *Zeit eilt hin zum Ort*: In Gegenwart der Himmlischen (v. 17) verliert die Zeit den Aspekt des blinden Ablaufs. Der *Ort,* dem sie zueilt, wird sichtbar. Dieses Ziel ordnet ihr Eilen einem geschichtlich sinnvollen Verlauf ein.
19f. *vor ihnen ein stetes/Auge zu haben*: ›In Gegenwart der Himmlischen (v. 17) des unverwandten Anschauens fähig zu sein‹.
25f. Vgl. *Die Wanderung,* v. 18 f.

26 *frei*: Die Freiheit besteht nicht in Bindungslosigkeit, sondern in der Bindung an das *Daheim*bleiben (v. 25; vgl. *Lebenslauf*, erweiterte Fssg. v. 15 f. und dort die Erl.).

Lothar Kempter: Hölderlin in Hauptwil. St. Gallen 1946, S. 63 bis 66. — Rolf Zuberbühler: Hölderlins Erneuerung der Sprache aus ihren etymologischen Ursprüngen. Berlin 1969, S. 67—84.

DICHTERBERUF

1800/1801.
Erster Druck: Flora. Teutschlands Töchtern geweiht. 10. Jg., Tübingen 1802.
Erweiterte Fassung des Gedichts *An unsre großen Dichter*.
Diese Ode ist ein Gipfelpunkt unter den Dichtungen Hölderlins, die dem Wesen des Dichters gewidmet sind. Besonders seit den Homburger Jahren wird die Darstellung des dichterischen Wesens und Auftrags eins der großen Themen Hölderlins. In der Ode *Dichterberuf* sind fast alle Motive dieses Themenkreises vereint. Vgl. bes. die Gedichte *An die Parzen*; *An die jungen Dichter*; *Die scheinheiligen Dichter*; *An unsre großen Dichter*; *Mein Eigentum*; *Der Prinzessin Auguste von Homburg*, v. 4, 26—28; *An eine Verlobte*, v. 22 bis 24; *Unter den Alpen gesungen*, v. 26—28; *Stimme des Volks*, 2. Fssg., v. 71 f.; *Der blinde Sänger*; *Dichtermut*; *Blödigkeit*; *Deutscher Gesang*; *Wie wenn am Feiertage . . .* ; *Patmos*, v. 222—226; *Andenken*, v. 59.
Walter F. Otto: Der Dichter und die alten Götter. Frankfurt am Main, 1942. — Ders.: Die Berufung des Dichters. In: Hölderlin-Gedenkschrift 1943, S. 203—223. — Martin Heidegger: Hölderlin und das Wesen der Dichtung. In: M. H.: Erläuterungen zu Hölderlins Dichtung. Frankfurt a. M. 1951², S. 31—45 (zuerst 1937).
5 *des Tages Engel*: Gemeint ist der Dichter (vgl. *An unsre großen Dichter*, v. 5), der, gemäß der Wortbedeutung von *Engel*, der ›Bote‹ *des Tages* ist: er verkündet, von den Göttern dazu durch *Winke* (*Rousseau*, v. 31) aufgefordert, den künftigen Göttertag.
17 *dennoch*: Der *Dienst* (v. 13) der Dichter gehört zwar dem

Höchsten (v. 14), dem *Vater* (v. 53), *der über allen waltet* (*Patmos*, v. 223). *Dennoch* darf diese Sorge um den einen obersten Gott nicht dazu führen, daß die Vielfalt, in die die himmlischen und irdischen Verhältnisse gegliedert sind, vergessen wird (vgl. *Patmos*, v. 217—219; ferner die Erl. zur Hymne *Der Einzige*). Daher wird jetzt der *Himmlischen all* (v. 17), d. h. der Vielfalt der Götter, und der *ruhelosen Taten in weiter Welt* (v. 25), d. h. der Vielfalt der irdischen Ereignisse, gedacht. Erst wenn der Dichter des *Höchsten*, der *Himmlischen* und der irdischen *Taten* zugleich eingedenk ist, wird er seiner umfassenden Aufgabe gerecht, die ihn dazu verpflichtet, sowohl die Einheit als auch die Unterschiedenheit des Weltganzen in seinem Werk zu bewahren (vgl. »Grundzüge der Dichtung Hölderlins«, oben S. 14 f.; ferner Beißner, StA 2, 484; Adolf Beck in: Hölderlin-Jb. 1948/49, S. 222 Anm.).

17—40 Das fünffache Strophen-Enjambement ist Zeichen höchster sachlicher Leidenschaft.

19 *du*: Einer der *Himmlischen* wird unmittelbar angeredet.

25 Vgl. *Wie wenn am Feiertage ...*, v. 30.

26 *Schicksalstag'*: Der Wille, Schicksal und Geschichte in das dichterische Weltbild einzubeziehen (vgl. oben die Erl. zu v. 17; ferner die Erl. zu *Der Zeitgeist*; *An Eduard*, v. 36; *Wie wenn am Feiertage ...*), hat sich, wie die dichterische Emphase (vgl. die Erl. zu v. 17—40) zeigt, hier schon in innere Notwendigkeit verwandelt.

29—33 Vgl. den Prosaentwurf zu *Wie wenn am Feiertage ...*

30 Zuerst: [Des] *Lebens großgeordneter Wohllaut tönt stetigstill*: Aus der inneren Einheit von stiller Ewigkeit und stetigem Fortschreiten der Zeit erwächst der *Wohllaut*, die großgeordnete Harmonie des *Lebens*.

36 *Neulich die Donner*: Die kriegerischen Zeitereignisse, die jedoch nicht als geschichtlicher Vorgang im üblichen Sinne, sondern als mahnende Zeichen der Götter begriffen werden (vgl. *An eine Fürstin von Dessau*, v. 10—12, und dort die Erl.).

37 *Geist*: Nicht subjektiver Menschengeist, sondern fast gleichbedeutend mit dem *Göttlichen* (v. 45) und den *Himmelskräften* (v. 46). Auf den *Geist* beziehen sich die Wen-

dungen *Des Guten* und *den Albernen* (v. 38), wobei ›albern‹ wohl etwa ›gutmütig in etwas Schlimmes hineingeratend‹ bedeutet.

39 *herzlos*: ›Ohne Herz‹, ohne die Mitte des menschlichen Wesens, nämlich ohne die ›herzliche‹ Kraft des Dankenkönnens (vgl. v. 47, 58).

42 Vgl. *Der gefesselte Strom,* v. 3.

49 Vgl. *Wie wenn am Feiertage . . . ,* v. 34.

52 *Nennet mit Namen*: Hier wird deutlich, wie weit dieses ironisch behandelte, gedankenlose Geben des geläufigen Namens vom eigentlichen ›Nennen‹ entfernt ist, das das Wesen des Dinges zu Wort bringt.

55 *Doch*: ›Der Vater verwirft zwar obendrein das Wilde, aber dieses (die *weite Gewalt*) könnte ohnehin nichts gegen den Himmel ausrichten.‹

57f. Zwischen *Gewalt* und *zu weise* sein hält der *Dank* (der *ihn,* den *Himmel,* auf die angemessene Weise *kennt* und erkennt) die rechte menschliche Mitte ein (vgl. die Erl. zu v. 39).

64 *so lange, bis Gottes Fehl hilft*:
zuerst: *so lange der Gott nicht fehlet.*
dann: *so lange der Gott uns nah bleibt.*
Dieser anfängliche Gedanke wird in der endgültigen Fassung umgekehrt (*Fehl* ist als ›Fehlen‹ zu verstehen). Zu deren Verständnis vgl. *Brot und Wein,* v. 115—119:

Aber das Irrsal
Hilft, wie Schlummer und stark machet die Not und die Nacht,
Bis daß Helden genug in der ehernen Wiege gewachsen,
Herzen an Kraft, wie sonst, ähnlich den Himmlischen sind.
Donnernd kommen sie drauf.

Während die ersten Fassungen noch eine Nähe des Gottes voraussetzten, macht die letzte Ernst damit, daß der Gott in Wahrheit zur Zeit nicht nah ist. Er ›fehlt‹ der Gegenwart, die Hölderlin als die Weltnacht (vgl. u. a. *Brot und Wein,* v. 116) begreift. Dennoch *hilft* sein Fehlen, da die *eherne Wiege* der götterlosen Zeit, die *Not, stark machet.* Die so hervorgebrachten *Helden* sind *Herzen an Kraft* (vgl.

dagegen *Dichterberuf*, v. 39: *herzlos*); sie bereiten die Wiederkehr der Götter vor.

Friedrich Beißner: Dichterberuf. In: Hölderlin-Jb. 1951, S. 1—18 (auch in: F. B.: Hölderlin. Weimar 1961, S. 110—125). — Guido Schmidlin: Hölderlins Ode: Dichterberuf. Eine Interpretation. Bern 1958. — Gisela Schneider-Herrmann: Hölderlins Ode »Dichterberuf«. Ihre religiöse Prägung. Zürich 1960. — Joachim H. W. Rosteutscher: Hölderlins Ode »Dichterberuf« und die Frage der Auffassung vom Beruf des Dichters überhaupt. In: Deutsche Akademie für Sprache und Dichtung, Darmstadt. Jb. 1962, S. 62—75. — Zur Deutung von *Gottes Fehl* (v. 64) vgl. auch: Hans Pyritz: Zum Fortgang der Stuttgarter Hölderlin-Ausgabe. In: Hölderlin-Jb. 1953, S. 80—105, bes. S. 100. — Heidegger a. a. O. S. 27.

STIMME DES VOLKS

Erste Fassung.
Wohl 1800.
Erster Druck: Schwab 1846.
Erweiterte Fassung des gleichnamigen zweistrophigen Gedichts. Vgl. dort die Erl. Die frühere Fassung hatte offengelassen, worin der Unterschied zwischen der eigenen *Bahn* und der der *Wasser* besteht. Das wird jetzt ausgeführt.
Der *Wunsch / Der Götter* (v. 9 f.) ist, daß das Sterbliche (v. 11) *Ins All zurück* kehrt (v. 13). Er wird jedoch oft *allzubereit* (v. 9) erfüllt, nämlich auf der *kürzesten Bahn* (v. 13). Diese Form der Rückkehr entspricht, jedenfalls im Hinblick auf den Menschen, nicht durchaus dem göttlichen Willen (vgl. v. 31 f., 45—48), der vielmehr eine *geschwungnere Bahn* (v. 48) des Menschen auf der Erde im Sinn hat. Denen, die *vor der Zeit gefallen* sind (v. 38), wird das Gedicht zwar auch gerecht; aber *größer* (v. 45) ist das Verweilen, das *Bleiben* auf der Erde (vgl. *Dichterberuf*, v. 54). Dem empedokleischen Sturz ins All wird jetzt das nüchterne, aber zugleich dem Heiligen zugewandte *Bleiben im Leben* (*Der Frieden*, v. 32) entgegengesetzt. Die gegensätzlichen Elemente, die diese ›heilige Nüchternheit‹ in sich vereint, kommen auch in dem Oxymoron *In Eile zögernd* (v. 47) zum Ausdruck. Vgl. »Grundzüge der Dichtung Hölderlins«, oben S. 13 f.

Die *Todeslust*, die die Erde zu schnell verlassen will, kann auch ganze *Völker* ergreifen (v. 21). Das ist ein Hinweis auf das eigentliche Thema des Gedichts, die *Stimme des Volks*. Die Schlußstrophe greift es wieder auf. Dort heißt *des Volkes Stimme*, wohl nicht ohne leicht ironischen Unterton, die *ruhige*. Damit wird sie zur *Ruhe* (v. 37, vgl. auch v. 14) derer, die *vor der Zeit gefallen* sind, in Beziehung gesetzt: sie ist ebenso tatenlos wie ein Gestorbener. Es ist die Stimme eines Volkes zur Zeit der Götterferne. Dennoch ist sie *fromm* (v. 49), weil in ihr die Möglichkeit einer Wiederaufnahme der Beziehung zum Göttlichen verborgen ist. Die Schlußverse mahnen, daß diese Ruhe sich nicht zum ständigen Zustand versteifen darf, wenn das Volk den Göttern und *dem Geiste gemäß* (*Der Gang aufs Land*, v. 26) handeln will.

9 *selbstvergessen*: Das zum Tode *allzubereite* Sterbliche vergißt vor übergroßer Sehnsucht ins All, daß auch das Einzelne, das ein ›Selbst‹ ist, Recht und Pflicht zum Dasein hat.

16 Vgl. *Hyperions Schicksalslied*, v. 22 f.

21 Vgl. *Der Einzige*, 2. Fssg., v. 53.

33 f. *er wirft sie selbst / Der Vater aus dem Neste*: Dieser Satz, für den man die Form eines Nebensatzes erwarten würde (›die der Vater selbst aus dem Neste wirft‹), verselbständigt sich. Das ist für die Entwicklung der Syntax in Hölderlins späterer Dichtung aufschlußreich. Die syntaktischen Einheiten haben den Drang zur Selbständigkeit. Der leichte, gespannte Sprachfluß der Hyperion-Zeit wird allmählich zugunsten harter, blockhafter Fügung aufgegeben. So entstehen auch die charakteristischen Kurzsätze der späteren Dichtung (vgl. »Grundzüge der Dichtung Hölderlins«, oben S. 15 f.). — Zum Motiv vgl. *Hyperion* (StA 3, 122): *Wir sind, wie die jungen Adler, die der Vater aus dem Neste jagt, daß sie im hohen Aether nach Beute suchen.*

Wilhelm Michel: Hölderlin und die Götter. In: W. M.: Hölderlins Wiederkunft. Wien 1943, S. 19—44, bes. S. 29—33. — Vgl. ferner die 2. Fssg.

STIMME DES VOLKS

Zweite Fassung.
1801.
Erster Druck: Flora. Teutschlands Töchtern geweiht. 10. Jg., Tübingen 1802.
Vgl. die Erl. zur frühen zweistrophigen und zur ersten erweiterten Fassung.
18 *Das Ungebundne*: Vgl. *Der Einzige*, 2. Fssg., v. 72 f.: *Ungebundenes aber / Hasset Gott.*
36 *Stachel*: Vgl. *Dichterberuf*, v. 41. Das Beiwort *richtig* zeigt die für die Dichtungen der Jahre nach 1800 charakteristische Neigung zum nüchternen Ausdruck.
41—68 Die Erzählung vom Schicksal der Stadt Xanthos wird als ein Beispiel der *Todeslust*, die Völker ergreift, angefügt. Das ist die wesentliche Neuerung dieser Fassung. Plutarch erzählt den Vorgang. Brutus belagerte im Jahre 42 v. Chr. das am gleichnamigen Fluß gelegene Xanthos (in Lykien, Kleinasien). Die Stadt fing Feuer, Brutus wollte helfen, aber die Einwohner wiesen seine Hilfe zurück, fachten im Gegenteil das Feuer heftiger an und nahmen sich, von Raserei ergriffen, jauchzend das Leben. Dieser Vorfall (v. 41—60) wird (v. 61—68) ergänzt durch die erste Vernichtung von Xanthos, die als Vorbereitung (v. 62) der zweiten erscheint. Als Harpagos 546/539 v. Chr. die Stadt bedrängte und die Xanthier geschlagen waren, verbrannten sie ihre Stadt und fielen darauf sämtlich in der Schlacht.
50 *ausgegangen*: Ausgebrochen.
65 *Rohr*: Schilfrohr.
69—72 Die Schlußstrophe zieht die Lehre aus den beiden Beispielen der Geschichte. In den *Sagen* erscheint die *Stimme des Volks*. Sie sind ein *dem Höchsten* errichtetes *Gedächtnis*; in ihnen bewahrt die *Stimme des Volks* die Erinnerung an seine Geschichte und errichtet so zugleich dem Höchsten, von dem alle Geschichte kommt, ein Denkmal. Aber mit dem Bestehen der Sagen ist es nicht getan. Sie müssen auch gedeutet werden. Die Zwar-Aber-Struktur (*wohl . . . doch*) des Schlußsatzes besagt, auf das gegebene Beispiel angewendet, daß das Bestehen der Sage in Xanthos (*So hatten es die Kinder gehört*)

nicht in der rechten Weise genutzt worden ist. Die Sage hätte ausgelegt werden und *die Kinder* hätten aus der Auslegung lernen müssen, daß sie die *Todeslust* ihrer Voreltern nicht wiederholen durften. So zeigt sich, wie viel daran hängt, daß ein Deuter der Sage, nämlich ein Dichter, da ist.

Anton Gail: Der Dichter und das Volk. Hölderlins »Stimme des Volks« im Deutschunterricht. In: Zs. f. dt. Bildung, 1939, S. 225 bis 229. — Walther Rehm: Tiefe und Abgrund in Hölderlins Dichtung. In: Hölderlin-Gedenkschrift 1943, S. 70—133, bes. S. 96 bis 100. — Ulrich Hötzer: Hölderlin als Subskribent auf eine Plutarch-Ausgabe. In: Hölderlin-Jb. 1950, S. 120—126. — Wolfgang Kayser: Friedrich Hölderlin. Stimme des Volks. In: Die deutsche Lyrik, hg. v. Benno von Wiese, Düsseldorf 1956, S. 381 bis 393. — Ryan S. 169—176.

DER BLINDE SÄNGER

Wohl Sommer 1801.
Erster Druck: Uhland - Schwab 1826.
Eine spätere Fassung ist das folgende Gedicht *Chiron.*
Die Blindheit des Sängers ist wörtlich, zugleich aber auch sinnbildlich zu nehmen als Symbol der Lage der Dichter (*Sänger*) in der *Nacht* (v. 4, 12, 29) der Gegenwart (vgl. u. a. die Erl. zu *Dichterberuf*, v. 64).
Motto: Sophokles, Aias v. 706. Hölderlins Übersetzung: *Gelöst hat den grausamen Kummer von den Augen Ares.*
1 *Wo bist du*: Der *Sänger* fragt. Er ist das Ich des Gedichts. Vgl. dieselbe Frage in *Dem Sonnengott*, v. 1; *Sonnenuntergang*, v. 1; *An die Hoffnung*, v. 5.
3 f. Vgl. *Lebenslauf*, erweiterte Fssg. v. 5. Die *Nacht*, die die Götter verbirgt, ist darum dennoch nicht unheilig. Denn die Himmlischen schonen die Fassungskraft des Menschen, indem sie das göttliche Feuer zuzeiten mit nächtlichem Dunkel abschirmen (vgl. z. B. *Brot und Wein*, v. 112—114). Überdies ist die Nacht die Zeit, *Wo die stumme Natur werdende Tage sinnt* (*Lebenslauf*, v. 6); in ihr bereitet sich die Wiederkehr der Götter vor, und auch daher ist sie *heilig*.

13—16 Im ersten Stadium des Entwurfs entsprechen dieser Strophe die Worte *es blühte das Angesicht / Der Geliebten.* Falls man die Wendung *Der Geliebten* als Singular deuten darf (sie könnte auch genau der endgültigen Wendung *der Meinen* entsprechen, die doch wohl als Plural zu verstehen ist), so mag sich darin eine Erinnerung an Diotima als Keim dieser Strophe zeigen.

17 f. *die Fittige / Des Himmels*: Wohl die Vögel.

22 *Zur eignen Freude*: Die Betontheit des Wortes *eignen* deutet wohl an, daß diese auf das Ich beschränkte *Freude* noch nicht die eigentliche ist, an der in Zeiten der Geisterfülltheit alle Wesen teilhaben (vgl. *daß euer, euer die Freude sei*, v. 49).

25 *Donnerer*: Zeus.

27 *das Haus*: Die Wohnung des Zeus, der Himmel. Vgl. *An den Aether*, v. 30.

29 f. Schon bevor die Rettung des Ich, nämlich die Erlösung von der Blindheit, einsetzt (v. 39 ff.), heißt der Donnerer *Retter* und *Befreier.* So wird die Ahnung der bevorstehenden Rettung gestaltet. Dasselbe geschieht ab v. 29 in der Syntax: sie wird unruhiger, ekstatischer als in den Strophen davor.

31 f. *vom Untergang zum / Orient*: In der Nacht eilt der Donnerer (wie die Sonne) zum Aufgang (nach Osten, *zum Orient*); seine Ankunft am Aufgang ist das Ende der (wiederum auch als Weltzeit zu verstehenden) Nacht.

35 *denkt*: Der Strom wird nicht als ›bloßes‹ Naturwesen begriffen; als Wesen der Natur ist er vielmehr geistig, nämlich des *gemeinsamen Geistes* der Welt teilhaftig (vgl. *Wie wenn am Feiertage ...*, v. 43; ferner die Erl. zu *Der Rhein*).

36 Der einzuschlagende Weg erscheint dem blinden Sänger, der dem Gotte folgt, noch als *Irrbahn.* Der vorauseilende Gott jedoch kennt den künftigen Weg der Geschichte; er ist der *Sichere.*

41 Wodurch ist das Tagen herbeigeführt worden? Zunächst ist es eine ursprüngliche und daher unableitbare Tat des *Retters*, ein aus dem Willen des Gottes und Geistes kommendes, geschickhaftes Entspringen einer neuen Weltepoche. Es kommen jedoch die Erwartung und das Sehnen hinzu, mit denen der *Sänger*, einer der Helden der Nachtzeit, den neuen Tag gleichsam herbeigezogen hat (vgl. z. B. *Brot und Wein*, v. 115—119; ferner die Erl. zu *Dichterberuf*, v. 64).

Helmut Schiller: Hölderlins Ode »Der blinde Sänger«. In: Die Pforte, 1954, S. 131—142. — Vgl. ferner *Chiron*.

CHIRON

1802/03.
Spätere Fassung der Ode *Der blinde Sänger*. Vgl. dort die Erl.
Erster Druck: Taschenbuch für das Jahr 1805. Der Liebe und Freundschaft gewidmet. Frankfurt am Main, bei Friedrich Wilmans.
Die Ode *Chiron* ist der erste der in diesem Taschenbuch gedruckten, von Hölderlin in seinem Brief an Wilmans vom Dezember 1803 so genannten *Nachtgesänge*. Zu ihnen gehören außerdem die Gedichte *Tränen*, *An die Hoffnung*, *Vulkan*, *Blödigkeit*, *Ganymed*, *Hälfte des Lebens*, *Lebensalter*, *Der Winkel von Hardt*. Die neun Nachtgesänge werden im Dezember 1803 für den Druck durchgesehen.
Es ist bezeichnend für die Einschätzung dieser Gedichte im 19. Jahrhundert, daß Schwabs Ausgabe von 1846 sieben von ihnen lediglich im Anhang unter dem Titel »Gedichte aus der Zeit des Irrsinns« druckt. Nur die Oden *An die Hoffnung* und *Vulkan* (diese unter dem Titel *Der Winter*), die schon Uhland - Schwab 1826 aufgenommen hatten, werden im Hauptteil gebracht. Noch die Ausgabe von Marie Joachimi-Dege (1909) bezeichnet jene sieben Gedichte als »Aus der Zeit der Umnachtung« stammend und verbannt drei von ihnen zusätzlich in die Abteilung »Nachlese«.
Chiron, der weise, gerechte Kentaur, der Heroenerzieher, tritt hier an die Stelle des *blinden Sängers* der ersten Fassung. Das entspricht der jetzigen Neigung Hölderlins, das Auszusagende in einer konkret faßbaren Gestalt zu verkörpern. Zugleich bietet die Sage von Chiron die Möglichkeit, den weit zurückliegenden Beginn der götterlosen Zeit (der Entferntheit Chirons vom *Licht*, v. 2) mit einem mythischen

Ereignis zu identifizieren: Chiron wurde einst von Herakles versehentlich mit einem giftigen Pfeil verwundet und muß, da er unsterblich ist, die Wunde bis zur künftigen Erlösung (vgl. die Erl. zu v. 50) erdulden. Das Eindringen des Pfeilgifts (vgl. v. 22) bringt die Entzweiung mit den Göttern und der Natur. Daß gerade Herakles die Entzweiung bringt, erklärt sich aus der Bedeutung, die er in Hölderlins Werk erhält: er ist der »Geist der ›Kunst‹, sofern wir unter ›Kunst‹ im Sinne der Studie *Grund zum Empedokles* die scheidenden, gliedernden, ordnenden, auseinanderhaltenden Kräfte verstehen« (Staiger a. a. O. S. 45; vgl. auch Hötzer a. a. O.). Scheidend und ordnend zerstört Herakles die alte ordnungslose Einigkeit Chirons mit der Natur (vgl. auch die Erl. zu *Natur und Kunst . . .*). Er handelt dabei jedoch als *Zeus Knecht* (v. 18). Die Ordnung des Ordnungslosen liegt im Sinne der Götter; die Entzweiung ist die Stufe des Durchgangs zu neuer höherer Einigkeit.

Zum Begriff des Kentauren vgl. auch Hölderlins Auslegung des von ihm übersetzten Pindarfragments *Das Belebende* (StA 5, 289 f.), deren erster Absatz lautet: *Der Begriff von den Centauren ist wohl der vom Geiste eines Stromes, so fern der Bahn und Grenze macht, mit Gewalt, auf der ursprünglich pfadlosen aufwärtswachsenden Erde.* Während der Strom anfangs, *eh' er sich eine Bahn riß*, ohne Ziel *umirren* muß, ist sein eigentlicher *Geist* darauf gerichtet, *Bahn und Grenze* zu machen, der Erde Ordnung und Richtung zu geben. Ebenso Chiron: anfangs ist er richtungslos eins mit der Natur; erst Herakles hilft ihm, das in ihm angelegte Wesensziel zu verwirklichen. Bemerkenswert ist angesichts dieser ganz Hölderlin eigenen Auslegung, daß die Kentauren auch von seiten der Wissenschaft (P. Kretschmer in: Glotta 10, 1920, S. 50 ff.) als alte Flußgottheiten gedeutet werden. (Vgl. Walther Killy: Welt in der Welt. Friedrich Hölderlin. In: W. K.: Wandlungen des lyrischen Bildes. Göttingen 1956, S. 30—52. — Cornelissen a. a. O. S. 56—59. — Staiger a. a. O. S. 47 ff.)

1 *Nachdenkliches*: Das Licht ist nachdenklich »in demselben Sinn, wie man von einer ›nachdenklichen‹ Geschichte spricht« (Beißner, StA 2, 509).

2 *Zur Seite gehn*: Eine gegenüber der früheren Fassung nüchternere Wendung, die jeden Anklang an geläufige und ›poetische‹ Ausdrücke vermeidet. Die Beziehung des Lichtes zum Ich, die der *blinde Sänger* noch als ein Wecken beschrieb, erfaßt Chiron nur mehr als ein bloßes *Zur Seite gehn*. Statt der inneren Bedeutung nennt er die äußere Form. So spiegelt die von ihm gebrauchte Wendung seine geistige Verfassung wider: sein *Herz* ist *wach* (v. 3), ihn beseelt ein ursprüngliches Verlangen nach der alten Einheit mit der Natur, aber er kann vorerst die Entzweiung nicht überwinden.
4 *erstaunende*: Vgl. *Brot und Wein*, v. 17.
5 *Sonst nämlich*: In den früheren Zeiten der Einheit mit der Natur.
6 *Ein weiches Wild*: Wohl nicht Nominativ, sondern Akkusativobjekt (*lauscht'* = belauscht').
9 Es muß wohl offen bleiben, ob Chiron mit dem *Füllen* rückblickend sich selbst in seiner Jugend meint (so Beißner, StA 2, 510). *Füllen* und *Garten* können auch allgemein Erscheinungen der reinen Natur sein, die dem Gotte Labung bedeuteten, weil sie für seine Gabe aufnahmebereit waren.
10 *Ratschlagend, Herzens wegen*: Der *Licht*gott Apollon suchte Chiron, den Weisen, auf, und fragte ihn in einer Herzenssache um Rat (so Hell. 4³, 303); oder, wahrscheinlicher: das *Licht* kam und riet dem Herzen (vgl. v. 3, 11) Chirons (so Beißner, StA 2, 510 f.). Vgl. *Der Frieden*, v. 32, wo das *Bleiben im Leben* als das *Herz* des Menschen erscheint: nur die Anwesenheit, der Rat des *Lichts*, nämlich die Nähe der Götter, ermöglicht ein eigentliches Dasein.
16—18 Einkehr des Herakles bei Chiron; Chirons Verwundung (s. o.). Das *wilde Feld* ist die elementare Natur, mit der Chiron vertraut und einig war; es ist ›traurig‹, weil ihm die geistige Heiterkeit einer ordnenden Struktur fehlte. Herakles ›entzaubert‹ es. Er sät das *Gift* (v. 22) der Zwietracht, das den Zauber des Chaos entlarvt und den Weg zu dessen Entwirrung weist. Die folgenden Verse (v. 19—36) stellen Chirons Einsamkeit dar, die Folge seines Scheidens aus der Einigkeit mit der Natur.
18 *der gerade Mann*: Vgl. *Wenn aber die Himmlischen . . .*, v. 7.

28 *die Qual Echo wird*: Die *Qual* ist der Schmerz, den Chiron durch seine Wunde duldet, und zugleich das Leiden jedes götterfernen Wesens. Sie *wird* das antwortende *Echo* des göttlichen Donnerers, solange dieser *über dem Haupt droben in anderer Welt* (*Brot und Wein*, v. 110) verweilt und noch nicht *Angesichts* auf der Erde *da* ist (v. 40).
33 f. *wenn einer dann / Zusiehet denen*: Eine für Hölderlins Stil um 1803 charakteristische, ›nüchterne‹, ungelenk erscheinende Satzfügung. Der Nebensatz ist eingeschachtelt in den Hauptsatz *Die Tage aber wechseln . . . lieblich und bös'*. Er sperrt die Teile des Hauptsatzes auseinander. Dem entspricht sein ›Inhalt‹: indem *einer* den Tagen *Zusiehet*, wird die Geschiedenheit des Zusehenden von den Tagen betont gestaltet.
35 *zweigestalt*: Wohl auf die Zwiegestalt der *Tage* (die nämlich *lieblich und bös'* sind) zu beziehen.
38 *göttliches Unrecht*: Das Ausbleiben der Götter kann nur ›geliebt‹ werden, weil es *Stachel* (v. 37) ist, Anreiz zur Überwindung der ungewissen Nachtzeit.
39 *dann*: wenn nämlich der *Stachel des Gottes* die Nachtzeit hat überwinden helfen und so eine neue Nähe des Gottes bewirkt hat (vgl. die Erl. zu *Dichterberuf*, v. 64). Dieses antizipierende Dann bestimmt auch v. 41—48: Trotz des Ausrufs *Tag! Tag!*, der scheinbar den endlich gegenwärtigen Tag begrüßt, und trotz der präsentischen Aussageweise sind auch diese Verse Vorwegnahme, nicht Aussage des Eintreffens der Erfüllung (vgl. Hötzer a. a. O. S. 129 f.). Nur so ist es zu erklären, daß die Schlußstrophe in die Haltung des Erwartens zurücklenkt. Herakles ist noch nicht zurückgekehrt. Bis zu seiner Rückkehr aber bleibt das entzweiende Gift wirksam. Damit ist eine bedeutsame Änderung gegenüber dem *blinden Sänger* eingetreten, wo der neue Göttertag schon wirklich anbrach. Bescheidung und Nüchternheit kennzeichnen die neue Haltung, die dennoch, in Form der Vision, zugleich die Begeisterung bewahrt.
41—48 Vision der Wiederkehr des ›rechten‹ (vgl. v. 41, 43) Lebens. Die Dinge trinken *ein Augenlicht*, gleichsam durstig infolge der langen Entbehrung eines rechten Geschautwerdens. Die Erde ist keine Wildnis mehr, denn *rechte Stapfen*,

gebahnte Pfade, weisen auf ihr den Weg. Die Sonne ist dann bei sich selber *Örtlich*, nämlich in Übereinstimmung mit ihrem eigentlichen Wesen. Daß sie als *Irrstern des Tages* angeredet wird, zeigt wiederum an, daß Chiron hier noch aus der Nachtzeit heraus spricht; denn nur solange noch die Weltnacht herrscht, kann die Sonne *Irrstern* heißen, der Stern nämlich, der vortäuscht, es sei schon Tag. — Die *Wolken* (v. 48) sind die Scharen *des Wilds*, in deren Gesellschaft die Kentauren in Bergwäldern *unstädtisch*, nämlich ungezähmt, schwärmten und jagten.

49 f. Den von Chiron angeredeten *Knaben* deutet Beißner (StA 2, 513) als »einen nicht mit Namen genannten Zögling«; Cornelissen (a. a. O. S. 108 f., Anm. 68) erwägt, ob Chiron nicht sich selbst meine. Frye (a. a. O.) deutet den *Knaben* als Achill. — In einer Variante zu v. 18 wird jedoch Herakles *des Gottes Knabe* genannt (StA 2, 504, 28 f.). Es könnte sein, daß Hölderlin diese hier wieder verworfene Bezeichnung an einer anderen Stelle, eben in v. 50, erneut aufgreift und nun verwirklicht. Der Name *Knabe* für den im allgemeinen als Mann vorzustellenden Herakles braucht im Munde Chirons nicht zu verwundern, da er den jungen Herakles erzogen hat. Chiron würde demnach Herakles auffordern, sich zur verheißenen Rückkehr vorzubereiten. Somit setzten diese beiden Zeilen die Entwicklung des Gedichts, die auf *Herakles Rückkehr* (v. 52) zielt, kontinuierlich fort und sprängen nicht auf eine unbedeutende Nebenperson ab. Mit dem Schlußsatz (v. 50—52) mag Chiron sich, nach der vorschnellen Aufforderung an Herakles, Trost zusprechen und sich zur Geduld ermahnen. Dem entspricht, nach der Anrede, die Rückkehr zur dritten Person.

50 *Wahrsagung*: Nach einem Spruch des Hermes konnte der gefesselte Prometheus erst erlöst werden, wenn ein Unsterblicher um seinetwillen auf die eigene Unsterblichkeit verzichtete. Herakles befreit den Prometheus, und Chiron will für ihn sterben. Zeus versetzt Chiron unter die Gestirne.

Theo Pehl: Hölderlins ›Chiron‹. In: DVjs, 1937, S. 488—509. — Emil Staiger: Hölderlin: Chiron. In: Trivium, 1942/43, S. 1—16 (auch in: E. St.: Meisterwerke deutscher Sprache im 19. Jahrhundert. Zürich 1957³, S. 40—56). — Ulrich Hötzer: Die Gestalt des

Herakles in Hölderlins Dichtung. Stuttgart 1956, bes. S. 124 bis 131. — Maria Cornelissen: Hölderlins Ode »Chiron«. Tübingen 1958. — Ryan S. 209—212. — Lawrence O. Frye: Hölderlins ›Chiron‹. Zur Bedeutung des Mythischen in »Nimm nun ein Roß . . . o Knabe!« In: Zs. f. dt. Philologie, 1969, S. 597—609.

TRÄNEN

Erster Entwurf etwa 1800, vollendet 1803; vgl. die Erl. zu *Chiron.*
Erster Druck: Taschenbuch für das Jahr 1805. Der Liebe und Freundschaft gewidmet. Frankfurt am Main, bei Friedrich Wilmans.
In einer hs erhaltenen Fassung (Hs²) lautet der Titel *Sapphos Schwanengesang*; zunächst war offenbar die sapphische Strophenform in Aussicht genommen, deren Schema Hölderlin auf der Rückseite der Hs aufgezeichnet hat.
» . . . der Begriff *Liebe* ist in diesem Gedicht zweifach verwendet; im Kern: die Liebe, d. h. die geistige Hingabe ans Göttliche (das allzudankbare Dienen . . .) das ›heilige Feuer‹ der Hellenen, welche doch nur durch ihre allzugroße Heftigkeit (daher *büßet*) zum Untergang führt; und in der Anfangs- und Schlußstrophe des Dichters Liebe zu diesen Liebenden . . .« (Hell. 4³, 306). Vgl. *Hymne an den Genius Griechenlands*, z. B. v. 35: *Du gründest auf Liebe dein Reich.*
Der Dichter möchte sich die angemessene *Liebe* zur *Wunderwelt* (v. 5) derAntike bewahren. Als Feind dieses Bewahrens erweisen sich die *Tränen*, die dem Versunkensein der alten *Schönheit* (v. 10) gelten. Solche Tränen sind *weich* (v. 17); sie verschleiern die Tatsache, daß das alte Griechenland versinken mußte, weil seine Heiligen und Helden *allzudankbar* (v. 9) waren: ihre Liebe war *abgöttisch* geworden (v. 7), indem sie sich, wie auch Empedokles es tat, mit dem Göttlichen unterschiedslos vermischen wollte und also die Notwendigkeit der Distanz von der göttlichen Sphäre außer acht ließ. Auf die Einhaltung dieser Distanz, also auf die Vermeidung der abgöttischen Liebe legt Hölderlin jetzt den größten Wert. Ebenso falsch wie die Tränen wäre aber ein

Außerachtlassen jeglicher Liebe, ein ›Vergessen‹ (v. 2) der alten *Wunderwelt*. Das Richtmaß für die Gewinnung der rechten Form der Liebe sind das *Augenlicht* und das *Gedächtnis* (v. 17f.).

Die Bitte um *ein Gedächtnis* (v. 18—20) erweckt zunächst den Anschein, als bäte der Dichter die Tränen, sie möchten zulassen, daß die Nachwelt seiner gedenkt. Dieser Deutung widerspricht jedoch der Einschub *Damit ich edel sterbe*: der Adel des Sterbens ist ja doch unabhängig vom etwaigen Gedenken der Nachwelt. Auch hätte der so verstandene Satz keinerlei innere Beziehung zum vorhergehenden (v. 17 f.). Vielmehr muß *Gedächtnis* als die im Ich vorhandene Fähigkeit des Gedenkens verstanden werden: ›gebt mir den Blick frei, Tränen, damit ich den dennoch vorhandenen Verdiensten der Alten gerecht werde und ihnen ein wahres Gedenken widmen kann; nur so sterbe ich edel; laßt zu, daß dieses Gedenken (das erst in meinem Gesang wahre Gestalt gewinnt) mich (in meinem Werk) überdauert.‹ Das gedenkende *Gedächtnis* des Ich erst gibt die Gewähr, daß die angemessene Form der Liebe nicht verfehlt wird. (Vgl. dieselbe Bedeutung des Begriffs *Gedächtnis* in *Stimme des Volks*, 2. Fssg., v. 70; *Andenken*, v. 57; ferner die Erl. zu *Mnemosyne*.)

2 *wenn ich*: Der Satz wird nicht zu Ende geführt. Zu ergänzen ist etwa ›euch vergäße‹.

ihr geschicklichen: Die griechischen *Inseln* (v. 5) sind, als Heimat des griechischen Altertums, der Ort eines der wesentlichen Geschicke der Welt. Vgl. *Stuttgart*, v. 12.

13 *Sichtbar, gleich einem sinnigen Mann*: Das sichtbare Bestehen der griechischen Städte, die Tatsache, daß sie eine Zeitlang vor den Göttern bestanden, schien ihre Sinnigkeit, nämlich ein rechtes Verhalten zum Göttlichen, zu verbürgen. Dennoch fielen sie. Ihre (trotz ihrer Hybris großartige) *Liebe* steht nun *Albern* da (v. 16), mißlungen, abgewiesen vom Höchsten. (Zur Bedeutung von *sinnig* vgl. *Brot und Wein*, v. 4; *Die Wanderung*, v. 32: *Die Unsrigen einst, ein sinnig Geschlecht* [var.]; *Die Titanen*, v. 59; *Ganymed*, v. 8: *ein sinniger Mann* [var.], dazu Alfred Romain in: Hölderlin-Jb. 1952, S. 69.)

AN DIE HOFFNUNG

Erster Entwurf etwa 1800, vollendet 1803; vgl. die Erl. zu *Chiron.*
Erster Druck: Taschenbuch für das Jahr 1805. Der Liebe und Freundschaft gewidmet. Frankfurt am Main, bei Friedrich Wilmans.
Eine frühere Fassung trägt die Überschrift *Bitte.*
Vgl. *Emilie vor ihrem Brauttag,* v. 557—560:

> *Zwei Genien geleiten auf und ab*
> *Uns Lebende, die Hoffnung und der Dank.*
> *Mit Einsamen und Armen wandelt jene,*
> *Die Immerwache; . . .*

Die Hoffnung wird nicht als Personifizierung eines psychischen Vorgangs angeredet. Als *des Aethers Tochter* (v. 17), die *zwischen/Sterblichen* [waltet] *und Himmelsmächten* (v. 3 f.), ist sie eine Macht innerhalb des himmlisch-irdischen Weltgefüges. Sie ist jedoch zur Zeit des Gedichtvorgangs nicht gegenwärtig: dieser verläuft von der Frage *Wo bist du?* (v. 5) über den Entschluß [ich will] *Dich suchen* (v. 12 f.) bis zur Bitte *erscheine dann* (v. 17).
Binder (a. a. O. S. 328) betrachtet das Gedicht im Zusammenhang des Abschieds Hölderlins von Diotima und der dichterischen Verarbeitung des Leids, das aus der Trennung erwuchs: » . . . hier ist es nicht mehr das im Grunde gottlose Irren nach dem unwiderrufbar Verlorenen [vgl. die Erl. zu *Wohl geh' ich täglich* . . .] . . . , sondern ein Suchen, dessen Frömmigkeit ein Finden zur Gewißheit macht: nicht mehr die Geliebte, sondern die Hoffnung ist jetzt sein Ziel. Indem der Trauernde aber die reine Bitte an sie vermag, hat sie ihn schon berührt. Und als ob er die Versuchung abwehren wollte, sich von ihr zu Diotima zurückführen zu lassen und ihren zarten Keim zu zerstören, fügt er sogleich hinzu, nicht sterbliches Glück werde es sein, was sie ihm verheißen dürfe« (s. u. die Variante zu v. 18—20).
18—20 Die erste Fassung dieser Verse gibt Hinweise zum Verständnis:

und darfst du nicht
Mir sterblich Glück verkünden, schrecke
Nur mit Unsterblichem dann das Herz mir.

Wolfgang Binder: Abschied und Wiederfinden. Hölderlins dichterische Gestaltung des Abschieds von Diotima. In: Festschrift Kluckhohn-Schneider. Tübingen 1948, S. 317—344.

VULKAN

Erster Entwurf etwa 1800, Reinschrift wohl 1802, Überarbeitung für den Druck Dezember 1803; vgl. die Erl. zu *Chiron.*

Erster Druck: Taschenbuch für das Jahr 1805. Der Liebe und Freundschaft gewidmet. Frankfurt am Main, bei Friedrich Wilmans.

Die Hss tragen die Überschrift *Der Winter*. Der Titel *Vulkan* ist allein durch den ersten Druck überliefert. Die Anrede v. 1 lautet in den Hss *zaubrischer Phantasus.*

Als Beispiel für Hölderlins Eigenart, die erste Konzeption eines Gedichts oft in Form von »Keimworten« (Beißner) festzuhalten, die mit großen Zwischenräumen, jeweils ihrem geplanten Platz in Strophe und Zeile entsprechend, über die Seite verteilt werden, sei hier der Entwurf wiedergegeben (die weiten Abstände zwischen den Zeilen bleiben dabei unberücksichtigt):

Phantasus.
Den zarten Sinn der Frauen
In goldne Wolken
Beschäftigt
des Künstlichen
Indes der Nord
Frommer den[n] *die Lebenden alle ist der*
Nur wenn
gehört er auch
Sich eigner an,
in sichrer Hütte
Doch immer wohnt der freundlichen Genien
Noch Einer *mit ihm*
und flöhen alle Götter
die Liebe bleibt

Die Änderung des Titels (s. o.) entspricht der Ersetzung des *blinden Sängers* durch *Chiron* (vgl. die Erl. zu diesen Oden): eine individuell faßbare Gestalt, *Vulkan,* der Gott des Feuers, tritt an die Stelle des allgemeineren Begriffs *Winter.* Zugleich verschiebt sich die Bedeutung des Titelwortes grundlegend und damit der Akzent, den der Titel dem Sinn des Gedichts gibt: das Gewicht wird nicht mehr auf den Winter, sondern auf den *Feuergeist* gelegt, der (konkret in Gestalt des häuslich wärmenden Feuers) auch im Winter anwesend bleibt und bei dessen Überwindung hilft. Das ist auch für den weltgeschichtlichen Sinn des Gedichts bedeutsam (die Weltnacht und der Winter der Gegenwart sollen durch den erhofften neuen Göttertag der Zukunft abgelöst werden; vgl. Böckmann S. 313).

1 Vgl. *Der Ister,* v. 1: *Jetzt komme, Feuer!*

3 *goldne Träum'*: In den hs Fassungen (s. o.) werden die Träume durch *Phantasus,* den Traumgott und Sohn des Schlafes, bewirkt; hier durch das belebende Feuer, dessen Gegenwart den Menschen im winterlichen Dunkel das künftige Licht ahnen läßt.

9 *Boreas*: Nordwind. Beißner (StA 2, 527) macht auf eine Beeinflussung dieser dritten Strophe durch Homer, Odyssee 14, 475—477, aufmerksam.

23 *eigner*: Während der Mensch durch seine Frömmigkeit (v. 21) auf die Götter gewiesen wird, ermöglicht ihm die notgedrungene winterliche Eingezogenheit die Besinnung auf sein Selbst. Im Hinblick auf die Notwendigkeit der Unterscheidung des Menschen von der göttlichen Sphäre, die Hölderlin jetzt betont, mag sich hierin sogar ein guter Einfluß des winterlichen ›Zürnens‹ zeigen.

24 *der Freigeborne*: Vgl. *Der Prinzessin Auguste von Homburg,* v. 15: *Das Herz der Freigebornen.*

Walter Hof: Hölderlins Ode »Der Winter«. In: Wirkendes Wort, 1950/51, S. 338—342.

DICHTERMUT

Erste Fassung um 1800; zweite Fassung wohl 1801.
Erster Druck: erste Fassung: Uhland-Schwab 1826; zweite Fassung: Robert Wirth: Vorarbeiten und Beiträge zu einer kritischen Ausgabe Hölderlins. Wissenschaftliche Beilage zu dem Programme des Gymnasiums und Realgymnasiums zu Plauen i. V., 1885.
Eine spätere (dritte) Fassung ist die Ode *Blödigkeit.*
Die Ode gehört zu den zahlreichen Gedichten Hölderlins, die dem Wesen des Dichters gewidmet sind (vgl. die Erl. zu *Dichterberuf*). »Mit einem kühnen Griff wird alle Not des persönlichen Daseins beiseite geschoben und das Freie-sich-Überantworten an die Mächte des Lebens als eigentliche Grundlage des Dichtens bezeichnet. Das lyrische Ich richtet sich überhaupt nicht mehr auf seine Gefühlsaussprache, sondern sucht sich nur als Stimme des Lebendigen zu erkennen« (Böckmann S. 306).
Folgende Hauptzüge des dichterischen Wesens heben sich heraus (vgl. »Grundzüge der Dichtung Hölderlins«, oben S. 14 ff.): Der Dichter ist allen Wesen verwandt (v. 1), denn alles Lebendige hat teil am *gemeinsamen Geiste* (*Wie wenn am Feiertage* . . . , v. 43), der im Werk des Dichters zu Wort kommt. Diese Zugehörigkeit zur Ganzheit der Welt ist der innere Grund des Vertrauens (v. 15, 18), das den Dichter beseelt. Sein *Dienst* (v. 2) geht nicht aus dem Willen oder Schöpferdrang seines subjektiven Ich hervor, sondern aus einem Auftrag der *Parze,* der Schicksalsgöttin, selbst. Die 2. Fssg. spricht darüber hinaus von einer unmittelbaren Verwandtschaft der Dichter mit ihrem ›Ahnen‹, dem *Sonnengott* (v. 15 ff.).
Aus dieser Wesensnähe zu den Göttern und den *Lebendigen* ergibt sich, daß der Dichter im Grunde durch nichts, was ihm begegnet, beleidigt werden kann (v. 6—8); denn in allem wirkt der *gemeinsame Geist.* Daher heißt es im Entwurf *An die Madonna* geradezu: *Nichts ists, das Böse* (v. 84; vgl. dort die Erl.).
Der Dichter ist als solcher *Dichter des Volks* (v. 13); es ist seine Aufgabe, *dem Volk ins Lied / Gehüllt die himmlische*

Gabe zu reichen (*Wie wenn am Feiertage* . . . , v. 59 f.). Der Dichter ist Mittler des Göttlichen. Hölderlins Dichtungsbegriff kennt keinen selbstzweckhaften Eigenwert des Kunstwerks. Dieses dient den waltenden Wesensmächten der Welt (d. h. den Göttern), die es *brauchen,* um zu Wort zu kommen (vgl. *Der Rhein,* v. 109—114), und es dient dem *Volk,* indem es ihm die Erfahrung des Göttlichen ermöglicht. Damit bringt es Götter und Menschen, Himmel und Erde zusammen und läßt so die Ganzheit der Welt erscheinen.
Der Dichter, der dies verwirklichen will, ist gefährdet; die Sprache, auf die er angewiesen ist, ist *der Güter Gefährlichstes* (vgl. Bruchstück 37). Daher vergleicht die Ode ihn in der 1. Fssg. mit dem *Schwimmer* (v. 12) und bedenkt die Möglichkeit seines Untergangs (v. 17—24). Zur Gefährdung des Dichters vgl. *Wie wenn am Feiertage* . . . und dort die Erl. Aus dem Untergang eines seiner Brüder muß der Dichter jedoch lernen (v. 25—28), um das *Bleiben im Leben* (*Der Frieden,* v. 32) zu erreichen.
16 (1. Fssg.) *den eignen Gott*: Den dem jeweiligen Wesen (nicht etwa: uns, den Dichtern) eigenen Gott. Durch seine Vertrautheit mit allen *Lebendigen* kennt der Dichter die jeweils eigene Weise, wie der Gott jedem faßlich sein kann; so bringt er ihm den Gott nahe.
24 (2. Fssg.) *Gleichgesinnet*: Beißner (StA 2, 538) macht auf den wörtlichen Anklang an die Ode des Horaz »Aequam memento rebus in arduis servare mentem« aufmerksam, der das Wort fast wie eine Übersetzung erscheinen lasse.

Walter Benjamin: Zwei Gedichte von Friedrich Hölderlin [Dichtermut; Blödigkeit]. In: W. B.: Schriften Bd. 2. Frankfurt am Main 1955, S. 375—400 (auch in: Hölderlin-Beiträge 1961). — Ryan S. 198—203.

BLÖDIGKEIT

1802/03; vgl. die Erl. zu *Chiron.*
Erster Druck: Taschenbuch für das Jahr 1805. Der Liebe und Freundschaft gewidmet. Frankfurt am Main, bei Friedrich Wilmans.

Dritte Fassung der Ode *Dichtermut*. Vgl. dort die Erl. »Die Überschrift Dichtermut als zu wenig bezeichnend, zu allgemein verschwimmend wird ersezt: an den allzu schüchternen (blöden) Dichter wendet sich diese Ermunterung, sie soll dem allzubescheidenen Mut g e b e n, ist nicht Mut zu überschreiben« (Hell. 4³, 304). Vgl. die Titeländerungen anderer *Nachtgesänge*.

2 *auf Wahrem*: In Wendungen wie dieser bringt Hölderlin in seiner Spätzeit gleichsam umweglos den letzten Grund der Dinge zur Sprache. Vordergründige Aspekte werden übersprungen. Alles, was der *Fuß* des *Genius* berührt, zeigt sich in seinem wahren Wesen, indem der Geist, der in allen Wesen wirkt, offenbar wird. Zu Metrum und Rhythmus von v. 2 vgl. W. Binder in: Hölderlin-Jb. 1952, S. 104.

9—12 *Der Gesang* führt, im Verein mit *der Fürsten/Chor* (den Bestrebungen der weltlichen Herrscher), Menschen und Himmlische *der Einkehr zu*. Der Dichter und die Fürsten, jeder auf seine Art (*nach Arten*), bereiten die Wiederkehr der Götter und die Einkehr der Menschen in die Erfahrung des Göttlichen vor. Die Zeitgeschichte wird einbezogen, weil sie Hölderlin auf die Vorbereitung des Friedens und damit auf die Wiederkehr der Götter zu zielen schien (zu seiner hohen Einschätzung des Friedens von Lunéville vgl. *Friedensfeier* und dort die Erl.).

14 *jedem gleich*: Wiederum (vgl. Erl. zu v. 2) erschließt die Änderung, gegenüber der früheren Fassung *jedem hold*, den inneren Grund des Auszusagenden. Die nüchterne, härtere, schwerer verständliche Wendung bringt eine bedeutende gehaltliche Bereicherung. Die innere Gleichheit der Lebenden (vgl. *Hyperion*: *innigst im Innersten gleichen wir uns*, StA 3, 159), ihre Wesensverwandtschaft trotz unterschiedlicher Gestalt, begründet das Vertrauen und die Offenheit (v. 15) des Dichters.

21—24 »Wir Dichter nützen *einem*, wir taugen etwas für die Menschen, wenn wir ihnen Göttliches (*von den Himmlischen Einen*) bringen. Wir sind die Vermittler, unsre Hände müssen nur *schicklich* . . . sein« (Beißner, StA 2, 539). Die *auch-doch*-Entgegensetzung (v. 21/23) gibt der Strophe darüber hinaus folgenden Sinn: ›*Auch* dann zwar, wenn wir einen

Himmlischen bringen, sind wir *Gut* und *geschickt. Doch* von solchem ›Erfolg‹ hängt unser Gutsein nicht ab. Denn *selber* bringen wir *schickliche Hände* mit, und das allein macht unser Gutsein aus.‹ Die Strophe gibt somit einem neuen Bewußtsein von der Würde des Dichters, die unabhängig ist von der *Einkehr* der Götter, und zugleich großer Bescheidung Ausdruck. Keineswegs hat der Gesang schon »Menschen und Götter zueinander geführt« (Beißner a. a. O.). Der Weg geht erst *der Einkehr zu* (v. 10). Die Götter sind noch fern. Weil die Ode diese Ferne der Götter ausspricht, ist sie ein *Nachtgesang*.

DER GEFESSELTE STROM

Wohl Frühjahr 1801.
Erster Druck: Uhland-Schwab 1826.
Eine spätere Fassung ist die Ode *Ganymed*.
Die Überschrift hieß im ersten Entwurf zunächst *Der Eisgang*. Andere Strom-Gedichte Hölderlins sind *Der Main, Der Neckar, Am Quell der Donau, Der Rhein, Der Ister;* vgl. auch *Heidelberg*, v. 13 ff.; *Stimme des Volks*, v. 13 ff. Zur Bedeutung des *Stroms* bei Hölderlin vgl. bes. die Erl. zu *Der Rhein*.
Die *Fessel* (v. 13) des Stroms ist das Eis, das seinen freien Lauf hemmt. Die Vereisung wird, zugleich mit ihrer »natürlichen« Bedeutung, als Schlaf, Traum, Säumen, unangemessene Geduld und Vergessen des Ursprungs verstanden (v. 1 bis 3). Sie ist so ein Bild der Nachtzeit und der Vergessenheit der Götter. Das *Wort* des Gottes (v. 7 f.) weckt den Gefesselten, er zerbricht die Fesseln und wird so zum *Herold* des Gottesworts (v. 19) und zum Bringer der *Freude* und des *Frühlings* (v. 20 f.). Ihm selbst ist jedoch kein ›Bleiben‹ (v. 23, vgl. *Der Frieden,* v. 32) beschieden; sein Weiterwandeln (v. 22) meint nicht nur das Münden in den Ozean, sondern darüber hinaus auch das Aufsteigen der sich verflüchtigenden Wasser zum Himmel. Dies wiederum ist eine Form der Verbundenheit von Himmel und Erde und somit eine Manifestation der Ganzheit der Welt. Naturhafte und geistige Bedeutung bilden eine Einheit.

4 Nach Hesiods Theogonie ist der *Ozean* (Okeanos) der Vater aller Gewässer. Er ist eigentlich selbst einer der *Titanen*, der Söhne des Uranos und der Gaia. »Der Ozean als Freund der Titanen kennt ihre gewaltige Kraft, — der Strom scheint sie vergessen zu haben« (Adolf Beck: Das neueste Hölderlin-Schrifttum 1947—1948. In: Hölderlin-Jb. 1950, S. 147—175; S. 174, Anm. 2).
5 *Vater*: Der oberste Gott, der Höchste (vgl. v. 24).
7 *Wort*: Marie Joachimi-Dege (4, 142) deutet es als »die Sonnenstrahlen«. Das trifft in gewisser Weise zu, doch muß die Blickrichtung umgekehrt werden: nicht die Sonnenstrahlen sind das eigentlich Gemeinte, dessen Benennung als *Wort* dann nur poetische Verbrämung wäre, sondern das Eigentliche ist das *Wort* selbst: ein Zuspruch und Wink des Gottes, der als Strahl in die Erscheinung tritt.
8 *der wachende Gott*: Der Sonnengott (vgl. Liegler a. a. O. S. 64). Beißner (StA 2, 546) und Romain (a. a. O. S. 54 Anm. 2) denken dagegen an den Aether. Das *Wort* des Aethers könnte jedoch nur wieder ein Wehen der Lüfte sein, die schon v. 5 f. genannt wurden, so daß das neu ansetzende, auf etwas noch nicht Genanntes zielende *Und* (v. 7) seinen Sinn verlöre. Auch hat die Sonne für das Schmelzen der Eisfessel besondere Bedeutung; vgl. ferner die Charakterisierung des ›Wortes‹ als *hell* (v. 7).
9 *ihm*: Wechsel von der zweiten Person in die dritte, zugleich mit dem Wechsel von der Frage zur Aussage.

Leopold Liegler: Der gefesselte Strom und Ganymed. In: Hölderlin-Jb. 1947, S. 62—77. — Robert Ulshöfer: Hölderlin: Des Morgens und Der gefesselte Strom. In: Der Deutschunterricht, 1948, S. 35—54. — Alfred Romain: Ganymed. In: Hölderlin-Jb. 1952, S. 51—84, bes. S. 52—57. — Ludwig Voit: Hölderlin: Der gefesselte Strom. In: Wege zum Gedicht. München und Zürich 1956, S. 159—165. — Walter Silz: Hölderlin, Der gefesselte Strom / Ganymed. In: Studies in German Literature. Baton Rouge, 1963, S. 85—94; Anm. S. 160 f. — Vgl. ferner *Ganymed*.

GANYMED

1802/03; vgl. die Erl. zu *Chiron.*
Erster Druck: Taschenbuch für das Jahr 1805. Der Liebe und Freundschaft gewidmet. Frankfurt am Main, bei Friedrich Wilmans.
Spätere Fassung der Ode *Der gefesselte Strom.* Vgl. dort die Erl.
Während früher allgemein angenommen wurde, daß das Grundmotiv der ersten Fassung, der durch Eis gefesselte Strom, in der Umarbeitung — unbeschadet aller sonstigen Änderungen — beibehalten worden sei, stellt Alfred Romain die These auf: »Es handelt sich im Ganymedgedicht nicht mehr um ›Eisgang‹, vielmehr ist das Naturgeschehen als Durchbruch des Stromes durch die seinem Lauf entgegenstehende Bergmasse zu verstehen« (a. a. O. S. 62). Dadurch wird der Strom »zum Heros, dessen Durchbruchstat einer neuen Epoche Bahn bricht« (S. 65). Diese Deutung läßt sich jedoch kaum belegen. Der Strom erscheint nach wie vor als der *Gefesselte* (v. 12). Ebenfalls sind die *Schlacken* (v. 13) sowie das Sichreinigen (v. 11) einleuchtend auf den Eisgang zu beziehen (s. u.; vgl. dagegen Romain S. 70 f.). Auch wird eine zu durchbrechende Bergmasse nicht genannt. Es hat zunächst den Anschein, als habe Hölderlin nicht versucht, »das Gedicht wirklich auf Ganymed umzuschreiben« (Böckmann S. 314). Ein Umschreiben war jedoch gar nicht erforderlich, denn der Strom, der am Ende seine (verdunstenden) Wasser zum Himmel sendet, ist schon von sich her Mundschenk der Götter, ist schon *Ganymed.* Das Gedicht war, indem es davon handelt, daß der Fluß nirgend bleiben darf (*Der gefesselte Strom,* v. 23), von jeher darauf angelegt, einmal die Überschrift *Ganymed* tragen zu können. Damit erklären sich auch v. 3 f.: *sonst,* nämlich in vergangenen Sommern (eisfreien Zeiten, Zeiten der Götternähe), nahm der Fluß die *Gnade* wahr, den Himmlischen den Trank reichen zu dürfen. Das winterliche Eis hat ihn dem Denken an diese Gnade entfremdet.
Im Laufe des Gedichts findet der Strom, wie schon in der ersten Fassung, zu seiner wesentlichen Aufgabe zurück. Wäh-

rend jedoch die erste Fassung das endliche Aufstreben zum Vater gleichsam problemlos als das natürliche Schicksal des Stroms darstellte, wird dieses Aufstreben jetzt neu gedeutet und zugleich in Frage gestellt (v. 21—24). Der Vorgang ist derselbe geblieben: während das Irdische den vom Strom verkündeten *Frühling* erlebt, ist dieser selbst *ferne*. Er ist zum *Vater* (*Der gefesselte Strom*, v. 24) gegangen: *himmlisch Gespräch ist sein nun*. Dieser letzte Weg des Stroms steht nun aber unter zwielichtigen Vorzeichen: obwohl ihm jetzt *himmlisch Gespräch* zuteil wird, ist er *Irr* gegangen. Der Grund ist, daß er *allzugut* war. In einer Vorstufe hieß es *allzuliebend*. Der Strom hat sich mit zu großer Liebe nach der Vereinigung mit dem Vater gesehnt. *Zu viel aber / Der Liebe, wo Anbetung ist, / Ist gefahrreich, triffet am meisten* (*Patmos*, Bruchstücke der späteren Fassung, v. 185—187; vgl. auch die Erl. zu *Tränen*, v. 7—11). Die Gefahr der bedingungslosen Vereinigung mit dem Göttlichen zeigt sich am Schicksal des Stroms: er ist *ferne*; sein Dasein verflüchtigt sich am Ende seines Laufs. Er beherzigt nicht die Notwendigkeit des Ausharrens in der irdischen Gestalt. Gleichwohl hatte der Dichter selbst den Strom an die Gnade, die dürstenden Götter tränken zu dürfen, und also gerade an das Aufsteigen zum Himmel *gemahnt* (v. 3 f.). Der als Ganymed verstandene Strom verkörpert die doppelte Aufgabe dessen, der der Götter und zugleich des Rechtes des Irdischen eingedenk ist: er ist gleichermaßen genötigt, dem Unendlichen und dem Endlichen gerecht zu werden (vgl. »Grundzüge der Dichtung Hölderlins«, oben S. 13 f.).

7f. *ein gewanderter Mann*: Der Dichter; *das Wort*: das Gedicht.

11 *reinigt*: Indem er das Eis zerbricht, reinigt der Strom sein Wesen von der unangemessenen Saumseligkeit.

13 *Schlacken*: Das Eis ist jetzt, wie die Schlacke der Kohle, ein Rückstand: das, was von dem überwundenen Zustand des Gefesseltseins noch übrig ist.

15 *dort und da*: »Die minder gebräuchliche Stellung nötigt uns *dort und da* viel sinnlicher aufzufassen (auch: näher kommend) als früher in gewohnter Folge« (Hell. 4^3, 305).

19 *Stromgeist*: Vgl. Hölderlins Erläuterung zu dem von ihm

übersetzten Pindar-Fragment *Das Belebende.*
20 *Nabel der Erde*: Vgl. *Vom Abgrund nämlich* . . ., v. 15 f.; *Griechenland*, 3. Fssg., v. 16 f.

Wilhelm Michel: Hölderlins Ode »Ganymed«. In: W. M.: Hölderlins Wiederkunft. Wien 1943, S. 123—138. — Alfred Romain: Ganymed. In: Hölderlin-Jb. 1952, S. 51—84. — Vgl. ferner *Der gefesselte Strom.*

ELEGIEN

ELEGIE UND *MENONS KLAGEN UM DIOTIMA*

Die *Elegie* ist vermutlich im Herbst 1799 entstanden; *Menons Klagen um Diotima*, die zweite Fassung der *Elegie*, wohl nicht später als im Sommer 1800 (vgl. StA 2, 548). Vgl. die Erl. zu *Götter wandelten einst* . . ., v. 13 f.
Erste Drucke: *Elegie*: Litzmann 1896. — *Menons Klagen um Diotima*: 1) v. 1—56; 69—82: Musen-Almanach für das Jahr 1802, hg. v. Bernhard Vermehren. 2) v. 57—130: Musen-Almanach für das Jahr 1803, hg. v. Bernhard Vermehren. (Schon beim Empfang der Hs hatte Vermehren Hölderlin am 4. Mai 1801 mitgeteilt: »Von den Elegien [d. h. von den einzelnen Strophen] kommen nur die 4 ersten in den Almanach; die übrigen werden als Fortsetzung in dem nächsten Jahrgange folgen.«)
Entstanden sind beide Fassungen aus dem erschütternden Erlebnis der Trennung von Susette Gontard in Frankfurt a. M. (September 1798); von Homburg aus, wo Hölderlin anschließend bis Mai/Juni 1800 lebte, traf er Diotima nur selten.
Menons Klagen um Diotima enthalten 14 Verse mehr als die *Elegie*; sie sind, statt in 6 Abschnitte von sehr ungleicher Länge, in 9 Abschnitte von einander angenähertem Umfang gegliedert (nur der letzte ist beträchtlich länger); der Gefühlsablauf ist differenzierter, in seinen entscheidenden Sta-

tionen aber nicht wesentlich verändert. Die folgenden Erläuterungen gehen von der zweiten Fassung aus.
Menons Klagen um Diotima, »an Bedeutung und Gewicht am ehesten zu vergleichen . . . mit Goethes ›Marienbader Elegie‹«, stellen »in gewisser Weise den Abschluß und die Vollendung der mehr persönlichen Lyrik Hölderlins dar. Weil das individuelle Erleben sich auf den Mythos ausrichtet, tritt es selbst immer mehr zurück und sucht nur noch von der Einzelerfahrung aus den mythischen Horizont« (Böckmann S. 333 u. 343).
Die Liebenden werden in dieser Fassung (im Gegensatz zur *Elegie*) mit Namen genannt. *Diotima* erscheint, außer in der Überschrift, in v. 42; *Menon* nur in der Überschrift (vgl. Platons Dialog »Menon«; zur Symbolik dieses Namens [wörtlich ›der Bleibende‹] vgl. Wolfgang Binder: Hölderlins Namenssymbolik. In: Hölderlin-Jb. 1961/62, S. 95—204, bes. S. 100—102).
Der Bogen des Gedichts spannt sich von der Klage, die der trostlos Verwundete um den Verlust der Geliebten anhebt (Strophe 1), bis zu seiner Gewißheit, daß die *Bahn* seiner Zukunft *zu Göttern* führen wird (Strophe 9). Diese einzigartige Entwicklung, die das Stadium der *Klage* (vgl. die Überschrift) weit hinter sich läßt, wird als das allmähliche Erwachen aus einem *traurigen Traum* (v. 14; vgl. v. 24 u. 115) erlebt. Das anfängliche Stadium der ausweglosen Klage *war wie ein Traum* (v. 115). Die eigentliche Wirklichkeit, die sich dem Liebenden am Schluß eröffnet, war ihm zu Beginn durch die ausschließliche Klage verstellt worden; aber er hätte dieses Eigentliche, die Bahn zu den Göttern, wohl ohne die Erschütterung durch jenen Traum nicht gefunden.
Zwischen diesen Polen der absoluten Klage und des entscheidenden Aufbruchs in die eigentliche Wirklichkeit vollzieht sich das Abschütteln des Traums in wechselnden Phasen. Der Liebende meint, sich den *Todesgöttern* ohne Hoffnung auf Heil überlassen zu müssen (v. 15—21); unvermutet aber spürt er *mitten im Leide,* daß ihm *ein Freundliches . . . Fernher nahe* sein muß (v. 22—28); er deutet sich dieses Freundliche zunächst als Erinnerung an die *hellere Zeit* der Gemeinsamkeit mit der Geliebten und beschwört diese Vergangenheit

(v. 29—52); da aber die bloße Erinnerung die Gegenwart nicht tragen kann, fällt er in das Gefühl der ›Öde‹ seiner *Gefängniswände* zurück (v. 53—68) — auch hier aber verläßt ihn nicht das (noch unverstanden bleibende) Empfinden, eigentlich sei eine ›Feier‹ nötig (v. 57; vgl. v. 25).
Die Frage der 6. Strophe: *o Jugend, und bringen Gebete/Dich nicht wieder . . . ?* leitet dann die Heilung, das endgültige Erwachen, ein, weil sie erstmalig — wenn auch noch ohne eigentliche Hoffnung auf Verwirklichung — den Gedanken der Wiederkehr einer erfüllten Zeit (vgl. auch v. 77) faßt, sich also nicht mehr mit einem unfruchtbar elegischen Rückblick begnügt. Es sind jetzt nicht mehr nur *Bilder aus hellerer Zeit* (v. 30) — Bilder der Erinnerung —, die der Liebende denkt; er entwirft vielmehr, von jenem Gedanken der Wiederkehr beseelt, schöpferisch das Bild eines künftigen Festes, an dem Himmel und Erde (vgl. v. 80) teilhaben, wo die (dann vergangene) *Nacht* (v. 81) das von ihr Vorbereitete (ihre *Schätze*) beiträgt und das bislang Verschüttete (*das begrabene Gold*) zu neuem Glänzen gelangt (v. 82). Jenes *Freundliche*, das dem Liebenden vom Beginn an ungekannt *nahe* ist (v. 26 f.), gewinnt immer mehr seine eigentliche Gestalt.
Mit diesem Entwurf des künftigen Festes geht die Phase des Wechsels der Gefühle und des möglichen Rückfalls in den *Traum* zu Ende; die letzten drei Strophen beschreiten, vom Leid nun wahrhaft beseelt und die bloße Klage nur noch einmal (v. 89—94) zulassend, mit dem Blick auf die Zukunft die *Bahn* zu den *Göttern*.
Während die 6. Strophe die Frage nach der Wiederkehr der Vergangenheit in der Zukunft noch ohne eigentliche Hoffnung stellte, hat die sich anschließende, entsprechende Frage der 7. Strophe schon den Ton der noch ungläubigen Beglückung über die geschehende Wiederkehr (*Götterkind! erscheinest du mir, und grüßest, wie einst, mich . . . ?*, v. 87). Die 8. Strophe befestigt die Erkenntnis dieses *Wunders* (v. 76): *Ja! noch ist sie es ganz!* (v. 101) und bekräftigt, daß die Sorge (v. 107) — der *Traum*, die bloße *Klage* — ›sterblicher‹ ist als die *Freude*: sowohl das private Leid als auch die *Nacht* der Welt (vgl. v. 81) müssen durch die Einsicht in die Wie-

derkehr des *goldenen Tages* (v. 108), die höchste *Freude*, überwunden werden. — Die Schlußstrophe kann nun *aus leichter Brust* den Himmlischen *danken* (man bedenke die fast übermenschliche Größe dieses Danks, der aus einem ungeheuren Verlust hervorwächst) und auf der Bahn *zu Göttern* einem neuen *Jahr unserer Seele* entgegengehen.

Jenes Freundliche (v. 26), das dem Dichter von jeher nahe war, hat sich als das kommende Fest der Götter und Menschen *auf gemeinsamem Boden* (v. 123) herausgestellt. So ist die Wiederkehr der Geliebten nicht etwa als die leibliche Wiederkehr Diotimas vorzustellen. Der Name *Diotima* taucht nur in der frühen Phase der elegischen Erinnerung an das Vergangene auf. Das Wesen der Geliebten besteht vielmehr darin, den Dichter auf *ein Schöneres* (v. 84) und auf *höhere Dinge* (v. 88) hinzuweisen, die ihre eigene Anwesenheit übersteigen; sie hat ihn gelehrt, *Großes zu sehn, und froher die Götter zu singen* (v. 85). Sobald er sich auf die Nähe jenes *Freundlichen* einläßt — Zeichen dafür ist sein Bedürfnis, zu *feiern* —, geht ihm dieses eigentliche, die Götter zeigende Wesen der Geliebten auf; es kehrt in diesem Sinne wieder und leitet ihn auf den Weg zu den Göttern.

Böckmann S. 333—343. — Karl Pörschke: Die Versgestalt in Hölderlins Elegienzyklus »Menons Klagen um Diotima«. Diss. Kiel 1936. — Karl Viëtor: Hölderlins Liebeselegie. In: Internationale Forschungen zur deutschen Literaturgeschichte. Julius Petersen zum 60. Geburtstag. Leipzig 1938, S. 127—158 (auch in: K. V.: Geist und Form. Bern 1952; und in: Hölderlin-Beiträge 1961). — Friedrich Beißner: Geschichte der deutschen Elegie. Berlin 1941, S. 178—180. — Ernst Friedrich Schumacher: Die Seinsordnung in W. v. Goethes und R. A. Schröders »Römischen Elegien«. Eine wortstatistische Untersuchung erw. um Hölderlins »Menons Klagen um Diotima« und Rilkes »Duineser Elegien«. Diss. Bonn 1952. — Joachim Müller: Hölderlins Liebeselegie. Eine Interpretation. In: J. M.: Wirklichkeit und Klassik. Beiträge zur deutschen Literaturgeschichte von Lessing bis Heine. Berlin 1957, S. 366—397. — Ryan S. 239—241. — Klaus Weissenberger: Formen der Elegie von Goethe bis Celan. Bern u. München 1969, S. 38—46.

DER ARCHIPELAGUS

Wohl Frühjahr 1800.
Erster Druck: Vierteljährliche Unterhaltungen, hg. v. L. F. Huber, 3. Stück. Tübingen 1804.
Während Hellingrath den hexametrischen *Archipelagus* unter die in Distichen gehaltenen Elegien einreihte, ordnet Beißner ihn der von ihm in der StA neu gebildeten Gruppe »Einzelne Formen« zu. Beide Entscheidungen sind mit guten Gründen zu rechtfertigen. Im Zusammenhang mit der Auflösung der Gruppe »Einzelne Formen« wird in der vorliegenden Ausgabe der Aufnahme des Gedichts bei den Elegien der Vorzug gegeben.
Der Archipelagus besingt in dreigliedriger Komposition zunächst (v. 1—61) die Welt der griechischen Inseln, die auch heute noch (vgl. v. 9, 29), wie in der Antike, vom Meer (dem Meergott *Archipelagus*) und den *Kräften der Höhe* (v. 25) umfangen sind; sodann im Mittelteil (v. 62—199) Athens Zerstörung durch die Perser, deren Vertreibung durch die Seeschlacht bei Salamis und den Wiederaufbau der Stadt (diese hervorragende Epoche der griechischen Geschichte zeigt, daß die griechischen Menschen ihr Dasein und das der Götter ins rechte Verhältnis zueinander brachten; nur so konnten sie im schwersten Kampf bestehen und *des Genius Feind* [v. 86], den Perserkönig, besiegen); der Schlußteil endlich (v. 200—296) beklagt, daß das Geschlecht der Gegenwart die Götter nicht kennt (v. 241 f.), und preist den *ferne* vorausgeschauten *Festtag* (v. 257), wo wiederum alles Leben *voll göttlichen Sinns* (v. 267) sein wird. Die in allen drei Teilen des Gedichts gleichermaßen durchgehaltene Anrede an den *Meergott* weist auf den entscheidenden Sachverhalt hin, daß die *Himmlischen* immer bleiben, *noch heute* (v. 231; vgl. v. 236), so daß Grundlage und Gewähr dafür gegeben sind, daß die *Trauer* der Gegenwart (v. 280; vgl. v. 39, 64, 206, 233) enden und in den Festtag einmünden kann. Das Gedicht besteht somit keineswegs nur in einem Hymnus oder einer elegischen Rückschau auf den im Titel genannten Archipelagus und die von ihm repräsentierte Welt der Antike; es findet seine eigentliche Bedeutung erst im inständigen Hinweis dar-

auf, daß künftig eine neue Gemeinschaft von Göttern und Menschen entstehen muß.

1—61 Am Anfang und am Ende dieses ersten Gedichtteils stehen achtzeilige Abschnitte. Der erste erzeugt durch seine gehäuften Fragen die Spannung, die der Ungelöstheit der gegenwärtigen Weltsituation entspricht: *ists die Zeit?* Aus dem Verlauf des Gedichtes ergibt sich, daß diese Fragen, die zunächst nur der jahreszeitlichen Erneuerung des Frühlings (v. 5) zu gelten scheinen, in einer tieferen Schicht auch schon auf den erneuerten Frühling der Weltzeit zielen.

11 Der Meergott wird als *Vater* der Inseln angeredet. Er ist »der Versammelnde« (Walser a. a. O. S. 93) und repräsentiert das Göttliche als den belebenden Grund der Wirklichkeit.

17 *Kalauria*: die Heimatinsel Diotimas im *Hyperion*-Roman.

32 Das Leuchten des Meeres *von himmlischem Glanz* des Mondes und der Sterne ist eine unmittelbare Verwirklichung der Zusammengehörigkeit der *Himmlischen* (v. 25) und der Erde. Gleiches gilt von dem *Liebeszeichen*, den Lichtmalen, die die Sonne dem Meergott um die *graue Locke* seiner Wogen *windet* (v. 41 f.). Immer wieder muß man sich hüten, solche Aussagen als ›poetische Bilder‹ mißzuverstehen. Sie bringen vielmehr Realitäten zur Sprache, die dem *fühlenden Menschen* (v. 27, 61) ständig erfahrbar sind. — Der Gemeinsamkeit der himmlisch-irdischen Gottheiten untereinander steht schroff das Abseitsbleiben der Menschen gegenüber (v. 54—61).

38 *die Dichtende*: Vgl. *Der Prinzessin Auguste von Homburg*, v. 4 und dort die Erl.; ferner *Heimkunft*, v. 2.

62 Der hier einsetzende Rückblick auf einen entscheidenden Abschnitt der antiken Geschichte ist mit dem Vorigen durch die bleibende Anrede an den Meergott (s. o.) verbunden; er ist vorbereitet durch die Klage des Meergottes selbst (v. 55 ff.), daß *die edlen Lieblinge*, die der Götter eingedenken Menschen des Altertums, nicht mehr sind.

70 *Agora* (auch v. 152): Der Marktplatz des alten Athen.

80 *Herkules Säulen*: Die Meerenge von Gibraltar.

82 *ein einsamer Jüngling*: Der schon in v. 74 erwähnte Dichter.

86 *der vielgebietende Perse*: Die Perser führten seit 493 v. Chr. ihren großen Angriffskrieg auf das griechische Festland; sie wurden 490 bei *Marathon* (v. 282) geschlagen und siegten 480 bei den Thermopylen (v. 286). Unter Xerxes zerstörten sie im selben Jahr Athen; in der folgenden Seeschlacht bei *Salamis* (v. 104—135) erlitten sie eine entscheidende Niederlage. Das dem Meergott gewidmete Gedicht stellt diese Seeschlacht in den Mittelpunkt.
96 *Ekbatana*: Sommerresidenz der persischen Könige.
167 *die Fürsten des Forsts*: Die ersten (›vordersten‹), die den Forst gerodet haben.
177 *Kolonos*: Wohnbezirk bei Athen, nahe der Agora.
185 *der Pentele*: Berg, nordöstlich von Athen; berühmt durch seinen Marmor.
192 *Der Prytanen Gemach*: Das Prytaneion; Prytanen: Inhaber eines hohen Staatsamtes in Athen.
196 *dein herrlicher Hügel*: Die Akropolis.
200—230 Bei der Rückkehr in die Gegenwart wird der Dichter zunächst, weil er die *Kinder des Glücks* hier nicht mehr findet, voll Trauer vom *Irrsal* ergriffen (v. 224 f.; vgl. v. 211), so daß er den Bedingungen seiner Gegenwart gleichsam entfliehen und *Zum Parnassos* (v. 210) eilen möchte, um mit den *Schatten* zu leben (v. 219 f.; vgl. v. 207).
211 *Kastalias Quelle*: Am Fuß des *Parnassos*, im heiligen Bezirk von Delphi (vgl. v. 228).
215 *Tempe*: Tal in Thessalien.
227 *Dodona*: Das älteste griechische Orakel in Epirus.
230 *Stadt des redlichen Sehers*: Theben. Hier wohnte der Seher Teiresias.
231—277 In dreimaligem, jeweils mit *aber* beginnendem Neuansatz (v. 231, 241, 257) überwindet Hölderlin den Wunsch, zu den Schatten zu eilen (vgl. v. 200—230): Zunächst (v. 231—240) vergegenwärtigt er das unwandelbar auf den Menschen wartende Dasein der Götter; dann folgt (v. 241—256) die Klage über das unfruchtbar götterlose Geschlecht der Gegenwart (Böckmann führt hierzu S. 351 aus, »daß die Deutschen fast an den Platz der Perser treten«, und erwägt, ob nicht der Gegensatz von Griechen und Persern »geradezu eine Verkleidung« sei, »um zeitgeschichtliche

Spannungen zu fassen«); diese Klage geht in v. 247—256 allmählich in die Vorausschau auf ein neues Erscheinen des *Geistes der Natur* über; endlich (v. 257—277) wird dieses Erscheinen vorwegnehmend begeistert gefeiert.

231—244 Über diese Verse schreibt Hölderlin in der spätesten Hs:

Also sagt ich: es hatt' in Lüften des Abends
Eine Wehmut selig und süß den Sinn mir ergriffen
Und ich traumete fort die Nacht hindurch. Da weckte der Hahnschrei
Plötzlich mich auf, und die Locken ergriff, von Sternen gesendet
Wunderbar ein kühlender Hauch, die Donner des Höchsten
Hatten zuvor im Ohre getönt, fernher,
denn noch glüht der Sommer noch itzt nicht.
Aber hört, das Wort ist gewiß, und haltet mit Zweifeln
Mirs, ihr Alten, nicht auf, damit die Gewalt nicht
Hoch her stürz' und zertretend auf Trümmer falle der Segen.
Drüben sind der Trümmer genug im Griechenland und die hohe
Roma liegt, sie machten zu sehr zu Menschen die Götter,
Aber gewaltiger kommt,

Hierzu vgl. Fr. Beißner in: Iduna, 1944, S. 57—61.

261—268 Über diese Verse schreibt Hölderlin in der spätesten Hs:

Aber weil so nahe sie sind die gegenwärtigen Götter
Muß ich sein, als wären sie fern, und dunkel in Wolken
Muß ihr Name mir sein, nur ehe der Morgen
Aufglänzt, ehe das Leben im Mittag glühet
Nenn' ich stille sie mir, damit der Dichter das seine
Habe, wenn aber hinab das himmlische Licht geht
Denk' ich des vergangenen gern, und sage — blühet indes

Hierzu vgl. Fr. Beißner: . . . damit der Dichter das Seine habe. In: Die Pforte 1, Urach 1947, S. 102—106.

278—296 Nachdem die Aussicht auf den neuen Göttertag errungen ist, fügen die Schlußverse sich gefaßter darein, die Zeit bis zu seinem Beginn zu erwarten. Hölderlin will jetzt ausdrücklich *das Wechseln / Und das Werden* der Zeiten als *Göttersprache* verstehen (v. 292 f.). Darin liegt die Einsicht, daß innerhalb des Wechsels von erfüllten und unerfüllten Zeiten auch die Weltnacht *voll göttlichen Sinns* (v. 267) ist.

283 In der Schlacht bei *Chäronea* (338 v. Chr.) besiegten die Makedonier die vereinigten Athener und Thebaner, womit die makedonische Hegemonie über Griechenland begann.

Friedrich Gundolf: Hölderlins Archipelagus. Heidelberg 1911 (auch in: Hölderlin-Beiträge 1961). — Böckmann S. 343—355. — Ders.: Hölderlins Naturglaube. In: Iduna, 1944, S. 35—50. — Friedrich Beißner: Geschichte der deutschen Elegie. Berlin 1941, S. 180 f. — Jürg Peter Walser: Hölderlins Archipelagus. Zürcher Beiträge zur deutschen Literatur- und Geistesgeschichte, hg. v. Emil Staiger, Nr. 18. Zürich 1962.

DER WANDERER

»Es empfiehlt sich, [diese] erste strophisch [d. h. in gleich langen Strophen] gegliederte Elegie zeitlich von Menons Klagen um Diotima abzurücken, die sich noch unregelmäßig aufbauen, und als früheste Entstehungszeit der zweiten Fassung des Wanderers also den Spätsommer 1800 anzunehmen« (Beißner, StA 2, 564).

Erster Druck: Flora. Teutschlands Töchtern geweiht. 9. Jg., 3. Vierteljahr. Tübingen 1801.

Vgl. die erste Fassung aus dem Jahre 1797.

Die Elegie ist in drei Teile gegliedert. Strophe 1 und 2: Wanderung in die beiden extremen Zonen; Strophe 3 und 4: Rückkehr in die Heimat; Strophe 5 und 6: Fremdheit in der Heimat und geschichtlicher Auftrag. Damit ist auch für die späteren sechsstrophigen Elegien die Gliederung vorgezeichnet (vgl. *Stuttgart* und *Heimkunft*).

Die zweite Fassung bringt gegenüber der ersten bis zu v. 78 nur einzelne, freilich bedeutsame Änderungen an (gelegentlich werden dabei auch ganze Verse neu gefaßt; der Umfang erweitert sich ein wenig: v. 78 der zweiten entspricht v. 76 der ersten Fassung); von v. 79 an ändert und erweitert sie von Grund auf (die zweite Fassung hat 24 Verse mehr als die erste).

Die Einzeländerungen des Anfangs bewirken insbesondere, daß das Wesen der extremen Zonen nicht mehr einseitig abgewertet wird; der Dichter erkennt jetzt: *Auch hier sind Götter und walten* (v. 17). So fehlt jetzt die doppelte Klage des *Ach!* (1. Fssg. v. 5, 23); das Leben am Eispol ist nicht mehr *tot*, sondern *still* (v. 21); und die Rede des Dichters an die eisige Erde (v. 27 ff.: *Nichts zu erzeugen* sei *wie der Tod*) wird als *törig* relativiert.

Dieser gerechteren Verteilung der Gewichte entspricht es, daß die Heimat bei der Rückkehr (v. 37 ff.) nicht mehr nur, wie in der ersten Fassung, das gastliche Land der Fülle, des Friedens und der Ruhe ist, das dem Heimkehrenden alles bietet, so daß er nur einzukehren braucht. Der heimkehrende Wanderer ist in der Heimat jetzt vielmehr der *Fremde* (v. 86). Die Ausfahrt in die extremen Zonen hat ihn, deren größer gesehenem Wesen entsprechend, gründlicher gewandelt. Er ist *allein* (v. 97); die Eltern sind *in heilige Fremde dahin* (v. 89; d. h. wohl: sie sind gestorben), und die *Freunde* haben *Andres gewonnen* (v. 91 f.), sie sind ihm entfremdet. Man verkennt das Gedicht gänzlich, wenn man dieses Alleinsein als Folge einer individuellen Schuld des Dichters auslegt (als habe er »heimlich das Vaterhaus« verlassen und damit eine »Versündigung gegen Liebesgebot und Sohnespflicht« begangen; so Müller a. a. O. S. 131, 127). Nicht eine individuelle Schuld, sondern eine ihm auferlegte geschichtliche Aufgabe läßt den Dichter *allein* sein. Das zeigt sein unverändert bestehendes Bündnis mit den *Ewigen Göttern* (v. 100), die seine ganze Wanderung bestimmt haben (v. 101) und die er jetzt dem *Vaterland* (vgl. v. 98) *erfahrner zurück*bringt (v. 102). Ein unerhörter Vorgang, das Bringen der Götter, ist damit nahegerückt (vgl. *Blödigkeit*, v. 22 f.), ein Vorgang der höchsten Freude (vgl. v. 102), der die *Leiden vergessen* lassen und, wenn erst der *Vater Aether erkannt jeden und allen gehört* (*Brot und Wein*, v. 154), eine neue Gemeinschaft des Dichters und seiner Landsleute hervorbringen wird (v. 107 f.).

3 f. Durch die Änderung gegenüber der ersten Fassung wird

schon hier, gleich zu Beginn, der göttliche Grund auch der extremen Zonen betont (vgl. v. 17 f.).
19 *die Rede*: Wohl nicht, wie Beißner (StA 2, 573) meint, »die Rede der Menschen, das Gerücht«; sondern die unmittelbar vorher (v. 17 f.) von der *Natur* (vgl. v. 13) gehaltene Rede. Der Dichter, angeregt von dem Hinweis der Natur, auch in der Wüste seien Götter, sucht jetzt *noch Andres*: er fährt in die entgegengesetzte extreme Zone, um zu erkunden, ob *die Rede* der Natur sich auch dort bewährt.
79—81 Die Wanderung wird hier gleichsam damit begründet, daß der Knabe es den *Schiffern* gleichtun wollte. Diese werden am Schluß (v. 105 f.) nochmals erwähnt; nächst den Göttern gilt der ehrende Trunk ihnen, denn sie waren gleichsam die Anreger der ganzen Wanderung. Vgl. *Andenken*, v. 4.

Böckmann S. 155—160. — Friedrich Beißner: Geschichte der deutschen Elegie. Berlin 1941, S. 181 f. — Erich Ruprecht: Wanderung und Heimkunft. Hölderlins Elegie »Der Wanderer«. Stuttgart 1947. — Andreas Müller: Die beiden Fassungen von Hölderlins Elegie »Der Wanderer«. In: Hölderlin-Jb. 1949, S. 103—131. — Franz Rolf Schröder: Hölderlins Elegie »Der Wanderer«. In: GRM 1951/52, S. 233—235. — Jens Hoffmann: Das Problem und die Bilder der Lebensbewährung in Hölderlins Dichtung. Diss. Hamburg 1956, S. 112 ff. — Ryan S. 237—239. — Momme Mommsen: Traditionsbezüge als Geheimschicht in Hölderlins Lyrik. In: Neophilologus 1967, S. 32—42, 156—168, bes. S. 40 f.

DER GANG AUFS LAND / AN LANDAUER

Wohl Herbst 1800. Unvollendet.
Erster Druck: 1) v. 1—18: Uhland-Schwab 1826 (unter dem Titel »An L. / Fragment«). 2) v. 19—34: Litzmann 1896. 3) v. 35—40: Hell. 4, 1916.
Christian Landauer (1769—1845): Kaufmann in Stuttgart, Freund Hölderlins. Vgl. *Das Ahnenbild*, *Die Entschlafenen* und *An Landauer*.
Der Titel der vorläufigen Reinschrift ist durch Papierverlust zu . . . *ast* . . . / *An / Landauer* verstümmelt. Helling-

rath (Hell. 4³, S. 314) und nach ihm Beißner (1943, a. a. O. S. 248 f.) vermuten, er habe *Das Gasthaus* gelautet (vgl. v. 24; ferner den ersten Vers des Entwurfs zur vierten Strophe: *Aber fraget mich eins, was sollen Götter im Gasthaus?* [StA 2, 582]). Wegen der Unsicherheit dieser Rekonstruktion entscheiden sich beide Herausgeber jedoch für den auch hier gesetzten Titel, der in einem Vermerk auf der Hs des ersten Entwurfs zur Elegie *Brot und Wein* überliefert ist. Seine Zugehörigkeit zum vorliegenden Bruchstück ist nicht sicher, aber (auch durch die Gleichheit der Widmung) wahrscheinlich.

Der Gang aufs Land soll dorthin führen, *Wo den Gästen das Haus baut der verständige Wirt* (v. 24): vor den Toren *Stuttgarts* (v. 27) wird ein Gasthaus gebaut; der Dichter und der *Freund* (v. 1) wollen beim Baubeginn (vgl. v. 23) oder beim Richtfest (vgl. v. 33) dabei sein. Diese Absicht wird jedoch nur deshalb Thema eines Gedichts, weil Hölderlin auch in diesem scheinbar profanen Ereignis eine Wesensschicht wahrnimmt, die ihm eine Funktion im zentralen Thema von der Erwartung der Wiederkehr der Götter zuweist. Der trübe Himmel (v. 1—6) — ein Anzeichen der *bleiernen Zeit* (v. 6), die noch nichts von den Göttern ahnt — soll abgelöst werden durch das *Offene* (v. 1), das helle Erscheinen des Göttertages. Das Gasthaus, zu Einkehr und Versammlung bestimmt, mag Hölderlin als ein Ort erschienen sein, der dieser Einkehr der Götter (als ›Gästen‹ auf der Erde) günstig ist. Er plante offenbar, innerhalb dieser Elegie geradezu das Erscheinen der Götter selbst darzustellen (vgl. den Entwurf des letzten Drittels der dritten Strophe: *Da, da / jetzt, jetzt, jetzt, / ruft / daß es helle werde, . . . und der Namenstag der hohen, / der himmlischen Kinder sei dieser!* [StA 2, 580 f.]). Zur Ausführung dieses Plans kommt es jedoch nicht; vielleicht, wie Beißner (1965, a. a. O. S. 37) vermutet, weil das Thema die inneren Möglichkeiten der Elegie übersteigt, vielleicht auch, weil das Erscheinen der Götter sich der Darstellung versagte.

Die zweite Strophe hat ein Distichon zu wenig; Beißner (StA 2, 578 u. 583) vermutet, daß es bei nochmaliger Überarbeitung nach v. 22 eingefügt worden wäre.

Friedrich Beißner: Deutung des elegischen Bruchstücks ›Der Gang aufs Land‹. In: Hölderlin-Gedenkschrift 1943, S. 247—266. — Ders.: Individualität in Hölderlins Dichtung. Winterthur 1965, S. 29—38.

STUTTGART / AN SIEGFRIED SCHMID

Wohl Herbst und Winter 1800.
Erster Druck: Musenalmanach für das Jahr 1807. Hg. v. Leo Frhr. v. Seckendorf. Der Titel des ersten Drucks lautet »Die Herbstfeier / An Siegfried Schmidt«; es ist unbekannt, ob diese Fassung von Hölderlin stammt.
»Mit den Überschriften ist der biographische Anlaß festgelegt: Hölderlin ladet von Stuttgart aus den Freund im Herbst ein, nach Schwaben zu kommen und an dem geselligen Kreis teilzunehmen, in dem er selber lebt. Er wandert seinem Freunde, der in Friedberg in Hessen zu Hause ist, an die nördliche Landesgrenze entgegen und geleitet ihn in die Hauptstadt« (Böckmann S. 377 f.) — Zur Person des angeredeten Freundes vgl. Christian Waas: Siegfried Schmid aus Friedberg in der Wetterau, der Feund Hölderlins (1774 bis 1859). Hessische Volksbücher Bd. 66—69, Darmstadt 1928. Schmid wird auch im Briefwechsel zwischen Goethe und Schiller erwähnt (vgl. Schillers Brief vom 28. Juli und Goethes Brief vom 9. August 1797). — Vgl. Bruchstück 32.
Die unaufdringliche, dreiteilige Gliederung ist der der Elegie *Heimkunft* ähnlich (s. d.). Die beiden Anfangsstrophen geben die Exposition: das Land ist nach der Hitze des Sommers erquickt; unter den Bewohnern der Lüfte und der Erde beginnt eine neue Fröhlichkeit; diese muß, um der Gabe der Götter recht zu begegnen, in eine eigentliche Feier des Herbstes münden. Die mittleren Strophen gehen vorzugsweise von jenem biographischen Anlaß aus: der Dichter, *wohlgeleitet* (v. 13) in dieser begünstigten Zeit, wandert dem Freunde entgegen und kehrt gemeinsam mit ihm zurück; diese ›Begegnung‹ (v. 43), erweitert um diejenige mit den *Landesheroen* der Vergangenheit (v. 49—54), erhöht die der Feier zugewandte Begeisterung. Die Schlußstrophen nennen die

Ankunft in Stuttgart; die Begeisterung steigert sich zu einem das Strophenende überschwingenden Anruf der Götter. Die eigentliche Feier aber wird nicht dargestellt (vgl. Böckmann S. 381); sie ist *die größere Lust* (v. 108), die *dem Enkel* vorbehalten bleibt und der Zeit, wo die Gabe der Götter und die Notwendigkeit der Feier nicht mehr nur von Vereinzelten (vgl. v. 92, 105 f.), sondern von der Gemeinschaft des Volkes empfunden werden.

3 *Offen steht jetzt wieder ein Saal*: Der *Saal* ist wohl nicht als Raum eines Hauses (so StA 2, 613, 2—4), sondern als Landschaftsraum zu verstehen; er ist der Bereich, dessen *Tore* die Götter *Aufgetan* haben (v. 19 f.). Vgl. *Brot und Wein*, v. 57 f.

13—18 Durch seine Attribute wird der bacchantische Charakter des Zuges der Wanderer schon hier angedeutet (vgl. *Brot und Wein*, v. 52 und die Erl.; *Der Einzige*, 1. Fssg. v. 53—55). Das jahreszeitliche Vorbild der mythischen Herbstfeier ist ja das Fest der Weinlese. — *Träget* (v. 18) hat hier wohl (als Gegensatz zu *eilet*) die Bedeutung ›ist träge‹.

29—36 Die Herbstfeier soll nicht um ihrer selbst willen, als bloßes Fest im menschlichen Bereich, stattfinden; das *Vaterland* und seine Erhebung zum neuen Orte der göttlichen Einkehr sind das einzige Ziel der Feier (vgl. v. 91); um dieses Zieles willen muß eine wahre Gemeinschaft des Volkes entstehen. Diesen äußersten und eigentlichen Sinn enthält auch das scheinbar alltägliche Tun (das gemeinsame Sitzen um den Tisch, der Klang der Pokale, der Chorgesang). — Der *gemeinsame Gott* (v. 31): Bacchus (vgl. die Erl. zu v. 13—18) wird in der Hymne *Der Einzige* der *Gemeingeist* genannt (vgl. die Erl. zur 3. Fssg.).

39 *Geburtsort*: Lauffen am Neckar, nördlich von Stuttgart. Dort sieht der Dichter das *Grab* seines *Vaters* (v. 46) wieder.

49—54 Die schroffe Wendung vom Bereich der persönlichen Erfahrungen zum Nennen der *Landesheroen* ist wohl als unmittelbares Befolgen der zuvor gegebenen Weisung zu verstehen, daß *jeder sein Eigenes*, seinen *eigenen Sinn* (v. 30, 32) dem *Vaterlande* zu opfern habe. »*Barbarossa* zählt als Staufer zu den *Landesheroen*, ebenso *Konradin*, der Letzte

dieses schwäbischen Kaisergeschlechts, der sechzehnjährig zu Neapel im Jahr 1268 unter dem Richtschwert des siegreichen Feindes fiel. . . . *Christoph*, 1550—1568 Herzog von Württemberg, Schöpfer des württembergischen Landrechts (1565), Erweiterer des Tübinger Stiftes, Förderer des allgemeinen Schulwesens« (Beißner, StA 2, 590).
91 Die *Engel des Vaterlands* (vgl. v. 29) sind »jene Mächte des Schicksals und der Natur, die das vaterländische Leben bestimmen« (Böckmann S. 381; vgl. dagegen Beißner, StA 2, 591). Vgl. *Heimkunft*, v. 90 f.

Böckmann S. 377—382. — Friedrich Beißner: Geschichte der deutschen Elegie. Berlin 1941, S. 184—187. — Ryan S. 232—234. — Cyrus Hamlin: Stutgard. Tübingen 1970.

BROT UND WEIN

»Vollendet im Winter 1800/01« (StA 2, 591).
Erster Druck: 1) v. 1—18 (unter dem Titel »Die Nacht«): Musenalmanach für das Jahr 1807. Hg. v. Leo Frhr. v. Seckendorf; 2) das Ganze: Carl Müller Rastatt: Friedrich Hölderlin. Sein Leben und sein Dichten. Bremen 1894 (nach Hs[2]); Litzmann 1896 (nach Hs[3]).
Zur Wirkung des isolierten Drucks der ersten Strophe (s. o.) auf Clemens Brentano vgl. dessen Briefe an Philipp Otto Runge vom 21. Januar 1810 und an Luise Hensel vom Dezember 1816; ferner »Gockel, Hinkel und Gackeleia« (Ges. Schriften, Bd. 5, 1852, S. 181). Vgl. Walther Rehm: Brentano und Hölderlin. In: Hölderlin-Jb. 1947, S. 127 bis 178. — Zur mutmaßlichen Wirkung dieser Strophe auf Georg Trakl vgl. dessen Gedicht »Abendmuse« (dazu D. Lüders in: Wirkendes Wort, 1961, S. 89—102, bes. S. 93 Anm. 6).
Die Elegie ist Wilhelm Heinse (1746—1803) gewidmet (vgl. Theodor Reuß: Heinse und Hölderlin, Diss. Tübingen 1906). Vgl. *Hymne an die Göttin der Harmonie* und *Der Rhein*. »Diese Widmung rechtfertigt sich nicht nur durch die persönliche Begegnung Hölderlins mit dem Dichter des ›Ardinghello‹, sondern vor allem durch die geistige Nähe dieses Romans zu dem Thema des Gedichts. Der Roman enthält ein

großes Gespräch über die griechischen Gottheiten, das in Rom auf der Kuppel des Pantheon geführt wird und das vom Eins und Alles der Natur aus die wechselnden Erscheinungsformen der Götter erläutert« (Böckmann a. a. O. 1956, S. 413).

Norbert von Hellingrath bezeichnet diese Elegie als »die beste Grundlage . . . zum Eindringen in Hölderlins Gedankenwelt; der verwandte Archipelagus deutet nur schüchtern an; von den Hymnen enthält keine so allseitig das ganze Weltbild« (Hell. 4³, S. 318).

Der Titel lautete zunächst *Der Weingott.*

Die neun Strophen sind in drei Abschnitte von je drei Strophen gegliedert. Die Anfangsstrophe zeichnet das zentrale Phänomen der Elegie, die *Nacht* (v. 15), zunächst in seiner herkömmlichen Bedeutung als Tageszeit. Die Namen der Nacht als *die Erstaunende* (Staunen Erregende) und *die Fremdlingin unter den Menschen* (v. 17) weisen jedoch am Ende dieser Strophe schon auf eine andere, ›tiefere‹ Bedeutungsschicht hin.

Dieser wendet sich die zweite Strophe zu. Die Nacht *bewegt . . . die Welt* (v. 21); ihr Wesen steht mit dem Willen des obersten Gottes (v. 23) in Verbindung. Sie wird hier zur Weltnacht, zu einer der großen Epochen der Welt- und Menschheitsgeschichte. Wie die Nacht innerhalb der Tageszeiten, liegt auch die Weltnacht zwischen zwei Tagen, dem Göttertag des Altertums und dem ›erhofften‹ (vgl. v. 21) künftigen Tag des Abendlandes (Hesperiens). An den Tagen kehren die Götter auf der Erde ein und verwirklichen so die Verbindung von Himmel und Erde, d. h. die Ganzheit der Welt (vgl. »Grundzüge der Dichtung Hölderlins«, oben S. 14 f.); in der Nacht sind sie entschwunden und von den Menschen weithin vergessen. So ist die Weltnacht zwar insofern ein ›negativer‹, zu überwindender Zustand, als die Bindung von Himmel und Erde möglichst bald wiederhergestellt werden muß; dennoch *ziemet* [es] *sich ihr Kränze zu weihn und Gesang* (v. 28), weil sie *besteht, ewig, in freiestem Geist* (v. 30): die Weltnacht ist als der Grund, aus dem der neue Tag hervorwächst, ein unumgängliches Zwischenstadium; ohne vorangegangene Nacht könnte kein neuer Tag entstehen.

Insofern ist sie, wie die Nacht innerhalb der Tageszeiten, *ewig* nötig und gut.
Nichtsdestoweniger ist sie das Finstere und die *zaudernde Weile* (v. 31 f.; solange die Nacht besteht, zaudern die Götter, wieder auf der Erde einzukehren); und da die Nacht gleichsam um des kommenden Tages willen da ist, *muß* sie den Menschen inmitten der Finsternis *einiges Haltbare . . . gönnen* (v. 31—33), das auf den Tag voraufdeutet (ebenso auch zurück auf den vergangenen, vgl. *Gedächtnis*, v. 36) und ihnen so ermöglicht, *wachend zu bleiben bei Nacht* (v. 36).
Dieses *Haltbare* ›ermutigt‹ (vgl. v. 38) den Dichter in der dritten Strophe, *Aufzubrechen*, um das *Offene*, den offenen Bezirk des heilen Verhältnisses von Himmel und Erde, zu *schauen* (v. 41). Niemand kann ihn *hindern* (v. 39), inmitten der Nacht nach ihrem Ende Ausschau zu halten oder gar sein Teil zur Herbeiführung dieses Endes beizutragen.
Vor diesem entscheidenden Aufbruch stellt der Mittelteil der dritten Strophe eine grundlegende Besinnung über die Bedingungen eines solchen Tuns an. Das Ausschauhalten nach dem Offenen ist zugleich das Suchen nach einem *Eigenen* (v. 42). Diesem Eigenen, das auf den jeweiligen Menschen bzw. das jeweilige Volk (s. u.) beschränkt ist, wird ein ›allgemeines‹ (vgl. v. 45) *Maß* (v. 44) entgegengesetzt.
Dieses Widerspiel von allgemeinem Maß und Eigenem darf zwar nicht mit den entsprechenden Verhältnissen identifiziert werden, die Hölderlins Brief an Böhlendorff vom 4. Dezember 1801 (oben S. 25) darlegt; denn dieser Brief wurde erst einige Zeit nach der Elegie geschrieben. Dennoch ist eine Verwandtschaft der Vorstellungen in Elegie und Brief nicht zu verkennen; die Elegie ist in dieser Hinsicht gleichsam ein Vorläufer des Briefes. Das allgemeingültige *Maß*, das am *Mittag* (am griechischen Göttertag) ebenso wie um *Mitternacht* (in der Gegenwart des Dichters) herrscht, entspricht *dem, was bei den Griechen und uns das höchste sein muß, nämlich dem lebendigen Verhältnis und Geschick* (Brief an Böhlendorff). Dieses bleibende *Verhältnis*, dieses *höchste*, ist die Zugehörigkeit der Menschen zum bleibenden Gefüge der Welt (Himmel — Erde), in das jede Epoche als in den Spielraum ihres *Geschicks* versetzt wird. Elegie und Brief

stellen diesem *Maß*, das *Allen gemein* ist, jeweils ein *Eigenes* gegenüber. Die sehr bestimmten Vorstellungen des Briefes über das Wesen dieses Eigenen, das bei Griechen und Abendländern verschieden und sogar gegensätzlich ist, sind in der Elegie noch nicht ausgebildet. Immerhin bestimmt sich auch der Unterschied des jeweils Eigenen (v. 45) aus dem Gegensatz von *Mittag* und *Mitternacht* (v. 43 f.), so daß das Eigene wohl auch schon in der Elegie nicht nur den individuellen »Grad psychischer Leistungsfähigkeit« (Petzold a. a. O. S. 92), sondern auch einen Wesensunterschied der Völker meint. Und die Notwendigkeit, das Eigene zu finden, veranlaßt den Dichter auch schon in der Elegie, zunächst in das Fremde, nach Griechenland zu ziehen (v. 49 ff.). Diesem Gang ins Fremde darf wiederum noch nicht die konkrete Bedeutung unterstellt werden, die der Brief ihm gibt (er hat hier vielmehr noch weitgehend den Charakter der Trauer [vgl. v. 128] um das Verlorene); die zumindest formale Parallele im Verhältnis des Eigenen zum Fremden ist aber nicht zu verkennen.

Die nächsten drei Strophen (4—6), der Mittelteil der Elegie, verwirklichen den angekündigten Aufbruch des Dichters (s. o.) als Ausfahrt in die Antike. Sie preisen das *selige Griechenland* (v. 55), das auf seine Weise ein *Haus der Himmlischen* war und so das *Offene* erscheinen ließ. Als hauptsächliche Wesenszüge des griechischen Göttertages werden in der vierten Strophe das durchgängig verwirklichte Zueinandergehören von Himmel und Erde (v. 55—58) und die Verbundenheit der Menschen in der von allen empfundenen göttlichen Gegenwart (v. 65—70) genannt. Die fünfte und sechste Strophe zeichnen im einzelnen das Werden und Vergehen des *himmlischen Fests* (v. 108): die anfängliche Unzulänglichkeit des Menschen vor dem Anspruch der Götter (v. 73—80); sein allmähliches Erkennen des göttlichen Gutes und das Nennen und Ehren der Götter, das eigentliche Zeugnis für die wirklich geschehende, nämlich vom Menschen ›empfundene‹ (vgl. v. 73) Einkehr der Himmlischen (v. 81 bis 98); endlich Vollendung und Abschluß des Göttertages mit dem Hinweis auf einen (hier noch nicht näher erläuterten) ›Trost‹, den die Götter den Menschen bei ihrer Abkehr zurücklassen (v. 107 f.). Eingebaut in diesen Lobpreis sind jedoch zwei Versgruppen (v. 59—64; 99—106), die in gehäuften Fragen nach dem Verbleib dieses antiken *Glücks* die elegische Trauer über seinen Verlust ständig bewußt bleiben lassen.

Die drei Schlußstrophen kehren zur Gegenwart des Dichters, in die Weltnacht, zurück. Die siebte Strophe stellt jedoch — trotz des Bewußtseins *wir kommen zu spät* (v. 109) — das unerschütterte Wissen in den Mittelpunkt, daß die Götter nicht etwa gestorben sind; sie *leben . . . in anderer Welt* und wirken *endlos* (auch die Nacht kann ihr Wirken nicht aufheben); nur gegenwärtig *schonen* sie die Menschen durch ihre Abwesenheit. Diesen *hilft* das *Irrsal* von *Not* und *Nacht* sogar, denn es ist die *eherne Wiege*, aus der eine neue Kraft, die Götter wieder zu ertragen, hervorgehen wird (vgl. *Dichterberuf*, v. 64 und dort die Erl.).

Gegen den Kleinmut, der ihn dazu überreden möchte, in der Nacht sich resignierend dem Schlafe hinzugeben (v. 119 f.), statt *wachend zu bleiben* (v. 36), stellt Hölderlin (gemeinsam mit Heinse [vgl. *sagst du*, v. 123], der so zu einem der *Genossen* wird, deren Fehlen gerade bekagt wurde) die Aufgabe der *Dichter in dürftiger Zeit*, Priester der künftigen Götter zu sein.

Das einleitende *Nämlich* der achten Strophe kündigt die entscheidende Begründung für das dichterische Wissen von der Wiederkehr der Götter und zugleich die Begründung des Titels der Elegie an. Jener ›Trost‹, den die Götter bei ihrem Scheiden am Ende des antiken Göttertages zurückließen, zum Zeichen, daß sie da waren und wiederkämen, ist *Brot und Wein*. Beides zeugt unmittelbar vom Zusammenwirken des Himmels und der Erde und erinnert so die Menschen an die abwesenden Götter und an das zu wahrende Gefüge der Welt.

Der *stille Genius*, der *des Tags Ende verkündet' und schwand* (v. 129 f.), ist Christus. (Daß auch schon v. 107 f. Christus gemeint war, geht daraus hervor, daß Hölderlin hier ebenso wie in v. 130 die Wesensbestimmungen *tröstend* und ›den Tag beendigend‹ setzt.) Die Gaben Brot und Wein werden zwar vom *himmlischen Chor* (v. 132) gemeinsam zurückgelassen; da Christus aber aus ihm besonders hervorgehoben wird, erhalten *Brot und Wein* unverkennbar Züge des christlichen Abendmahls. Zugleich spielt jedoch *der Weingott* (so der ursprüngliche Titel der Elegie!) Dionysos eine bedeutsame Rolle (vgl. v. 123, 141); er söhnt *den Tag mit der Nacht aus* (v. 143) und *bleibet* (v. 147) über die antike Epoche hinaus. So steht die Nacht und auch die Wiederkehr des Tages unter dem Zeichen sowohl Christi als auch der alten Götter; die Bruderschaft zwischen Christus und Dionysos (vgl. *Der Einzige*) ist hier bedeutsam vorgebildet.

Ermutigt durch diesen göttlichen Trost und durch das Bewußtsein, daß alle Götter wiederkehren werden, schwingt sich die Schlußstrophe dazu auf, das Abendland (*Hesperien*, v. 150) in hymnischer Begeisterung als den Nachfolger Griechenlands, als den Ort der nächsten Einkehr der Götter, aufzurufen. Bis Hesperien diese Nachfolge in Wahrheit antritt, kommt *indessen* (solange also die Nacht noch andauert) *als Fackelschwinger des Höchsten / Sohn, der Syrier, unter die Schatten herab* (v. 155 f.). Diese Benennungen können sowohl auf Christus als auch auf Dionysos bezogen werden (vgl. Schmidt a. a. O. S. 160—172); in kunstvoller Doppeldeutigkeit (der »von Hölderlin so geliebten Vieldeutigkeit der Worte«, Hell. 4³, S. 318) verschmelzen in ihnen Christentum und Antike zu der Einheit, unter deren Zeichen Hölderlin den künftigen Göttertag herbeiruft.

47 *spotten des Spotts*: Vgl. »Sprüche Salomonis«, Kap. 3, 34: ». . . Er [der Herr] wird der Spötter spotten« (Hinweis von Schmidt, a. a. O. S. 61).

49—53 Der *Isthmos* von Korinth; *Parnass*: der dem Apollon und dem Dionysos heilige Berg, nördlich vom korinthischen Meerbusen, dabei das Heiligtum Delphi; *Olymp*: der Berg der Götter, weiter nördlich im südlichen Mazedonien gelegen (fällt somit als einziger Ort aus den sonst genannten, die einheitlich um den korinthischen Meerbusen bzw. in Böotien liegen, heraus; meint, als beherrschender Berg, Griechenland als Ganzes); *Cithäron*: Gebirge am Ostufer des korinthischen Meerbusens, wo bacchische Orgien gefeiert wurden (*Fichten* und *Trauben* sind Attribute des Dionysos); *Thebe*: wegen des Verbums *rauscht* kann wohl nicht Theben (Thebae), die

Heimatstadt des Dionysos, gemeint sein (Beißner weist auf eine Nymphe namens Thebe hin, die Geliebte des böotischen Flußgottes Asopos [StA 2, 612]); *Ismenos*: Fluß bei Theben; *Kadmos*: Begründer der Burg und des Stadtkerns des späteren Theben, Vater der Semele, der Mutter des Dionysos.
54 *der kommende Gott*: Nach den vorangegangenen Ortsangaben müßte Dionysos gemeint sein — es sei denn, man hielte sich an die (beherrschende) Nennung *Land des Olymps* v. 51 (s. o.): dann käme *der kommende Gott* allgemein aus Griechenland, aus dem Lande des alten Göttertags, was der im Verlaufe der Elegie gestifteten Verschmelzung von Dionysos und Christus (s. o.) wohl eher entspräche.
57f. Vgl. Peter Szondi: Hölderlin-Studien. Frankfurt a. M. 1967, S. 15—19.
84 *Derer, welche, schon längst Eines und Alles genannt,*: der Götter, die von Menschen schon längst *Eines und Alles* (*Ἓν καὶ πᾶν*) genannt worden sind.
134 *wurde das Größre zu groß*: Das, was größer ist als die *Gaben*, nämlich die Anwesenheit der Götter selbst, *wurde* für die menschliche Fassungskraft *zu groß*.
138 *vom donnernden Gott*: Der oberste, donnernde Gott ist der Vater des Dionysos (vgl. *Wie wenn am Feiertage . . .*, v. 50—53).
152—156 *aber so vieles . . . herab*: An die Stelle dieser Verse treten in einer späteren Überarbeitung der Elegie die folgenden, zuerst von Friedrich Beißner entzifferten und seitdem in der Hölderlin-Forschung viel besprochenen und umstrittenen Zeilen:

nämlich zu Haus ist der Geist
Nicht im Anfang, nicht an der Quell. Ihn zehret die Heimat
Kolonie liebt, und tapfer Vergessen der Geist.
Unsere Blumen erfreun und die Schatten unserer Wälder
Den Verschmachteten. Fast wär der Beseeler verbrannt.
(StA 2, 608)

Was meint hier der Begriff *Geist*? Vorgeschlagen wurden die Bedeutungen ›Weltgeist‹ (Gadamer, Pyritz, Burger), ›Geist eines Volkes‹ (Beißner) und ›Dionysos‹ (Allemann, Mommsen). Vgl. zum Folgenden »Grundzüge der Dichtung Hölderlins«, oben S. 16 ff. — Zweifellos will die Variante das Vorangehende (die Tatsache, daß Hesperien die Nachfolge Griechenlands antreten soll, v. 149—152) begründen (vgl. das einleitende *nämlich*). Diese Begründung kann sie aber nur leisten, wenn sie vom Weltgeist spricht, denn dessen ›Wille‹ allein begründet die Abfolge der Weltepochen. Weder der ›Geist eines einzelnen Volkes‹ noch ›Dionysos‹ hat eine solche Machtvollkommenheit. Der Weltgeist ist *im Anfang* — dort, wo er seinen Lauf begonnen hat, in Griechenland also — nicht *zu Haus*, nicht für immer seßhaft. *Ihn zehret die Heimat*: in der *Heimat* Griechenland wurde (am Ende des antiken Göttertages) das *Vaterländische* (das *Feuer vom Himmel*, vgl. Hölderlins Brief an Böhlendorff vom 4. Dezember 1801, oben S. 25) von den Menschen *versäumet* (vgl. ... *meinest du Es solle gehen* ..., v. 1—7); die Griechen wandten sich einseitig der ›Erde‹ zu, so daß der von ihnen vernachlässigte feurige *Geist*, seiner eigenen Glut überlassen, sich nicht mehr im Irdischen *kühlen* konnte (vgl. *Der Einzige*, 3. Fssg. v. 97 f.: *Wohl tut / Die Erde. Zu kühlen*). Daher hat der Geist sich von seiner bisherigen Stätte (von seiner alten Heimat Griechenland) abgewandt (er hat sie ›tapfer vergessen‹) und sich eine neue *Kolonie*, Hesperien, gesucht. Hier *erfreun* den in Griechenland *Verschmachteten* die (dort vermißten) irdisch kühlenden Dinge (*Blumen*, *Schatten*, *Wälder*); d. h.: hier werden die Menschen ihrer Aufgabe gerecht, Himmel und Erde in Einklang zu bringen und keins ohne das andere zu achten. — So hat die Variante die Begründung dafür gegeben, daß Hesperien die Nachfolge Griechenlands antreten soll: Hesperien gibt dem Geist, was Griechenland ihm vorenthielt. Daß der Geist, indem er in Griechenland *fast* ... *verbrannt* wäre, entsprechend dem Thema der Elegie dionysische Züge erhält (vgl. den Mythos von der Geburt des Dionysos und *Wie wenn am Feiertage* ..., v. 50—53), ist unverkennbar (vgl. Schmidt a. a. O. S. 205), erlaubt aber nicht, ihn verengend mit Dionysos zu identifizieren. — Literatur zu dieser Variante s. u.

159f. Selbst an den Titanen (vgl. *Die Titanen*) und am Höllenhund *Cerberus* bewährt sich die Macht des Weingottes; er schläfert sie ein und mäßigt so ihre widergöttlichen Kräfte.

Emil Petzold: Hölderlins Brod und Wein. Ein exegetischer Versuch. Sambor 1896. — Friedrich Beißner: Geschichte der deutschen Elegie. Berlin 1941, S. 187—189. — Emil Staiger: Das dunkle Licht. In: Festschrift zur Feier des 350jährigen Bestehens des Heinrich-Suso-Gymnasiums in Konstanz. 1954, S. 134—140 (auch in: Hölderlin-Beiträge 1961). — Paul Böckmann: Friedrich Hölderlin. Brod und Wein. An Heinze. In: Die deutsche Lyrik, hg. v. Benno von Wiese. Düsseldorf 1956, S. 394—413. — Ders.: Das Bild der Nacht in Hölderlins »Brod und Wein«. In: Formensprache. Studien zur Literaturästhetik und Dichtungsinterpretation. Hamburg 1966, S. 330—344. — Momme Mommsen: Traditionsbezüge als Geheimschicht in Hölderlins Lyrik. In: Neophilologus 1967, S. 32—42, 156—168, bes. S. 163—167. — Jochen Schmidt: Hölderlins Elegie »Brod und Wein«. Berlin 1968. — Zu der Variante v. 152—156: Friedrich Beißner: Hölderlins Übersetzungen aus dem Griechischen. Stuttgart 1933, S. 147 ff. — Ders.: StA 2, 620 f. — Hans-Georg Gadamer: Hölderlin und das Zukünftige. In: Beiträge zur geistigen Überlieferung. Godesberg 1947, S. 53—85, bes. S. 66 f. — Hans Pyritz: Zum Fortgang der Stuttgarter Hölderlin-Ausgabe. In: Hölderlin-Jb. 1953, S. 80—105, bes. S. 101 f. — Heinz Otto Burger: Die Hölderlin-Forschung der Jahre 1940—1955. In: DVjs, 1956, S. 329—366, bes. S. 350 f. — Beda Allemann: Hölderlin und Heidegger. Zürich und Freiburg i. Br. 1956², S. 167—173. — Momme Mommsen: Dionysos in der Dichtung Hölderlins. In: GRM, 1963, S. 345—379. — Detlev Lüders: ›Die Welt im verringerten Maasstab.‹ Hölderlin-Studien. Tübingen 1968, S. 68—71.

HEIMKUNFT / AN DIE VERWANDTEN

Im April 1801 kehrte Hölderlin aus der Schweiz, wo er seit Januar desselben Jahres eine Hofmeisterstelle in Hauptwil bei dem Kaufmann Anton von Gonzenbach versehen hatte, in die Heimat zurück. Die Elegie ist wohl bald nach dieser *Heimkunft* entstanden.

Erster Druck: Flora. Teutschlands Töchtern geweiht. Tübingen 1802.

Die Elegie (wahrscheinlich die letzte, die Hölderlin geschrieben hat; vgl. Seckel S. 162—168, 187—189) ist in drei Teile zu je zwei Strophen gegliedert. (Gelegentlich wird ihre Gliederung — auch die der Elegie *Stuttgart* — als zweiteilig betrachtet [zwei mal drei Strophen; vgl. Fr. Beißner in: Hölderlin Gedenkschrift 1943, 1944², S. 259 f.]. Schon Viëtor [S. 156—166] hat jedoch die generelle Dreiteilung der Gedichte dieser Zeit beobachtet. Vgl. die Erl. zur Elegie *Der Wanderer*, 2. Fssg.)

Die Strophen 1 und 2 stellen das Erneuen der Zeiten (v. 31) in der *unermeßlichen Werkstatt* (v. 17) des schöpferischen Gottes dar, die Schaffung der Vorbedingung also für die Möglichkeit einer *Heimkunft* in die erneuerte Zeit; die Strophen 3 und 4 nennen vorzugsweise die *Heimkunft* im engeren Sinne, die Fahrt über den Bodensee vom Schweizer Ufer nach *Lindau* (v. 59) und in die Heimat; die Strophen 5 und 6 endlich rufen die *guten Geister* herbei, die der *große Vater* bald schicken wird (v. 85—89), um so die Erneuerung der Zeiten durch eine neue Versöhnung von Göttern und Menschen zu besiegeln (vgl. die Bemerkungen zur Gliederung der Elegie *Stuttgart*). So nimmt die Elegie eine ›reale‹ Heimkunft ins *Geburtsland* (v. 55) und das Wiedersehen mit den dortigen *Verwandten* (v. 73 ff.; vgl. den Untertitel) zum Anlaß, zugleich damit zur ›eigentlichen‹ Heimkunft der abendländischen Menschheit in die hesperische *Kolonie* des Weltgeistes (vgl. *Brot und Wein*, Variante zu v. 152—156) und zur größeren Vereinigung der Menschen untereinander und mit den Göttern aufzurufen. Die Heimkunft aus der Schweiz nach Nürtingen am *Neckar* (v. 69) wird zur Heimkunft in das ›Eigene‹ des abendländischen Wesens. Mit dem inständigen Herbeirufen der *Engel des Jahres* und *des Hauses* (v. 90 f.) ist zugleich die Schwelle zur hymnischen Dichtung überschritten.

1—18 »Die erste Strophe . . . , die das Alpengebirge nennt, steht, selbst ein Gebirge von Versen, unvermittelt da« (Heidegger a. a. O. S. 13). Sie stellt die von der sich erneuernden Zeit (v. 31) aufgeregte und sich umwälzende, sich dem Neuen zuwendende Erde dar (das *Alpengebirg* ist als *Burg der Himmlischen* ein bevorzugter irdischer Ort; vgl. *Der Rhein*, v. 4—7 und Hölderlins Briefe aus Hauptwil) und ist daher stilistisch durchaus von Verben der Bewegung bestimmt (tosen, stürzen, glänzen, schwinden, eilen, kämpfen, gären, wanken, wachsen, fallen, dampfen, tönen). Ein neuer Tag bereitet sich vor; es ist noch *Nacht* (nämlich *drin in den*

Alpen, im Tal) und doch schon *hell* (das erläutert die zweite Strophe; vgl. aber schon v. 4). Die *Wolke* ›dichtet‹ *Freudiges:* sie wird der Erde bald das Licht des Himmels vermitteln (es scheinen lassen und dennoch seine Hitze schonend mildern). Das *Chaos* der irdischen Umwälzung ist *freudigschauernd*, denn ihm wird sich der Neubeginn der Zeiten entringen. Inmitten dieser morgendlichen Gärung, die in dem von Klüften und Verwerfungen geprägten Gebirge *unendlicher* ist als anderswo, *merket* der Adler (vgl. *Rousseau*, v. 37—39) dennoch *die Zeit*, das sich ankündigende Neue, und *rufet den Tag*. Er stellt als der Götterbote gleichsam das Bindeglied zwischen der Erde und dem in der zweiten Strophe genannten Gotte dar.

19—36 Der Einsatz der zweiten Strophe (*Ruhig glänzen indes ...*) bezeichnet eindrucksvoll die Andersartigkeit der göttlichen Sphäre (Ruhe im Gegensatz zur irdischen Unruhe). Das ›Wirken‹ des Gottes *in die Tiefe* (v. 33), das Erneuen der Zeiten (v. 31), meint sowohl das Schaffen des jeweils neuen irdischen Tages, als auch, zugleich damit, das Vorbereiten der neuen Weltepoche (des neuen Welt-Tages). Die Schlußverse der Strophe (v. 34—36, syntaktisch abhängig von *Wenn*, v. 31) scheinen dieses Neue als schon beginnend zu feiern (vgl. die Erl. zu v. 79).

37—72 Die ›reale‹ Heimkunft steht im Zeichen jenes Erneuens der Zeiten. Die Erneuerung (vgl. *der Geist*, v. 40) soll das *Vaterland* (v. 39, 41) und die *Landesleute* (v. 43) nicht unvorbereitet antreffen. Der *heilige Dank* (v. 42) für die dem Vaterland vom Gotte zugedachte erneuerte Zeit *bringt* den Landsleuten die *Flüchtlinge* (unter ihnen den Dichter) zurück; denn der Dank für diese göttliche Gabe muß darin bestehen, sie im Vaterland zu empfangen und sich ihr gewachsen zu zeigen. So ist letztlich der gegenwärtige Gesang, die Elegie *Heimkunft*, eine höchste Form dieses Dankes, denn sie will die Landsleute jener Gabe entgegenführen. Wie sehr dies noch nötig ist, weil die Landsleute selbst es nicht leisten können, deutet der Schluß der dritten Strophe an: ein dreimaliges *scheint* läßt ahnen, wie entfernt das scheinbar Vertraute und Verwandte in der Heimat von der inneren Erfahrung des Dichters und damit von einer eigentlichen Verwandtschaft mit ihm noch ist. Hier, in der genauen Mitte des Ganzen, erscheint so das Wort des Untertitels (*verwandt*, v. 54) in seiner uneigentlichen, noch unerfüllten Bedeutung. Dennoch *ist* dies die *Heimat* (v. 55), der jene göttliche Erneuerung zugedacht ist; und daher ist das Gesuchte dem Dichter, trotz jener Scheinhaftigkeit, schon *nahe* (v. 56). V. 60—72 zeichnen ein Bild der Fülle und Schönheit des *Geburtslandes*, der Eigenschaften also, die dieses Land befähigen, die Scheinhaftigkeit zu überwinden und ein wahrer Ort der erneuerten Zeit zu werden.

73—108 Die beiden Schlußstrophen sind schon äußerlich durch das Strophen-Enjambement v. 90 f. als eine Einheit gekennzeichnet. Sie beginnen mit dem Wiedersehen in der Heimatstadt. In v. 73 ist mit der *Mutter* wohl sicher nicht nur die Stadt Nürtingen, sondern auch die leibliche Mutter des Dichters gemeint (vgl. Beißner a. a. O. 1965, S. 40—42). Das *Dennoch* (v. 75) korrespondiert offenbar mit v. 53 f. und hebt gegenüber der dort betonten Scheinbarkeit der Verwandtschaft die *Treue* (v. 78) der wiedergefundenen Verwandten zu ihrem altbekannten Wesen hervor: die *Freude* (v. 81) des Wiedersehens läßt den Dichter die Akzente anders setzen. Gerade hier aber, inmitten der Freude, wird der Grund genannt, der zu jener Betonung der Scheinhaftigkeit der Verwandtschaft geführt hatte: *das Beste, der Fund* (spätere Variante: *der Schatz, das Deutsche*) *ist Jungen und Alten gespart* (die *Landesleute* können das ihnen vom Gotte schon zugeteilte abendländische Wesen noch nicht ergreifen; es wird ihnen daher für spätere Zeit aufgehoben). Der Fund liegt *unter des heiligen Friedens / Bogen*: das darf u. a. auch als Hinweis auf den Frieden von Lunéville (Frühjahr 1801) gelesen werden, von dem Hölderlin in der Schweiz erfahren hatte und in den er die größten Hoffnungen setzte (vgl. *Friedensfeier*); der *Bogen* ist der Regenbogen (vgl. 1. Mose 9, 12—17; ferner *An eine Fürstin von Dessau*, v. 21 f.), das Zeichen der Verbindung von Himmel und Erde.

Diese Erinnerung an das *Beste* hat den hymnischen Aufschwung des Gedichtschlusses zur Folge: Hölderlin ruft die *Engel des Jahres* und *des Hauses* herbei (v. 90 f.). Damit wird die erhoffte Erneuerung auf das Ganze von ›Zeit‹ und

›Raum‹ ausgedehnt. Das Himmlische möge sich *in die Adern alle des Lebens* teilen (also von den *Landesleuten* auch empfunden werden), so die Scheinhaftigkeit der Verwandtschaft aufheben und *das Beste* nicht mehr nur sparen, sondern austeilen. Erst wenn dieser Zustand erreicht ist, kann ein Vorgang wie die hier dargestellte Heimkunft in die eigentliche Dimension seines Wesens gelangen und *schicklich geheiliget* sein (v. 96). Jetzt aber *fehlen heilige Namen* noch (v. 101) und es muß unbeantwortet bleiben, *wie* der *Dank* für die göttliche Gabe erbracht werden kann (v. 98). Ein wortloses *Saitenspiel* kann vielleicht in solcher Zeit eher die rechten *Töne* finden als die *Rede* (v. 102 f.). Die Verwandten sollen daher ein solches Saitenspiel ›bereiten‹ (v. 105). Damit ist die *Sorge*, die inmitten der Freude aufkam (die Sorge um das Fehlen der heiligen Namen), schon beinahe befriedigt; dennoch endet die Elegie mit einem nochmaligen Hinweis auf die Notwendigkeit solcher Sorgen der *Dichter in dürftiger Zeit* (*Brot und Wein*, v. 122).

Böckmann S. 369—377. — Friedrich Beißner: Geschichte der deutschen Elegie. Berlin 1941, S. 189 f. — Martin Heidegger: »Heimkunft / An die Verwandten«. In: M. H.: Erläuterungen zu Hölderlins Dichtung. 1951², S. 9—30. — Lothar Kempter: Hölderlin in Hauptwil. St. Gallen 1946, S. 66—72. — F. W. Wentzlaff-Eggebert: »Glükseeliges Lindau«. Zu Hölderlins Elegie »Heimkunft«. In: Friedrich Hölderlin: »Heimkunft«. Lindau 1948. — Albrecht Weber: Friedrich Hölderlin: Heimkunft. An die Verwandten. In: Wege zum Gedicht. München u. Zürich 1956, S. 166 bis 181. — Friedrich Beißner: Individualität in Hölderlins Dichtung. Winterthur 1965, S. 38—42.

KLEINE LYRISCHE GEDICHTE

LEBENSALTER

Einer der *Nachtgesänge*, die Hölderlin im Dezember 1803 für Wilmans' Almanach durchsah; vgl. die Erl. zu *Chiron*.
Erster Druck: Taschenbuch für das Jahr 1805. Der Liebe und Freundschaft gewidmet. Frankfurt am Main, bei Friedrich Wilmans.
Die ersten drei Zeilen rufen versunkene Stätten des Orients an; die nächsten sechs fragen nach deren Wesen und beantworten diese Frage; die letzten sechs stellen dem Orient die hesperische Situation des Ich gegenüber.
Rauchdampf und *Feuer* der Himmlischen (vgl. Apostelgeschichte 2, 19) haben den alten Stätten die *Kronen* genommen (Gebälk und Dach: die Säulen allein stehen jetzt wie Wälder in der Wüste), offenbar weil sie die *Grenze* des den Menschen zugebilligten Bereichs überschritten hatten und den Göttern zu unmittelbar, ohne die notwendige Unterscheidung, genaht waren (vgl. »Grundzüge der Dichtung Hölderlins«, oben S. 20 ff.). Das Schicksal der Semele hat sie ereilt (vgl. *Wie wenn am Feiertage* . . . , v. 50—53). Der abendländische Dichter aber sitzt *unter Wolken* und *unter . . . Eichen*, doppelt abgeschirmt also vor dem unmittelbar sengenden göttlichen Strahl. Dies entspricht gewiß seiner abendländischen Bestimmung, die ihm aufträgt, *Gott rein und mit Unterscheidung/* [zu] *Bewahren* (. . . *der Vatikan* . . . , v. 12 f.); dennoch ist in der Verhaltenheit der Schlußverse die Trauer darüber unverkennbar, daß die *Seligen* des Altertums dem Dichter der anders gearteten neuen Zeit *fremd* und *gestorben* erscheinen. Es kommt hinzu, daß die Vollendung der neuen abendländischen Epoche noch aussteht: innerhalb des *Nachtgesangs* kann von der neuen Erfüllung (dem Gelingen des ›Bewahrens‹ des Gottes im Abendland) noch nicht gesprochen werden. In dieser Übergangssituation des ›nicht mehr‹ und ›noch nicht‹ ist die schon eingetretene Fremde zu den Seligen der Antike (obwohl sie der erste Schritt auf dem Wege zur Vollendung im eigenen Vaterland ist) doppelt schmerzlich.

2 *Palmyra*: Hauptstadt des Reiches der Königin Zenobia (3. Jh. n. Chr.), in einer Oase der syrischen Wüste gelegen.
6f. Binder (a. a. O. S. 586) sieht die ›Schuld‹ der antiken Stätten darin, daß »sie [noch] standen . . . , als ihre Bewohner schon tot . . . waren«. Es ist aber unwahrscheinlich, daß Hölderlin dieses einfache Fortbestehen als eine zu sühnende Schuld hätte empfinden können.
10 f. *(deren / Ein jedes eine Ruh' hat eigen)*: Beißner (StA 2, 661) vermutet hier einen Druckfehler des ersten Drucks (eine Hs des Gedichtes ist nicht bekannt): statt *deren* sei u. U. *darin* zu lesen. Der Sinn sei dann: »alles Vergangene [*Ein jedes*] ist in die *Wolken* gerettet«. Der überlieferte Text fügt sich aber dem Gedankengang des Gedichtes ohne weiteres ein: ›jede der Wolken besitzt eine eigene Ruhe‹ (*Ein jedes* statt ›eine jede‹ ist im Spätstil Hölderlins durchaus möglich). Die Ruhe, die die Wolke besitzt und gewährt, bildet einen mit dem hesperischen Wesen übereinstimmenden Gegensatz zur feurig-ekstatischen Welt des Orients.

Esther Schär: Friedrich Hölderlins »Lebensalter«. In: Schweizer Monatshefte. 1962, S. 497—511. — Wolfgang Binder: Friedrich Hölderlin. »Der Winkel von Hardt«, »Lebensalter«, »Hälfte des Lebens«. In: Schweizer Monatshefte. 1965, S. 583—591.

DER WINKEL VON HARDT

Einer der *Nachtgesänge*, die Hölderlin im Dezember 1803 für Wilmans' Almanach durchsah; vgl. die Erl. zu *Chiron*.
Erster Druck: Taschenbuch für das Jahr 1805. Der Liebe und Freundschaft gewidmet. Frankfurt am Main, bei Friedrich Wilmans.
»Der ›Winkel von Hardt‹ ist ein Felsblock im Walde des Dorfes Hardt, nahe bei Nürtingen, der Heimat Hölderlins. Er besteht aus zwei mächtigen, gegeneinander geneigten Felsplatten — darum ›Winkel‹ genannt —, die einen zeltartigen Unterschlupf bilden, worin der Herzog Ulrich von Württemberg 1519 auf der Flucht eine Nacht zugebracht haben soll; eine Spinne zog ihr Netz über den Eingang und verbarg ihn seinen Verfolgern. Ein flacher Stein neben dem Felsen zeigt

eine Vertiefung in der Gestalt eines Fußes, die im Volksmund der ›Fußtritt‹ [vgl. v. 7] des Herzogs heißt« (Binder a. a. O. S. 584). Schon eins der ersten Gedichte Hölderlins, das nicht erhalten ist, war dem Winkel von Hardt gewidmet (vgl. Bruchstück 1 und dort die Erl.).

Innerhalb des herbstlichen Naturbildes, mit dem das Gedicht beginnt, deuten — darauf macht Binder (a. a. O. S. 584) aufmerksam — der Vergleich mit *Knospen* (v. 2) und die Vorstellung des Aufblühens (v. 4) auf gewisse frühlingshafte Züge, die inmitten des sich neigenden Jahres eine Erneuerung in der Zukunft anklingen lassen. Diese Verheißung scheint von der geschichtlichen Bedeutung auszugehen (vgl. *nämlich*, v. 6), die *Ulrichs* Errettung dem Orte verliehen hat (der *Grund*, auf dem der Ulrichstein steht, ist *Nicht gar unmündig*; d. h. er hat geschichtlichen Wert erlangt und kann von der Geschichte ›reden‹). Herzog Ulrich ist einer der vaterländischen Helden, und das *Schicksal*, das über seinem Fußtritt *sinnt*, ist offenbar *bereit*, die Zukunft im vaterländischen Sinne zu bestimmen. So zielt das kleine Gedicht, ebenso wie die späten Hymnen, letztlich auf die künftige hesperisch-vaterländische Weltepoche. Als *Nachtgesang* handelt es aber vom ›Sinnen‹ des Schicksals, nicht von dessen Vollendung (vgl. *Lebensalter*).

5 Nach *unmündig* fehlt im ersten Druck der Punkt.

9 *an übrigem Orte*: Entweder der vom geschichtlichen Vorgang übrig gebliebene Ort, nämlich der Ulrichstein selbst (so Beißner, StA 2, 662), oder ein Ort »nicht hier oder dort, sondern irgendwo schlechthin« (Binder a. a. O. S. 585).

Wolfgang Binder: Friedrich Hölderlin. »Der Winkel von Hardt«, »Lebensalter«, »Hälfte des Lebens«. In: Schweizer Monatshefte. 1965, S. 583—591.

HÄLFTE DES LEBENS

Einer der *Nachtgesänge*, die Hölderlin im Dezember 1803 für Wilmans' Almanach durchsah; vgl. die Erl. zu *Chiron*.
Erster Druck: Taschenbuch für das Jahr 1805. Der Liebe und Freundschaft gewidmet. Frankfurt am Main, bei Friedrich Wilmans.

Eine Hs der Druckfassung ist nicht bekannt. Vorstufen finden sich auf derselben Manuskriptseite wie v. 68—74 der Hymne *Wie wenn am Feiertage . . .* : ». . . nachdem die Vollendung [dieser Hymne] aufgegeben ist, [werden] mit spitzerer Feder und in lässigerem Duktus am oberen Rand [der Seite] drei Überschriften nebeneinander gesetzt:

Die Rose *Die Schwäne.* *Der Hirsch.*

Unter die erste wird, offenbar gleichzeitig, geschrieben: *holde Schwester!* Dieser Entwurf wird später weitergeführt, mit breiterer Feder wieder und in strafferem Duktus, indem um *Weh mir!* herum und darunter (so daß die Zeile *Und sag ich gleich,* überwuchert wird und gestrichen werden muß) ein Gedanke festgehalten wird, auf den die unmittelbar darunter niedergeschriebenen Schlußzeilen des Entwurfs *Wie wenn am Feiertage . . .* sichtlich einwirken:

Wo nehm ich, wenn es Winter ist
die Blumen, daß ich Kränze den Himmlischen
winde?
Dann wird es sein, als wüßt ich nimmer von Göttlichen,
Denn von mir sei gewichen des Lebens Geist;
Wenn ich den Himmlischen die Liebeszeichen
Die Blumen im [*nackten*] *kahlen Felde suche*
u. dich nicht finde.

(Die *Rose* ist angeredet.) In der mittleren ›Spalte‹ der Seite, unter der Überschrift *Die Schwäne.*, steht, abermals später geschrieben, mit sperriger Feder und dunklerer Tinte:

und trunken von
Küssen taucht ihr
das Haupt ins hei-
lignüchterne kühle
Gewässer.

Als Überschrift der solchermaßen zu einem Gedicht zusammenschießenden Motive wird zuerst erwogen:

Die letzte Stunde.

Diese Überschrift setzt über *Schwäne* im Duktus des Motivs *und trunken . .* ein; die endgültige (*Hälfte des Lebens*) ist handschriftlich nicht überliefert« (Beißner, StA 2, 663 f.).
Der in einer dieser Vorstufen noch deutlich ausgesprochene Bezug zu den Himmlischen (s. o. *Wo nehm ich, wenn es Winter ist / die Blumen, daß ich Kränze den Himmlischen / winde?*) ist in der Druckfassung getilgt (vgl. Szondi a. a. O.).
Das Gedicht scheint sich auf die Natur, ihren jahreszeitlichen Wechsel und das Verhalten des Ich zu diesem Wechsel zu beschränken; zugleich will es, wie der Titel bezeugt, im Wechsel der Jahreszeiten ein Bild des menschlichen Lebens entwerfen. Dennoch bleibt auch in der Druckfassung, insbesondere durch die Wendung vom *heilignüchternen Wasser*, eine Bedeutungsebene anwesend, die das ›bloß Naturhafte‹ übersteigt. Die Zugehörigkeit des Gedichts zu den *Nachtgesängen* verstärkt diesen Eindruck. Sein Zauber beruht jedoch auch darauf, daß das, was Nacht und Winter für Hölderlin in geschichtlichem Sinne bedeuten, in ihm verschwiegen und ›aufgehoben‹ ist.
Die erste Strophe zeichnet ein spätsommerliches Landschaftsbild, das von der durchgängigen Wechselbeziehung der Naturwesen zueinander und somit von der vollendeten Verwirklichung des in ihnen anwesenden *gemeinsamen Geistes* (*Wie wenn am Feiertage . . .*, v. 43) bestimmt ist: das Land ist *mit* den Birnen und Rosen verbunden; es hängt *in* den See; die Schwäne, zu zweit oder zu mehreren, tunken ihr Haupt *ins* Wasser; ihre *Küsse* stehen gleichsam für die Zuneigung, die die Wesen dieser Strophe wechselseitig erfüllt. Entsprechend ist hier die Anrede an die Schwäne, der unmittelbare Kontakt mit ihnen, möglich. Auch die Syntax erlaubt analoge Beobachtungen: die Strophe wird von einem einzigen Satz gebildet (die Verbundenheit der syntaktischen Einheiten ist also stark). Die in der genauen Strophenmitte (v. 4) stehende Anrede an die Schwäne verklammert überdies die beiden Bilder dieser Strophe (v. 1—3: Land und See; v. 5—7: Schwäne und Wasser) miteinander: v. 4 kann nicht nur als eine den Versen 5—7 voraufgehende, sondern auch als eine den Versen 1—3 nachgestellte Anrede gelesen werden.

Ist also der ›Sinn‹ der ersten Strophe ›Verbundenheit‹, so ist die zweite von der winterlichen Isolierung der Einzelwesen geprägt. Sie zerfällt in zwei Sätze. Das Ich steht hier nicht mehr (wie in der Anrede an die Schwäne) im unmittelbaren Bezug zu anderen Wesen; es tritt der Natur als Fragender (v. 8—11) gegenüber. Die einfache, ›fraglose‹ Darstellung eines erfüllten Naturbildes ist jetzt nicht mehr möglich, weil das Wesentliche der Natur, die Zuneigung ihrer Teile zueinander, verschüttet ist. Die selbstverständliche Teil›nahme‹ (vgl. *wo nehm' ich*) des Ich am Leben der Natur, sein Einbezogensein, ist unmöglich geworden. Nicht nur der *Sonnenschein*, sondern auch der *Schatten der Erde* — das Zusammenspiel also von Erde und Himmel — wird im Winter vermißt. Den lebendigen Naturwesen der ersten Strophe steht in den *Mauern* und (Wetter-)*Fahnen* das Tote, Gemachte gegenüber, der liebevollen Zuneigung Kälte und Sprachlosigkeit.
Mit diesem Verlorensein in der Getrenntheit endet das Gedicht. Es schließt sich keine ausdrückliche Synthese der beiden dargestellten Weltzustände an (vgl. Kerkhoff a. a. O. 1962, S. 111). Nicht umsonst ist das Gedicht ein *Nachtgesang*. Es darf jedoch nicht übersehen werden, daß die in der ersten Strophe gestaltete Vollendung des erfüllten Lebens und der heiligen Nüchternheit gegenwärtig bleibt; daß die zweite Strophe einen Ausblick auf den Winter, nicht dessen Gegenwart darstellt. Gegenwart ist noch der Zustand der ersten Strophe, ist noch die Vollendung. Inmitten der Vollendung wird der Absturz in die Getrenntheit vorausgesehen, und dies so sehr, daß er im letzten Satz Gegenwart geworden zu sein scheint. Auch dieser Satz aber steht noch unter der Prämisse der Vorausschau: *wenn* es Winter ist (v. 8 f.). Gegenwärtige Verbundenheit und vorausgesehene Getrenntheit überlagern sich somit in der Gleichzeitigkeit des Gedicht-Augenblicks. Dieser heißt *Hälfte* (Höhe, Mitte; vgl. Binder a. a. O. S. 589) *des Lebens*. In diesem einzigartigen Augenblick wird die Summe des Lebens gezogen; Verbundenheit und Getrenntheit — Einheit und Unterschied — werden zusammengeschaut; beide erscheinen nicht als ein reales Nacheinander, sondern durch das Kunstmittel ihres Sichüberlagerns als ein Zugleich. Dieses Zugleich aber ist eine (unaus-

drückliche) Synthese der beiden Pole des Daseins, die das Gedicht darstellt.

4—7 Vgl. Clemens Brentanos Brief an Rahel Varnhagen vom 25. Juni 1813. An den Schluß des Entwurfs seiner (sechszeiligen) Grabschrift setzt Brentano die Verse: »Aber es tauchet der Schwan ins heilignüchterne Wasser / Trunken das Haupt, und singt sterbend dem Sternbild den Gruß!« Dazu Walther Rehm: Brentano und Hölderlin. In: Hölderlin-Jb. 1947, S. 127—178, bes. S. 169—172.

7 *Ins heilignüchterne Wasser*: Vgl. *Deutscher Gesang*, v. 18.

Hans Schneider: Hölderlins ›Hälfte des Lebens‹. Ein daseinsanalytischer Versuch. In: Monatsschrift für Psychiatrie und Neurologie, 1946, S. 292—301. — Fritz Strich: Der Dichter und die Zeit. Bern 1947, S. 58—60. — J. Rysy: Heimkehr zum Wort. In: Der Deutschunterricht, 1949, S. 64—75, bes. S. 71—73. — Ludwig Strauss: Friedrich Hölderlin: ›Hälfte des Lebens‹. In: Trivium, 1950, S. 100 bis 127 (auch in: Interpretationen. Hg. v. Jost Schillemeit, Fischer Bücherei. Bd. 1: Deutsche Lyrik von Weckherlin bis Benn. Frankfurt a. Main und Hamburg 1965, S. 113—134). — Elizabeth M. Wilkinson: Group-Work in the Interpretation of a Poem by Hölderlin. In: German Life & Letters, 1951, S. 248—260 (deutsche Übersetzung in: Studium Generale, 1952, S. 74—82). — Emmy Kerkhoff: Friedrich Hölderlins »Hälfte des Lebens«. In: Neophilologus, 1951, S. 94—107 (kürzer auch in: E. K.: Kleine deutsche Stilistik. Bern und München 1962, S. 102—114). — Wilhelm Blechmann: Hölderlins »Hälfte des Lebens« im Unterricht. In: Wirkendes Wort, 1951/52, S. 103—106. — Gottfried Benn in: Trunken von Gedichten. Hg. v. Georg Gerster, Zürich 1953, S. 97 f. — Johannes Klein: Hölderlin, Caspar David Friedrich, Eichendorff. In: Der Deutschunterricht, 1955, S. 26—37. — Hans Jürgen Geerdts: Zu Hölderlins Gedicht »Hälfte des Lebens«. In: Wissenschaftliche Zeitschrift der Ernst-Moritz-Arndt-Universität Greifswald. 1962. Gesellschafts- und sprachwissenschaftliche Reihe Nr. 5/6, S. 339—343. — Peter Szondi: Der andere Pfeil. Frankfurt a. Main 1963, S. 22—30 (auch in: P. S.: Hölderlin-Studien. Frankfurt a. M. 1967, S. 48—54). — Wolfgang Binder: Friedrich Hölderlin. »Der Winkel von Hardt«, »Lebensalter«, »Hälfte des Lebens«. In: Schweizer Monatshefte, 1965, S. 583—591. — Harro Stammerjohann: Ein Exempel aus der Wirkungsgeschichte Hölderlins: *Hälfte des Lebens*. In: Etudes Germaniques, 1966, S. 388 bis 393.

HYMNEN

WIE WENN AM FEIERTAGE ...

Wohl Ende 1799.
Erster Druck: Deutsche Dichtung, hg. und eingeleitet v. Stefan George und Karl Wolfskehl. Dritter Band: Das Jahrhundert Goethes. Zweite Ausgabe. Berlin 1910.
Die Überschrift fehlt in der Hs. Prosaentwurf (die Zeilenbrechungen entsprechen der Hs):

Wie wenn der Landmann am Feiertage das Feld
zu betrachten hinausgeht, des Abends, wenn
aus heißer Luft die kühlenden Blitze fielen
den ganzen Tag, und fern hin hallet der Donner,
und wieder in sein Ufer der Strom sinkt,
aber frischer grünet die Wiese u. der Kornhalm richtet
sich auf, vom erquickenden Regen des Himmel[s]
u. glänzend stehn in stiller Sonne die Bäume des Hains,

So stehen jetzt unter günstiger Witterung
die Dichter, die kein Meister allein, die wunder-
bar, allgegenwärtig, erziehet, in leichtem
Umfangen, die mächtige, die göttlich schöne Natur.
Drum, wenn zu schlafen sie scheint in Zeiten
des Jahrs, am Himmel oder unter Pflanzen oder den
Völkern, trauert der Dichter Angesicht auch. Sie scheinen allein zu sein.
Und wie des Helden Auge siegverkündend, von mächtigen
Gedanken entzündet, so ist jetzt entzündet
an den Taten des Lebens ein Feuer in der Seele
der Dichter u. was zuvor geschah, doch kaum gefühlt uns Schlafenden,
was täglich noch geschiehet, in göttlicher Bedeutung
ist/es/offenbar/geworden/u. eine neue Sonne/scheinet über
uns,/es blühet anders denn zuvor/der Frühling, wie Waldes Rauschen,
von göttlichem Othem bewegt,

so tönet [der] *geschäftiglärmende Tag um uns, und*
lieblich der Schlaf der Nacht, denn siehe nur

Und wir sängen
und wann der Wohllaut einer Welt in uns
wiedertönte, so sollt es klingen, als hätte der
Finger eines Kindes, mutwillig spielend,
das Saitenspiel des Meisters berührt? o schonet
nicht sein Saitenspiel, u. spottet
selber des Meisters, doch wenn sein Geist,
u. so wir tönen,
so hört e[r]*s nicht! doch*
andre werden es hören das Lied, das gleich
der Rebe, der Erd' entwachsen ist u. ihren
Flammen u. der Sonne [des] *Himmels*
u. den Gewittern, die in der Luft u. die
Geheimnisvoller bereitet, hinwander[n]*d*
Zwischen Himmel u. Erd, unter den Völkern, sind,
Gedanken sind, des göttlichen Geistes,
Still endend in der Seele des Dichters,
daß sie getroffen, von Alters ruhen[d] *in*
Unendlichem bekannt, von langen Erinnerungen
Erbebt in ihrer eigenen Tiefe,
Und ihr, von göttlichem [Feuer] *entzündet,*
Die Frucht, in Liebe geboren,
Des Himmels und des Menschen Werk
Der Gesang entspringt, damit er zeuge von beiden

So traf

Und alle trinken jetzt ohne Gefahr das himmlische Feuer
doch uns, ihr Dichter uns gebührt
Mit entblößtem Haupt, unter
Gottes Gewittern, zu stehen, und des
Vaters Strahlen, sie selbst, sie selbst
Zu fassen, und eingehüllet, u. gemildert,
im Liede den Menschen, die wir lieben, die himm-
lische Gabe zu reichen. Denn sind wir reinen Herzens
nur, den Kindern gleich sind schuldlos oder gereiniget von

Freveln
unsere Hände, dann tötet dann verzehret nicht das heilige
und tieferschüttert bleibt das innere Herz doch fest, mit-
leidend die Leiden des Lebens, den göttlichen
Zorn der Natur, u. ihre Wonnen, die der Gedanke
nicht kennt. Aber wenn von
selbgeschlagener Wunde das Herz mir blutet, und tiefverloren
der Frieden ist, u. freibescheidenes Genügen,
Und die Unruh, und der Mangel mich treibt zum
Überflusse des Göttertisches, wenn rings um mich

und sag ich gleich, ich wäre genaht, die Himmli-
[schen zu] *schauen, sie selbst sie werfen*
mich | tief unter die Lebenden alle, | den
falschen Priester hinab, daß ich, aus Nächten herauf, |
das warnend ängstige Lied | den Unerfahrenen singe.

Friedrich Beißner hat erkannt, daß das Fragment gebliebene, ursprünglich wohl neunstrophig geplante Gedicht in metrischer Hinsicht anders als die folgenden eigenrhythmischen Gesänge gestaltet ist: »Der Entwurf *Wie wenn am Feiertage* . . . bedeutet . . . einen Versuch, die eigentümliche Strophenresponsion der griechischen Chorlyrik in einem eigenen Gedicht nachzubilden, allerdings nicht ganz genau: Pindar läßt nämlich auf zwei metrisch gleichgeformte Strophen (Strophe und Antistrophe) eine abweichende Epode folgen (aab, aab . . .), während Hölderlin jeweils drei metrisch verschiedene Strophen zu einer Gruppe zusammenfaßt (abc, abc . . .). Es sind also nach demselben Versschema gebaut — oder richtiger (da der Versuch ja nicht zu Ende geführt worden ist): es sollen nach demselben Versschema gebaut werden die Strophen 1, 4, 7, nach einem zweiten Schema die Strophen 2, 5, ⟨8⟩ und nach einem dritten die Strophen 3, 6, ⟨9⟩. Die . . . triadische Gliederung hat Hölderlin auch in den meisten Vaterländischen Gesängen beibehalten . . . , nicht aber die genaue metrische Entsprechung der einzelnen Verse« (StA 2, 677).
Dieser bedeutsame metrische Unterschied zwingt freilich nicht dazu, die Hymne, wie Beißner es tut, von den in Ton und

Gehalt verwandten folgenden Gesängen abzusondern und sie einer anderen Gedichtgruppe zuzuordnen.
Die Hs des Prosaentwurfs schließt sich, auf demselben Blatt, unmittelbar an Hölderlins (24 Verse umfassende) Übersetzung der Bacchantinnen des Euripides an. Diese beginnt:

Ich komme, Jovis Sohn, hier ins Thebanerland,
Dionysos, den gebar vormals des Kadmos Tochter
Semele, geschwängert von Gewitterfeuer . . .

Gewiß hat diese Übersetzung die Anregung gegeben, den Mythos von der Geburt des Dionysos (*Bacchus*) in die Hymne aufzunehmen (v. 50—53), vermutlich sogar die Anregung zur Hymne als Ganzem, denn das Bild des Blitzes (Gewitters) als des befruchtenden Götterstrahls hat grundlegende Bedeutung für das ganze Gedicht.
Zum Mythos: Die thebanische Königstochter Semele ist die Geliebte des Zeus. Aus Eifersucht gibt Hera ihr den Rat, sie solle Zeus bitten, ihr in seiner wahren göttlichen Gestalt zu erscheinen. Zeus, durch ein Versprechen gebunden, muß Semeles Wunsch erfüllen. Sein Erscheinen als Gott verbrennt sie. Mit seiner Hilfe kann jedoch ihr Sohn, Bacchus, geboren werden.
Die Hymne hat wiederum das Wesen des Dichtertums zum Thema (vgl. die Erl. zur Ode *Dichterberuf*). Noch in der wenige Monate zuvor entstandenen Ode *Mein Eigentum* hatte der Dichter beim gleichen Thema nur von seinem Ich gesprochen. Jetzt wählt er die umfassende, überpersönliche Form der Rede von ›den‹ Dichtern (vgl. v. 10—17; 31). Dort war der Gesang dem Dichter *Asyl* und *Garten*. Hier ist die Aufgabe der Dichtung vom Ich weg ganz ins Allgemeine gewendet: der Dichter soll des Vaters Strahl dem Volke vermitteln (v. 56—60). Er wird Mittler des Göttlichen. In *Mein Eigentum* wurde der Bereich der wandelbaren Zeit und damit der Geschichte (vgl. *Der Zeitgeist*) nach Möglichkeit ausgeklammert, weil er die Ruhe des *Gartens* erschütterte. Die Hymne dagegen bezieht geschichtliche Ereignisse der Gegenwart ein (vgl. die Erl. zu v. 30) und stellt das Wesen des Dichters in unmittelbare Beziehung zur Zeitlichkeit.

Die Dichter werden von der *Natur* erzogen (v. 12 f.). Damit sind sie der höchsten Macht zugeordnet. Denn *Natur* ist hier Hölderlins Name für das Höchste, noch über den Göttern Waltende (vgl. v. 22), das er später *Vater* oder *der Höchste* nennt. Vgl. *Der Mensch,* v. 23 f.; *Germanien,* Erl. zu v. 42—48.

Da die Dichter der Natur zugeeignet sind, entsprechen sie ihrem Wesen und ihren Wandlungen. Schläft die Natur (v. 14), d. h. ist der belebende Zusammenhang aller Wesen, den die Natur stiftet, unterbrochen wie in Zeiten der Götterferne, so trauern auch ihre Zöglinge. *Erwacht* sie aber (v. 23), *so ist / Von neuem . . . / Ein Feuer angezündet in Seelen der Dichter* (v. 29—31).

Zur Zeit der Gedichtentstehung, *jetzt* (v. 19, 23, 30), ist nach vorausgegangener Trauer ein solcher begeisternder Umschwung eingetreten. Die Erklärung, dieser Neubeginn einer Epoche sei *mit Waffenklang* (v. 23) aus den *Taten der Welt* (v. 30), d. h. aus dem befreienden Zeitgeschehen der französischen Revolution und der nachfolgenden Kriege, entstanden, ist nur insofern richtig, als dieses Zeitgeschehen das Mittel ist, durch das die Natur ihr *Offenbar*werden (v. 33) ins Werk setzt. Das *Feuer . . . in Seelen der Dichter* ist nicht durch die *Taten der Welt,* sondern *an* ihnen entzündet worden (v. 30): die Taten sind nicht Ursache, sondern Anlaß. Der befreiende Umschwung geschieht letztlich *nach festem Gesetze* (v. 25), nämlich aus einer vorherbestimmten Notwendigkeit im Ablauf des *Vollendungsganges der Natur* (StA 6, 328) heraus. Zum Zeitpunkt des *Jetzt* liegt es im Sinne dieses Vollendungsganges, daß wieder eine Wechselbeziehung zwischen Göttern und Menschen hergestellt und so die Ganzheit der Welt verwirklicht wird (vgl. »Grundzüge der Dichtung Hölderlins«, oben S. 14 f.).

Daß die Natur erwacht ist (v. 23), besagt, daß jetzt *des gemeinsamen Geistes Gedanken* (v. 43) wirksam werden. Die Natur waltet als ein allen Wesen gemeinsamer Geist, der jetzt die Seele des Dichters trifft (v. 44) und in ihr den *Gesang* zeugt. Dieser ist so *der Götter und Menschen Werk* (v. 48 f.) und legt damit Zeugnis von der Ganzheit der Welt ab, die aus Erde und Himmel besteht. Der Gesang ist *Frucht*

(v. 48, 53) des *Strahles* (v. 47) wie Bacchus. Reinheit des Herzens (v. 61—66) bewahrt den Dichter vor dem Schicksal Semeles.

Zudem ist der Dichter, sofern er rein ist, nicht, wie Semele, *genaht, die Himmlischen zu schauen* (v. 70). Diese Hybris, durch die die Unterschiedenheit des Menschen vom Gotte und das Gesetz der *strengen Mittelbarkeit* (vgl. oben S. 20 ff.) verletzt wird, bleibt jedoch eine Gefahr des Dichters. Ihr sollte der Schluß des Gesanges gewidmet sein. Der Prosaentwurf ist an dieser Stelle ausführlicher. Er spricht von der Möglichkeit des Verlustes des *freibescheidenen Genügens.* Der Dichter ›genügt‹ seinem Wesen, wenn er, den *gemeinsamen Geist* erfahrend, sich die Reinheit des Herzens und damit die Befähigung erhält, *dem Volk ins Lied / Gehüllt die himmlische Gabe zu reichen.* Zum Genügen gehört die Bescheidung (vgl. *freibescheiden*), das Wahren der Distanz zum Gotte. Weil diese Bescheidung erst die Reinheit verbürgt, setzt Hölderlin neben die Verse 63—66 an den Rand des Blattes die Bemerkung: *Die / Sphäre /die höher / ist, als / die des Menschen / diese ist / der Gott.*

Die Hymne ist, indem sie das ›kommende‹ *Heilige* verkündet (v. 19 f.), wesentlich auf die Zukunft gerichtet. Freilich wird diese Zukunft hier als schon beginnend dargestellt: die Natur *ist* bereits *erwacht* (v. 23). In späteren Gedichten ruft Hölderlin demgegenüber den Beginn der neuen Weltepoche erst herbei. Der Anfang der Isterhymne lautet: *Jetzt komme, Feuer! / Begierig sind wir / Zu schauen den Tag . . .* Gemeinsam bleibt Hölderlins Dichtungen jedoch jetzt die Richtung auf das epochal Künftige.

1/10 *Wie wenn . . . So*: Vgl. *Am Quell der Donau,* v. 25/35.

34f. Vgl. *Dichterberuf,* v. 49.

38 Das *und* fehlt in der Hs. Es war jedoch schon einmal gesetzt und wieder aufgehoben worden (StA 2, 674, 15 f.). Seine erneute Setzung, die zur Verbindung der zwei Substantive (*Sonn* und *Erd*) erforderlich ist, unterblieb wohl nur versehentlich.

39 *Entwächst*: In der Hs steht *Entwacht.* Danach richtet sich Heideggers Text (a. a. O. S. 48). Beißner (StA 2, 674) macht demgegenüber auf mehrere Parallelstellen in anderen Gedichten aufmerksam, die die Form *entwacht* als »immer wieder vorkommenden Schreibfehler« erweisen. »Aber was besagen solche Parallelstellen-Belege überhaupt? Kann mit ihnen je eine Lesart ›bewiesen‹ werden? Wenn man solches für das vorliegende Beispiel behaupten wollte, müßte man die absurde Voraussetzung machen, daß Hölderlin selbst in seinem ganzen Werke nie *Entwacht* habe setzen können, . . . weil ein jedes Entwacht zum vornherein eine Verschreibung von *Entwächst* sein müsse« (Beda Allemann: Hölderlin und Heidegger. Zürich und Freiburg i. Br. 1956[2], S. 7). Im vorliegenden Fall ist jedoch zu berücksichtigen, daß Hölderlin in v. 38 schon einmal zu der fraglichen Verbform angesetzt und die (später wieder aufgehobenen) Buchstaben *entwä* niedergeschrieben hatte (StA 2, 674, 16). Die Setzung des Umlautzeichens beweist wohl zumindest, daß in v. 38 die Form *entwächst* beabsichtigt war; sie macht daher wahrscheinlich, daß Beißners (und vor ihm Hellingraths) Textentscheidung richtig ist. (Überdies setzt der Prosaentwurf an der entsprechenden Stelle *entwachsen* [Allemann a. a. O. S. 6].)

42 Der Punkt nach *Völkern* fehlt in der Hs. Demnach könnte auch, mir zwar nicht wahrscheinlich, eine grammatische Verbundenheit mit dem nächsten Vers beabsichtigt sein: *Die* [v. 40] . . . / . . . *unter den Völkern/Des gemeinsamen Geistes Gedanken sind,* . . . (vgl. Heinz Otto Burger: Die Hölderlin-Forschung der Jahre 1940 —1955. In: DVjs 1956, S. 329—366, bes. S. 330).

43 *sind,*: Unter der Voraussetzung, daß mit v. 43 ein neuer Satz beginnt (vgl. die Erl. zu v. 42), ist Heidegger zuzustimmen: »Mit Bedacht hat Hölderlin nach dem *sind* ein Komma gesetzt. . . . dieses Komma [legt] ein eigenes Gewicht in das *sind*. Die *erwachende Natur*, die *Begeisterung* ist gegenwärtig« (a. a. O. S. 65).

56 *unter Gottes Gewittern*: Vgl. Hölderlins Brief an Böhlendorff vom 4. Dezember 1801: *O Freund! die Welt liegt heller vor mir, als sonst, und ernster. Ja! es gefällt mir, wie es zugeht, gefällt mir, wie wenn im Sommer »der alte heilige Vater mit gelassener Hand aus rötlichen Wolken segnende Blitze schüttelt«. Denn unter allem, was ich schauen kann von Gott,*

ist dieses Zeichen mir das auserkorene geworden (StA 6, 427).
61f. Vgl. Michels Hinweis (S. 381 f.) auf Psalm 24, 3 f.: »Wer wird auf des Herrn Berg gehen? Und wer wird stehen an seiner heilgen Stätte? Der unschuldige Hände hat, und reines Herzens ist.«
61/63 Das *reine* Herz des Dichters und der *reine* Strahl des Vaters begegnen sich. Durch diese Begegnung von Verwandtem wird die Gemeinsamkeit des Geistes (v. 43) unmittelbar gestaltet. Diese Stilfigur ist bei Hölderlin recht häufig: vgl. *Der Tod des Empedokles,* 1. Fssg. v. 132, 2028 f., 2048; 2. Fssg. v. 405; *Friedensfeier,* 1. Entwurfsphase v. 58, *An die Madonna,* v. 119, *Am Quell der Donau,* v. 72, *Germanien,* v. 107 f., *Der Einzige,* 3. Fssg. v. 90 f., *Patmos,* Bruchstücke der späteren Fssg. v. 147, 174.

Friedrich Beißner: Hölderlins Übersetzungen aus dem Griechischen. Stuttgart 1933, S. 96—103. — Eduard Lachmann: Hölderlins Hymnen in freien Strophen. Eine metrische Untersuchung. Frankfurt a. Main 1937, S. 127—129. — Beißner: Bemerkungen zu Eduard Lachmanns Buch über Hölderlins Hymnen. Das Versmaß in Hölderlins Entwurf »Wie wenn am Feiertage«. In: Dichtung und Volkstum, 1937, S. 349—355. — Lachmann: Hölderlins erste Hymne. In: DVjs 1939, S. 221—251. — Beißner: Geschichte der deutschen Elegie. Berlin 1941, S. 236. — Martin Heidegger: »Wie wenn am Feiertage ... «. In: M. H.: Erläuterungen zu Hölderlins Dichtung. Frankfurt a. Main 1951², S. 47—74 (zuerst 1941). — Franz Dornseiff: Wie wenn am Feiertage das Feld zu sehn ein Landmann geht ... In: Geistige Arbeit, 5. Oktober 1942, S. 5. — S. S. Prawer: German Lyric Poetry. London 1952, S. 93—111: Hölderlin: *Der Abschied; Wie wenn am Feiertage* ... — Jakob Lehmann: Friedrich Hölderlin: »Wie wenn am Feiertage ... «. In: Wege zum Gedicht. München u. Zürich 1956, S. 182—190. — Hermann Pongs: Das ewige Herz in Hölderlins Dichtung. In: Worte und Werte. Bruno Markwardt zum 60. Geburtstag. Berlin 1961, S. 292—314. — Lawrence J. Ryan: Hölderlins prophetische Dichtung. In: Jb. d. dt. Schillergesellschaft 1962, S. 194—228, bes. S. 201—205. — Peter Szondi: Der andere Pfeil. Zur Entstehungsgeschichte von Hölderlins hymnischem Spätstil. Frankfurt a. Main 1963 (auch in: P. S.: Hölderlin-Studien. Frankfurt a. Main 1967).

DER MUTTER ERDE

Wohl Herbst 1800.
Erster Druck: Hell. 4, 1916.
Folgende Aufzeichnungen Hölderlins sind vermutlich ein Entwurf der Fortsetzung dieses unvollendeten Gesangs (die Zeilenbrechungen entsprechen der Hs):

O *Mutter Erde! du allversöhnende, allesduldende!*
hüllest du nicht so u. erzählest

und wie um jenen Erstgebornen
daß ich
Gemildert ist seine Macht, verhüllt in den Strahlen
u. die Erde birgt vor ihm die Kinder
ihres Schoßes [in] *den Mantel, aber, wir erfahren ihn doch.*
und kommende Tage verkünde, da
Viel Zeiten sind vorübergangen. und oft hat einer von
dir ein Herz im Busen gefühlt. Geahndet haben
die Alten, die frommen Patriarchen, da sie wachten bis jetzt
und im Verborgnen
haben, sich selbst geheim, in tiefverschloßner Halle dir
auch verschwiegne Männer gedienet, die Helden aber,
die haben dich geliebet, am meisten, und dich die Liebe
genannt,
oder sie [haben] *dunklere Namen dir, Erde gegeben, denn es*
schä-
met, sein Liebstes zu nennen, sich von Anfang der Mensch, doch
wenn er Größerem sich genaht, und der Hohe hat es gesegnet,
dann
nennt [er], *was ihm eigner ist, beim eigenen Namen.*
und siehe mir ist, als hört' ich den großen Vater sagen,
dir sei von nun die Ehre vertraut, und
Gesänge sollest du empfangen in seinem Namen,
und sollest indes er fern ist und alte Ewigkeit
verborgener und verborgener wird,
statt seiner sein den sterblichen Menschen, wie
du Kinder gebarest und erzog[st] *für ihn, so will er wenn*
die erkannt ist, wieder senden sie und neigen
zu die Seele der Menschen.

Die Namen der drei Brüder *Ottmar, Hom* und *Tello* sind wohl von Hölderlin erfunden. Lehmann (S. 291) nimmt, nicht ganz überzeugend, an, sie deuteten »auf den Äther (Odem), die Erde (Tellus) und das Licht als besonderen Genius des Menschen (Homo)« hin. Beißner (StA 2, 684) macht auf zwei Oden Klopstocks aufmerksam, die ebenfalls als Wechselgesang gestaltet sind: »Der Hügel, und der Hain« und »Hermann«.

Auch dieses Gedicht ist ganz auf die künftige Offenbarung des Göttlichen gerichtet (vgl. *Wie wenn am Feiertage . . .*). Alle drei Brüder singen aus der Nachtzeit heraus in Erwartung des Kommenden: Ottmar singt *statt offner Gemeine* (= Gemeinde; v. 1), gleichsam als Ersatz und Vorspiel für den *Chor des Volks* (v. 14). Hom singt *einsam* (v. 32) von *müßigen Zeiten* (v. 41) und von der Unbekanntheit des Gottes (v. 57 f.). Tellos Worte weisen darauf hin, daß das Göttliche noch nicht empfangen wurde (v. 61) und daß der Mensch auch durch vorschnell-eigenmächtige Rede, die das göttliche Wort nicht abwartet, nichts ausrichten würde. Das Göttliche muß sich zu seiner Zeit, von den Menschen freilich ersehnt, als einbrechendes Ereignis selbst offenbaren. Einstweilen wartet die Welt. Sage (v. 71), Irrtum (v. 72), rastloses Schweifen (v. 73), aber auch das achtsame Schauen des *Hirten* (v. 76), der die Ahnung des Kommenden bewahrt, gehören zur Zeit des Wartens.

Der Gesang ist *Der Mutter Erde* gewidmet. Diese erscheint in allen drei Teilgesängen. Sie wird als grundgebende, eherne Feste (v. 25), als die Verschwiegene (v. 60), die die Heiligtümer in der Zeit der Not bewahrt, und als die, die Gebirg und Meer Raum gibt (v. 68—70), genannt. Die Erde ist *Mutter,* d. h. sie gibt Grund und Raum und so die Möglichkeit des Daseins. Als Mutter des Menschen erscheint sie schon im Gedicht *Der Mensch* (v. 13). Ihr mütterliches, bewahrendes Wesen befähigt sie auch zu den Aufgaben, zu denen die Prosafortsetzung des Gesangs (s. o.) sie berufen glaubt: Der *große Vater* — so nennt Hölderlin jetzt den höchsten, noch über den Göttern stehenden Bereich, der in *Wie wenn am Feiertage . . .* noch *Natur* hieß (vgl. dort v. 21—23 und die Erl.) — ist fern, d. h. die *alte Ewigkeit,* der gemeinsame

Grund, aus dem sich die geschichtlichen Einzelgottheiten und Epochen entfalten, wird *verborgener und verborgener*. Der Höchste entzieht sich — es ist Weltnacht — und läßt die Erde *statt seiner sein den sterblichen Menschen*. Diesen Wink glaubt der Dichter vom *Vater* zu empfangen. Das Aufgreifen des Winks ist ein Zeichen der Achtsamkeit des schauenden Hirten (v. 76). Vgl. die Erl. zu *Germanien*, v. 75—80.

2—10 Ottmar vergleicht seinen *Gesang* mit dem ersten Klang eines Harfenspiels, bei dem, *Wie zum Versuche*, zunächst nur eine einzelne Saite tönt. Bald gesellen sich weitere Töne dazu, deren Zusammenklang auf den erhofften *Chor des Volks* (v. 14) voraufdeutet.

15 *wenn . . . schon*: Obgleich.

18—20 Vgl. *Der Archipelagus*, v. 59—61; *Der Rhein*, v. 106—114. Hölderlin gebraucht *wahr* hier im Sinne von ›erscheinend‹, ›offenbar‹, ›seiend‹. Ähnlich auch in *An Eduard*, 2. Fssg., v. 19; *Blödigkeit*, v. 2; *Der Gang aufs Land*, v. 12; *Brot und Wein*, v. 81/83; *Mnemosyne*, 1. Fssg., v. 18; *Patmos*, Bruchstücke der späteren Fassung, v. 179.

21 *Noch aber*: »Zu ergänzen etwa: › . . ist die Zeit nicht gekommen, daß der Chor des Volks den heiligen Vater preist‹; die Fortsetzung dann (v. 23—30) betont, daß der Gott gleichwohl von Uranfang schon gewirkt, *ein reines Gesetz* geschaffen und *reine Laute gegründet* hat (v. 29 f.)« (Beißner, StA 2, 685). Das *reine Gesetz* (vgl. *An die Madonna*, v. 98) ist in Verbindung zu bringen mit dem *Schicksalgesetz . . . , daß Alle sich erfahren* (*Friedensfeier*, v. 83). Der Aspekt des *reinen Gesetzes* als *Schicksalgesetz* macht deutlich, warum es an dieser Stelle des Gedichtes auftaucht: weil es das gegenseitige Sicherkennen aller Wesen herbeiführt, ist durch sein Bestehen die Gewähr gegeben, daß der *Chor des Volks* einmal Wirklichkeit werden wird.

39 *danken*: Vgl. v. 58, 61. Zum Begriff des Danks vgl. die Erl. zu *Lebenslauf*, v. 14.

48 Beißner (StA 2, 685) vermutet, daß hinter *Gott* versehentlich ein Wort ausgelassen ist (die Hs hat keine Lücke) und erschließt folgenden Sinn: »Wie (= sobald als) ein Gott sich von der Erde abkehrt, sinken die Arme der (betenden) Menschen.« Eher als an ein Beten ist wohl beim Sinken der

Arme an den mißlingenden Versuch (v. 47), den *Bogen* zu spannen (v. 44 f.), zu denken.
63 *Ni*: Zu ergänzen wohl etwa: ›Nicht ist es erlaubt‹.
65 *anders Recht*: Der *Höhere* hat auf andere Weise Recht als Menschen; wenn er sein Wort aufspart, so darf der Mensch mit ihm darüber nicht rechten.

Wolfgang Binder: Hölderlins Namenssymbolik. In: Hölderlin-Jb. 1961/62, S. 95—204, bes. S. 130 f. (zu der Stelle des Prosa-Entwurfs: *oder sie* [haben] *dunklere Namen dir, Erde gegeben*).

AM QUELL DER DONAU

Wohl 1801.
Erster Druck: Hell. 4, 1916.
Der Anfang des Gesangs fehlt in der Reinschrift. Hinweise auf das Fehlende gibt der Entwurf (3. Ansatz):

Dich Mutter Asia! grüß ich,
und fern im Schatten der alten Wälder ruhest, und deiner Taten
denkst,
der Kräfte, da du, tausendjahralt voll himmlischer Feuer, u. trunken ein unendlich
Frohlocken erhubst daß uns nach jener Stimme das Ohr noch jetzt, o Tausendjährige tönet,
Nun aber ruhest du, und wartest, ob vielleicht dir aus lebendiger Brust
ein Wiederklang der Liebe dir begegne,
mit [der] *Donau, wenn herab*
vom Haupte sie dem [diese Zeile ist in der Hs getilgt]
Orient entgegengeht [: *entgegengehen* Hs]
und die Welt s[ucht] *und gerne*
die Schiffe trägt, auf kräftiger
Woge komm' ich zu dir

Die erhaltenen sieben Strophen haben 15, 12, 12, 16, 12, 12 und 14 Verse. Da der Gesang wohl, wie viele der großen Hymnen, triadisch (in Dreier-Strophengruppen) gegliedert war, und da der fehlende Teil, wie aus der Länge des Entwurfs hervorgeht, keinesfalls 5 Strophen umfaßt, ist anzunehmen, daß am Anfang zwei Strophen von je 12 Versen fehlen (entsprechend den beiden 12-zeiligen Strophen am Anfang der zweiten und dritten Strophentrias). — Der Titel ist im Entwurf überliefert.

Der Stromlauf und seine Richtung nach Osten werden als Zeichen von geistiger Bedeutsamkeit verstanden (vgl. *Die Wanderung* und *Der Rhein*). Indem die Donau nach Osten fließt, bahnt sie dorthin einen Pfad und weist dem abendländischen Menschen den Weg (vgl. auch die Hymne *Der Ister* [= Donau]). Im Osten liegt *Mutter Asia* (Entwurf; ferner v. 38, 80), der ›Orient‹, das Aufgangs- und Ursprungsland. Dorthin eilt der Strom, *Des Ursprungs noch in tönender Brust gedenk* (*Diotima* [1800], v. 9). Dort lebten die *Patriarchen* und *Propheten* (v. 79), dort entstand das erste Gespräch mit *Gott* (v. 84—86). So kommt das göttliche *Wort* ursprünglich *aus Osten* (v. 36); der Orient war eine frühe, wenn nicht die erste *Kolonie* des eilenden Weltgeistes (*Brot und Wein*, Variante zu v. 154; vgl. dort die Erl.). Dessen erweckende Stimme kommt jetzt *zu uns* (v. 40—42), nach Hesperien. Vgl. *Brot und Wein*, v. 149 f.; ferner »Grundzüge der Dichtung Hölderlins«, oben S. 16 ff.

Das Wort *kommt* freilich zu uns (v. 40), aber es hat in Hesperien noch keine *Kolonie* gebildet im Sinne einer vom Göttlichen durchdrungenen Gemeinschaft (vgl. *Der Mutter Erde*). *Die menschenbildende Stimme* (v. 42; das ist wörtlich zu nehmen: der Mensch ist erst dann Mensch geworden, wenn er den Gott vernommen hat) ist noch eine *Fremdlingin* (v. 40). *... es steht / Vor Göttlichem der Starke niedergeschlagen* (v. 50 f.). Daher folgt dem begeisterten Frohlocken des Anfangs ein stillerer, erwägender Ton (v. 43—86), der der Besinnung auf die Unzulänglichkeit der Menschen der Gegenwart (v. 43—67) und dem Andenken an die größeren Zeiten des Altertums (v. 68—86) angemessen ist.

Dann *aber* (v. 86) wird bedacht, daß die eben voraufgegangene Erinnerung an die *Alten* (v. 88) den Heutigen gar nichts helfen könnte, wenn jene Alten uns nicht Hinweise gegeben hätten, *woher* (v. 88) ihnen ihre Stärke (v. 80) und ihr Verständnis (v. 84) dem Göttlichen gegenüber kamen. Während

nämlich ihre Reden (v. 85) und Schriften geschichtlich-einmalige Ereignisse sind, die von den Heutigen nicht wiederholt werden können und dürfen, deutet jenes *woher* auf den ewig bleibenden Bereich der *Natur* (v. 90) selbst, auf den die Heutigen ebenso wie die Alten angewiesen sind. Weil die Alten uns, zugleich mit ihren Reden und Schriften, auf deren Herkunft aus der *Natur* verwiesen, wissen wir jetzt von dieser; wir können sie *nennen* (v. 89) und darauf vertrauen, daß ihr unsere künftigen Götter ebenso *neu* (v. 90) wie seinerzeit die griechischen ›entsteigen‹ werden.
Dieser Anruf an die Natur und die Besinnung auf sie gibt den beiden folgenden Schlußstrophen wieder eine gewisse Festigung: es wird der *Treue* gedacht (v. 99), die den Menschen mit dem Vergangenen und mit dem Bleibenden verbindet (vgl. *Die Wanderung*, v. 18); auch die Anwesenheit *guter Geister* (v. 104) der Vergangenheit stärkt ihn. Dennoch kommt noch keine volle Sicherheit auf: unsicherer Gang (v. 92), Staunen (v. 106) und Sinnen (v. 109) bleiben zunächst die Antwort des Menschen auf die neue geschichtliche Lage. Die göttliche Stimme ist nach wie vor *eine Fremdlingin.*
25/35 *wie wenn . . . so*: Vgl. *Wie wenn am Feiertage . . .*, v. 1/10.
35 *Der Chor der Gemeinde*: Vgl. *Der Mutter Erde*, v. 1, 14.
37 *Parnassos . . . Kithäron*: Bergzüge in Griechenland.
39 *Kapitol*: Hügel in Rom.
40 *Fremdlingin*: Vgl. *Brot und Wein*, v. 17.
68 *Doch einige wachten*: Diesen ist das Andenken (v. 74 f.) an die Alten zu danken, das zwar nicht die unmittelbare Erfahrung der *Natur* ersetzen kann (vgl. oben die Erl. zu v. 86 bis 91), das aber doch in der götterlosen Zeit an einem großen Beispiel das Wissen von *göttlichgesendeten Gaben* (v. 63) wachhielt.
74 *wohlgeschieden*: Vgl. *Patmos*, v. 10—12, und dort die Erl.; ferner »Grundzüge der Dichtung Hölderlins«, oben S. 16 ff.
75 *Isthmos*: Landenge bei Korinth, wo die Isthmischen Spiele stattfanden.
76 *Cephiß*: Fluß bei Athen. — *Taygetos*: Gebirge bei Sparta.
83 *Taglang auf Bergen gewurzelt*: »Und Mose ging mitten

in die Wolke, und stieg auf den Berg; und blieb auf dem Berge vierzig Tage und vierzig Nächte« (2. Mose 24, 18.).
86—91 *Aber wenn . . . alles Göttlichgeborne*: Beißner (vgl. StA 2, 695 f.) hält diese beiden Sätze für »ein syntaktisches Ganzes«: »Der (konzessive) Nebensatz schließt nämlich v. 89 *Wir nennen dich* noch ein, und mit *heiliggenötiget* beginnt erst der Hauptsatz.« Dagegen spricht jedoch, daß Hölderlin in einer späteren Überarbeitung die Verse 89—91 (nicht aber die Verse 86—88) durch Ausstreichung getilgt hat und daß der (wiederum später) erwogene Ersatz dieser Verse mit den Worten *Denn Naturgang ändert* beginnt (StA 2, 693, 11—13). Hölderlin hat also die Verse 89—91, einschließlich der Worte *Wir nennen dich*, eindeutig als eine syntaktische Einheit behandelt. Zugleich damit bezeugt die späte Änderung, daß der vorhergehende Satz mit dem Worte *woher?* endet: die Fortsetzung *Denn Naturgang ändert* läßt sich auf keine Weise syntaktisch mit *woher?* verknüpfen. Vgl. oben die zusammenhängende Erl. dieser Verse.
93 Wohl kommt auch zu uns, wie damals zu den Alten, die *Natur*; aber wir können ihr nicht die gleiche *Pflege* angedeihen lassen, denn jede neue Offenbarung der Natur verlangt eine neue Weise der Begegnung. Wir kennen unsere Art der *Pflege* noch nicht. Daraus entsteht Unsicherheit.
94f. Das Gedenken an die *Kindheit*, die Nähe zum Ursprung, hilft, sich heimisch *Im Hause* (der *Natur*) zu fühlen.
96 *Sie leben dreifach*: »Die Dreizahl weist auf die angemessene, umschreibende Form, in der von den Göttern gesprochen werden kann und zugleich auf die Art, wie wir mit dem eigenen Selbst zwischen neuen Naturglauben und alte Überlieferung gestellt sind« (Böckmann S. 405). — Vgl. *Germanien*, v. 94.
100—112 In v. 100—103 sind eindeutig noch die *Alten* (v. 88), die *Schicksalssöhne* der Antike (v. 103) angeredet. Dagegen bleibt es offen, ob auch die Anrede *Ihr guten Geister* (v. 104) noch die *Schicksalssöhne* meint, oder ob hier schon die Götter des Altertums angeredet werden (worauf die *heilige Wolk* v. 105 zu deuten scheint). Ab v. 107 sind wohl mit Sicherheit die Götter angeredet (vgl. dagegen Böckmann S. 405, Beißner StA 2, 697 f.): *Nektar* (v. 107) können

die *Alten,* selbst als *Geister,* kaum austeilen, er ist eine göttliche Gabe; und die Bitte, den Menschen zu schonen, damit er *bleiben möge* (v. 111 f.), ergeht bei Hölderlin sonst nur an Götter (vgl. *Dichterberuf,* v. 53 f.). Es geht Hölderlin hier eindeutig um das *Bleiben im Leben* (*Der Frieden,* v. 32), nicht nur um die Bewahrung vor der Gefährdung, die eine »allzusehr hingegebene *Pflege* des griechischen Buchstabens« (Beißner a. a. O.) bedeuten würde. Das *Bleiben im Leben* kann nur durch die Gewalt des Göttlichen selbst bedroht sein.
Es kommt hinzu, daß Hölderlin in v. 107—110 bei einer späten Überarbeitung die zweite Person Plural konsequent durch die dritte ersetzt hat (*Sie aber würzen* . . .): so wird der Übergang vom Bereich der Menschen zu dem der Götter noch deutlicher bezeichnet.
Daß die Schlußstrophen sich abwechselnd der (griechischen) Überlieferung und dem Göttlichen zuwenden, ist ein weiteres Zeichen für das Tasten des Neubeginns, das jeden Halt dankbar annimmt.
105 Nach *dann* fügt Hölderlin später mit Bleistift die Anrede *mein Conz* ein. Damit widmet er den Gesang Carl Philipp Conz, einem seiner Lehrer am Tübinger Stift. Vgl. *Stuttgart,* v. 100; *Die Wanderung,* v. 108 (Variante); *Der Rhein,* v. 212; *Patmos,* v. 199.
113—117 Vgl. *Der Einzige,* 1. Fssg., v. 84—86. — »Daß der Dichter auch im erhabensten Hymnus plötzlich eine gewissermaßen private Betrachtung anstellt über sich selber und sein Tun, ist ganz Pindarisch . . . « (Beißner, StA 2, 698). Zugleich mit ihrer ›privaten‹ Bedeutung zeugen diese Verse jedoch von der gegenwärtigen weltgeschichtlichen Lage des Abendlandes (s. o.): weil dieses noch nicht seine gültige Wesensform gefunden hat, ist ein weniger ungewisser Ausgang der Hymne noch nicht möglich.

DIE WANDERUNG

Wohl Frühjahr 1801.
Erster Druck: Flora. Teutschlands Töchtern geweiht. Tübingen 1802.
Das Gedicht steht in enger Beziehung zur Hymne *Am Quell*

der Donau: Wenn der Dichter dort am *Quell* des Stroms verharrte und als Antwort auf dessen (nach Osten gerichteten) Lauf das *Wort aus Osten* vernahm, so unternimmt er hier eine Wanderung nach Osten, *fortgezogen von Wellen der Donau* (v. 33). Zum Strommotiv bei Hölderlin vgl. *Der Rhein*.
Die beiden Anfangsstrophen preisen Schwaben (*Suevien*), die Heimat. Dieser breite Raum, der in einem *Die Wanderung* überschriebenen Gedicht dem Ausgangspunkt des Wanderns gegeben wird, läßt schon eine besondere Bedeutung der Heimat für die Wanderung selbst vermuten. Jäh folgt mit der dritten Strophe das Streben des Dichters nach Osten, zum *Kaukasos*, das bis zum Ende der fünften Strophe durch die Erzählung einer anderen, früheren Wanderung, die auch zum *schwarzen Meere* (v. 37) ging, veranschaulicht und gerechtfertigt wird. Strophe 6 und 7 vergegenwärtigen Griechenland, *Ionia* (v. 65, 86): der Dichter hat, während er von jenen früheren Wanderern erzählte (v. 31—63), gleichsam selbst die Wanderung vollzogen (vgl. *Drum bin ich / Gekommen*, v. 87 f.). Die beiden Schlußstrophen sprechen den Sinn seines Kommens aus und lenken damit zugleich zum heimatlichen Anfang der Hymne zurück: *Doch nicht zu bleiben gedenk ich. / ... nur, euch einzuladen, / Bin ich zu euch, ihr Grazien Griechenlands, / ... gegangen, / Daß ... / Zu uns ihr kommet, ihr Holden!* Griechenland ist für den Dichter nicht das Ziel, sondern nur eine Station seiner Reise. Das endgültige Ziel ist wieder die Heimat, und damit zeigt sich der Sinn ihrer ausführlichen Darstellung zu Anfang. Das Wesen der Heimat soll durch griechisches Wesen bereichert werden. Die *Wanderung* wird um der Heimat willen unternommen. Diese hat als eine künftige *Kolonie* des *Geistes* (*Brot und Wein*, Variante zu v. 152 ff.) eine zentrale Stellung im Denken Hölderlins erhalten, während früher Griechenland und die Klage um seinen Untergang im Mittelpunkt standen (vgl. »Grundzüge der Dichtung Hölderlins«, oben S. 16 ff.).
1—24 *Suevien* meint ›Schwaben‹ in einem weiten Sinn: die Alpen sind benachbart (v. 7 f.); Städte am Rhein (v. 22) gehören dazu, der Rhein selbst ist Sueviens Sohn (v. 94); ein später Zusatz zu v. 20 nennt die Städte *Heidenheim* und

Neckarsulm. Die so gezogenen Grenzen Sueviens decken sich »fast genau mit dem mittelalterlichen Herrschaftsbereich der Staufer« (Müller S. 493). Die Anführung der Lombardei als der *Schwester* Sueviens (v. 2 f.) trägt ebenfalls dazu bei, dieses in einen großen geschichtlichen Raum zu stellen. Vor allem aber liegt Suevien *nah dem Herde des Hauses* (v. 8), womit das *Alpengebirg* (vgl. *Der Rhein,* v. 4—9), zugleich aber auch schon der *Ursprung* selbst (v. 19) gemeint ist. *Drinnen* (v. 9; vgl. *Heimkunft,* v. 1) in den Alpen schmelzen Eis und Schnee und tränken die Erde (v. 9—17), ein Vorgang, der »von dem Zusammenwirken von Licht, Erde und Wasser« (Böckmann S. 407) und so von den göttlichen, ursprungshaften Kräften des *Herdes* zeugt.

5 *weißblühend und rötlich*: Müller (S. 493) macht auf eine mögliche Beziehung zu v. 80—82 aufmerksam: »mit den weißblühenden Bäumen und mit den rotblühenden [sind] die Gastpflanzen gemeint, die in der siebten Strophe als Gaben der Musen wiedergenannt werden.«

25 *Ich aber will dem Kaukasos zu!*: Zunächst nimmt sich dieser Entschluß des Dichters wie der genaue Gegensatz zum Beharren Sueviens und seiner Kinder am *Ort* (v. 19) aus. Erst später (v. 91, 98 ff.) wird die beabsichtigte Rückkehr ausgesprochen, um deretwillen der Dichter die Reise überhaupt nur unternimmt. Diese Ausfahrt ins Fremde und Rückkehr ins Eigene ist eine Grundfigur des Hölderlinschen Denkens nach 1800.

28 Vgl. *Dem Allbekannten,* v. 1.

32 *das deutsche Geschlecht*: Auf der Suche nach einem historischen Vorbild dieses Mythos denkt Böckmann (S. 407) an Züge der Goten ans Schwarze Meer, Müller (S. 496) erwähnt »die schwäbische Auswanderung vom Jahre 1770 . . . , als Landsleute die Donau hinunterfuhren und zwischen Wolga und Schwarzem Meer Siedlungssitze erhielten.«

33 ›Indem es still fortgezogen wurde‹.

39 *Das gastfreundliche*: Das war der griechische Name des Schwarzen Meeres (Pontos euxeinos).

57—60 Die Nachkommen des *deutschen Geschlechts* (v. 32) und der *Kinder der Sonn'* (v. 36) sind die Griechen. Das geht aus der Beziehung von v. 58 (*schöner, denn Alles*) zu den in

v. 68 (*ihr Schönsten!*) eindeutig gemeinten Griechen hervor. Die Frage v. 60—63, die die gegenwärtige Wohnung dieser *Verwandten* erkunden möchte, wird vom folgenden *Dort* (v. 64, 68) nur für die Vergangenheit (*Dort wart auch ihr*) beantwortet. Die *Schönsten* sind in der Gegenwart nicht mehr anzutreffen. Beißner (StA 2, 718) meint, die Wortstellung *auch ihr* (v. 68; statt ›ihr auch‹) deute darauf, daß die *Schönsten* (v. 68) nicht mit den *Verwandten* von v. 61 identisch seien. Die Verse sind jedoch wohl so zu verstehen: ›*Dort*, wo ich jetzt ebenfalls angekommen bin (vgl. v. 87 f.), *dort wart auch ihr* . . . ‹.
65 *Kayster*: Fluß in Lydien und Ionien (Kleinasien).
71 *Tayget*: Taygetos, Gebirge auf der Peloponnes.
Hymettos: Gebirge bei Athen.
73 *Parnassos Quell*: Die Kastalische Quelle.
Tmolos: Gebirge in Lydien, auf dem der Kayster (v. 65) entspringt.
89 *Thetis*: Tochter des Meergottes Nereus, Mutter Achills.
90 *Ida*: Gebirge in Phrygien (Kleinasien) in der Nähe von Troja.
94—96 Der *Rhein* will Suevien ans Herz stürzen, indem er nach Norden in den Bodensee fließt. Dann aber, zurückgestoßen vom nördlichen Land, richtet er seinen Lauf nach Westen (vgl. *Der Ister*, v. 48 f.).
99 *Grazien* (= *Charitinnen*, v. 109): Göttinnen der Anmut.
103—107 Beschreibung des ›Klimas‹ beim Anbruch des erhofften künftigen Göttertages.
108 Später fügt Hölderlin nach *sagen* die Anrede *mein Storr* ein, womit vermutlich der Nürtinger Oberamtmann Wilhelm Ludwig Storr (oder aber ein Lehrer in Tübingen, Gottlob Christian Storr) gemeint ist. Vgl. *Stuttgart*, v. 100; *Am Quell der Donau*, v. 105 (Variante); *Der Rhein*, v. 212; *Patmos*, v. 199.

DER RHEIN

1801.
Erster Druck: Musenalmanach für das Jahr 1808. Hg. v. Leo Frhr. von Seckendorf.

Die größte Strom-Dichtung Hölderlins (vgl. ferner *Der Main, Der Neckar, Der gefesselte Strom, Ganymed, Am Quell der Donau, Der Ister*; *Heidelberg*, v. 13 ff., *Stimme des Volks*, v. 13 ff.).
Der Strom ist kein bloßes Naturding, sondern nimmt als *Halbgott* (v. 31) eine ausgezeichnete Stellung im Ganzen der Welt ein. Der Strom ›bedeutet‹ nicht einen Halbgott, verweist also nicht — etwa als dessen Erscheinung — auf den Halbgott als auf etwas anderes, sondern i s t ein Halbgott in einfacher Identifikation. Jedes bloße Allegorisieren ist dem Denken Hölderlins fremd. Alle individuellen Besonderheiten des Stroms, wie die Richtung des Laufs und ihre Änderungen, das Verhältnis zu angrenzenden Bergzügen usw., sind Wesensäußerungen des jeweiligen Halbgotts oder zeugen von seinem Befolgen göttlicher Winke.
Alle Ströme fließen letztlich *in den Ozean freudig nieder* (*Der Main*, v. 40), und das meint zugleich: sie suchen *ins All zurück die kürzeste Bahn* (*Stimme des Volks*, v. 13), denn der Ozean, der alle Wasser vereinigt, ist ein Zeichen der Einheit des Alls. Hölderlins Beurteilung dieses Lebensziels der Ströme wandelt sich. Anfängliche unbedingte Bejahung (vgl. z. B. *An den Frühling*, v. 12—16) wird später zu achtungsvoller Distanzierung (vgl. z. B. *Stimme des Volks*, v. 7; *Ganymed*, v. 22—24 und dazu die Erl.). Indem der Strom sich *ins All zurück* sehnt, teilt er nicht die Überzeugung des späteren Hölderlin, daß das Lebende in seiner endlichen Gestalt ausharren muß. So ist auch in dieser Hymne die Bezähmung des eigenen Wünschens und die Bescheidung in die dem endlichen Wesen gesetzten Grenzen ein Hauptthema.
In seinem Verlauf scheint das Gedicht den Rhein zu verlassen. Es wendet sich anderen Erscheinungsformen des Heroisch-Halbgöttlichen zu, so daß ein Titel, der das Gemeinsame aller Gedichtteile zu Wort brächte (etwa ›Die Heroen‹), als angemessener erscheinen könnte. Dennoch entspricht die gewählte Überschrift genau dem Auszusagenden. Ein individuelles Wesen wie der Rhein ist bei Hölderlin, unbeschadet seiner Individualität, zugleich ein Zeichen. Es verweist auf anderes, da es am *gemeinsamen Geiste* aller Wesen (*Wie wenn am Feiertage . . .*, v. 43) teilhat. So wird der Dichter, indem er dem

Individuum *Rhein* nachdenkt, gleichsam von der Sache her aufgefordert, das, worauf der Rhein verweist, ebenfalls in sein Nachdenken einzubeziehen. Er bleibt beim Rhein selbst, indem er dessen Hinweisen folgt und zu anderem weiterschreitet. Das volle Wesen des Stroms bliebe unausgeschöpft, wenn seine Verweise nicht befolgt würden.

Eine von Hölderlin später über den Gedichtanfang geschriebene Bemerkung erörtert den Aufbau der Hymne: *Das Gesetz dieses Gesanges ist, daß die zwei ersten Partien der Form* [nach] *durch Progreß und Regreß entgegengesetzt, aber dem Stoff nach gleich, die 2 folgenden der Form nach gleich, dem Stoff nach entgegengesetzt sind, die letzte aber mit durchgängiger Metapher alles ausgleicht.* Die folgende Erläuterung dieses *Gesetzes* stützt sich vielfach auf die grundlegenden Ausführungen von Ryan (a. a. O.).

Als *Partie* ist jeweils eine Folge von drei Strophen zu verstehen; das fünfzehnstrophige Gedicht hat demnach fünf *Partien. Die zwei ersten* sind *dem Stoff nach gleich*: Strophe 1—6 behandeln den Lauf des Rheins. Zugleich sind sie *der Form* [nach] *durch Progreß und Regreß entgegengesetzt*: die Aussageweise schreitet in der ersten Partie von ruhiger (Strophe 1) über kraftvoll-gespannte (Strophe 2) zu überpersönlich-deutender (Strophe 3) Darstellung voran. Das ist der *Progreß*. Der *Regreß* folgt in der zweiten Partie (Strophe 4—6): hier verfährt die Darstellungsweise gleichsam rückläufig, nämlich von der Höhe der deutenden Haltung (die sich in Strophe 4 fortsetzt) zurück zum ›stillen Wandeln‹ (vgl. v. 85) des späteren Stromverlaufs, das etwa dem ruhigen Beginn des Gedichts entspricht. Die beiden ersten Partien verhalten sich also »spiegelbildlich zueinander« (Ryan S. 253), wobei sich »die zweite als Realisierung des auf dem Gipfelpunkt der Idealität verkündeten Gesetzes« (*Ein Rätsel ist Reinentsprungenes*, v. 46) entfaltet (Ryan S. 254).

In den beiden nächsten Partien (dritte Partie = Strophe 7—9; vierte Partie = Strophe 10—12) ist das Verhältnis von *Form* und *Stoff* umgekehrt. Sie sind untereinander *dem Stoff nach entgegengesetzt*: indem das Thema des Rheinlaufes scheinbar verlassen wird (s. o.), stellt die dritte Partie, die die Mitte des Gedichts bildet, allgemein »die heroische Existenzform«

(Ryan S. 256) dar — das Schicksal des Rheins war ein Sonderfall des Heroischen —; die vierte ist *Rousseau* (v. 139) gewidmet, also dem Heroischen in einer individuellen menschlichen Gestalt.
In dieser Weise stofflich entgegengesetzt, sind beide Partien *der Form nach gleich*: jede für sich enthält den Ablauf von Progreß und Regreß, wie er sich zuvor in der doppelten Strophenanzahl entfaltete. Der Progreß der dritten Partie erstreckt sich von v. 90—114: er geht aus von sechs Versen (v. 90—95), die noch dem konkreten Rheinstrom gewidmet sind, wenngleich auch sie schon auf das dem Konkreten innewohnende, allen Formen des Heroischen eigene geistige Gesetz zielen, indem sie auf die Notwendigkeit hinweisen, den *Ursprung* im Gedächtnis zu behalten. Die Möglichkeit des Vergessens des Ursprungs (v. 90, 93) ruft die Frage hervor, wer diese Möglichkeit in die Welt gesetzt hat (v. 96—98), und läßt den Progreß dieser Partie sich erheben zu einer vom konkreten Einzelfall gelösten Betrachtung des Wesens des Trotzes (v. 101) vor den Göttern, dessen Erscheinungsformen (v. 99—104) die Folge des Vergessens des Ursprungs sind. Der Gipfel des diesmaligen Progresses wird in v. 105—114 erreicht, wo ein höchstes Gesetz des Verhältnisses von Göttern und Sterblichen zu Wort kommt. Noch in v. 114 setzt der Regreß ein: die Höhe des reinen Gesetzes wird von der Aussage des *Gerichts* der Götter (v. 114—120) abgelöst, das denjenigen trifft, der jenes Gesetz nicht achtet. In Strophe 9 (v. 121—134) klingt der Regreß in der beruhigten (vgl. v. 134) Darstellung des Schicksals des Maßhaltenden aus, der die Grenzen jenes Gesetzes nicht überschreitet, aber gleichwohl ein *Kühner* (v. 134), also einer der Heroen ist, von denen das ganze Gedicht handelt.
In ähnlicher Weise vollzieht sich der Ablauf von Progreß und Regreß in der 4. Partie, wobei der Höhepunkt des Progresses von den Versen 150—152 gebildet wird, die wiederum ein allgemeingültiges Gesetz aussprechen (Einzelheiten s. u.). Von der letzten, fünften Partie (Strophe 13—15) heißt es, daß sie *mit durchgängiger Metapher alles ausgleicht.* Dieser Ausgleich von *allem,* also von jeglicher Spannung, vollzieht sich primär in einem grundlegenden Bereich, an dessen Aus-

gleich alle anderen Bereiche teilhaben, nämlich im Verhältnis von Göttern und Menschen. Die Spannung zwischen beiden, die in der 8. Strophe im *Gericht* der Götter bildhaft erschien, ist jetzt *ausgeglichen* (v. 182): *Dann feiern das Brautfest Menschen und Götter* (v. 180). Dieser ungeheure Ausgleich, der Gipfel der Geschichte, nämlich die Verwirklichung der unterschiedenen Einheit von Himmel und Erde, vollzieht sich in der Schlußpartie *durchgängig*, d. h. einheitlich, ohne Entgegensetzung von Progreß und Regreß. Vielmehr ist die Schlußpartie in mehrfacher Hinsicht als ein einziger Regreß aufzufassen: von der Höhe der unbedingten Idealität (v. 180 bis 183) herabsteigend widmet sie sich mehreren irdischen Realisierungen des Ausgleichs, stetig fortschreitend vom Allgemeineren zum Konkreteren (vgl die Abfolge *die Tapfern, die Liebenden, die Unversöhnten — ein Weiser — mein Sinclair*). Auch steigt sie vom Brautfest (dem Göttertag) zur folgenden *Nacht* (v. 194) herab (s. u.).
Betrachtet man das Gedicht als Ganzes, so sind die ersten vier (in sich durch Progreß und Regreß mehrfach gegliederten) Partien gleichsam als e i n großer Progreß aufzufassen: »... weil im Verhältnis des Stoffes ... [dieser] Partien zueinander eine fortschreitende Versöhnbarkeit festzustellen ist (das Toben des Rheins und die ›Mühelosigkeit‹ Rousseaus sind Anfangs- und Endpunkt dieser Entwicklung), können wir auch in thematischer Hinsicht von einem Fühlbarwerden der herannahenden Versöhnung sprechen« (Ryan S. 268). Diesem ›Gesamt-Progreß‹ der ersten zwölf Strophen folgt und antwortet der beschriebene Regreß der drei letzten.
11—15 Das Schweifen der Seele nach *Italia* und *Morea* (= Peloponnes) ist kein zufälliges Motiv, das etwa nur auf eine plötzliche Stimmung des Dichters zurückzuführen wäre. Obwohl es hier nicht näher ausgeführt wird, steht es in Zusammenhang mit Hölderlins genau durchgearbeiteten Vorstellungen vom Verhältnis des abendländischen Dichters zur Antike (vgl. »Grundzüge der Dichtung Hölderlins«, oben S. 16 ff.): die in die Fremde abgeschweifte Seele sieht sich durch das Vernehmen des Strom-Schicksals (v. 10 f.) auf das Eigene (den abendländischen Bereich) zurückverwiesen.
19 *ihm*: Vorausdeutung auf den noch nicht genannten Rhein.

Dessen endliche Nennung, die namentlich erst in v. 33 erfolgt, wird lange vorbereitet: *Ein Schicksal* (v. 11) — *ihm* (v. 19) — *Jüngling* (v. 24) — *Halbgott* (v. 31) — *edelster der Ströme* (v. 32). Dieses spannungerzeugende Hinausschieben der endgültigen Nennung hat eine Parallele im Satzbau: das Subjekt oder ein anderes wichtiges Wort, auf das die Aussage des Satzes hinzielt, wird häufig, unter Voranstellung mancher Einschiebsel, erst am Satzende genannt (vgl. v. 24 *Den Jüngling*; v. 27 *die Eltern*; v. 31 *Das Rasen des Halbgotts;* v. 37 *die königliche Seele*).

34f. *Brüder*: Rhein, Tessin und Rhone entspringen nahe beieinander.

37 *Nach Asia*: Der Rhein fließt zunächst nach Osten, also *nach Asia* zu; ins Geistige gewendet: er sehnt sich nach dem feurigen Urgrund des antiken Wesens (vgl. Böschenstein a. a. O. S. 31 ff. u. 47 f.). So ist im Schicksal des Flusses das Verhalten des Ich vorgebildet: der Rhein wendet sich, nach anfänglicher Sehnsucht nach Asien, in nördliche Richtung; das Ich überwindet das Streben nach Italien und Griechenland und widmet sich dem Schicksal des heimischen Stroms (vgl. die Erl. zu v. 11—15).

38—41 Zwei syntaktisch ungegliederte ›Kurzsätze‹, die einen fühlbaren Gegensatz zu den weitgebauten ›Spannungsgefügen‹ besonders der Verse 16—37 bilden. Während dort der Bereich des Irdisch-Vielfältigen, Bedingten zu Wort kam, geben die beiden Kurzsätze einem unbedingten Gehalt Ausdruck. Daher haben sie die gnomisch-festgefügte Form deutender Weisheitssprüche. Sie stehen beherrschend in der Strophe: Das *Doch* des ersten Satzes (v. 38) richtet gleichsam das Vorhergehende; und auf den zweiten folgt mit dem *Denn*-Satz (v. 41—45) ›nur‹ noch eine nähere Erläuterung. In der hier erreichten Höhe des Unbedingten gipfelt der Progreß der ersten Partie (s. o.). Vgl. »Grundzüge der Dichtung Hölderlins«, oben S. 15 f.

46f. Zwei weitere Kurzsätze schließen sich an. Der erste (*Ein Rätsel ist Reinentsprungenes.)* gilt dem Wesen des rein aus dem Ursprung Hervorgehenden. Er ist von höchster Allgemeinheit. Daher hat er die dichteste Form. Der zweite Satz (*Auch Der Gesang . . .*) wendet sich dem Verhältnis des Gesangs zum Reinentsprungenen zu, hat also bei aller Allgemeingültigkeit, die auch ihm eigen ist, einen spezielleren Charakter. Das spiegelt sich gleichsam darin, daß in ihn Wörter wie *Auch* und *kaum* aufgenommen werden, die eine gewisse Lockerung der strengen Hoheit des vorangehenden Satzes bewirken.

Die Gnome *Ein Rätsel ist Reinentsprungenes* (vgl. v. 91 bis 95) bezieht sich zumindest auf den Rhein selbst und auf die anderen *Göttersöhne* (v. 41), die rein aus dem Ursprung hervorgehen. Wie weit ihre Gültigkeit darüber hinaus reicht, kann nur aus dem Wesen des Ursprungs selbst entschieden werden. Kann überhaupt Unreines aus dem Ursprung hervorgehen? In der Hymne *An die Madonna* heißt es: *Nichts ists, das Böse* (v. 84). Das Böse, lediglich als solches gesehen, ist *nichts*. Es wird erst ›etwas‹, wenn der Grund von Reinheit, der auch in ihm anwesend ist, in den Blick tritt. Reinheit eignet auch dem Bösen vom Ursprung her; sie ist somit der unverlierbare Anteil aller Wesen am *gemeinsamen Geiste* (*Wie wenn am Feiertage . . .*, v. 43). Der *Gottesgeist* ist *jedem* Wesen *eigen* und *allen gemein* (*Hyperion*, StA 3, 148). Vgl. auch *Patmos*, 1. Fssg., v. 88: *Denn alles ist gut*. So ist der Grund aller Wesen vom Ursprung her rein. Freilich können sie ihre Reinheit im Lauf ihres Daseins vergessen oder verleugnen und ›roh‹ werden (vgl. u. a. *Die Titanen*, v. 64 bis 66; ferner, auf einer früheren Stufe, die Unzulänglichkeit der Deutschen, die Hyperions Scheltrede hervorruft). Aber diese Nichtachtung einer Wesensanlage ändert nichts an ihrem Vorhandensein.

Demnach enthält der Satz *Wie du anfingst, wirst du bleiben* (v. 48) den Hinweis: die Wesen können die ihnen vom Ursprung her mitgegebene Reinheit nicht verlieren. Es ist also fraglich, ob die Verse 48—53 mit einem Hinweis auf Goethes Kommentierung der »Urworte Orphisch« (Böckmann S. 394; Beißner, StA 2, 733) zureichend erläutert sind, die den »Dämon« als die »bei der Geburt unmittelbar ausgesprochene, begrenzte Individualität der Person, das Charakteristische, wodurch sich der Einzelne von jedem andern bei noch so großer Ähnlichkeit unterscheidet« versteht. In Hölderlins Versen liegt zwar auch ein Hinweis auf das Individuell-Unterscheidende; ebenso sprechen sie jedoch das vom Ursprung her Verbindende im Charakter der Einzelwesen aus, so daß sie im ganzen, implicite, deren unterschiedene Einheit darstellen. — Zum Begriff des Ursprungs vgl. Wentzlaff-Eggebert a. a. O. — Ders.: Die Bedeutung des Ursprungsgedankens für die Schicksalsauffassung in Hölderlins Jugendlyrik. In: Festschrift Kluckhohn-Schneider. Tübingen 1948, S. 299—316.

69 *Zahne*: Var. *Schlunde*. — *lachend*: Die grammatische Konstruktion, der Anakoluth, gestaltet unmittelbar das inhaltlich ausgesagte ›Zerreißen‹ (v. 70). Ebenso wird das Spalten der Erde (v. 74) — der Durchbruch des Stroms durchs Gebirge — sprachlich dargestellt, indem die Wortgruppe *wie der Blitz* (v. 73) die mit *wenn* (v. 71) begonnene Konstruktion durchbricht und also gleichsam den Satz ›spaltet‹. Ihre ausdrucksstarke Voranstellung nimmt Hölderlin erst vor, nachdem er zunächst die Wortfolge *er muß, wie der Blitz / Die Erde spalten* niedergeschrieben hatte. Vgl. *Germanien*, Erl. zu v. 42—48.

90 *Doch nimmer, nimmer vergißt ers*: Charakteristisch für Hölderlins Spätstil ist die Häufigkeit von Konjunktionen, die, wie hier das *Doch*, die Art der gedanklichen Verknüpfung der Sätze und Strophen betonen und zugleich in zunehmendem Maße Härte, Nüchternheit, Unterscheidung bewirken. Vgl. »Grundzüge der Dichtung Hölderlins«, oben S. 15 f.; ferner u. a. v. 16, 29, 38, 40, 41, 43, 47, 64, 76, 91, 105, 109, 114, usf. — Was der Rhein *nimmer vergißt*, wird erst einige Verse später ausgesprochen (v. 93 f.). Zudem weist die sprachliche Form in v. 90, die auf ein neutrales Objekt des Vergessens (vgl. *ers*) zielt, noch nicht eindeutig auf den gemeinten *Ursprung* (v. 94). Diese doppelte, nur scheinbare ›Undeutlichkeit‹ muß aus dem hymnischen Bewußtsein verstanden werden, dem das Auszusagende ständig als Ganzes gegenwärtig ist. Daher kann etwas, was an weit zurückliegender Stelle ausgesprochen wurde, unmittelbar wieder aufgenommen werden: das ›es‹ (v. 90) weist etwa auf das Reinentsprungensein (v. 46) oder auf das lebenslange Freibleiben (v. 55 f.) zurück.

91 *Wohnung*: Die Behausung des Menschen, nicht im ge-

läufigen Sinn von ›Haus‹, sondern als das grundlegende Wohnenkönnen auf der Erde zu verstehen. Vgl. u. a. *Schwer verläßt, / Was nahe dem Ursprung wohnet, den Ort* (*Die Wanderung*, v. 18 f.) und *Voll Verdienst, doch dichterisch, wohnet der Mensch auf dieser Erde* (*In lieblicher Bläue* ..., Text S. 462 f.).
92 *Satzung*: Das göttliche Gesetz, das das Wohnenkönnen ermöglicht.
96—98 Vgl. *Verflucht die Asche des / der zuerst / Die Kunst erfand aus Liebebanden / Seile zu winden* (*Bundestreue*, erster Entwurf der Ode *An Eduard*).
99—101 Beißner vermerkt (StA 2, 734), *des eigenen Rechts* sei abhängig von *gewiß*. Für den zweiten Genetiv (*des himmlischen Feuers*) nimmt Böschenstein (a. a. O. S. 73) an, er sei »zugleich abhängig von ›gewiß‹ und von ›spotten‹.«
109—114 Die *Seligsten*, die Götter, können nichts fühlen, denn ein Fühlenkönnen setzt voraus, daß der Fühlende zunächst des zu Fühlenden ermangelt und es sich erst im Fühlen zueignet. Dieser Mangel ist den Seligsten fremd, weil sie, die im Zustande der Ungeschiedenheit existieren, keine Objekte kennen, auf die sich ein Fühlen richten könnte. Daraus ergibt sich ihr Angewiesensein auf den fühlenden, weil von anderem geschiedenen Menschen. Daß auf diese Weise ein höchstes Gesetz im Gedicht zu Wort kommt, ist nicht etwa ein Abschweifen vom Thema. Vielmehr begründet dieses Gesetz die Notwendigkeit der Existenz von Heroen. Diesen ist die ganze Hymne gewidmet.
116 *der*: Nicht der, den die Götter *brauchen* (v. 114), sondern der *Schwärmer* (v. 120).
121—134 Die Strophe hat durchaus noch Beziehungen zur Darstellung des Rheins in den Anfangsstrophen (vgl. auch z. B. *Gestade*, v. 125). Zugleich aber hebt sie, gemäß der mittlerweile erreichten umfassenderen Bedeutungsebene, jenen Einzelfall des Heroischen in allgemeinerer Betrachtung auf.
135—179 »Die Aussage *Halbgötter denk' ich jetzt* beziehen wir nicht etwa nur auf die folgende Partie, sondern eher auf das Gedicht als Ganzes, ... vor allem aber auf die vorangehenden Partien« (Ryan S. 260). Die Beziehung des

Jetzt insbesondere auf das Vorhergehende wird dadurch gestützt, daß *Rousseau* (v. 139), dem die folgenden Verse gelten, in einen gewissen Gegensatz zu den *jetzt* bedachten Halbgöttern gestellt wird: diese kennt der Dichter (v. 136), während er sich bei Rousseau fragen muß, wie er ihn, den *Fremden*, nennen soll (v. 149). Auf diesen Unterschied deutet auch das *aber* (v. 139).

Die Besonderheit des Rousseauschen Heroentums erscheint in den Versen 150—152, die gleichsam eine Antwort auf die vorhergehende Frage sind. Rousseau ist ein Sohn der Erde, er empfängt *Mühlos* alles. Dies und seine allumfassende Liebe (*Alliebend*, v. 151), die den *Liebesbanden* (v. 97) gehorcht, hebt seine Gestalt vom Zürnen (v. 80) und Trotz (v. 101) der früher bedachten Halbgötter ab. Zwar ist er *Unüberwindlich* und *starkausdauernd* (v. 140 f.): darin gleicht er jenen. Doch zugleich spricht er *törig göttlich / Und gesetzlos sie die Sprache der Reinesten* (v. 145 f.): er hat, weil er *Alliebend* ist, so unmittelbar an der ursprünglich göttlich beseelten Welt (vgl. die Erl. zu v. 46 f.) teil, daß er, *aus heiliger Fülle* schöpfend (v. 144), noch hinter die Einsetzung von Gesetzen zurückgreift (vgl. *gesetzlos*) und also gleichsam den chaotischen, noch ungestalteten göttlichen Urgrund selbst zu Wort bringt. Rousseaus Heroentum beruht somit insbesondere in der Ursprünglichkeit seiner alliebenden Einsicht in die *heilige Fülle* der göttlichen ›Natur‹.

Sobald er jedoch aus dem mühelos-unbewußten Zustand des Empfangens (v. 151) heraustritt und die Fülle des Empfangenen *bedenket* (v. 158), zeigt sich, daß er trotz allem ein Sterblicher bleibt (v. 154): die Fülle schreckt ihn (v. 154), und er zieht sich vom unmittelbar sengenden göttlichen *Strahl* (v. 161) zurück. Damit aber befolgt er schon den göttlichen Willen, der den Söhnen das Leben sparen möchte (v. 76 f.), und zeigt höchste Einsicht in die *Grenzen* (v. 127) des Menschen (vgl. »Grundzüge der Dichtung Hölderlins«, oben S. 20 ff.). *Mühlos* also empfängt er sogar noch die Fähigkeit zur Bescheidung. (Darauf wies schon das *Drum* [v. 153]: der Schrecken ist das Mittel, durch das der sterbliche Mann zur mühelosen Bescheidung hingeführt wird.) Rousseau erweist sich als der Heroe einer doppelten Einsicht: er beherzigt

den Anspruch der Fülle der Natur und die Notwendigkeit des Maßhaltens. Er verwirklicht damit die Forderung nach Ursprungsnähe und zugleich Bescheidung, die die vorausgegangene, mittlere ›Partie‹ (Strophe 7—9) gestellt hatte.
Das bedeutet: Rousseau erfüllt die dem Heroen gestellten Aufgaben so vollkommen, daß sein Dasein zum Anzeichen der bevorstehenden Versöhnung der Menschen und Götter wird. So kann die ihm gewidmete ›Partie‹ zu der letzten hinführen (Strophe 13—15), die das *Brautfest* (v. 180) beim Namen nennt. *Abends* (v. 168), am *Abend der Zeit* (*Friedensfeier*, v. 111), der der Versöhnung vorausgeht, bereitet sich die Begegnung des erwachten Heroen mit dem göttlichen Lichte (v. 169) vor, das nun *milder* ist, nicht mehr verzehrend, so daß der Mensch sich nicht mehr vor ihm zu schützen braucht.

163 *Am Bielersee*: »Hölderlin hat Rousseaus Aufenthalt auf der Petersinsel [im Bielersee] im Sinn. Die Erinnerungen daran, die 1776/77 niedergeschrieben und 1782 unter dem Titel ›Rêveries d'un promeneur solitaire‹ aus dem Nachlaß veröffentlicht wurden, müssen auf Hölderlin einen Eindruck gemacht haben, der ihn, mindestens seit 1789 (›An die Ruhe‹), durch sein ganzes Leben und Dichten begleitete« (Heinz Otto Burger: Die Hölderlin-Forschung der Jahre 1940—1955. In: DVjs 1956, S. 329—366, Zitat S. 353). — Zu Rousseau vgl. die Ode *Rousseau* und dort die Erl. Ferner Rudolf Buck: Rousseau und die deutsche Romantik. Berlin 1939.

194 *die Nacht kommt*: Vgl. *Brot und Wein*, v. 15. Das *Brautfest* ist nicht der Zeit entrückt, es dauert nur *eine Weile* (v. 183). Auch die schon einmal gewesene Gegenwart der Götter, im Altertum, ist wieder vergangen. Der *Göttertag* muß in die *Nacht* einer neuen Götterferne übergehen.

196 *Dies*: Das Brautfest, das *Beste* (v. 201).

197 *Behalten*: Dieses Wort wird in v. 201 bedeutsam wiederholt. Die Zeit der Götterferne stellt als schwerste Aufgabe das Gedenken an die Entschwundenen. Der Heroe dieses *Behaltens* ist der *Weise* (v. 206), mit dem hier Sokrates gemeint ist. (V. 206—209 spielen auf eine Episode in Platons *Gastmahl* an.) Indem der Weise die ganze Fülle der im

Brautfest erlebten Versöhnung im Gedächtnis in die Nacht hinüberrettet, erfüllt er auf eine ähnlich vollkommene Weise die Aufgaben der Zeit nach dem Ereignis des Besten, wie Rousseau diejenigen der Zeit davor (s. o.).
210—221 Eine verworfene Fassung der Schlußstrophe lautet:

Und du sprichst ferne zu mir,
Aus ewigheiterer Seele,
Was nennest du Glück,
Was Unglück? wohl versteh' ich die Frage,
Mein Vater! aber noch tost
Die Welle, die mich untergetaucht
Im Ohr mir, und mir träumt
Von des Meergrunds köstlicher Perle.
Du aber, kundig der See,
Wie des festen Landes, schauest die Erde
Und das Licht an, ungleich scheinet das Paar, denkst du,
Doch göttlich beide, denn immer
Ist dir, vom Aether gesendet
Ein Genius um die Stirne.

Angeredet ist hier noch Wilhelm Heinse (1746—1803, der Verfasser des Künstlerromans »Ardinghello und die glückseligen Inseln«; Hölderlin hatte ihn 1796 auf der Reise nach Kassel und Bad Driburg kennengelernt). Ihm war das Gedicht zunächst gewidmet. Heinses Frage *Was nennest du Glück, / Was Unglück?* bezieht sich auf v. 205 des Gesangs. Die Grenzen von Glück und Unglück verschmelzen vor dem auf das Ganze der Welt (nämlich auf das scheinbar ›ungleiche Paar‹ *Erde* und *Licht* [= Himmel]) gerichteten Blick Heinses. Der Dichter aber, von der *Welle* der Zeit in die augenblickliche Not der Götterferne getaucht, kann sich noch kaum zu so umfassender Überschau aufschwingen.
Auch die Endfassung ist zunächst noch Heinse gewidmet; erst spät, wohl nach Heinses Tod 1803, schreibt Hölderlin *Sinclair* (v. 212) über *Heinze* (zu Sinclair vgl. die Ode *An Eduard* und dort die Erl.). Der Blick des Freundes für das Göttliche ist vom Auseinanderklaffen der Extreme göttlicher Erscheinungsformen (*In Stahl . . . In Wolken*) unbeirrbar und

auch unabhängig von den Wandlungen der Zeit: er erkennt *das Lächeln des Herrschers* sowohl *Bei Tage* (v. 216) als auch *Bei Nacht* (v. 219), wenn der versöhnende Abend vorbei und das Licht ganz geschwunden ist und die *Welle* der Zeit (vgl. die frühere Fssg.) das anfängliche Chaos wieder emporwälzt.

215 *das Lächeln des Herrschers*: Das Motiv des göttlichen Lächelns kehrt bedeutsam an vier Punkten der Hymne wieder: vgl. v. 77, 133, 172. Es zeigt jeweils die Möglichkeit der Versöhnung des Menschlichen mit dem Göttlichen an (vgl. Ryan S. 274).

Otto Olzien: Hölderlin: Der Rhein. In: Gedicht und Gedanke. Hg. v. Heinz Otto Burger, Halle 1942, S. 176—201. — Müller S. 454 bis 479. — Martin Heidegger: Erläuterungen zu Hölderlins Dichtung. Frankfurt am Main 1951², S. 98—100. — Lothar Kempter: Hölderlin in Hauptwil. St. Gallen 1946, S. 73—78. — Friedrich Wilhelm Wentzlaff-Eggebert: Die Erfahrung von Ursprung und Schicksal in Hölderlins Lyrik (1795—1801). In: Hölderlin-Jb. 1947, S. 90—126, bes. S. 117—125. — Friedrich Beißner: Vom Baugesetz der späten Hymnen Hölderlins. In: Hölderlin-Jb. 1950, S. 28—46; bes. S. 38 ff. — Hildegard Brenner: »Die Verfahrungsweise des poetischen Geistes«. Eine Untersuchung zur Dichtungstheorie Hölderlins. Diss. Berlin 1952 [masch.-schr.], S. 151—191. — Ulrich Busch: Hölderlins Rheinhymne [masch.-schr.]. Um 1952. [Im Hölderlin-Archiv]. — Walter Hof: Hölderlins Stil als Ausdruck seiner geistigen Welt. Meisenheim am Glan 1954, S. 189—202 und 420 bis 423. — Beda Allemann: Hölderlin und Heidegger. Zürich u. Freiburg i. Br. 1956², S. 141—146. — Ulrich Hötzer: Die Gestalt des Herakles in Hölderlins Dichtung. Stuttgart 1956, S. 89—105. — Ladislaus Mittner: Motiv und Komposition. In: Hölderlin-Jb. 1957, S. 73—159, bes. S. 114—120. — Bernhard Böschenstein: Hölderlins Rheinhymne. Zürcher Beiträge zur deutschen Literatur- und Geistesgeschichte Nr. 16. Zürich u. Freiburg i. Br. 1959. — Ryan S. 249—277. — Wolfgang Binder: Hölderlins Namenssymbolik. In: Hölderlin-Jb. 1961/62, S. 95—204, bes. S. 160 f. — Lawrence J. Ryan: Hölderlins prophetische Dichtung. In: Jb. d. dt. Schillergesellschaft 1962, S. 194—228, bes. S. 207—215. — Emery E. George: A family of disputed readings in Hölderlin's hymn ›Der Rhein‹. In: The Modern Language Review, 1966, S. 619 bis 634.

GERMANIEN

Wohl 1801.
Erster Druck: 1) v. 49 f. u. v. 62—64: Carl C. T. Litzmann: Friedrich Hölderlins Leben. In Briefen von und an Hölderlin. Berlin 1890; 2) das Ganze: Litzmann 1896.
Zum Aufbau der Hymne vgl. die Erl. zu v. 81—112.
Hölderlin wendet sich, wenn er hier wie in den späten Gedichten überhaupt *unmittelbar das Vaterland* anspricht (an Friedrich Wilmans, 8. Dezember 1803), der *verbotenen Frucht* zu:

> *Verbotene Frucht, wie der Lorbeer, aber ist*
> *Am meisten das Vaterland. Die aber kost'*
> *Ein jeder zuletzt,*
> (*Einst hab ich die Muse gefragt* ..., v. 6—8)

Das *Vaterland, Germanien,* darf erst ›gekostet‹ (d. h.: die in ihm angelegten Wesenskräfte können erst dann erprobt) werden, wenn zuvor das fremde Wesen des griechischen Altertums erfahren und so das eigene ergänzt wurde. Dann erst ist der Abendländer zum *freien Gebrauch des Eigenen* vorbereitet, der *das schwerste* ist (vgl. »Grundzüge der Dichtung Hölderlins«, oben S. 17 f.). Der Anfang der Hymne *Germanien* (v. 1—32) bedenkt in immer neuen Wendungen die Notwendigkeit dieses Schwersten, der Rückkehr aus der Fremde ins Eigene (d. h.: nach *Germanien*). In dieser Situation hat der Flug des Adlers, des Geistesboten, zu Germania (v. 42 ff.) einen doppelten Sinn: er zeigt an, daß der auf seinem Pfade weitereilende Weltgeist (vgl. *Der Tod des Empedokles*, 1. Fssg. v. 1816 f.) sich Germanien als eine neue *Kolonie* ausersehen hat (vgl. *Brot und Wein*, var. zu v. 152 ff.), und zugleich gibt er dem Ich die Bestätigung, daß es mit der Rückkehr zum Eigenen den richtigen Weg einschlägt. Denn der Entschluß zu dieser Rück- und Umkehr (v. 1—3, 11—13, 15 f.) hat die Fähigkeit und Bereitschaft geweckt, den Flug des Adlers, die Erwählung Germanias und somit den künftigen Weg des Geistes wahrzunehmen.
1—16 Die griechischen Götter darf der Dichter nicht mehr rufen (v. 3), denn sie sind gestorben (v. 16). Der Geist ist,

seitdem sie im Altertum *erschienen sind* (v. 1), weitergeeilt, und so entsprechen sie nicht mehr seinem Standort. Ein Anruf an sie wäre daher jetzt unwahr (vgl. v. 17 f.). Freilich sind sie dem Dichter *zu lieb* (v. 13). Diese Wendung deutet jedoch ein zu korrigierendes Übermaß der Liebe an. Zudem sieht der Dichter ein, daß die Rückkehr zu den Alten lediglich eine Flucht (v. 12) vor den Anforderungen der Gegenwart und der künftigen Götter (v. 30—32) wäre.
Die Entschiedenheit, mit der diese Erkenntnis in die Tat umgesetzt wird, steigert sich im Verlauf der Strophe: in v. 3 (*Sie darf ich ja nicht rufen mehr*) klingt es beinahe noch wie Bedauern, mit v. 12 aber (*Und rückwärts soll die Seele mir nicht fliehn*) ist eindeutige Entschlossenheit erreicht. Die Schlußverse (v. 14—16) vermögen sogar schon eine gefestigte Begründung für die Unmöglichkeit der Rückkehr zu den alten Göttern zu geben. Dennoch ist die Anhänglichkeit an die *Vergangenen* (v. 13) nicht einfach abzutun: die nächste Strophe beginnt mit einem nochmaligen Anruf an sie.
3—6 Die Frage dieser Verse (*was will es anders*) erhält keine unmittelbare Antwort. Sie muß etwa wie ›was will es denn anders‹ gelesen werden. Denn wenn das Herz sich jetzt den *heimatlichen*, kommenden Göttern zuwendet, so will es, obwohl diese neuen Götter unvergleichlich anders sein werden, in einem letzten Grunde nichts anderes als bisher: die neuen Götter sind, wie die alten, Erscheinungsformen des Geistes (sie heißen geradezu *Die Alten, so die Erde neubesuchen*, v. 29); und den Geist an seinem jeweiligen Orte zu gewahren, ist die bleibende Aufgabe des Dichters.
17 *Entflohene Götter! . . . ihr gegenwärtigen*: Obwohl die alten Götter entflohen sind, sind sie im Andenken der Menschen noch gegenwärtig.
19 Der Dichter will, obwohl ihm die griechischen Gottheiten so lieb sind (v. 13), weder *leugnen*, daß sie ihre Zeiten hatten (v. 18), also jetzt nicht mehr im eigentlichen Sinne ›wahr‹ sind (v. 17 f.), noch will er *erbitten*, sie wieder *rufen* (v. 3) zu dürfen.
30—32 Die Versuchung zu ungeschichtlicher Rückkehr zu den alten Göttern ist endgültig überwunden. Der Ton von Erwartung und Verheißung eines Kommenden, von Anfang

an unüberhörbar (vgl. v. 6—10), steigert sich jetzt zum Bewußtsein des Drängens der neuen *Göttermenschen.* »Die Götter heißen hier wohl deshalb so, weil sie jetzt bereit sind, den Menschen in einer Gestalt zu erscheinen, die ihnen nicht gefährlich ist« (Beißner, StA 2, 740). Dieser Satz ist der vierte *Denn*-Satz der beiden ersten Strophen (v. 6 ff., 14 ff., 20 ff., 30 ff.). Er nimmt in genauer Analogie zum zweiten (v. 14—16) die drei letzten Verse der Strophe ein. Das erste und vierte Denn begründen die Hinwendung zum Vaterland; sie geben gleichsam den positiven Rahmen für das zweite und dritte Denn ab, die die Abwendung von den alten Göttern erläutern.

33—38 Die Bereitschaft und Offenheit des Landes ist die Antwort auf das Drängen der Götter (v. 30). — *Vorspiel rauherer Zeit*: Die Kargheit der Götterferne.

40 *Das treue Bild*: Vgl. v. 22. Das Bild, das am Beginn der Weltnacht die Menschen verließ, kehrt auf die Erde zurück.

42—48 Die Einführung des Adlers leitet zum Hauptteil über, der seine Begegnung mit Germania darstellt. Der Adler kommt als *Bote* (v. 58) vom *Vater* (v. 46), d. h. von dem über den Göttern waltenden Geiste (vgl. die Erl. zu *Wie wenn am Feiertage . . .*). Er kommt *vom Indus* (v. 42), also vom *Orient* (v. 37), und kündigt eine der von dort ausgehenden *Wandlungen* (v. 38) an. — Die Syntax dieses großen Satzes gestaltet unmittelbar seinen Gehalt: Zunächst stellt ein dreifacher Und-Anschluß (v. 42, 43, 45) die langschwingende Weiträumigkeit des Adlerfluges dar. Die verbindungslos eingeschobene Wendung *hoch über den Opferhügeln / Italias* hat statischen Aussagewert und verkörpert gleichsam eine kreisende Umschau des Adlers in den Lüften, der späht, ob die neue Kolonie noch nicht erreicht sei. In v. 46 wird der Hauptsatz weitergeführt, jedoch mit einem Anakoluth (vgl. *Der Rhein*, Erl. zu v. 69); vor das Überschwingen der Alpen, das im üblichen Satzablauf zunächst folgen würde, türmen sich als syntaktische Gestaltung des gebirgigen Hindernisses drei adverbiale Bestimmungen (*nicht wie sonst*, *geübter im Fluge*, *jauchzend*) und eine Apposition (*Der Alte*). Dieser Anakoluth stellt im Durchbrechen der begonnenen Konstruktion gleichsam den Durchbruch d

Geistes zu seiner neuen Kolonie dar. Sobald der Durchbruch vollendet ist, kann der Satz gelöst ausklingen (v. 47 f.).
49—57 Der Adler *suchet* (v. 51) die Priesterin Germania; er kennt sie also schon von früher (vgl. v. 65—67) und ›erkennt‹ (v. 58) sie daher beim Finden wieder. Sie ist von vornherein sein Ziel. Für ihre Aufgabe, Statthalterin der neuen Kolonie des Geistes zu sein, ist Germania aufs beste vorbereitet: sie hat die Gabe *tiefer Einfalt* (v. 50) und offenen Schauens (v. 51); sie ist *groß an Glauben* (v. 56) und ahnte daher in der Zeit der Götterferne *ein Besseres* (v. 54), die Wiederkehr des Geistes. Ihr fehlt aber noch die Einsicht, daß sie das Geschaute aussprechen und mitteilen muß, um eine Gemeinde des Geistes zu schaffen (v. 49 f.). Mit seiner Rede (v. 62 ff.) will der Adler in ihr vornehmlich auch diese Einsicht wecken (vgl. v. 83, 97).
52 *ein Sturm*: Die Revolutionskriege. Vgl. *An eine Fürstin von Dessau*, v. 10—12, und dort die Erl.
59 *unzerbrechliche*: Der Grund der Unzerbrechlichkeit Germanias liegt in ihrer *Einfalt* (v. 50), deren Kraft und Reinheit sie immun macht gegen Beirrungen durch vordergründige Zeitereignisse.
61 *Der Jugendliche*: »Der Adler, der v. 47 noch der *Alte* hieß, hat sich an seiner begeisternden Sendung verjüngt« (Beißner, StA 2, 741).
nach Germania schauend: Diese Wendung macht deutlich, daß *Germania* nicht nur eine mythische Personifizierung [illegible] Landes Germanien ist, sondern ebensosehr dieses kon[illegible]e Land selbst.
[illegible]*lliebend*: Durch die Liebe zu allem vereinigt Germania [illegible]denken das Gemeinsame aller Wesen. So achtet sie [illegible]*einsamen Geist* (*Wie wenn am Feiertage* . . . , v. 43).
[illegible] *Rhein*, v. 151.
[illegible] machtvoll einsetzende Wort des Adlers bewirkt [illegible] seiner fortreißenden geistigen Kraft das erste [illegible]njambement am Übergang von Strophe zu Stro[illegible]
[illegible] *des Mundes*: Der Adler schenkte Germania [illegible]t soll sie beginnen, die Möglichkeiten, die [illegible]t, voll zu benutzen. Daß sie schon *Fülle*

der goldenen Worte (v. 73) aussandte, ist gleichsam die nachträgliche Begründung dafür, daß das Land bereits vor der
Ankunft des Adlers *Weitoffen* (v. 36) sein konnte.
—80 Die *Mutter* (v. 76) ist die Erde, die v. 97 f. — eben-
mit dem Attribut *heilig* — wiederum als *Mutter* ge-
d. Sie nähert sich jedoch als *Mutter . . . von allem*
utter, der Natur, der Allesumfassenden (*Der*
). Diese Annäherung erklärt der Prosaent-
ng des Gesangs *Der Mutter Erde* (s. d.).
er zur Erde:

rt' ich den großen Vater sagen,
rtraut, und
in seinem Namen,
lte Ewigkeit

n, . . .

erlins für die
der *Vater*
erin der
se Auf-
annt.
den
nia

t
rs

nene,
r Ge-
en (v.
wortung
phäre die
am Feier-
e nicht un-
umschrieben
er Gesang die
det den Fehler
Dichtung Höl-
nug. Zugleich muß
Der umschreibende
und nur um des zu
rechen gleichsam sich
erreicht er eine *Stille*,
ht (vgl. *Deutscher Ge-*
ille ein, sind der Gesang
aus, *wie es da ist*, schweigt)
daß sich jetzt, vermöge der
szüge, innerhalb der Unter-
g des Gesangs mit dem Gött-

t Scham) auch über Götter die
eise.‹
eßender‹. Das *Gold* (v. 91), das
sam auf die Erde ergießen.
Nacht: Das ist am *Abend der Ze*
).

rn-

vorgang zurück in seine Vorgeschichte. Der Schlußteil, wiederum zwei Strophen, spricht die eigentliche Aufgabe Germaniens und damit die zweite Unterscheidung des vaterländischen Singens aus: über ihr schon verwirklichtes Wesen (Einfalt, Unschuld) hinaus muß Germania weitere Wesenszüge ausbilden (Nennen, Ratgeben), um so erst die vaterländische Eigenart ganz zu verwirklichen.
82 *offen*: So wurde Germania schon v. 51 genannt. Sie is
von Natur *offen*. Hier wie sonst zielt die Rede des Adle
darauf, daß Germania diejenige wird, die sie eigentlich ist.
85 *Das Ungesprochene*: Vgl. v. 95. Das Ungesproc
nämlich das Göttliche, Wahre (v. 93), darf nicht länge
heimnis sein, muß aber zugleich ungesprochen blei
95 f.). Diese paradoxe Forderung zeigt die Verant
und Schwere der Rede vom Göttlichen. Als die S
höher ist, als die des Menschen (vgl. *Wie wenn*
tage . . ., Erl. zu v. 63—66), kann das Göttlic
mittelbar im Gesang erscheinen, sondern nur
werden (v. 94). Durch Umschreibung wahrt d
Unterscheidung vom Göttlichen und verme
der Distanzlosigkeit (vgl. »Grundzüge de
derlins«, oben S. 20 ff.). Aber damit nicht ge
das göttlich Wahre ungesprochen bleiben.
Gesang muß so rein, so uneigennützig
Sagenden willen da sein, daß sein S
selbst zum Verschwinden bringt. So
in der die größte *Äußerung* geschi
sang, Erl. zu v. 38). Tritt diese S
und das Göttliche (das ja von sich
gleichermaßen *ungesprochen*, so
Gleichheit entscheidender Wese
scheidung (s. o.) die Vereinigu
lichen ereignet.
88 f. ›Und so (nämlich mi
meiste Zeit zu reden, ist w
90 *überflüssiger*: ›überfli
Göttliche, will sich gleic
92 *zwischen Tag und*
(*Friedensfeier*, v. 111)

93 *Einsmals*: »Mundartlich für ›einmal‹« (Beißner, StA 2, 742).
98 f. Die *Wasser am Fels* und *Wetter im Wald*, deren Rauschen die ahnende Bewegtheit der Erde, ihr Erwachen aus der Verborgenheit, darstellt, entsprechen genau dem über-flüssigen göttlichen Golde und dem himmlischen Zorn (v. 90 f.) als deren irdische Antwort.
99 *derselben*: Wohl auf die Nennung der Erde (v. 97) zu beziehen.
100 *Vergangengöttliches*: Beim Nennen der Mutter Erde kehrt auch die Erinnerung an die *Vergangenen* (v. 13), die alten griechischen Götter, wieder, denn da die Kolonien des Geistes sich trotz ihrer Unterschiedenheit *innigst im Innersten gleichen* (*Hyperion*, StA 3, 159; vgl. die Erl. zu v. 3—6), ist, wenn die eine sich gründet, auch die andere wieder immanent gegenwärtig.
103—112 Der letzte Satz der Hymne ruft die Einheit von Erde und Himmel (v. 105) und so die Ganzheit der Welt ins Gedächtnis, die auch für Germanias *Feiertage* der entscheidende, nämlich umfassende Bereich bleibt. Die Wendung *Die unbedürftigen* (v. 107) bezieht sich wohl auf die griechischen Götter; auch diese kommen zu Germanias Feiertagen (vgl. die Erl. zu v. 100), so daß hier Welt und Geschichte als Ganzes gegenwärtig sind.

FRIEDENSFEIER

»Die endgültige Fassung der Friedensfeier ist wohl im Herbst 1802 entstanden, anderthalb Jahre nach den ersten Entwürfen (Versöhnender der du nimmergeglaubt...)« (Beißner, StA 3, 539); vgl. dagegen Binder, DVjs 1956, S. 300: »Man möchte sich die Schlußfassung ungern erst anderthalb Jahre nach dem Friedensschluß [s. u.] entstanden denken, wiewohl Zwischenglieder zwischen den Vorstufen und ihr verloren sein mögen«. Erster Druck: 1) die Entwürfe: Hell. 4, 1916; 2) die endgültige Fassung: Hölderlin, Friedensfeier. Hg. und erläutert v. Friedrich Beißner, Bibliotheca Bodmeriana IV, Stuttgart 1954.

Ausgelöst wurde Hölderlins Friedenshoffnung durch den Frieden von Lunéville (Februar 1801), der den zweiten Koalitionskrieg beendete. Am 23. Februar 1801 schrieb Hölderlin an seine Schwester: *Ich glaube, es wird nun recht gut werden in der Welt. Ich mag die nahe oder die längstvergangene Zeit betrachten, alles dünkt mir seltne Tage, die Tage der schönen Menschlichkeit, die Tage sicherer, furchtloser Güte, und Gesinnungen herbeizuführen, die eben so heiter als heilig, und eben so erhaben als einfach sind* (StA 6, 413 f.).

Die endgültige Fassung der Hymne, *Friedensfeier*, ist erst seit 1954 bekannt (damals, etwa eineinhalb Jahrhunderte nach ihrer Entstehung, tauchte die Hs in London auf); vorher kannte man nur die Entwürfe (*Versöhnender der du nimmergeglaubt* . . .). Fast unmittelbar nach der Entdeckung entbrannte ein leidenschaftlicher Streit um die Auslegung dieses Gedichts, der sich insbesondere an der Frage: ›Wer ist der *Fürst des Fests* (v. 15, 112)?‹ entzündete. Mittlerweile wurde hierauf eine verwirrende Vielzahl verschiedener Antworten gegeben. Die Frage selbst und der Streit scheinen damit in der Schwebe geblieben zu sein. Man hob zwar gelegentlich hervor, der Streit gehe nur um »Einzelheiten«, denn »in der Grundvoraussetzung, das Gedicht als Friedensgesang zu verstehen«, sei man »einig« (Hölderlin-Jb. 1955/56, S. 100). Diese Einigkeit aber ist selbstverständlich, denn das Gedicht heißt *Friedensfeier*; und daß Hölderlin den künftigen Göttertag als umfassenden Frieden zwischen Göttern und Menschen erhoffte, wußte man schon vor der Entdeckung der neuen Hymne. Strittig bleiben die Kardinalfragen: Unter welchem Zeichen sieht die Hymne den künftigen Frieden? Welche Mächte betrachtete Hölderlin als entscheidend für dessen Heraufkunft? Wer also ist der *Fürst des Fests*?

Zunächst folgt hier eine kurze Übersicht über die wichtigsten bisher gegebenen Antworten. Aus Raumgründen können nicht alle Argumente wiedergegeben werden, die man für die jeweilige These anführt; es muß meist bei der Nennung einzelner Gegenargumente sein Bewenden haben.

1. Der Fürst des Festes sei der *Genius unsers Volks* (vgl. *An die Deutschen*, v. 25), die »gestaltgewordene Bereitschaft der Menschen zu neuer schöpferischer Gottesbegegnung« (Beiß-

ner). Aber dieser Genius würde sein *Ausland* nicht ›gern verleugnen‹ (v. 16); der zeitweilige Aufenthalt des deutschen Geistes in Griechenland (vgl. Hölderlins Brief an Böhlendorff vom 4. Dezember 1801; ferner »Grundzüge der Dichtung Hölderlins«, oben S. 17 f.), der allenfalls als das *Ausland* des Fürsten deutbar wäre, muß vielmehr bei der Rückkehr ins Vaterland als Ergänzung des eigenen Wesens behalten und aufgehoben, also gerade nicht verleugnet werden (vgl. Binder a. a. O. S. 304).

2. Der Fürst des Festes sei Napoleon Bonaparte, der »Fürst« jenes Friedens von Lunéville (Kerényi, Allemann u. a.). Eine Stützung dieser Deutung wird u. a. darin erblickt, daß Napoleon im Titel eines hymnischen Entwurfs der *Allbekannte* genannt wird (vgl. *Friedensfeier*, v. 19). Diese These scheitert jedoch u. a. daran, daß der Fürst des Festes eindeutig unsterblich (v. 21) und *Ein Gott* (v. 23) ist.

3. Der Fürst des Festes sei Christus (Corssen, Pigenot, Focke u. a.). Es widerspricht aber der Hölderlinschen Konzeption des (unvorhersehbar neuen) hesperischen Göttertages, einen der alten Götter ungewandelt als dessen Fürsten zu erhoffen (s. u.; vgl. ferner *Germanien*, v. 1—3).

4. Der Fürst des Festes sei »Christus in einer zweiten Epiphanie« (Buddeberg) bzw. »der verwandelte Christus« (Hoffmann; ähnlich Buhr). Auch durch solche Formulierungen wird der Fürst des Festes zu stark in seinem Wesen präjudiziert; dennoch verbirgt sich in ihnen eine richtige Erkenntnis (s. u.).

5. Der Fürst des Festes sei Gottvater bzw. der Weltgeist (Bröcker, Hof, Lachmann). Wäre aber nicht dem Weltgeist gegenüber die Aussage *Sterbliches bist du nicht* (v. 21) allzu überflüssig? Ferner würde diese Deutung zu der Annahme nötigen, daß in v. 112, im Augenblick des höchsten hymnischen Pathos (vgl. das voraufgegangene einzige Strophenenjambement v. 102 f.), nichts weiter geschähe, als daß Christus (der *Jüngling*) zu seinem Vater gerufen würde, dem er ohnehin problemlos zugehört. Das ergäbe eine unerträgliche Diskrepanz von inhaltlicher Dürftigkeit und dichterischem Aufwand (vgl. Beißner, StA 3, 552).

6. Der Fürst des Festes sei der Gott des Friedens, der die

Züge Saturns, des »Herrn des ›ewigen‹ Friedens«, trägt (Binder). Binder unterscheidet (im Rückgriff auf Hölderlins Ode *Natur und Kunst oder Jupiter und Saturn*) scharf zwischen dem *Herrn der Zeit* (Jupiter) und dem »Herrn des ewigen Friedens« (Saturn) und meint, »in der Hymne [kehre] der Friedensgott am ›Abend der Zeit‹ als Fürst des ›Gastmahls‹ ein, das der ›Gott der Zeit‹ gibt, nachdem er sein ›Tagewerk‹, die Zeit, getan hat und ›Feiertage zu halten‹ sich anschickt« (a. a. O. S. 309). Binder geht hier nur auf das in v. 81 genannte *Tagewerk* ein (von dem er meint, es sei dasjenige des *Herrn der Zeit* [v. 79]). Die Hymne sagt aber ausdrücklich auch vom Fürsten des Festes (dessen Wesen Binder dem Bereich der Ewigkeit vorbehalten möchte), er habe ein *Tagwerk* getan (v. 14; Binder schlägt daher, nicht überzeugend, vor, dieses Tagewerk als dem Dichter zugehörig aufzufassen; a. a. O. S. 303). Da Hölderlin also an beiden Stellen dem gemeinten Gotte ein Tagewerk zuspricht, wird Binders Behauptung, es seien hier zwei verschiedene Götter (Zeit - Ewigkeit) gemeint, hinfällig (vgl. die Erl. zu v. 81 f.; ferner Beißner, StA 3, 555). — Der *Fürst des Fests* führt freilich den Frieden im Sinne des Titels und Themas dieser Hymne eo ipso mit sich und repräsentiert ihn in besonderem Maße; er wird dadurch aber nicht auf das Wesen eines bloßen ›Friedensgottes‹ festgelegt (vgl. Böckmann 1955/56, a. a. O.).

7. Der Fürst des Festes sei der »Sonnengott« (Kempter) oder die »Sonne in ihrer naturhaften Wirklichkeit« (Schulz). Die Sonne hat jedoch in *Friedensfeier* selbst (v. 46—48) und auch sonst die Funktion eines naturhaften Analogons zu Christus; es dürfte sich daher von selbst verbieten, sie mit dem Fürsten des Festes zu identifizieren, der Christus — in welchem Sinne auch immer — vorangestellt wird.

8. Der Fürst des Festes sei Dionysos (Mommsen). Es ist aber undenkbar, daß Christus, der für Hölderlin *Der Einzige* und das *Geliebteste* ist, zu Dionysos als dem Fürsten des Festes hinzugerufen würde (v. 112), denn Dionysos ist, wie die Hymne *Der Einzige* (s. d.) erweist, ein Vorläufer und kleinerer Bruder Christi. Dasselbe gilt für *Herakles*.

Eine weitere vorab zu erörternde Streitfrage ist, ob das ›Rufen‹ des Jünglings Christus zum Fürsten des Festes (v. 109

bis 112) ein Herbeirufen zu ... (te ad principem) oder ein Ausrufen als ... (te principem) sei. Als Argument für die Bedeutung ›Herbeirufen‹ gilt (Allemann, Burger), das dreimalige *zum* (*zum Gastmahl — zum Abend der Zeit — zum Fürsten des Festes*) könne nicht im selben Satz zweimal die Bedeutung ›ad‹ und einmal die Bedeutung ›als‹ haben. Dem wird entgegengehalten, »daß Bedeutungsnuancen der gleichen Präposition in einem und demselben Satz an und für sich kein Fehler sind. (Übrigens wäre ›*zum* Gastmahl‹ und ›*zum* Abend der Zeit‹ nach der Auffassung jener Interpreten ja auch zweierlei, nämlich lokale und temporale Verwendung.) Sodann wird in diesem Satz die Anapher ja gar nicht durch die Präposition gestiftet, sondern durch das ungleich stärker betonte Personalpronomen ›dich‹, das offenbar jedesmal denselben meint, und wenn nun das dreifache ›zum‹ auch eine formale Gleichheit schafft bei unterschiedlicher Sinnbedeutung (wohlgemerkt: auf allen drei Stufen!), so entsteht da für mein Gefühl ein künstlerisch reizvoller Kontrapunkt« (Beißner: Hölderlin, S. 207).
Als Argument für die Bedeutung ›Ausrufen‹ oder ›Errufen‹ wird angeführt, es sei »schlechthin unvertretbar ..., daß man annimmt, das dreifache ›dich‹ werde auf dem Gipfel des Anrufs, wo man den eigenen, unterscheidenden Namen dessen erwarten darf, der als ein Besonderer aus der Schar der ›Verheißenen‹ auswählend angerufen wurde und auf den die wesentlich vom Anruf getragene Rede hinzielt, zu einer dritten Person hin verschoben« (Hoffmann a. a. O. S. XCIV f.). » ... der im Anfang mit verheißungsvoller Andeutung ›dämmernden Auges‹ geschaute Fürst des Festes [hätte] hier auf dem Höhepunkt des Gesangs eigentlich bloß noch als eine Ortsangabe zu fungieren« (Beißner: Hölderlin, S. 205). Ferner: »das Verbum ›rufen‹ bedeutet ja auf den ersten beiden Stufen der Anapher, genau besehn, gar nicht ›herbeirufen‹! ... selbstverständlich bedeutet ›rufen‹ hier ... von vornherein und nur einmal ›ausrufen‹, und wenn wir die dichterischen Worte in überdeutliche Verständigungsprosa übersetzen sollten, so müßte es etwa so lauten: Darum rief ich dich, dich, dich zum Fürsten des Festes (d. h. ich rief dich aus zum Fürsten des Festes —) bei Gelegenheit des vorbe-

reiteten Gastmahls, jetzt, am Abend der Zeit« (Beißner: Hölderlin, S. 207). — Das größere Gewicht scheint mir bei den Argumenten für die Bedeutung ›Ausrufen‹ (bzw. ›Errufen‹, s. u.) zu liegen.

Dies mußte einer Erörterung des *Fürsten des Festes* vorausgeschickt werden. Der *Fürst des Festes* ist ohne Zweifel der neue, noch unbekannte (oder sich doch gerade erst ankündigende) erste Gott des kommenden hesperischen Göttertages. Der Dichter ›denkt‹ (v. 13) ihn erst in vagen Umrissen zu sehen. Der neue Gott kann daher noch nicht mit einem konkreten Namen benannt werden. Darüber hinaus ist in keiner Weise zu erwarten, daß ihm, wenn er erst bekannt ist, ein jetzt schon geläufiger Name (etwa der eines schon einmal erschienenen Gottes) gebühren wird. Nicht umsonst stellt Hölderlin den hesperischen Göttertag als etwas gegenüber den bisherigen Verwirklichungen des Göttlichen ganz Neues vor; er ist das Ereignis, dem die ›allvergessende‹ *Untreue* des Gottes (gegenüber den bisherigen Verwirklichungen des Göttlichen) zugrunde liegt (StA 5, 202), so daß eine *Umkehr aller Vorstellungsarten und Formen* stattfindet und *die ganze Gestalt der Dinge sich ändert* (StA 5, 271; vgl. ferner »Grundzüge der Dichtung Hölderlins«, oben S. 16 ff., und D. Lüders: ›Die Welt im verringerten Maasstab‹. Hölderlin-Studien. Tübingen 1968, S. 55—71). Dieses unvergleichlich Neue kann nicht durch eine altbekannte, ungewandelt wiederkehrende Gottheit heraufgeführt werden. Das Fehlen eines ›konkreten‹ Namens ist kein Mangel, sondern das Anzeichen der Unvergleichlichkeit des Fürsten des Festes.
Dennoch erhofft Hölderlin den noch unbekannten Gott durchaus unter einem bestimmten *Losungszeichen* (s. u.), das sich ihm notwendigerweise aus dem schon Bekannten her nahelegt und das Wesen des kommenden Gottes nicht präjudiziert, wohl aber vermutungsweise umreißt. Die Wahl des *Losungszeichens* stellen folgende Verse der Hymne *Patmos* dar:

Wenn nämlich höher gehet himmlischer
Triumphgang, wird genennet, der Sonne gleich
Von Starken der frohlockende Sohn des Höchsten,

Ein Losungszeichen, und hier ist der Stab
Des Gesanges, niederwinkend,
Denn nichts ist gemein. (v. 179—184)

Diese Verse meinen, in unmittelbarer Analogie zur *Friedensfeier*, die Situation des ›Niederwinkens‹ der neuen Götter auf die Erde. Mit dem Merkmal des höchsten hymnischen Pathos, dem Strophenenjambement, hat Hölderlin dabei die Darstellung des entscheidenden Vorgangs, des Nennens des *Losungszeichens* ausgestattet. Nur *von Starken* ist dieses Nennen zu leisten. Diese aber nennen als das Losungszeichen für das Wesen des neuen Gottes den *frohlockenden Sohn des Höchsten*, Christus (vgl. Böckmann S. 447).
So ist auch in der *Friedensfeier* Christus, der *Jüngling* (v. 48, 112), der größte der alten Götter (vgl. *Der Einzige*), das *Losungszeichen* (also gleichsam der ›Antetypus‹) für den unter dem Namen *Fürst des Festes* noch unbekannt bleibenden Gott. Christus ist also nicht etwa der Fürst des Festes. Wohl aber wird er ›zum Fürsten des Festes gerufen‹ (v. 109—112) in dem Sinne, daß er, der jetzt, in seiner alten Gestalt, noch das Losungszeichen des Fürsten ist, sich auf unvorhersehbare Weise wandeln und ›zum Fürsten‹ verwandeln wird. Einen Hinweis auf Art und Bedeutsamkeit dieser Verwandlung gibt der Umstand, daß der Fürst — anders als Christus, der sich für den einzigen Sohn Gottes hielt — Fürst vieler Götter, vieler Söhne des Höchsten sein und sich mit diesen ›anderen‹ ›versöhnen‹ wird (vgl. die erste Entwurfsphase, v. 56—60). Sobald Christus der Fürst geworden ist, darf er also nur noch gleichsam ›historisch‹, nicht aber mehr wesensgemäß ›der verwandelte Christus‹ (so Hoffmann a. a. O., s. o.) heißen; er ist dann nichts anderes als der in sein eigenes Wesen eingekehrte *Fürst*. Dessen Wesen läßt sich jetzt aber nur durch das dem Bekannten entnommene Losungszeichen ›Christus‹ errufen. — Im Errufen als solchem ist bereits impliziert, daß der Errufene, wenn er dem Rufe folgt, eine Wandlung erfahren wird. Das Errufen wahrt damit sowohl die ursprüngliche Identität der Gestalt (Jüngling und Fürst sind ›dieselbe‹ Person) als auch ihren Wandel; in diesem ist, wenn man will, das ›ad‹ (te ad principem, s. o.) im Sinne der von der Wesens-

form ›Christus‹ zur Wesensform ›Fürst‹ zurückzulegenden Wegstrecke ›aufgehoben‹.
Von hier aus erschließt sich ein wesentliches Textdetail der zweiten Strophe, dessen Sinn bisher nicht recht einzusehen war: der Wechsel von der dritten Person (v. 15) zur zweiten (v. 16 ff.) angesichts der Erscheinung des Fürsten. Dieser Wechsel ist dadurch bedingt, daß der Dichter hier, vom neuen Gotte gleichsam übermannt (vgl. v. 19 f.), den Blick fürs erste von seiner überwältigend neuen Wesensform ›Fürst‹ (v. 15) zurücklenkt auf seine vertraute Wesensform ›Christus‹ (v. 16 ff.). Nur Christus, nicht der noch weitgehend unbekannte Fürst kann als *du Allbekannter* (v. 19) angeredet werden (vgl. Hoffmann a. a. O. S. XCVIII). Sobald dieser bekannte Aspekt des Gottes in den Blick tritt, wird das vertrautere Du möglich. Trotz dieses Wechsels der Blickrichtung aber handelt es sich in der ganzen zweiten Strophe durchgehend um die eine, sich vom Bekannten (Christus) zum Unbekannten (*Fürst*) entwickelnde Gottesgestalt, um die es in der *Friedensfeier* insbesondere geht. Deren Wesensentwicklung ist mithin schon hier, am Anfang des Gedichts, implizit gestaltet. Die ausdrückliche Darstellung dieser Entwicklung folgt in v. 109 bis 112.
Geht man von der hier vorgelegten Deutung aus, so zeigt sich, daß die Hymne *Friedensfeier* inmitten einer kontinuierlichen, konsequent fortschreitenden Entwicklung des Hölderlinschen Spätwerkes steht, die von den Entwürfen *Versöhnender* ... (s. d.) bis zu den späteren sog. ›Christushymnen‹ *Der Einzige* und *Patmos* verläuft. Seine Aufgabe, *Losungszeichen* für den kommenden Gott zu sein, erhebt Christus über die anderen Söhne des Vaters. Diese werden zwar durchaus und wesentlich in die Vorstellung des kommenden Göttertages einbezogen. Dennoch scheinen sie zu ›eifern‹ ob der Bevorzugung Christi (*Der Einzige*, v. 45), so daß der Grund dieser Bevorzugung ausdrücklich dargestellt werden muß (vgl. die Erl. zu *Der Einzige*).

Zum Aufbau der Hymne: Sie ist in vier Triaden zu je drei Strophen gegliedert (die Hs macht dieses Prinzip durch größere Abstände nach der dritten, sechsten und neunten Strophe

sinnfällig); innerhalb jeder Triade haben die erste und zweite Strophe je 12, die dritte 15 Verse. Zu den symmetrischen Bezügen innerhalb des Aufbaus vgl. Binder a. a. O.
Die erste Trias bringt die Exposition: Ort (Str. 1), erstes Erscheinen des Fürsten (Str. 2) und Vorgeschichte (Str. 3) der Feier. Die zweite Trias ist Christus, dem *Jüngling* (v. 48), als dem Losungszeichen des Fürsten gewidmet. Die dritte erruft die Verwandlung Christi zum Fürsten des Festes; zugleich mit diesem Hauptereignis der kommenden Friedensfeier wird aber auch das Erscheinen aller übrigen verheißenen Götter erhofft. Die vierte Trias lenkt, nach dem hymnischen Höhepunkt (Str. 9), in gelöstem Ton zu der Grundtatsache zurück, daß der Frieden auf der Erde einkehrt.
Zur Vorrede vgl. bes. Binder a. a. O. S. 298 ff. — Der zweite Absatz der Vorrede ist später hinzugefügt.
1—9 Der *Saal* (v. 4), der zum Feste vorbereitet ist, dürfte doch wohl ein Landschaftsraum sein (vgl. Allemann a. a. O. S. 73 f.; dagegen Beißner, StA 3, 549; ferner Winfried Zehetmeier: Zu Hölderlins Friedensfeier v. 1—9. In: Literaturwissenschaftliches Jahrbuch 1963, S. 211—215; Peter Szondi: Hölderlin-Studien. Frankfurt a. M. 1967, S. 14 ff.).
13—24 *dämmernden Auges*: Auf den Dichter zu beziehen. *Vom ernsten Tagwerk lächelnd*: Auf den Fürsten zu beziehen. Das *Tagwerk* des Fürsten (vgl. v. 29, 81), sein *Heldenzug*, ist die tausendjährige (v. 32) Vorbereitung des neuen Göttertages während der Weltnacht. *Ausland*: Christus (s. o.), der Syrier (vgl. v. 42), kehrt auf neuer Wesensstufe *gern* in Hesperien ein; er ›verleugnet‹ nicht nur sein syrisches, sondern auch sein himmlisches Ausland, indem er überhaupt in *Freundesgestalt* (für Menschen faßbar) auf die Erde kommt. *vergessen*: Vergessend (gleichsam ›selbstvergessen‹); vielleicht ist dies ein Hinweis darauf, daß Christus, auf dem Wege der Verwandlung zum Fürsten, seine alte Wesensform ablegt (›vergißt‹). *vor dir* (v. 20): Vor dir stehend (also räumlich, nicht zeitlich zu verstehen). *Ein Gott* (v. 23): Der Fürst des Festes. *noch auch*: Außer dem *Weisen* (v. 22).
25—28 *Er* (v. 25), der Fürst des Festes — hier, wo wieder der Fürst (die Wesensform des künftigen Gottes) gemeint ist, setzt, nach der direkten Anrede v. 16 ff. (s. o.), wieder

die Rede in der dritten Person (vgl. v. 15) ein —, ist nicht *von heute, nicht unverkündet*, denn er trägt das Wesen Christi, des seit langem *Allbekannten*, in sich. Er setzt die Menschen *umsonst nicht* in Erstaunen, denn *jetzt*, da es *stille worden*, haben sie ein offenes Auge und Ohr für sein Erscheinen. V. 26: Hinweis auf das *Tagwerk* des Fürsten (vgl. v. 14). V. 28: Zur Zeit des Friedens der Götter und Menschen hören *Herrschaft* und Knechtschaft auf; *nur der Liebe Gesetz* (v. 89) gilt jetzt.

30 *von Morgen nach Abend*: Von Osten nach Westen, von Griechenland nach Hesperien geht *das Werk*, der Gang der Weltgeschichte.

40 *aber o du*: Wiederaufnahme des *du* in v. 16 ff., wo Christus (als der ›allbekannte‹ Antetypus des *Fürsten*) schon einmal direkt angeredet worden war (s. o.). Die dritte Anrede an Christus folgt v. 111 f. — Der Sinn dieses *aber* ist nicht ein ›Zögern‹ des Dichters, die Einladung auch Christus gegenüber auszusprechen (so Beißner, StA 3, 560); vielmehr ›möchte‹ der Dichter zwar manchen laden, Christus gegenüber aber ist die Einladung nicht von Mögen oder Nichtmögen abhängig; ihm als dem *Geliebtesten* (v. 108, vgl. *Der Einzige*), von dessen Kommen das Erscheinen des Fürsten abhängig ist, gebührt sie unter allen Umständen. Der Anakoluth könnte auch bedeuten: manchen möcht' ich laden, aber du (bist ja wohl schon gekommen [vgl. v. 13 bis 24] und brauchst also nicht mehr eigens eingeladen zu werden).

42—48 Vgl. Joh. 4, 5—35 (Christus und die Samariterin am Brunnen Jakobs).

50 *Verhängnis*: Der Tod Christi.

55—58 Das *Freche* und *Wilde* mögen z. B. diejenigen sein, die am *Verhängnis* Christi schuld waren. Vgl. aber Allemann a. a. O. S. 88—90.

71—78 V. 71—73 brauchen wohl nicht als Konditionalsatz aufgefaßt zu werden (vgl. Binder a. a. O. S. 318; Beißner, StA, 3, 561). Hölderlin kehrt hier den christlichen Glauben, daß wir den Vater durch den Sohn erkennen, um.

79 f. *Der*, nämlich *der Geist / Der Welt* (v. 77 f.), war *längst* seinem Wesen nach *zu groß* für die dürftige *Zeit* seit dem

antiken Göttertag. Diese seine größere Wesensfülle bewahrheitet sich jetzt in seinem erneuten Sichneigen zu Menschen (v. 78).

81 f. *ein Gott*: Wohl der Gott, dessen *Tagwerk* schon (v. 14) genannt worden war und der schon v. 23 *Ein Gott* hieß, also der Fürst des Festes. Dieser ist die Gottesgestalt, in der sich das erneute Sichneigen des Vaters zu Menschen manifestiert (vgl. die Erl. zu v. 79 f.). Zum *Vater* selbst würde es nicht passen, daß er *einmal* ein Tagewerk erwählt; des Vaters Tagewerk — wenn davon die Rede sein darf — vollzieht sich vielmehr mehrfach (nämlich bei jedem Göttertag), wenn nicht ständig (in den Zeiten zwischen den ›Tagen‹ bereitet er den jeweils neuen Tag vor).

84 *Stille*: Vgl. v. 27, 89. *eine Sprache*: eine einheitliche Sprache, in der *Alle sich erfahren* (v. 83).

85 *der Geist*: Der *Geist / Der Welt* (v. 77 f.), der auch der *Vater* (v. 75), der *Herr der Zeit* (v. 79), *der Meister* (v. 87), *der stille Gott der Zeit* (v. 89), *der große Geist* (v. 94) genannt wird.

87 f. Vgl. Bruchstück 53.

91—93 Vgl. dritte Entwurfsphase, v. 71—73. Hierzu Martin Heidegger: Erläuterungen zu Hölderlins Dichtung. Frankfurt a. M. 1951, S. 36 ff.; ferner Martin Buber: »Seit ein Gespräch wir sind.« Bemerkungen zu einem Vers Hölderlins. In: Hölderlin-Jb. 1958/60, S. 210 f.

91 *von Morgen an*: Vgl. v. 30.

93 *bald sind wir aber Gesang*: Das Wort *wir* fehlt, wohl versehentlich, in der Hs. — *Bald*, wenn der *Festtag* (v. 102) anbricht, wird das eigentliche Wesen der Menschen darin bestehen, *Gesang* von den Himmlischen und von der Verbundenheit von Himmel und Erde zu sein. Das *Gespräch* der Zwischenzeit wird hiervon abgelöst.

94 *Zeitbild*: Das *Bild* (v. 87) des *Gottes der Zeit* (v. 89), der zugleich *der große Geist* (v. 94) ist (vgl. die Erl. zu v. 85). Das Zeitbild ist das sich entfaltende Wesen des neuen Göttertages, das durch das Sichneigen des Vaters den Menschen allmählich bekannt wird.

95 *daß*: In der Hs steht *das* (wohl Schreibversehen).

106 *In Chören gegenwärtig*: »Es ist nicht ohne weiteres zu

entscheiden, ob Hölderlin an Chöre der Himmlischen denkt ..., oder aber *In Chören gegenwärtig* aufzufassen ist in dem Sinn, daß die Himmlischen in unserem Gesang genannt werden und anwesen« (Allemann a. a. O. S. 95).

129 *ein Versprechen*: Die *Friedensfeier* besingt den *Festtag* (v. 102) nie als unmittelbar gegenwärtig, so nahe sie dem auch zu kommen scheint; sie ›sorgt‹ (vgl. v. 39) vielmehr für die letzte Vorbereitung (vgl. *denk' ich schon* v. 13, *manchen möcht' ich laden* v. 40, *bald sind wir aber Gesang* v. 93, *Bis ihr Verheißenen all* v. 114).

132 *Hinausgeführet*: Ausgeführt.

141 *Die Gestalt der Himmlischen*: Es muß wohl offenbleiben, ob *der Himmlischen* gen. pl. masc. oder gen. sg. fem. ist. Adolf Beck hält, wie Hoffmann a. a. O. S. LXXXIX mitteilt, die zweite Möglichkeit für wahrscheinlich und denkt an die Gestalt Uranias (vgl. *Hymne an die Göttin der Harmonie*).

142—156 Auch in der Deutung der letzten Strophe gehen die Meinungen weit auseinander. Beißner meint (und Allemann schließt sich an), »Mutter Natur [vgl. v. 143 f.] und Mutter Erde [dürften] hier für eins gelten« (Erster Druck *Friedensfeier*, S. 42; vgl. die Erl. zu *Germanien*, v. 75—80) und somit seien die *Kinder* (v. 144) der Mutter Natur die Menschen (vgl. die Ode *Der Mensch*, v. 13). Binder dagegen (a. a. O. S. 325) läßt jene Gleichsetzung nicht gelten und versteht die *Kinder* der Natur als die Götter (vgl. *Der Mensch*, v. 23). Den *Feind* der Natur (v. 146) deuten Beißner und Allemann als den *geheimen Geist der Unruh* (vgl. *Die Muße*, v. 28 f.; auch *Die Völker schwiegen, schlummerten* ..., v. 4); Binder meint in ihm den Menschen zu erkennen. Hier sind noch manche Details zu klären. — Indem die Schlußstrophe sich an die *Mutter Natur* wendet, die *über die Götter des Abends und Orients ist* (*Wie wenn am Feiertage* ..., v. 22), klingt die Hymne inmitten des weitesten Gesichtskreises aus, der denkbar ist. Die Wirren der vergangenen Nachtzeit und ihre Ursachen werden gleichsam noch einmal in die Erinnerung gerufen; der heraufgezogene Frieden hat auch diese Wirren beruhigt (vgl. ›ruhen‹, v. 155).

Zu den Entwürfen

Die nach Auffindung der *Friedensfeier* wohl unumgängliche Neuordnung eines Teils der Entwürfe gegenüber dem Druck in der StA bildet ein eigenes Problem, das hier aus Raumgründen nicht im einzelnen dargestellt werden kann. Der Text unserer ›ersten Entwurfsphase‹ entspricht im wesentlichen der ›ersten Fassung‹ der StA; der der ›zweiten‹ dem Druck bei Allemann a. a. O. S. 23; der der ›dritten‹ der ›Stufe 2‹ bei Häussermann a. a. O. S. 6—8. Alle Texte der StA und die von Binder-Kelletat a. a. O. beigegebenen Lichtdrucke der Hss wurden verglichen.

Möglicherweise sind vor v. 39 der 1. EPh. sieben unvollständige Verse (StA 2, 701, 1—9) einzufügen, die, von Beißner als »verworfen« (StA 2, 700, 33) bezeichnet, in der Hs nicht getilgt und daher vielleicht als der unausgeführte Anfang der vierten Strophe zu betrachten sind (vgl. 3. EPh. v. 19):

Und manchen möcht ich laden
aber o du,
im goldnen bekan[n]*t,*
am Brunnen,
Es leuchtet zugetan den Menschen freundlich ernst [*ten*
unter den syrischen Palmen, und die liebe[n Freund'] *umhülldich das treue Gewölk,*

Die Verse 14—33 der 1. EPh. werden später eingeklammert; sie fehlen daher in der dritten. Dabei muß offenbleiben, ob Hölderlin zu diesem Zeitpunkt plante, Ersatzverse einzufügen.

In den Entwürfen ist der *Jüngling,* der *Göttliche* und *Versöhnende* (1. EPh., v. 39, 56, 58) eindeutig Christus. Daß Hölderlin auch in diesem Entwurfsstadium schon eine Wandlung Christi herbeirufen wollte, bezeugen v. 56—60 der 1. EPh.: *Darum, o Göttlicher! sei gegenwärtig, / Und schöner, wie sonst o sei / Versöhnender nun versöhnt daß . . . / . . . neben dir noch andere sei'n.* Noch deutlicher sagt es die 3. EPh.: *Selig warst du damals aber seliger jetzt* (v. 88 f.). Ferner heißt es jetzt geradezu: *Abgelegt nun ist die Hülle* (v. 91 f.), nämlich die Wesensform ›Christus‹, der die Wesensform *Fürst des Festes* entsteigt. Die in der Endfassung neu eingeführte Gestalt des *Fürsten* konkretisiert die ›hüllenlose‹, schönere, seligere ›Gegenwart‹ des neuen Gottes. Damit zeichnet sich eine kontinuierliche Entwicklung des Sinn- und Gestaltengefüges von den Entwürfen bis hin zum fertigen Gedicht ab; grundlegende Änderungen der Konzeption, zu deren Annahme die Forschung bei abweichender Deutung des Fürsten des Festes vielfach genötigt war, sind nicht feststellbar.

Erste Entwurfsphase
28—31 »Die spätere Tilgung der Verse 14—33 [s. o.] macht dies Motiv frei für den Gesang Der Rhein [vgl. dort v. 77—80]« (Beißner, StA 2, 707).

Zweite Entwurfsphase
54 *sie*: Die *göttliche Gabe,* v. 51.
57 *Ein rätselhaft Geschenk*: Wohl die Sprache (vgl. Bruchstück 37; Allemann a. a. O. S. 101).
63 *das nächste*: Vgl. *Das Nächste Beste.*

Dritte Entwurfsphase
19—57 Hier ist die zweite Strophentrias der Endfassung schon geschlossen vorgebildet.
71—73 Vgl. die Erl. zu v. 91—93 der endgültigen Fassung.
74—93 Prosa-Entwurf der Fortsetzung.
83f. *Keiner, wie du, gilt statt der übrigen alle*: Auf Christus, den *Jüngling* (v. 83), bezüglich. Dieser Satz lautete ursprünglich: *Keiner, wie du, gilt statt der Menschen.* Daher hat man gemeint (vgl. Beißner, Erster Druck *Friedensfeier*, S. 36), die Fassung *statt der übrigen alle* müsse sich ebenfalls auf die Menschen beziehen. Es stand Hölderlin aber frei, bei der Umformung auch den Sinn zu ändern. Ferner gilt Christus *statt der Menschen*, weil er wie kein anderer Gott die einfachste Form des Menschlichen und so die Einheit von Himmel und Erde verwirklichte (vgl. die Erl. zu *Der Einzige*). Aus eben diesem Grunde aber gilt er auch *statt der übrigen* [Götter] *alle.* Vermutlich sind also die *übrigen alle* die Menschen und die Götter (vgl. schon v. 81 f.). So erst erfaßt die Aussage, anders als in ihrer ersten Fassung, den ganzen Wirkungsbereich Christi.
86—88 Vgl. Joh. 4, 21. 23. 24.

Robert Thomas Stoll: Hölderlins Christushymnen. Basel 1952, S. 107—150 [zu den Entwürfen *Versöhnender der du nimmergeglaubt* ...]. — Erster Druck (s. o.). — Karl Kerényi: Zur Entdeckung von Hölderlins ›Friedensfeier‹. In: K. K.: Geistiger Weg Europas. Zürich 1955, S. 100—106. — J. F. Angelloz: Un Hymne inconnu de Hoelderlin: »La fête de la paix.« In: Mercure de France, 1955, S. 705—711. — Beda Allemann: Hölderlins Friedensfeier. Pfullingen 1955. — Friedrich Beißner: Der Streit um Hölderlins Friedensfeier. In: Sinn und Form, 1955, S. 621—653. — Heinrich Buhr: Des Fürst des Fests. In: Zs. f. Theologie und Kirche, 1955, S. 360 bis 397. — Walter Hof: Zu Hölderlins »Friedensfeier.« In: Wirkendes Wort, 1955/56, S. 82—92. — Paul Böckmann: Hölderlins Friedensfeier. In: Hölderlin-Jb. 1955/56, S. 1—31. — Meta Corssen: Hölderlins Friedensfeier. Ebd. S. 32—48. — Else Buddeberg: Friedensfeier. Ebd. S. 49—87. — Lothar Kempter: Das Leitbild in Hölderlins Friedensfeier. Ebd. S. 88—93. — Walter Brökker: Die Entstehung von Hölderlins Friedensfeier. Ebd. S. 94 bis 98. — Wolfgang Binder: Diskussion über die ›Friedensfeier‹ bei der Jahresversammlung der Hölderlin-Gesellschaft am 9. Juni 1956 in Tübingen. Ebd. S. 99—104. — Bibliographie zur Friedensfeier. Ebd. S. 105—109. — Wolfgang Binder: Hölderlins ›Friedensfeier‹. In: DVjs 1956, S. 295—328. — Heinz Otto Burger: Die Hölderlin-Forschung der Jahre 1940—1955. In: DVjs 1956, S. 329 bis 366, bes. S. 355—359. — Jens Hoffmann: Das Problem und die Bilder der Lebensbewährung in Hölderlins Dichtung. Diss. Hamburg 1956, S. LXXXIV—C (Anm. 688), CXXXI / a—h (Anm. 913, Nachtrag zu Anm. 688). — Der Streit um den Frieden. Hg. v. Eduard Lachmann. Nürnberg 1957. Darin: Erich Przywara: Die »Friedensfeier« als Hymnus der drei »Reiche«; Walter Bröcker: Auch Christus; Heinrich Buhr: Zum gegenwärtigen Stand der Diskussion; Walter Hof: Zu Hölderlins »Friedensfeier«; Ludwig von Pigenot: Der Friedensfürst; Eduard Lachmann: Christus und der Fürst des Festes; Alois Winklhofer: Hölderlin und Christus. — Friedrich Beißner: [Erläuterungen zum Druck der *Friedensfeier* in der StA.] StA 3, 1957, S. 539—568. — Ladislaus Mittner: Motiv und Komposition. Versuch einer Entwicklungsgeschichte der Lyrik Hölderlins. In: Hölderlin-Jb. 1957, S. 73—159, bes. S. 156—159: Anhang zur ›Friedensfeier‹. — Manfred Windfuhr: Allegorie und Mythos in Hölderlins Lyrik. In: Hölderlin-Jb. 1957, S. 160—181, bes. S. 178—181. — Paul Böckmann: Erläuterungen zu Hölderlins »Friedensfeier«. In: Ruperto-Carola, Heidelberg 1957, S. 80—87. — Ludwig von Pigenot: Hölderlins Friedensfeier. In: Gestalt und Gedanke. München 1957, S. 94—111. — Friedrich Focke: Zu Hölderlins »Friedensfeier«. Tübingen 1958. — Ulrich Häussermann: Friedensfeier. Eine Einführung in Hölderlins Christushymnen. München 1959. — Wolfgang Binder und Alfred Kelletat [Hg.]: Hölderlin. Friedensfeier. Lichtdruck der Reinschrift und ihrer Vorstufen [mit Erläuterungen]. Schriften der Hölderlin-Gesellschaft Bd. 2. Tübingen 1959. — Walter Bröcker: Hölderlins Friedensfeier entstehungsgeschichtlich erklärt. Frankfurt a. M. 1960. — Ryan S. 277—303. — Friedrich Beißner: *Friedensfeier*. In F. B.: Hölderlin. Weimar 1961, S. 167—191 [zuerst gedruckt als Erl. zum ersten Druck, s. o.]. — Ders.: Rückblick auf den Streit um Hölderlins *Friedensfeier*. Ebd. S. 192—210. — Ruth-Eva Schulz: Der Fürst des Fests. In: Sinn und Form, Berlin 1962, S. 187—213. — Momme Mommsen: Dionysos in der Dichtung Hölderlins, mit besonderer Berücksichtigung der »Friedensfeier«. In: GRM 1963, S. 345—379. — Hans Werner Seiffert: Untersuchungen zur Methode der Herausgabe deutscher Texte. Berlin 1963, bes. S. 193—207. — Wilhelm Hoffmann in: Hölderlin-Jb. 1963/64, S. 162 f. [über den Vorbesitzer der *Friedensfeier*-Hs]. — Alessandro Pellegrini: Friedrich Hölderlin. Sein Bild in der Forschung. Berlin 1965, bes. S. 372—449. — Peter Szondi: Er selbst, der Fürst des Fests. Hölderlins *Friedensfeier*. In: Euphorion 1965, S. 252—271 (auch in: P. S.: Hölderlin-Studien. Frankfurt a. M. 1967). — Jochen Schmidt: Die innere Einheit von Hölderlins ›Friedensfeier‹. In: Hölderlin-Jb. 1965/66, S. 125—175. — Eduard Lachmann: Der Versöhnende. Hölderlins Christus-Hymnen. Salzburg 1966. — Momme Mommsen: Traditionsbezüge als Geheimschicht in Hölderlins Lyrik. In: Neophilologus 1967, S. 32—42, 156—168, bes. S. 156—163. — Peter Szondi: Über philologische Erkenntnis. In: P. S.: Hölderlin-Studien. Frankfurt a. M. 1967, S. 9—30 (zuerst erschienen 1962 in Die Neue Rundschau). — Winfried Kudszus: Hölderlins ›Friedensfeier‹. In: DVjs 1967, S. 547—567 (leicht verändert in: W. K.: Sprachverlust und Sinnwandel. Zur späten und spätesten Lyrik Hölderlins. Stuttgart 1969, bes. S. 33—55). — E. L. Stahl: Hölderlin's ›Friedensfeier‹ and the Structure of Mythic Poetry. In: Oxford German Studies, 1967, S. 55—74.

DER EINZIGE

»Dieser und der folgende Gesang (Patmos) mögen, nach Hellingraths ansprechender Vermutung (4, 361), noch vor der Abreise nach Bordeaux, also im Herbst 1801, entworfen

worden sein. Ihre endgültige Gestalt finden die ersten Fassungen (Der Einzige reift allerdings nicht zu gänzlicher Vollendung) wohl im Herbst 1802, nach der Regensburger Reise, von deren günstiger Wirkung der Brief der Mutter an Sinclair vom 20. Dezember 1802 ausdrücklich zeugt. — Die zweite und die dritte Fassung sind vermutlich im Sommer und Herbst 1803 entstanden« (Beißner, StA 2, 743).
Erster Druck: 1) erste Fassung (v. 18—50 und 84—91): Carl C. T. Litzmann: Friedrich Hölderlins Leben. In Briefen von und an Hölderlin. Berlin 1890; (vollständig): Litzmann 1896; 2) zweite Fassung (v. 53—97): Corona, 1941; 3) dritte Fassung: Hell. 4, 1916.
Auch dieser Gesang (vgl. *Friedensfeier* und *Patmos*) wird häufig als eine der ›Christushymnen‹ Hölderlins bezeichnet. Diese Benennung ist mißverständlich, weil sie (zumal angesichts des Titels *Der Einzige*) die Fehldeutung begünstigt, Christus sei hier für Hölderlin der einzige zu verehrende Gott (s. u.). Richtig ist sie freilich in dem Sinne, daß Christus als *Meister, Lehrer* und *Des Hauses Kleinod* einen deutlichen inneren Vorrang vor den alten Göttern hat.
Alle ›Fassungen‹ dieser Hymne sind unvollendet. Der Gebrauch des Begriffs ›Fassung‹, der hier von der StA übernommen wird, ist daher problematisch.

Erste Fassung

Die Hymne ruft zu Beginn den Gegensatz zwischen den *alten seligen Küsten* (Griechenlands) und dem *Vaterland* herauf; der Dichter bekennt, dort in Hellas ›gefesselt‹ und *wie in himmlische / Gefangenschaft verkauft* zu sein. Diese übergroße Liebe zu den alten Göttern erscheint durch Wendungen wie ›Fessel‹ und *Gefangenschaft* von vornherein als etwas zu Überwindendes (vgl. die Erl. zu *Germanien*). Durch die Erwähnung des *Vaterlandes* wird zugleich schon ein Hinweis auf die Richtung gegeben, in der sich die Überwindung zu vollziehen hat.
Zunächst bewegt der Dichter sich jedoch noch ganz in dem von seiner Gefangenschaft gesetzten Rahmen. Er ›sucht‹ (v. 31) noch einen der alten Götter, *den letzten* von ihnen (v. 33), Christus, den die anderen ihm bisher verborgen haben. Chri-

stus wird zugleich hervorgehoben als *Des Hauses Kleinod* und als *Meister, Herr* und *Lehrer.* Von diesen Namen her gesehen, scheint der Hymnentitel *Der Einzige* hier, zu Beginn des Gesangs, fast im Sinne des Einzigkeitsanspruchs Christi gemeint zu sein. Sobald der Dichter aber diesem *einen* Gotte als dem Einzigen ›dient‹ (v. 46), ›eifern‹ die anderen Götter, und dem Dichter *fehlet* dieses *andere* Göttliche.

Daher bedarf sein Dienst an dem Einen der Korrektur; und entsprechend muß der Sinn des Namens *Der Einzige* sich präzisieren. Der Dienst an dem Einen wird als eine *eigene Schuld* des Dichters erkannt; er entsprang einer allzu großen Liebe zu Christus (vgl. *zu sehr,* v. 49), die auf das Maß jeder Liebe zu Göttlichem zurückgeführt werden muß (vgl. *Zu viel aber / Der Liebe, wo Anbetung ist, / Ist gefahrreich, triffet am meisten* [*Patmos,* Bruchstücke der späteren Fassung, v. 185—187]).

Hölderlin macht sich unmittelbar daran, seine *Schuld* zu korrigieren. Indem er Christus als *Bruder* des *Herakles* und *auch* des *Eviers* Dionysos erkennt und anerkennt (v. 51—53), gibt er diesen Brüdern Christi ihr Recht auf Liebe und Verehrung zurück. Christus erscheint in kühnem Bekenntnis (v. 52), das sowohl den Boden des Christentums als auch den der alleinigen Verehrung der antiken Götter verläßt, in einer Reihe mit den Gottheiten des Altertums. Scheinbar grundverschiedene Erscheinungsweisen des Göttlichen werden als innerlich verbunden, ja sogar als zum selben (antiken) Göttertag gehörig erkannt.

Diesem Bekenntnis zur Bruderschaft der drei Halbgötter tritt jedoch *eine Scham* (v. 60) des Dichters entgegen, die das Vergleichen zwischen Christus und den *weltlichen Männern* Herakles und Dionysos nicht ohne weiteres anerkennt und gelingen läßt. Nicht umsonst hatte Christus einzigartig auszeichnende Namen (s. o.) erhalten, und nicht umsonst hatte Hölderlin gerade zu ihm übermäßige Liebe empfunden. Dieser Vorrang Christi (dessen innerer Grund noch nicht zur Sprache kam) droht in einer gleichmachenden Bruderschaft mit den alten Göttern unterzugehen. Die *Scham* möchte den Unterschied zwischen Christus und den Alten bewahrt wissen.

In der 1. Fssg. beginnen hier jedoch große Lücken. Der unfertige Satz v. 62—64 und v. 71 weisen zwar offenbar nochmals auf die Gründe der Vergleichbarkeit Christi und der alten Halbgötter hin (sie kommen als Söhne vom selben *Vater*; dieser herrscht nie *allein*, sondern schickt immer auch seine Söhne als Mittler auf die Erde); worin aber ihr Unterschied bzw. der Vorrang Christi begründet ist — warum Christus also weiterhin *Der Einzige* heißen muß, obwohl die anderen Götter ihm zur Seite stehen —, bleibt offen. Einheit und Unterschied der Halbgötter stehen vorerst widersprüchlich nebeneinander.

Dennoch hat Hölderlin schon auf dieser Stufe zweifellos eine ganz bestimmte Gesamtkonzeption der Hymne im Sinn, denn die beiden Schlußstrophen, in denen die Fäden des Ganzen zusammenlaufen, werden bereits vollendet. Sie sprechen zunächst wieder von der übermäßigen und daher verwerflichen *Liebe* zu *Einem* (Christus; v. 83 f.). Diese *vom eigenen Herzen* bestimmte (und also nicht genügend vom ›Wissen‹ [v. 48, 62] um die Vielfalt des Göttlichen kontrollierte) Liebe wird wiederum als *Fehl* erkannt (eine Parallele zu v. 48—50; vgl. *zu sehr*, v. 49 u. 86). Den bescheidenen Worten v. 87—91, die die Korrektur des Fehls erst für spätere Gesänge versprechen, folgt der weitgeschwungene *Denn*-Satz v. 92—103, der schon selbst die Korrektur des *Fehls* enthält. Er vergleicht nämlich (*Dem gleich*, v. 103) wiederum Christus (den *Meister*, v. 92) und die alten Halbgötter (die *Helden*, v. 103) und erkennt, daß ihre Wesensstruktur im entscheidenden Punkte *gleich* ist: ihre göttliche *Seele* ist bei ihnen allen in einer irdischen Gestalt *gefangen* (v. 103; vgl. *Ein gefangener Aar*, v. 94); sie alle verwirklichen und repräsentieren so die Verbundenheit von Himmel und Erde. Damit ist endgültig erwiesen, daß ihnen allen Liebe gebührt. (Warum Christus dennoch *Der Einzige* bleibt, wird in der 1. Fssg. noch nicht deutlich.)

Der gnomisch knappe Schlußsatz v. 104 f. zieht aus dieser Erkenntnis der Wesensstruktur der Halbgötter die Lehre für die Dichter (verdeutlichende Kommata wären nach *auch* und nach *geistigen* zu setzen): *auch* die Dichter, die als *geistige* dem Göttlichen ohnehin zugewandt sind, müssen — ebenso wie die Halbgötter — zugleich *weltlich* sein, d. h. sie müssen die ›Gefangenschaft‹ *auf Erden* (v. 93 f.) auf sich nehmen. Damit wird zugleich die *himmlische Gefangenschaft* des Beginns korrigiert (auch diese Korrespondenz von Anfang und Schluß der Hymne ist ein Anzeichen des Grades von Vollendung, der die Konzeption des Ganzen schon hier auszeichnet). Die Mahnung, das Irdische müsse zugleich mit dem Geistig-Göttlichen vom Dichter bewahrt werden, nimmt den Hinweis des Anfangs auf das *Vaterland* (v. 4; s. o.) auf: das irdische Element der Existenz des abendländischen Dichters entspricht dem Abendländisch-Nationellen, dem ›vaterländischen‹ Wesensgrund des Dichters also, den er als das ›Schwerste‹ beherzigen muß (vgl. Hölderlins Brief an Böhlendorff vom 4. Dezember 1801; ferner »Grundzüge der Dichtung Hölderlins«, oben S. 16 ff.).

19 *Elis*: Landschaft auf der Peloponnes, darin *Olympia.*

20 *Parnaß*: Der dem Apoll und den Musen heilige Berg bei Delphi.

21 *Isthmus*: Meerenge bei Korinth.

23f. *Smyrna* und *Ephesos*: Städte in Ionien.

34 *Des Hauses Kleinod*: Vgl. Momme Mommsen: Dionysos in der Dichtung Hölderlins. In: GRM 1963, S. 345—379, bes. S. 378 f.

51 *Wiewohl Herakles Bruder*: Beißner (StA 2, 755) versteht nicht Christus, sondern den Dichter, das Ich, als *Bruder* des Herakles. Wenn aber bald darauf in v. 60—62 die *Scham* ausgesprochen wird, *Die weltlichen Männer*, also beide, Herakles und Dionysos, mit Christus zu vergleichen, müssen diese beiden es auch sein, deren Vergleich mit Christus zuvor durchgeführt worden ist.

53 *des Eviers*: Beiname des Dionysos, entwickelt aus dem kultischen Ruf εὐοῖ.

62 *Die weltlichen Männer*: Der Sinn der Bezeichnung *weltlich* für Herakles und Dionysos wird, ebenso wie der unterscheidende, seine Einzigkeit begründende Wesenszug Christi, erst in der 3. Fssg. ganz deutlich.

Zweite Fassung

Diese ›Fassung‹ entsteht durch Einbeziehung des sog. ›Warthäuser Fragments‹ (v. 53—97; vgl. hierzu Fr. Beißner: Ein

Hymnenbruchstück aus Hölderlins Spätzeit. In: Corona X [1941], S. 270—289; L. v. Pigenot, Hell. 4³, 1943, S. 415—423; Eduard Lachmann: Hölderlins Christus-Hymne: »Der Einzige«. Interpretation des Warthäuser Fragmentes. In: Wort und Wahrheit, 1947; StA 2, 743, 747 und 758; H. Pyritz, Hölderlin-Jb. 1953, S. 90 f.). Daß der Plan zu diesem Fragment im Zusammenhang mit der Hymne *Der Einzige* konzipiert wurde, wird durch Hs[1] der Hymne bewiesen, wo ein gleichlautender Entwurf des Fragment-Anfangs links neben v. 54 der 1. Fssg. beginnt, vermutlich als Ersatz eben für v. 54 ff.

6 *in flammender Luft*: Hierdurch wird die *himmlische Gefangenschaft*, das *Feuer des Himmels* verdeutlicht.

53—97 Das Warthäuser Fragment spricht von einer Zeit, wo *die Menschen* die verwerfliche *Todeslust* (den Drang ins Ungeschiedene, Chaotische) überwunden haben und *das Maß* ihrer irdischen Vereinzelung (Geschiedenheit) beachten. Dieser richtigen Hinwendung zum Irdischen entspricht freilich auf der anderen Seite, daß die Menschen dort, wo sie auf das *Geschick der großen Zeit . . . treffen*, deren göttlichem Elemente, dem *Feuer*, lediglich ›Furcht‹ (v. 58) entgegenbringen und so diesem wesentlichen Teil des *lebendigen Verhältnisses und Geschicks* (des Weltganzen aus Erde und Himmel), das *bei den Griechen und uns das höchste sein muß* (vgl. Hölderlins Brief an Böhlendorff vom 4. Dezember 1801), nicht gerecht werden. Denn dem Menschen ist es zwar unmöglich und daher unerlaubt, das himmlische *Feuer* unmittelbar als den gestaltlos-unendlichen Weltgeist zu fassen. Deshalb soll der Mensch das Göttliche aber nicht etwa ›fürchten‹. Er muß es vielmehr als Gestalt, als Gottes *Gewand* (*Griechenland*, 3. Fssg., v. 26; vgl. oben S. 21; ferner Lüders a. a. O. S. 74—77) erfahren und ergreifen. Wie sonst könnte die Hymne *Der Ister* zu Beginn das göttliche *Feuer* ausdrücklich herbeirufen? (Vgl. dagegen Allemann: Hölderlin und Heidegger, S. 62 f.) Die *Menschen*, von denen hier die Rede ist, sind zwar auf dem rechten Wege, insofern sie dem Irdischen gerecht werden; der Zugang zum Göttlichen aber fehlt ihnen noch. Auch wo *ein anderes* den *Weg* [des Todes] *geht* (v. 55, 59), *sehen* die Menschen zwar, daß hier ein eigentliches *Geschick*

(v. 60) gerade durch Einbeziehung des Unendlich-Göttlichen waltet, aber sie würdigen diesen Bereich wiederum nicht eigentlich, sondern *machen* ihn *sicher*, sie vermenschlichen und kodifizieren ihn (v. 60 f.).

Angesichts dieser einseitigen Hinwendung der Menschen zur ›Erde‹ (die allgemein zu einer ängstlich-unfreien Vorsicht geführt hat [vgl. *fein sehen, hüten, fürchten, sicher machen*]) *entbrennet aber sein* [des Gottes] *Zorn* (v. 62). Denn das göttliche *Zeichen* (vermutlich Christus, vgl. Matth. 24, 30), das *die Erde berührt* hatte, ist den Menschen bei einer solchen Haltung *allmählich / Aus Augen gekommen*. Der eigenmächtig-irdische *Entwurf* der Menschen *übergeht* (vernachlässigt) das *Heiliggesetzte*. Im Folgenden (v. 69 ff.) wird ganz deutlich, von welcher Weltepoche das Fragment spricht: von der Zeit nach dem Untergang des *glücklichen Altertums* (v. 70), von der bis zur Gegenwart anhaltenden Weltnacht. Das *Eine* (v. 71), das in dieser Epoche *Langher währt*, ist eben das Schicksal, daß das Göttliche den Menschen über ihrer irdischen Eigenmächtigkeit und Einseitigkeit *Aus Augen gekommen* ist. Dieser dem ›Gesang feindliche‹ (v. 71) Zustand *vergeht* nur *In Maßen. Ungebundenes aber / Hasset Gott:* damit warnt die Hymne die Menschen, sich nicht etwa, um den *Zorn* des Gottes zu besänftigen, in das der ›Erde‹ entgegengesetzte Extrem, ins *Ungebundene* zu stürzen. Das wäre ein bloßer Rückfall in die *Todeslust* (v. 53).

So nennen Anfang und Ende dieser Strophe in großartiger Allseitigkeit die beiden einander entgegengesetzten Fehler, die der Mensch in seiner Haltung zur Welt begehen kann, und denen der Zorn des Gottes gleichermaßen gilt: dieser haßt die Vernachlässigung sowohl des Göttlichen (v. 62—64) als auch des Irdischen (v. 72 f.). Nur einer Haltung, die beide Fehler vermeidet, erschließt sich die Ganzheit der Welt.

Der künftige hesperische Götter*tag* (v. 74), die *Blüte der Jahre*, die dem Gotte schon bewußt ist, ›bittet‹ bei ihm gleichsam ›für‹ die noch nicht beendete Zwischenzeit (v. 73) und *hält ihn* davon ab, sie mit seinem *Zorn* zu treffen. Auch die *Geschichte* (v. 76) des christlichen Mittelalters, das, ein *hartnäckig Geschick*, sich jahrhundertelang unter der *Sonne Christi* dahinzieht, *unterhält* und besänftigt den obersten Gott.

Einzelne Gestalten und Werke dieser Epoche werden genannt. Der *Stand* der *väterlichen Fürsten* (v. 82), die auch zu diesen Gestalten gehören, ist *viel . . . Gottgleicher, denn sonst,* weil *Männern* (vgl. *väterlich*), *Nicht Jünglingen, Licht* und *Vaterland* gehören (vgl. *Verbotene Frucht, wie der Lorbeer, aber ist / Am meisten das Vaterland. Die aber kost' / Ein jeder zuletzt, . . .* [*Einst hab ich die Muse gefragt . . .*, v. 6—8]). Das hesperische *Vaterland*, zu dessen Verwirklichung die väterlichen Fürsten beitragen sollen, ist *frisch* und *Noch unerschöpfet* (v. 85 f.): nachdem sich das griechische Vaterland erschöpft hatte, hat der oberste Gott dem hesperischen ein neues menschliches Wesen zugedacht, das mit ›frischer‹ Kraft an die bleibende Aufgabe herangehen kann, die Welt als Ganzes, Himmel und Erde, darzustellen (vgl. »Grundzüge der Dichtung Hölderlins«, oben S. 16 ff.).

Die Schlußstrophe ist auf den so eingeführten Ton der Freude (v. 87, 89) gestimmt: der Fortbestand des *Guten* (v. 89) ist, auch nach der Weltnacht, durch *Kinder* und durch das Überleben derer verbürgt, die aus der Nacht *gerettet* wurden, nach unzähligen *Versuchungen*, und nachdem *Zahllose gefallen* waren. V. 95—97 blicken auf die *Stürme der Zeit* wie auf etwas Vergangenes zurück. Das *Ständige* (wohl das neue hesperische Wesensgesetz), das der *Vater* in diesen Stürmen *bereitet* hatte, wäre demnach als nunmehr bestehend zu denken. Dementsprechend scheint der Schlußsatz *Ist aber geendet*, dem hesperischen Wesen entsprechend sehr verhalten, die Freude dieser Strophe in dem Triumph gipfeln zu lassen, daß die Zeit der Versuchungen und des Untergangs (v. 93—95) jetzt vorbei ist (als Subjekt des Schlußsatzes ist das des vorhergehenden [*es*, v. 95] zu ergänzen; dieses meint die Zeit der Versuchungen).

53 *Die Todeslust . . .* : Diese Tätigkeiten und Eigenschaften des zuvor genannten *Eviers* Dionysos entsprechen denjenigen, die die 1. Fssg. (v. 59) und die dritte (v. 55—61) an etwa gleicher Stelle nennen. Vgl. *Stimme des Volks* v. 21 (2. Fssg. v. 18 f.).

77 Gärten der Büßenden: »Das mittelalterliche Klosterwesen« (Beißner, StA 2, 761).

80 *Des Barden*: Klopstocks, vielleicht auch Ossians.

Afrikaners: Augustinus? *Ruhmloser* = gen. plur.
81 *hält ihn*: Vgl. v. 74, auch v. 76/78 (*unterhält . . . ihn*).

Dritte Fassung

Hier geht Hölderlin daran, die Lücken auszufüllen, die die 1. Fssg. nach v. 64 offen gelassen hatte. Eine fertige Endfassung ist nicht überliefert; angesichts der zwingend durchgeführten Gesamtkonzeption, die sich rekonstruieren läßt (s. u.), ist es aber durchaus möglich, daß eine endgültige Reinschrift einmal existiert hat.

Zunächst wird, noch vor Beginn der ersten Lücke, die Leistung des Dionysos auf der Erde präzisiert. Daß er *Die Seele dem Tier* beschieden hat (v. 57 f.), deutet auf den dionysischen Tierkult (vgl. 1. Fssg. v. 53—55), meint aber zugleich, daß der Gott dem Tier, das zuvor lediglich *der Erde nach ging* (v. 59), die Seele für den göttlichen *Gemeingeist* geöffnet hat (s. u.), der alles, was ist, einheitgebend beseelt. So *gebot* Dionysos *rechte Wege* (v. 60), auch und vor allem für die Menschen, deren *Grimm* er *bezähmte* (1. Fssg. v. 59), d. h. deren *Todeslust* er *aufhält* (2. Fssg. v. 53), indem er sie, als *Der Erde Gott,* auf die Erde als ihren Lebensraum verweist. Im ganzen hat Dionysos *Die verdrossene Irre gerichtet* (im Sinne von ›geordnet‹; v. 56); er hat der irrenden Erde wieder das Maß der himmlisch-irdischen Ganzheit der Welt vorgehalten.

Aber auch angesichts dieser neuen, umfassenderen Wesensbestimmung des Dionysos bleibt die *Scham,* diese *weltlichen Männer* mit Christus zu vergleichen, bestehen (v. 62—64; vgl. die 1. Fssg.). Unmittelbar anschließend wird jedoch der Satz von der Einigkeit der drei Halbgötter, die darin begründet ist, daß sie denselben Vater haben, im Gegensatz zur 1. Fssg. zu einem festen Abschluß gebracht.

Das Folgende ergänzt nun die Lücken der 1. Fssg. Das Wesen Christi wird mit dem zuvor dargestellten Wesen des Dionysos verglichen; und schon das *auch* (v. 66) weist darauf hin, daß dieses Vergleichen etwas Vergleichbares in beiden findet. Wie Dionysos mit der *verdrossenen Irre,* hatte Christus mit den *Sünden der Welt* (v. 69) zu kämpfen. Die *Welt* (d. h. jene *Sünden*) jauchzt *immer*, zur Zeit des Dionysos wie zur

Zeit Christi, *Hinweg von dieser Erde* (v. 72); zu allen Zeiten hatten die Söhne des *Vaters* die *Todeslust der Völker* zu zähmen (daher werden sie auch *Feldherrn* und *Heroën* genannt, v. 78).

So — in dieser Hinsicht: als Kämpfer gegen die *Todeslust* — *sind jene* — die drei Halbgötter — *sich gleich* (v. 75). Das Frohlocken über diesen Nachweis der Vergleichbarkeit spricht aus dem kühnen Wort vom *Kleeblatt*: wie die drei Blätter eines Kleeblattes sind die drei Halbgötter einig und verschieden zugleich — d. h. vergleichbar: einig sind sie in ihrer Funktion als *Halt* (v. 79) der Sterblichen, verschieden in der von der *Scham* angedeuteten, noch unentfalteten Hinsicht.

Dieses Frohlocken führt die Hymne im folgenden dazu, Wesensgrund und Konsequenz der Vergleichbarkeit der Halbgötter auszusprechen: Himmel und Erde sind *die ganze Zeit, immerdar* untrennbar aneinander ›gekettet‹; die *Welt* ist *ganz* (v. 84—89). Die Halbgötter, die in sich eine himmlische und eine irdische Natur vereinen, verbürgen es. Diese Stelle ist eins der bedeutsamsten Zeugnisse dafür, daß Hölderlins Dichtung bis ins Spätwerk hinein der Welt als Ganzem und der obersten Aufgabe, die Weltganzheit darzustellen, verpflichtet ist.

In der Hymne *Der Einzige* folgt jedoch auf diese Grundaussage wiederum ein Zweifel am ›Zusammentaugen‹ der *Großen* (v. 89—91). Die *Scham* (v. 62) ist noch nicht zum Schweigen gebracht. Als vergleichbar wurde ja bisher nur ein Teilaspekt des Wesens der Halbgötter, ihre Aufgabe, den Sterblichen ein *Halt* zu sein, erwiesen. Die Verse 91—98 gehen in einem zweiten Vergleichbarkeitsnachweis (s. *vergleichen*, v. 97) über den ersten insofern hinaus, als sie die ganze irdische (vgl. v. 98) Hälfte des halbgöttlichen Wesens, ihr Tätigsein *unter der Sonne*, als vergleichbar zeigen. Das folgende *aber* (v. 98) zeigt jedoch an, daß auch hiermit offenbar noch nicht alle Bedenken gegen das Vergleichen der Drei ausgeräumt sind.

Mit diesen Worten endet der von der spätesten Hs des *Einzigen* (Hs^7 = v. 75—98) ausgeführte Text (vgl. StA). Um die Gesamtkonzeption der Hymne zu erfassen, muß man hier einige Verse (StA 2, 752, 31—753, 6) anfügen, die einer früheren Hs (Hs[6]) angehören und nicht in der Überarbeitung von Hs[7] vorliegen. Hölderlin hat sie jedoch nicht getilgt, und so sind sie, als Hinweis auf die mögliche Fortsetzung von Hs[7], selbst ein Teil des spätesten uns bekannten Zustands der Hymne (vgl. Lüders a. a. O. S. 32 f., Anm. 11):

der Streit ist aber, der mich
Versuchet dieser, daß aus Not als Söhne Gottes
Die Zeichen jene an sich haben. Denn es hat noch anders, rätlich,
Gesorget der Donnerer. Christus aber bescheidet sich selbst.
Wie Fürsten ist Herkules. Gemeingeist Bacchus. Christus aber ist
Das Ende. Wohl ist der noch andrer Natur; erfüllet aber
Was noch an Gegenwart
Den Himmlischen gefehlet an den andern. Diesesmal

Im hier genannten *Streit* kommt nun der Grund jener *Scham* zur Sprache, die den Dichter immer wieder am Vergleichen der antiken Halbgötter und Christi zweifeln ließ. *Jene*, die *weltlichen Männer* Herakles und Dionysos, hatten die *Zeichen* (ihre irdische Gestalt) nur notgedrungen (*aus Not*) auf sich genommen; vor allem wollten sie ihren überirdischen Wesensteil prächtig zur Erscheinung bringen: als *Fürst* und als *Gemeingeist*. Sie waren *weltlich*, weil sie dadurch weltliche Pracht entfalteten. Christus aber nahm seine irdische Gestalt nicht als notwendiges Übel, sondern in freiwilliger ›Bescheidung‹ auf sich. So war er von den dreien am unbedingtesten Mensch und erfüllte gerade so den Auftrag, den die Halbgötter vom *Vater* hatten, am besten. Denn je unbedingter ein Gott Mensch wird, um so zwingender verwirklicht er die Kettung von Himmel und Erde. So war Christus der größte Halbgott (das *Ende* [im Sinne von: das höchste bisher Erreichte]; vgl. auch 1. Fssg. v. 97: ein *Äußerstes*); die *weltlichen Männer* waren die Vorläufer des *Meisters*.
Damit ist nun der Unterschied zwischen den Dreien (der zugleich den Grund der *Scham* des Dichters bildet) deutlich geworden; zugleich auch der Sinn des Hymnentitels: Christus ist der *Einzige*, der das Maß der Verwirklichung des Göttlichen im Irdischen ganz ›erfüllt‹ hat.

Mit dieser Erkenntnis sind jetzt aber die beiden zuvor angestellten Vergleichbarkeitsnachweise bis zu einem gewissen Grade relativiert worden — sie bleiben in ihren Grenzen zwar gültig, erfaßten aber noch nicht die jetzt aufgetauchten entscheidenden Wesensunterschiede —, so daß ein nochmaliges, drittes und nunmehr radikales Vergleichen notwendig wird. Vermutlich sollte das isolierte *Diesesmal* am Ende von Hs[6] (s. o.) den Anschluß an dasselbe Wort in v. 84 der 1. Fssg. markieren (vgl. dieselbe Vermutung bei L. v. Pigenot, Hell. 4[3], 414; Gadamer a. a. O. S. 57; Stoll a. a. O. S. 169; Allemann: Hölderlin und Heidegger, S. 59 f.). Demnach folgen jetzt in der Gesamtkonzeption v. 84—105 der 1. Fssg. (die vermutlich, der Stilstufe der 3. Fssg. entsprechend, noch umgeformt worden wären). Wie in den Erläuterungen zur 1. Fssg. dargelegt, laufen hier die Fäden des Ganzen zusammen, indem diese Schlußstrophen den letzten, unüberbietbaren Vergleichbarkeitsnachweis führen (s. o.): was für Unterschiede auch zwischen den Halbgöttern bestehen mögen, sie sind in dem entscheidenden Punkte einig und vergleichbar, daß bei ihnen allen die göttliche *Seele* in einer irdischen Gestalt *gefangen* ist. Hierdurch bleibt sowohl die unvergleichliche Einzigkeit Christi als auch die Notwendigkeit gewahrt, alle Götter zu ehren. Auch der meisterliche Halbgott kann als Einzelner die Vielfalt des Göttlichen nicht ersetzen.

70 *Beständiges* = Akkusativ; *das Geschäftige* = Nominativ.

73—75 In der *Wüste* wurde Christus vom Teufel versucht (Matth. 4, 1—4), erlag aber der Versuchung nicht, sondern ›erhaschte‹ die *Spur . . . eines Wortes,* nämlich seines göttlichen Auftrags, demgemäß er die irdische Not, hier also den Hunger in der Wüste, als Mensch aushalten mußte. Hätte er der Versuchung nachgegeben und Steine in Brot verwandelt, so wäre das das Sterben des Menschlichen in ihm und also letztlich ein Nachgeben gegenüber der *Todeslust* gewesen, die er doch gerade auf Erden bekämpft.

78 *dürfen*: Bedürfen.

92—96 Es muß offen bleiben, ob jeder der drei Vergleichsnamen (*Jäger, Ackersmann, Bettler*) jeweils einem der Halbgötter oder allen dreien gilt — ich neige eher zu der zweiten

Möglichkeit, da die Wendung *Wie Jäger der Jagd* kaum als Singular aufzufassen ist.

Böckmann S. 428—434. — Guardini S. 512—522. — Hans-Georg Gadamer: Hölderlin und die Antike. In: Hölderlin-Gedenkschrift 1943, S. 50—69. — Müller S. 584—592. — Erich Hock: Zwei späte Hölderlin-Stellen. 2. Wie Fürsten ist Herkules. In: Hölderlin-Jb. 1947, S. 85—89. — Käte Bröcker-Oltmanns: Die Schuld des Dichters. In: Lexis, 1949, S. 155—160. — Eduard Lachmann: Hölderlins Christus-Hymnen. Wien 1951. — Robert Thomas Stoll: Hölderlins Christushymnen. Basel 1952, S. 151—184. — Helmut Läubin: Hölderlin und das Christentum. In: Symposion, Jb. f. Philosophie, 1952, S. 237—402; 1955, S. 217—334, bes. S. 268—278. — Beda Allemann: Hölderlin und Heidegger. Zürich und Freiburg i. Br. 1956², S. 50—66. — Ulrich Hötzer: Die Gestalt des Herakles in Hölderlins Dichtung. Stuttgart 1956, S. 133—140. — Horst Rumpf: Die Deutung der Christusgestalt bei dem späten Hölderlin. Diss. Frankfurt a. M. 1958, S. 20 bis 56. — Beda Allemann: Der Ort war aber die Wüste. In: Martin Heidegger zum siebzigsten Geburtstag. Festschrift, Pfullingen 1959, S. 204—216. — Ulrich Häussermann: Friedensfeier. Eine Einführung in Hölderlins Christushymnen. München 1959 [Textdarbietung *Der Einzige*: S. 15—30]. — Ryan S. 314 f. — Ruth-Eva Schulz: Herakles — Dionysos — Christus. Interpretationen zu Hölderlins Hymne »Der Einzige«. In: Die Gegenwart der Griechen im neueren Denken. Festschrift für Hans-Georg Gadamer zum 60. Geburtstag. Tübingen 1960, S. 233—260. — Eduard Lachmann: Der Versöhnende. Hölderlins Christus-Hymnen. Salzburg 1966. — Detlev Lüders: ›Die Welt im verringerten Maasstab‹. Hölderlin-Studien. Tübingen 1968, S. 19—53 u. ö.

PATMOS

Zur Entstehungszeit vgl. die Erläuterungen zu *Der Einzige*. Eine Reinschrift der 1. Fssg. überreichte Sinclair dem Landgrafen Friedrich Ludwig von Hessen-Homburg am 30. Januar 1803 zum fünfundfünfzigsten Geburtstag (vgl. Kirchner 1967, a. a. O. S. 63).

Erster Druck: 1) erste Fassung: Musenalmanach für das Jahr 1808. Hg. v. Leo Frhr. von Seckendorf; 2) spätere Bearbeitungen: Hell. 4, 1916.

»In der Zeitung für Einsiedler sind am 4. Mai 1808 . . . unter der Überschrift ›Entstehung der deutschen Poesie‹ die Verse 212—226 aus [dem ersten Druck] abgedruckt und am 11. Mai 1808 . . . ohne Überschrift die Verse 1 f. und im unmittelbaren Anschluß, ohne Kennzeichnung der Lücke, die Verse 197—211. Beide Bruchstücke sind unterschrieben: ›Hölderlin‹.
Ludwig Achim von Arnim teilt im Anschluß an seinen Aufsatz ›Ausflüge mit Hölderlin‹ (Berliner Conversations-Blatt für Poesie, Literatur und Kritik 1828 Nr. 31—34) eine verkürzte und andrerseits durch Einfügungen und Umdeutungen (wenn auch in bester Absicht) arg entstellte Umdichtung mit, unter Auflösung der Versform als ›Prosa‹ gedruckt . . . (Conversations-Blatt 1828 Nr. 35)« (Beißner StA 2, 766; vgl. Hell. 4³, 356 ff.).
Auch diesen Gesang hat man vielfach als ›Christushymne‹ bezeichnet (vgl. *Friedensfeier* und *Der Einzige*). Das ist irreführend, denn trotz des breiten Raumes, den die Hymne Christus einräumt, kommt sie zu dem Ergebnis, der Mensch müsse allen Himmlischen, also auch den antiken Göttern, dienen (v. 217—219).

Erste Fassung

Die Hymne hat 15 Strophen zu je 15 Versen (nur die zehnte besteht aus 16 Versen). Sie ist triadisch in 5 Gruppen von je 3 Strophen gegliedert.
Die erste Strophe ruft eine Weltlandschaft von biblischer Größe herauf. Der Gott ist der Erde *nah*; die neue Einkehr der Himmlischen steht offenbar bevor. Dennoch und zugleich ist der Gott *schwer zu fassen*. Die Einkehr geschieht nicht ohne Zutun der Menschen; diese — zumal die Dichter — müssen bereit sein, zuvor das ›Schwerste‹, nämlich das Begreifen und Erfassen des eigenen (abendländischen) Wesens zu leisten (vgl. Hölderlins Brief an Böhlendorff vom 4. Dezember 1801; ferner »Grundzüge der Dichtung Hölderlins«, oben S. 17 f.).
Eine Vorbedingung für das Erfassen des Eigenen ist aber die Eroberung des ›Fremden‹ (Griechischen). Über den *Abgrund* (v. 7) der Geschiedenheit vom Fremden hinweg muß eine

Brücke (v. 8) geschlagen werden. Diese würde die *Liebsten* auf den weitgetrennten Gipfeln der Zeit (Antike — Neuzeit) verbinden, ohne jedoch ihren Unterschied aufzuheben (vgl. *Am Quell der Donau*, v. 74 f.). Ihre so zu erreichende unterschiedene Einheit würde den nahen Gott *fassen*; sie würde *von den Himmlischen / Einen bringen* (*Blödigkeit*, v. 22 f.). Der Strophenschluß bittet daher um eine Brücke, auf der der abendländische Dichter (ins Fremde) hinübergehn und (ins Eigene) wiederkehren kann (v. 15).

Diese Bitte wird in der zweiten Strophe durch einen *Genius* (v. 19) unmittelbar erfüllt: er führt den Dichter *Vom eigenen Haus* (v. 20) weg ins Fremde (vgl. *nimmer kannt' ich die Länder*, v. 24). Der inständige Wille zum ›Brückenschlag‹ zu den *Liebsten* im Altertum und das reine Andenken an sie, das die Brücke baut, erscheint als Entführung durch den Genius.

Am Beginn der dritten Strophe, nach gewaltiger Emportürmung der Syntax (v. 25—30) und kühnem Strophen-Enjambement, zeigt sich das Fremde, in das der Dichter entführt wird, als *Asia*. Die erste Trias (Strophe 1—3) stellt somit den Vorgang des ›Hinübergehns‹ ins Fremde (v. 15) dar.

In der zweiten Trias (Strophe 4—6) beginnt der Dichter sich im Fremden einzurichten. Er erkennt die Schattenlosigkeit (v. 49) als ein Kennzeichen des feurigen Orients (*Asia*), im Gegensatz zum *schattigen Wald* (v. 22) der hesperischen Heimat. In *Patmos*, der Insel des Johannes, wo dieser die Apokalypse schrieb, verlangt ihn *einzukehren* (v. 55). Alle Erfahrungen und Erkenntnisse, die ihm hier aufgehen und in den folgenden Strophen dargestellt werden, sind unmittelbar als die Verwirklichung des andenkenden Brückenschlags zu bestimmten vergangenen *Gipfeln der Zeit* (v. 10) zu verstehen. Im Verlaufe der zweiten Trias wird, ausgehend von der Jüngerschaft des Johannes, zunächst die Lebenszeit Christi vergegenwärtigt.

Die dritte Trias (Strophe 7—9) handelt von der auf Christi Tod folgenden *Nacht*zeit (v. 117; vgl. auch v. 91 f.). Mit der Ausgießung des *Geistes* (v. 100 f.) *erlosch der Sonne Tag* (v. 108): als Christus, der letzte Gott der Antike (vgl.

Brot und Wein, v. 108; *Der Einzige*, 1. Fssg. v. 33), nicht mehr leibhaftig auf der Erde war, war der Göttertag des Altertums beendet. Die achte Strophe, als Mitte der Hymne, stellt dieses Ende und zugleich die Verheißung eines neuen Tages dar (*Denn wiederkommen sollt' es / Zu rechter Zeit*, v. 112 f.); die neunte ist der Furchtbarkeit (v. 121) des götterlosen Zustandes, die trotz jener Verheißung sich vordrängt (vgl. *Doch*, v. 121), gewidmet. Die Zerstreuung des Lebenden in der Nachtzeit (v. 122) und sein mangelnder Zusammenhalt gewinnt gleichsam Gestalt in dem Anakoluth, mit dem diese Trias endet (v. 135).

Da also die Furchtbarkeit der *Nacht* noch nicht abschließend dargestellt wurde, führt die vierte Trias (Strophe 10 bis 12) dieses Thema, auf einer höheren Ebene der Betrachtung, weiter. Sie stellt jene Furchtbarkeit nicht mehr nur dar, sondern fragt unmittelbar nach ihrem Sinn (*was ist dies?*, v. 151). Die sofort gegebene Antwort (v. 152—154) zeigt in einem gewaltigen Bilde den *Höchsten* (v. 161) als Urheber auch der Götterferne. Als *Säemann* hat er bereits die Saat für die bevorstehende Einkehr der abendländischen Götter ausgeworfen. Die Weltnacht ist also der Zeitraum, in dem die neue Saat gerade geworfen wird und noch nicht wieder den Boden berührt hat. So korrespondiert die mittlere Strophe der vierten Trias mit jener mittleren Strophe der dritten (und des ganzen Gedichts): die dort gegebene Verheißung der Wiederkehr der Götter (v. 112 f.) wird jetzt damit begründet und bekräftigt, daß die Saat schon längst geworfen, schon auf dem Weg ist. Auch die ›Behauptung‹ des ersten Hymnenverses, Gott sei dem Abendland nah, wird so untermauert. Überhaupt befindet sich der Dichter jetzt nicht mehr (wie in der zweiten und weitgehend auch in der dritten Trias) ausschließlich in der ›Fremde‹; das ›Hinübergehn‹ wandelt sich vielmehr allmählich zum ›Wiederkehren‹ (vgl. v. 15) in die Heimat. Je nachhaltiger der Dichter den Sinn des Untergangs des antiken *Gipfels der Zeit* erkennt, desto mehr wird er dadurch auf seine eigene Gegenwart zurückverwiesen: durch den *Wurf* des Höchsten wurde Hesperien zum Nachfolger der Antike bestimmt. So erscheint hier der letzte Grund des Ganges der Weltgeschichte im ganzen.

Den Schluß der vierten Trias (v. 162—181) bildet eine Warnung vor der Voreiligkeit, jetzt schon etwa ein *Bild* Christi *zu bilden* (v. 165 f.), als sei ausgemacht, daß Christus so, *wie er gewesen*, auch wiederkehren werde. Vielmehr *wandelt* das Werk der Götter *von selbst* (v. 177 f.); der Mensch darf diesem Wandel nicht vorgreifen, sondern muß das Wesen der künftigen Götter erst *lernen* (v. 173).
So ist die Hymne, aus der Fremde her, wieder an die eigene Gegenwart und Heimat herangeführt worden; die letzte, die fünfte Trias (Strophe 13—15) ist daher ganz dem ›Wiederkehren‹ (vgl. v. 15) gewidmet. Das Wiederkehren vergißt aber nicht etwa das, was beim ›Hinübergehn‹ erfahren wurde, sondern hebt es in sich auf. Das zeigt sich darin, daß, wenn der neue Tag sich noch unmittelbarer ankündigt (v. 179 f.), Christus (*der frohlockende Sohn des Höchsten*, v. 181) als *Losungszeichen* genannt werden wird (vgl. die Erl. zu *Friedensfeier*). Christus nämlich hat sich als größter der alten Halbgötter erwiesen (vgl. die Erl. zu *Der Einzige*); er wollte sich nicht mehr, wie Herakles und Dionysos, mit weltlicher Pracht und Größe umgeben, sondern hatte sein göttliches Wesen ganz in die einfachste Form des Menschlichen eingehen lassen. Gerade so aber wurde von ihm die Kettung von Himmel und Erde am zwingendsten verwirklicht. Diese bisher größte Erscheinung des Göttlichen auf der Erde ist das *Losungszeichen* für den künftigen Göttertag — unbeschadet des später sich darstellenden wirklichen Wesens der neuen Götter (s. o.). So besagt die Wahl dieses Losungszeichens nicht, daß der neue Göttertag ›christlich‹ im traditionellen Sinne sein wird. Christus wird nicht unverwandelt wiederkehren (vgl. *Friedensfeier*), und die übrigen Gottheiten dürfen nicht vernachlässigt werden. Ausdrücklich mahnt die Hymne: *Es sind aber die Helden, seine Söhne / Gekommen all* . . . (v. 206 f.). Daraus wird der Schluß gezogen, daß allen Himmlischen zu dienen sei (v. 217 bis 219). Die Vielfalt des Göttlichen ist von Menschen zu beherzigen. Dasselbe gilt für die Zusammengehörigkeit von Erde und Himmel, die das Gefüge der Welt bestimmt: die ausschließende Verehrung nur der Erde (v. 220) oder nur des Himmels (v. 221) ist *unwissend* und verfehlt den *Willen /*

Des ewigen Vaters (v. 201 f.), der über *allen* waltet (v. 223, vgl. den Zusatz des ersten Entwurfs: *Doch jene* [die *Mutter Erd*] *haben wir / Und diesen* [den *Tagesgott*, das *Sonnenlicht*], StA 2, 777 f.). Das *Bestehende* (v. 225), die umfassende Vielfalt himmlischer und irdischer Wesen, kennt keine Einseitigkeit. Unbestechlich reiht die Hymne daher in ihrer Schlußstrophe den *Meister* Christus (vgl. *Der Einzige*, 1. Fssg. v. 36 u. 92), unbeschadet seiner Meisterschaft, in die Gemeinsamkeit mit dem sonst *Bestehenden* ein. Die Welt in ihrer Ganzheit muß *gut / Gedeutet* werden. *Dem folgt* [gehorcht] *deutscher Gesang*.
Diesen Schluß der Hymne hat man gelegentlich zum Kronzeugen für die Meinung erhoben, Hölderlin habe sich in dieser späten Phase seines Dichtens auf die mittelbare Auslegung (›Deutung‹) heiliger Schriften (vgl. *Buchstab*, v. 225) zurückgezogen; eine Begegnung mit dem Göttlichen selbst sei nicht mehr möglich und auch nicht mehr beabsichtigt gewesen: Hölderlin habe resigniert oder sei gar verzweifelt, und das hohe Ziel seines Dichtens sei damit gescheitert (vgl. Gottschalk a. a. O. S. 270—272; Stoll a. a. O. S. 224). Diese Auffassung zeigt sich als ein grundlegendes Mißverständnis, sobald man die Hymne als Ganzes und die übrigen Dichtungen dieser Phase einbezieht. *Der feste Buchstab* ist vielmehr der eherne Buchstabe entweder des Gesanges selbst (vgl. W. Binder in: Hölderlin-Jb. 1955/56, S. 188, Anm. 3) oder jenes Gesetzes, das besagt, daß allen Himmlischen gedient werden muß (v. 217—219), und daß Himmel und Erde zusammengehören. (Vgl. Ryan S. 307 f., Anm. 159; Lüders a. a. O. S. 19 f., Anm. 2; ferner »Grundzüge der Dichtung Hölderlins«, oben S. 15.)
3 *Gefahr*: Vgl. Jochen Schmidt: Hölderlins Elegie »Brod und Wein«. Berlin 1968, S. 2 f.
7 *Söhne der Alpen*: Wohl die menschlichen Ansiedler (nicht wiederum die *Adler* v. 6).
34—36 *Tmolos*, *Taurus* und *Messogis*: Gebirge in Kleinasien; *Paktol*: Fluß ebenda (vgl. *Der Neckar*, v. 15).
88 f. *Vieles wäre / Zu sagen davon*: Vgl. *Der Ister*, v. 45 f.
113—115 Hätte der Vater den Beginn der Weltnacht *später* einsetzen lassen, so hätte er damit das (mittlerweile noch im

irrigen Glauben an eine sich fortsetzende Gegenwart der Götter begonnene) Werk der Menschen schroff abgebrochen. (Es scheint mir nicht sinnvoll, *Der Menschen Werk* als Nominativ zu verstehen [vgl. StA 2, 791]: wie hätte denn ein späterer Einbruch der Nacht plötzlich ein Werk der Menschen werden können, da er doch, wann er auch einsetzt, vom Willen des Vaters abhängt?)

124 Zu ergänzen etwa: ›ist furchtbar‹.

133 Zum Bild der goldenen Kette (*wie an Seilen golden*) vgl. Jens Hoffmann in: Hölderlin-Jb. 1958/60, S. 186—188.

151 *was ist dies?*: Vgl. *Mnemosyne*, 1. Fssg. v. 35.

170 *ein Knecht*: Subjekt, zu verbinden mit *nachahmen möcht'*.

182 f. *hier*: Damit wird wohl auf den gegenwärtigen Gesang, die Hymne *Patmos*, hingedeutet. — *Stab*: Böckmann (a. a. O.) und Beißner (StA 2, 793 f.) weisen auf Klopstocksche Vorbilder für diese Metapher hin. — *niederwinkend*: Der Gesang winkt die Götter nieder auf die Erde; er bewirkt ihre Einkehr.

199 *Dich*: Anrede an den Landgrafen.

205 *Denn noch lebt Christus*: Als *Meister* ist Christus auch als Abwesender wirksam; seine Meisterschaft läßt ihn zum *Losungszeichen* (v. 182) des kommenden Göttertages werden (s. o.).

210 f. *Er*: Der *Vater* (v. 202, 222), d. h. nicht der christliche Gottvater, sondern derjenige höchste Gott, der alles Göttliche, das ins Abendland gekommen ist, ausgesandt hat. — *Denn seine Werke sind / Ihm alle bewußt von jeher*: Vgl. Apostelgesch. 15, 18: »Gott sind alle seine Werke bewußt von der Welt her« (Hinweis von Michel, S. 478).

Vorstufe einer späteren Fassung

1 f. »Der immer stärkere Wille zu härtester Sprachfügung ist so rücksichtslos geworden, daß er grammatische Gesetze mißachtet: das Subjekt des ersten Satzes ist hier aus dem Objekt des zweiten zu ergänzen« (Beißner, StA 2, 795).

30 Zur Ersetzung von *Gipfel* (1. Fssg. v. 30) durch *Tische* vgl. Peter Szondi: Hölderlin-Studien. Frankfurt a. M. 1967, S. 17 f., 23 f.

119 f. Vgl. Bruchstück 74, v. 5 f.
129 *das Heiligtum das Spiel des Moria*: »Der Tempel zu Jerusalem ward bei Christi Tod und Auferstehung ein Spiel (das ist: Spielball, Spielzeug) des im Erdbeben zerbrechenden Hügels *Moria*, auf dessen Höhe Salomo ihn erbaut hatte (2. Chron. 3, 1). Die Schrecken des bebenden *Moria* sind in Klopstocks Messias des öfteren dargestellt« (Beißner, StA 2, 796).
130 *der Zornhügel*: Golgatha.
152 Die Ersetzung von *Säemann* durch *Sinn* betont den intentionalen, nämlich geschichtsbildenden Charakter des göttlichen *Wurfes* (s. o.).

Bruchstücke der späteren Fassung
61—75 Die Erwähnungen von Patmos (der *Insel des Lichts*) und *Johannes* (v. 74) bilden den Rahmen einer Darstellung zunächst (v. 62—67) der götterlosen Zeit (*wenn erloschen ist der Ruhm die Augenlust*: wenn die Götter nicht mehr sichtbar sind); in der Mitte der Strophe (v. 67—69) wird dieser götterlose Zustand auf seinen göttlichen Grund zurückgeführt (*das Gewissen*, das Behaltenkönnen der Götter, wird dem Menschen wechselweise von Gott gegeben und entzogen); v. 69—72 scheinen, aus dem Bewußtsein dieses göttlichen Gebens und Nehmens, den Doppel- und Zwittercharakter von Übergangszeiten (*eine Zeit*, v. 69: eine Zeitlang) darzustellen, wo das Erheben der Hände (zu Gott) und das *Niederfallen* böser Gedanken (von Gott weg) *unteilbar*, nicht voneinander zu lösen sind. Auch diesen *bösen Gedanken* kann und darf sich dann also niemand entziehen: *Grausam nämlich hasset / Allwissende Stirnen* [die der Übergangszeit allzuweit vorauseilen] *Gott*.
136—138 Der Anfang dieses Satzes ist nicht erhalten.
139—145 Das *Seufzen des Lichts* kann kaum als »*Seufzen* der Menschen nach dem Licht« (StA 2, 797) verstanden werden. Wörtlich genommen, ist es das Seufzen des (göttlichen) Lichtes selbst, das in Zeiten der Not (des Bethlehemitischen Kindermords und der Enthauptung Johannes des Täufers) um die Verwirklichung seiner selbst besorgt war. Diese Sorge *stillt* Christus in der *Weile*, die er auf Erden ›blieb‹. Vgl. Rumpf a. a. O. S. 70—72.

145—150 Das *Große*, die *Stimmen Gottes*, zu *behalten*, ist schwer; das Große ist *nicht eine Weide* (es läßt sich nicht, wie eine Weide vom Vieh, ruhig ›abweiden‹). *Schwer* ist besonders, daß *im Anfang* eines neuen Göttertages, wo das Göttliche sich dem Menschen ungewohnt, *wie Feuer*, naht, *einer bleibet*: daß ein Mensch diesen Ansturm des Gottes erträgt. *Jetzt aber ...* : vielleicht deutet Hölderlin damit an, daß e r dieses *Feuer* ausgehalten hat und daß nun, nachdem der *Anfang* überstanden ist, *dieses*, nämlich das ›Bleiben‹, *wieder, wie sonst* [wie im Göttertag des Altertums] *geht*. Vgl. dagegen StA 2, 797.
151—158 Hölderlin führt jetzt konkrete Namen der antiken Mythologie (*Herkules, Peleus*) in die Hymne ein, als Konsequenz der Einsicht der 1. Fssg.: *Denn Opfer will der Himmlischen jedes* (v. 217). Er möchte Christus *gleich dem Herkules* (entweder: als einen, der dem Herkules gleich ist; oder: gleichermaßen wie den Herkules) singen und knüpft damit an die Problematik der Hymne *Der Einzige* an (s. d.). Auch die *Insel* Kos, welche den schiffbrüchigen *Peleus* (= Akkusativ) *gerettet* hat, möchte er in einen Gesang von der ›Gleichheit‹ (v. 152) antiker Wesen und Christi einbeziehen. *Das geht aber / Nicht*. Hölderlin verwehrt sich damit nicht etwa »den Wunsch, auch die Helden aus dem orbis der Alten zu singen« (StA 2, 798); er verwehrt es sich vielmehr, die ›Gleichheit‹ Christi und der Antike vor ihm zu postulieren (vgl. die Erl. zu ›Ansätze zur letzten Fassung‹, v. 155 f.). *Anders ists ein Schicksal*: Erst wenn der Unterschied zwischen Christus und den alten Göttern deutlich wird (vgl. *Der Einzige*), kann auch das Wesen der von Christus abhängigen Nachtzeit (der Zeit *seit jenem*) angemessen begriffen werden.
158—166 Die *Namen* der Nachtzeit, des christlichen Mittelalters (Kreuzzüge, *Heinrich* IV.), sind *wie Morgenluft*; sie deuten vorauf auf einen neuen Morgen (der Götter), sind aber selbst flüchtig und gleichsam ohne eigene Substanz. Diese ihre Eigenart muß zunächst ›begriffen‹ werden, bevor sie angemessen im Gesang erscheinen können (vgl. W. Binder in Hölderlin-Jb. 1961/62, S. 121).
174f. *Aber sein Licht war / Tod.*: Indem Christus als letzter Gott des Altertums (vgl. *Brot und Wein*, v. 108; *Der Ein-*

zige, 1. Fssg. v. 33) das Göttliche noch einmal aufleuchten ließ, bezeichnete er zugleich den Untergang des antiken Göttertages.

177—180 Christus ›verleugnete‹ in Menschengestalt sein göttliches Wesen in höherem Maße als die alten Halbgötter vor ihm (vgl. *Der Einzige*). — *des ungeachtet* bezieht sich wohl darauf, daß die Auferstehung (vgl. *in der Freude der Wahrheit*) *ungeachtet* des Todes Christi (vgl. *Drauf starb er*, v. 176) stattfand. — *wie wenn / Ein Jahrhundert sich biegt*: Bei Christi Tod bog sich der Weltlauf gleichsam in eine neue Richtung; die Weltnacht begann.

185—191 Die *Anbetung*, die die Jünger Christus entgegenbrachten, war unmäßig, weil sie über der Beherzigung des Ausschließlichkeitsanspruchs Christi die Verehrung der übrigen Götter außer acht ließ (vgl. 1. Fssg. v. 217—219). Christi *Schatte* ›verseuchte‹ (v. 191) die Möglichkeit der *Liebe* zu a l l e n Göttern (vgl. *schadend*, ›Ansätze zur letzten Fassung‹ v. 190).

195 *Drachenzähne*: Kadmos säte Drachenzähne aus, aus denen bewaffnete *Männer* erwuchsen.

A n s ä t z e z u r l e t z t e n F a s s u n g

155f. *Aber nicht /Genug*: Der entsprechende Satz in den ›Bruchstücken der späteren Fassung‹ lautete *Das geht aber / Nicht* (s. o.). Durch die Änderung wird das zuvor immerhin mögliche Mißverständnis ausgeschaltet, Hölderlin verböte es sich, die antiken Helden überhaupt zu nennen. Er verbietet sich lediglich die nicht unterscheidende ›Gleich‹setzung (vgl. v. 152) Christi und der Alten. Eine solche würde den Gegebenheiten nicht ›genügen‹.

174 *schneeweiß*: Vgl. Rumpf a. a. O. S. 68.

Böckmann S. 434—451. — Guardini S. 522—544. — Hans Gottschalk: Das Mythische in der Dichtung Hölderlins. Stuttgart 1943, S. 237—274. — Müller S. 592—625. — Arthur Häny: Hölderlin: Patmos. In: Schweizer Monatshefte 1944/45, S. 701—724. — Fried Lübbecke: Friedrich Hölderlin, Patmos. . . . In: Georg Hartmann zur Vollendung seines 75. Lebensjahres . . . 1945, S. 19—34. — Hölderlin, Patmos. Dem Landgrafen von Homburg überreichte Handschrift [Lichtdruck]. Nachwort v. Werner Kirchner. Schriften der Hölderlin-Gesellschaft Bd. 1. Tübingen 1949. (Neudruck des

Nachworts in: W. K.: Hölderlin. Aufsätze zu seiner Homburger Zeit. Hg. v. Alfred Kelletat. Göttingen 1967, S. 57—68). — Edwin Muir: Hölderlin's Patmos. In: E. M.: Essays on Literature and Society. London 1949, S. 90—102. — Eduard Lachmann: Hölderlins Christus-Hymnen. Wien 1951. — Robert Thomas Stoll: Hölderlins Christushymnen. Basel 1952, S. 184—245. — Helmut Läubin: Hölderlin und das Christentum. In: Symposion, Jb. f. Philosophie, 1952, S. 237—402; 1955, S. 217 bis 334, bes. S. 279—334. — Robert L. Beare: »Patmos«, dem Landgrafen von Homburg. In: The Germanic Review, 1953, S. 5—22. — Walter Hof: Hölderlins Stil als Ausdruck seiner geistigen Welt. Meisenheim am Glan 1954, S. 202—211. — Horst Rumpf: Die Deutung der Christusgestalt bei dem späten Hölderlin. Diss. Frankfurt a. M. 1958, S. 56—78. — Ulrich Häussermann: Friedensfeier. Eine Einführung in Hölderlins Christushymnen. München 1959. — Alice Gladstone: Hölderlin's »Patmos«: Voyage as Homecoming. In: Quarterly Review of Literature, 1959, S. 64—76. — Ryan S. 303—309. — Ders.: Hölderlins prophetische Dichtung. In: Jb. d. dt. Schiller-Gesellschaft 1962, S. 194—228, bes. S. 215 f. — Emery Edward George: Hölderlin's »Ars Poetica«. A part-rigorous analysis of information structure in the late hymns. Vol. 1. 2. Diss. Ann Arbor, Michigan, 1964, S. 302—411. — Ders.: Some new Hölderlin Decipherments from the »Homburger Folioheft«. In: PMLA 1965, S. 123—140. — Eduard Lachmann: Der Versöhnende. Hölderlins Christus-Hymnen. Salzburg 1966. — Detlev Lüders: ›Die Welt im verringerten Maasstab‹. Hölderlin-Studien. Tübingen 1968, S. 94—102. — Richard Lawrence Unger: Hölderlin's »Patmos«: Song as Interpretation. Diss. [masch.-schr.] Ithaca, 1967. — Wolfgang Binder: Hölderlins Patmos-Hymne. In: Hölderlin-Jb. 1967/68, S. 92—127.

ANDENKEN

Wohl Frühjahr 1803.

Erster Druck: Musenalmanach für das Jahr 1808. Hg. v. Leo Frhr. von Seckendorf.

Dieser späte Gesang ist wie kaum ein anderer von sprachlichem Zauber, von kühnen, fast ungreifbar anmutigen Bildern und fremdartig scheinenden Motivverknüpfungen erfüllt. Zugleich aber ist er genau komponiert und weit entfernt, von der beginnenden Geisteskrankheit verwirrt zu

sein; alle Details sind in unauffälliger Strenge vom Weltbild der späten Dichtung bestimmt.
Die mittlere Strophe ist der ›Ruhe‹ gewidmet (vgl. v. 28: *Damit ich ruhen möge*); die je zwei Anfangs- und Endstrophen dagegen sagen Bewegung aus: die Ausfahrt des *Nordost*winds zur *Garonne* (Str. 1); die Erinnerung an Südfrankreich (Str. 2), die dem Dichter gleichsam als Antwort auf seinen Gruß (vgl. v. 5) von dort zurückkehrt; und die Ausfahrt der *Freunde* nach Indien (Str. 4 und 5). Die mittlere Strophe enthält jedoch zugleich den Keim zur Bewegung: sie gedenkt der Notwendigkeit des *Gesprächs* (v. 32 f.) und bereitet durch die Erwähnung der *Taten* (v. 36) die im folgenden genannte Meerfahrt vor. Umgekehrt münden die beiden ersten ›Bewegungsstrophen‹ organisch in den Bereich der Ruhe ein, denn die Erinnerungsbilder haben weitgehend statischen Charakter und sprechen zum Schluß überdies von *Träumen* und *Einwiegenden Lüften*; ebenso erheben sich die beiden letzten ›Bewegungsstrophen‹ gleichsam erst aus dem Bereich der Ruhe, indem sie zu Beginn zwei noch ›traumbefangene‹ Fragen stellen und überhaupt die Reflexion über die Ausfahrt (Str. 4) deren direkter Aussage (Str. 5) voranschicken. Endlich sind auch die je zwei ›Bewegungsstrophen‹ aufeinander bezogen: die Erwähnung der *Schiffer* (v. 4) deutet auf die Meerfahrt der *Freunde* (Str. 4 und 5) vorauf; die Darstellung der südfranzösischen Landschaft in v. 51—56 deutet auf deren Vergegenwärtigung in Str. 1 und 2 zurück. So wird deutlich: die Erinnerung an Südfrankreich zu Beginn war nicht zufällig, sondern schon bestimmt durch die von dort ausfahrenden *Freunde*. — Der gnomische Schlußvers bringt die Bereiche ›Ruhe‹ und ›Bewegung‹ auf höherer Ebene zu schwebendem Ausgleich, indem er das Aufeinanderbezogensein von ›bleiben‹ und ›stiften‹, Sein und Tun, gestaltet.
Das beschriebene Wechselspiel von Ruhe und Bewegung ist nun aber — ebenso wie das Wechselspiel von Bezügen hinüber und herüber — nichts anderes als die Gestaltung des Vorgangs des *Andenkens*. Das Gedicht versetzt zu Beginn unmittelbar in geschehendes Andenken: *Der Nordost wehet . . . Geh aber nun und grüße . . . Noch denket das mir wohl*;

es zieht sich dann (Str. 3) auf das andenkende Ich zurück, um sogleich weiterem Andenken Raum zu geben.
Dieses Andenken, das dem Gesang den Titel gibt, ist zugleich dessen wesentliches Ereignis. Es verbindet getrennte Bezirke (das Ich — das Land um *Bourdeaux*; das Ich — die *Freunde*), ohne ihren Unterschied aufzuheben; es stiftet Gemeinsamkeit inmitten der Trennung.
Das Land um *Bourdeaux* und *Bellarmin / Mit dem Gefährten* sind aber gleichsam nur die vorläufigen Ziele oder die Medien des Andenkens; eigentlich und durchgehend gilt dieses der abendländischen (hesperischen) Form des Dichtertums. Der Schlußvers nennt diesen verborgenen Kern des Gesangs unmittelbar. Die Meerfahrt der Freunde *zu Indiern*, ihr Abstoßen vom hesperischen *Ufer*, meint ihre Ausfahrt ins Fremde, in den Orient, wo sie *Reichtum* (v. 40) erwerben, nämlich ihrem eigenen hesperisch-nüchternen Wesen die Erfahrung des griechisch-orientalisch-leidenschaftlichen Wesens hinzufügen wollen (vgl. Hölderlins Brief an Böhlendorff vom 4. Dez. 1801; oben S. 25). Indem sie ausfahren, meiden sie zeitweise ihr eigenes Vaterland, Hesperien; sie tragen *Scheue*, schon jetzt an die ihnen lebendig sprudelnde *Quelle* (ihr Vaterland) *zu gehn* (v. 39): *Verbotene Frucht, wie der Lorbeer, aber ist / Am meisten das Vaterland. Die aber kost' / Ein jeder zuletzt,* (*Einst hab ich die Muse gefragt* . . . , v. 6—8). Erst wenn die Fremde erfahren wurde, kann die endgültige Rückkehr ins Eigene gelingen. Dann aber ist der Dichter für die Erfüllung seiner Aufgabe gerüstet, *die Welt im verringerten Maßstab* darzustellen (StA 5, 272), denn dann hat er die Verbindung der Erde (der sein eigenes hesperisches Wesen ursprünglich zugeneigt ist) und des Himmels (dem das griechisch-orientalische Wesen entspricht) beherzigt und ist somit der Ganzheit der Welt gerecht geworden (vgl. »Grundzüge der Dichtung Hölderlins«, oben S. 14 ff.).
Die *Freunde* sind noch auf der Ausfahrt; das Ich hat diese schon hinter sich und bleibt jetzt in der Heimat. Kaum merklich, in höchster Unscheinbarkeit und Bescheidenheit ist damit das Erreichen des Ziels, das Heimischwerden im Vaterland und in der hesperischen Form des Dichtens, ausgesprochen.
1 *Nordost*: Vgl. *Das Nächste Beste*, v. 32.

7 *Bourdeaux*: Ursprüngliche Form des Namens Bordeaux.
13 ›Ich erinnere mich noch gut daran.‹
16 *Feigenbaum*: Vgl. *Mnemosyne*, 1. Fssg. v. 36.
26 *Des dunkeln Lichtes*: = Des Weines, dessen dunkler, irdischer Stoff das Licht des Himmels verwahrt, das ihn reifen ließ. Vgl. Emil Staiger: Das dunkle Licht. In: Hölderlin-Beiträge 1961, S. 326—332 [zuerst ersch. 1954].
29 *unter Schatten*: Nicht notwendig die Schatten der Toten (so StA 2, 803; vgl. *Die Titanen*, v. 5—7); eher wohl *die Schatten unserer Wälder* (*Brot und Wein*, Variante zu v. 155) als Zeichen des erquickenden Charakters der vaterländischen Erde (im Gegensatz zum sengenden himmlischen Feuer des Orients).
37 *Bellarmin*: Die Briefe Hyperions sind an Bellarmin gerichtet. Vgl. *An Eduard*, Variante des Titels.
44 *Den geflügelten Krieg*: Wohl nicht Seekrieg, sondern Seefahrt (Kampf des Schiffes mit den Elementen; Segel = Flügel, vgl. *Der Archipelagus*, v. 81).
56f. *Es nehmet aber / Und gibt Gedächtnis die See*: Von den *Freunden* aus gesehen, nimmt die See, die Fahrt ins Fremde, ihnen das Gedächtnis der Heimat; sie gibt dafür das Denken an das Ziel ihrer Seefahrt und an den zu erwerbenden Reichtum. Zugleich gibt sie den Freunden schon jetzt die Möglichkeit der späteren Rückkehr in die Heimat und damit des echteren Denkens an diese. Vom Zurückbleibenden aus gesehen, nimmt die See zwar zeitweise das Denken der Freunde an ihn; sie gibt aber, daß er selbst um so inniger an die fernen Freunde denkt; sie gibt zudem die Aussicht auf künftiges wechselseitiges Gedächtnis, da die Freunde sich jetzt auf denselben Weg begeben, den der Zurückbleibende schon durchlaufen hat, so daß zu hoffen ist, daß auch sie eines Tages zurückkehren und gleich ihm in der Heimat ansässig werden.
58 *Und die Lieb' auch heftet fleißig die Augen*: Wie die See, nimmt auch die Liebe die Fähigkeit des Menschen, *Das Schöne der Erd'* (v. 43) zu erfahren, in Anspruch.
59 *Was bleibet aber, stiften die Dichter*: Die Wendung ins Allgemeine, die schon die Verse 56—58 vollzogen haben, wird von dem gnomischen Schlußvers vollendet. Das Stiften der Dichter wird in Gegensatz gesetzt (vgl. *aber*) zu den Ta-

ten der See und der Liebe. Das Stiften des Bleibenden ist somit etwas anderes als das Zusammenbringen des Schönen der Erde (v. 42 f.), und die *Dichter* sind anders als die *Freunde. Dichter* ist noch nicht der, der zur Erfahrung des Fremden ausfährt und fremde Darstellungsweisen nachahmt, sondern erst der, der die Gestaltung des *Eigenen*, des ihm aufgegebenen *Nationellen* (vgl. den Brief an Böhlendorff), meistert. Erst dieser verhilft dem Geist s e i n e r Zeit zur Erscheinung; der Geist des hesperischen Zeitalters kann nur vom hesperisch dichtenden Dichter ›gestiftet‹ werden. Nur der so gestiftete Geist eines Zeitalters ist auf echte Weise gestaltet und *bleibet* daher. — Der Titel des Ganzen ist wohl auch noch auf den Schlußvers zu beziehen: das dichterische Stiften ist das Zeugnis des Andenkens an den gegenwärtig waltenden Zeitgeist. — Hans Pyritz bezeichnet den Schlußvers als »nahezu ein Zitat« nach Ovid, Amores III, 9, 29: »Durat, opus vatum, Troiani fama laboris« (H. P.: Zum Fortgang der Stuttgarter Hölderlin-Ausgabe. In: Hölderlin-Jb. 1953, S. 80—105, hier S. 104 f.)

Martin Heidegger: »Andenken«. In: M. H.: Erläuterungen zu Hölderlins Dichtung. Frankfurt a. M. 1951[2], S. 75—143. — Ders.: Hölderlin und das Wesen der Dichtung. Ebd. S. 31—46, bes. S. 38 f. — Wolfgang Binder: Sprache und Wirklichkeit in Hölderlins Dichtung. In: Hölderlin-Jb. 1955/56, S. 183—200, bes. S. 190 f. — Gustav Siewerth: Philosophie der Sprache. Einsiedeln 1962, S. 139 bis 145. — Rolf Zuberbühler: Hölderlins Erneuerung der Sprache aus ihren etymologischen Ursprüngen. Berlin 1969, S. 85—114.

DER ISTER

Wohl Sommer 1803.
Erster Druck: Hell. 4, 1916.
Da dieser Gesang unvollendet ist (die ersten drei Strophen haben je 20 Verse; die vierte bricht also offenbar etwa in der Mitte ab), ist er nicht eigentlich interpretierbar, denn seine Gesamtkonzeption ist nicht bekannt. (Vgl. zum Folgenden die Erl. zu *Der Rhein* und *Andenken*; ferner »Grundzüge der Dichtung Hölderlins«, oben S. 16 ff.)
Jedenfalls sollte auch diese Hymne dem Thema des vaterlän-

dischen Dichtens und des Verhältnisses zwischen Hesperien und Griechenland gewidmet sein. *Wir singen aber vom Indus her / Fernangekommen und / Vom Alpheus* (v. 7—9): der Dichter und seine Gefährten sind schon von der Erfahrung des Orients zurückgekehrt und wollen sich jetzt am hesperischen Strom (*Ister* = Donau) niederlassen: *Hier aber wollen wir bauen* (v. 15).

Sie wollten die Haltung, die dem Dichter angemessen ist, im Orient erwerben (*lange haben / Das Schickliche wir gesucht,* v. 9 f.), konnten sie aber dort noch nicht finden. Denn die ›fremde‹ (griechisch-orientalische) Haltung (die dem *Feuer vom Himmel* zugewandt ist) ist ohne das Hinzutreten des Eigenen, des Hesperischen (das sich nüchtern dem Vereinzelt-Irdischen zuwendet), unvollkommen. Dieses eigene Wesen ist als solches das *Nächste* (v. 12); gerade als Nächstes aber ist es nicht zu ›ergreifen‹, ohne daß der Dichter zuvor mit *Schwingen* (v. 11) ausgefahren ist, um (als gegensätzliche Ergänzung) das Ferne (Fremde) zu lernen. Aus der Ferne heimgekehrt, findet er in der Heimat nun *das Schickliche;* jetzt erst kann er *Geradezu* (v. 13) das *Nächste,* sein eigenes, hesperisch-dichterisches Wesen, ergreifen. Damit kommt er *auf die andere Seite* (v. 14), in den Bereich nämlich, *wo die ganze Gestalt der Dinge sich ändert* (StA 5, 271), weil ein epochal neues dichterisches Wesen sie auf neue Weise, nämlich in einer *Umkehr aller Vorstellungsarten und Formen* (ebd.), darstellt. Die *andere Seite* ist die hesperische Art des Weltlaufs und des Dichtens, die, nach der Weltnacht, die griechische ablöst. ›Anders‹ wird sie genannt, weil der Blick, der sie ins Auge faßt, gleichsam noch von der lang gewohnten griechischen Tradition herkommt und das Eigene von da aus zunächst als das Andere sieht.

Das Ergreifen des eigenen dichterischen Wesens bedeutet, sofern es gelingt, zugleich eine neue Einkehr der Götter. Die Hymne ruft daher zu Beginn das (göttliche) *Feuer* und den neuen Götter*tag* herbei. Sie zeigt so, daß die Rückwendung zum Eigenen das im Orient erworbene (›feurige‹) Fremde keineswegs wieder verlernen läßt, sondern es als wesentlichen Bestandteil der neuen, Nüchternheit und Leidenschaft verbindenden Haltung einbezieht.

Der *Ister* fließt sehr ruhig (*allzugedultig*, v. 58), so daß er fast rückwärts zu gehen scheint (v. 41 f.). Diese Ruhe des abendländischen Flusses steht zweifellos in Beziehung zu der den Abendländern angeborenen Nüchternheit. Ist sie also nur das Anzeichen derjenigen Leidenschaftslosigkeit, die in jedem abendländischen Wesen naturgemäß auftreten muß, bevor es sich, zur notwendigen Ergänzung, dem Griechischen zuwendet? Offenbar nicht, denn dann könnte der Ister weder *allzu* geduldig genannt noch könnte ihm der leidenschaftlichere *Rhein* (v. 48, 63—66) als der, der sich offenbar ›erwartungsgemäß‹ verhält, entgegengesetzt werden. Das so bezeichnete Übermaß der Ruhe des Isters deutet darauf, daß diese im Widerspruch zu dem vom Dichter erkannten hesperischen Entwicklungsgesetz steht. Es wäre zu erwarten, daß die Donau begierig nach *Osten* (v. 44) eilte, wo überdies der vom jugendlichen hesperischen Wesen zunächst zu erstrebende Orient liegt: im besonderen Fall der Donau besagt also der scheinbare Rückwärtsgang geradezu geographisch genau, daß der zögernde Strom es nicht eilig hat, die orientalische Leidenschaft zu erwerben. Der Ister *scheinet* dem Bildungsgesetz Hesperiens zuwiderzuhandeln.

Die Hymne dringt nicht bis zur Lösung dieses Rätsels vor. Daß aber ihre letzten ausgeführten Verse (*Was aber jener tuet der Strom, / Weiß niemand*) als »resignierende Feststellung« betrachtet werden dürfen (Ryan S. 359), muß bezweifelt werden. Denn einmal wird die Hymne gerade dem Ister gewidmet, ferner wollen die hesperischen Dichter an diesem Flusse *bauen,* und endlich schlägt die Hymne einen keineswegs resignierenden, sondern im höchsten Maße frohlockenden Ton an (vgl. v. 1—3); sie ist eins der Zeugnisse dafür, daß auch und gerade der späte Hölderlin noch die Begegnung mit den Göttern herbeiruft. Keiner dieser drei Gesichtspunkte wäre mit einem Resignieren des Dichters gegenüber dem ›Helden‹ der Hymne vereinbar.

Es kann nur Vermutungen darüber geben, ob und wie das Rätsel des Isters im Verlauf der Hymne hätte gelöst werden sollen. Eine Erwägung sei angefügt. Es fällt auf, daß die Ufer des Isters einen ausgeprägt ›wild‹-leidenschaftlichen Charakter haben: *Es brennet der Säulen Laub*; . . . *Wild*

stehn / Sie aufgerichtet; ... springt vor ... (v. 22—25). Auch die starken Farben *gelb* und *schwarz* (v. 35 f.) und die intensiv gesteigerte Darstellung des ›hörbaren‹ *Wachstums* der Bäume (v. 39 f.) verstärken diesen Eindruck. Somit *wohnt* der Ister in einer Landschaft mit einzelnen eindeutig ›orientalischen‹ Wesenszügen (andererseits haben die Ufer auch die hesperische Eigenschaft des Schattenspendens, [v. 30, 33 f.]). Es kommt hinzu, daß der Strom an der Entstehung des Charakters seiner Uferlandschaft nicht unbeteiligt ist: *Denn Ströme machen urbar / Das Land* (v. 16 f.). Nicht umsonst ist die ganze zweite Strophe vor allem den Ufern des Isters gewidmet. So wäre etwa folgende Deutung möglich: Die Ufer gehören wesentlich zum Flusse, denn nur durch sie tritt er als das begrenzte Wesen, das er ist, in die Erscheinung. Ufer und Strom sind als Stromlandschaft eine Einheit. Dieser ist im Falle des Isters die Leidenschaft (durch die Ufer) schon eingeprägt worden. Zur Erlangung eines vollkommenen, nämlich der Ganzheit der Welt entsprechenden Wesens fehlt ihr noch das Element der Nüchternheit. Dieses muß also der Strom selbst hinzufügen: daher seine allzu große Geduld, sein maßvolles Wesen.
Auch diese Erwägung würde ein echt hesperisches Wesen des Isters erweisen. Die letzten ausgeführten Verse und die Unfertigkeit der Hymne setzen aber allen Vermutungen die Grenze.
4—6 Die *Prüfung* der neuen Einkehr der Götter geht den Menschen *durch die Knie*: sie erschüttert ihre gewohnte Standfestigkeit; zugleich gibt sie ihnen aber den Sinn für das *Waldgeschrei*: d. h. vielleicht für das Geschrei der Vögel, die dem neuen *Tag*, aus hesperischem Waldschatten heraus, entgegensingen.
9 *Alpheus*: An diesem Flusse liegt Olympia.
25 *Ein zweites Maß*: »Das *Dach* der kahlen Felsen ragt im oberen Donautal über den Wipfeln noch so hoch empor, wie die Bäume, die das *Maß* angeben, selbst sind« (Beißner, StA 2, 814).
28—31 *Herkules*: Pindar (3. Olympisches Siegeslied) erzählt, Herkules habe vom Ister den Ölbaum nach Olympia gebracht (bei seiner dritten Arbeit, als er die der Artemis

heilige Hindin fing). — *Fernglänzend* (v. 29): fraglich, ob auf den Ister oder auf Herkules zu beziehen. — Diese Reise des Herkules geschah im Vollzuge der griechischen Ausfahrt ins ›Fremde‹ (dieses ist, von Griechenland aus gesehen, das Hesperische: Herkules holte hesperischen *Schatten*, um das griechische *Feuer vom Himmel* zu kühlen).

41—44 Dem Motiv des Rückwärtsgehens gilt schon die erste Zeile des Entwurfs dieser Hymne: *rückwärts zu gehen scheinet der Strom* (StA 2, 808).

45 f. Vgl. *Patmos*, 1. Fssg. v. 88 f.

46—49 Daß der Ister an den Bergen *hängt* und sich nicht, wie der Rhein, durch Abbiegen seines Laufs von ihnen befreit, ist ein weiteres Zeichen seines Mangels an Leidenschaft.

50—58 Die Ströme bewahren in ihrer Flut das Bild der Gestirne des Himmels und verbürgen so, über die Erschütterungen der Geschichte hinweg, die himmlisch-irdische Ganzheit der Welt (vgl. *untrennbar*). Diese Treue der Ströme verbürgt zugleich, daß der *Höchste* auch nach Zeiten der Götterferne wieder auf die Erde *herunter* kommen kann.

57 *Hertha* (= Nerthus): Die Erdgottheit der Germanen.

59 f. *nicht / Freier*: Der junge Ister scheint nicht freier als der junge Rhein zu sein.

63—66 *es treibet . . . die Lüfte*: Einschub, auf den Rhein bezogen.

68—70 Würde der Strom nicht durch *Stiche* und *Furchen* das Land *urbar* machen (v. 16), bliebe dieses *unwirtbar* und böte dem Menschen keine Möglichkeit des Verweilens.

Ulrich Hötzer: Die Gestalt des Herakles in Hölderlins Dichtung. Stuttgart 1956, S. 119—121. — Ryan S. 315 f., 359 f.

MNEMOSYNE

Wohl Herbst 1803.

Erster Druck: Hell. 4, 1916 (die erste Strophe der dritten Fassung, deren Zugehörigkeit zu dieser Hymne erst Beißner — mit doch wohl schlagender Begründung [a. a. O.] — erkannt hat, druckt Hellingrath, trotz eigener in dieselbe Rich-

tung zielender Erwägungen, noch als gesondertes ›lyrisches Gedicht‹ ab).
Die Überschrift der Hymne lautete im ersten Entwurf *Das Zeichen* (vgl. Beißner a. a. O. S. 77), in der ersten Fassung zunächst *Die Nymphe*.
Da die drei Fassungen sich vor allem in der Anfangsstrophe unterscheiden, wird von den beiden ersten nur jeweils die erste Strophe, die dritte Fassung jedoch im ganzen erläutert.

Erste Fassung, erste Strophe

Der Brauttag (vgl. *Der Rhein*, v. 180), die Einkehr der Götter auf der Erde, wird mit Sehnsucht, aber — *der Ehre wegen* — auch mit Bangigkeit erwartet. Wenn nämlich *Eines uns / Zu gierig genommen* (wenn ein Gott die Menschen zu gewaltig und ohne Schonung ergriffen hat), *gehet / Es ungestalt* [zu]. Das ›Ungestalte‹, Chaotische, verletzt die *Ehre* der Menschen; denn gerade auch der ungeheure Vorgang des *Brauttags* muß in eine faßbare Gestalt (den Gesang) gefügt sein, um dem menschlichen Wesen zu entsprechen (vgl. Bruchstück 22; ferner »Grundzüge der Dichtung Hölderlins«, oben S. 20 ff.).
Solche Bedenken führt die Hymne jedoch sofort auf das ihnen zukommende Maß zurück: selbst wenn den Menschen das Unheil der Gestaltlosigkeit widerführe, so bliebe *der Höchste* dennoch *zweifellos*. Dieser kann jederzeit (vgl. *täglich*, v. 9), selbst nach solchem Unheil, eine neue Form des Geschichtsganges und damit auch der Göttereinkehr einsetzen, so daß ›es sich mit den Sterblichen wendet‹ (v. 15 f.). Ist der Höchste durch diese Befugnis, das Weltgeschick zu *ändern*, unvergleichlich mächtiger als die Sterblichen, die dem *Gesetz* — dem vom Höchsten einmal eingesetzten Geschick — unterworfen bleiben, so haben doch auch diese den Himmlischen etwas voraus: sie reichen *eh' an den Abgrund* jener ›Ungestaltheit‹. Den Himmlischen bleibt es versagt, dem Ungestalten die Gestalt eigens abzuringen. *Viel Männer möchten da / Sein*, um dieses Ringen um den Vollzug des *Gesetzes* der Gestalthaftigkeit zu bestehen (*wahrer Sache*: »Wohl als Beteurung aufzufassen, als allzu wörtliche Wiedergabe der lateinischen Formel re vera«; Beißner, StA 2, 824). Wird in

einer ›Wende‹ des Geschicks eine neue ›Gestalt‹ der Begegnung von Göttern und Menschen gefunden, so beendet dieses sich ereignende *Wahre* die *lang* sich hinziehende *Zeit* der Vorbereitung.

Zweite Fassung, erste Strophe

1—3 Statt der in der 1. Fssg. (v. 6—8) erörterten Gefahr, daß ein Gott die Menschen zu gewaltsam ergreift, nennt die 2. Fssg. (v. 1—3) die in der Zeit der Erwartung der Götter noch dringlichere Gefahr, daß die abendländischen Dichter *die Sprache in der Fremde verloren* haben. Sie sind über der Ausfahrt ins Griechisch-Orientalische, das sie zur Ergänzung ihres Wesens brauchen (vgl. Hölderlins Brief an Böhlendorff vom 4. Dezember 1801), noch nicht dazu vorgedrungen, aus dieser *Fremde,* sie in sich ›aufhebend‹, ins Vaterland zurückzukehren und sich die ihm entsprechende, neu zu findende *Sprache* anzueignen (vgl. W. Binder: Hölderlins Laudes Sueviae. In: Robert Boehringer. Eine Freundesgabe. Tübingen 1957, S. 29—47; bes. Anm. 27, S. 36). So sind diese Verse keine (resignierende) Aussage über den Menschen oder Dichter an sich; nicht der Mensch als solcher ist *deutungslos;* sondern die abendländischen Dichter zur Zeit Hölderlins (*wir*) sind noch nicht zum eigentlichen Begreifen ihres Wesens und ihrer Aufgabe gelangt.

4—8 Ein apokalyptisches Bild. Der *Streit . . . über Menschen,* der Himmel und Erde angeht und zum ›Reden‹ veranlaßt, zielt jedoch nicht auf einen Weltuntergang, sondern auf die Einsetzung einer neuen Form des Weltgeschicks. Diese würde sich darin manifestieren, daß das Abendland seine eigene *Sprache* gewinnt (v. 3).

11 f. Daß der Höchste (*Einer,* v. 9), wenn er das Weltgeschick wenden will, kaum auf ein Gesetz angewiesen ist, wird jetzt durch scheinbar paradoxe Bilder deutlicher gesagt als in der 1. Fssg.

14 *das Echo*: Dieser Zusatz verdeutlicht, daß eine Wende im menschlichen Geschick wie ein Echo eine vom Höchsten eingesetzte Wende im Weltgeschick (die ›Änderung‹ v. 10) wiederholt und spiegelt. Eine menschliche Wende muß immer Antwort auf eine göttliche ›Änderung‹ sein; sie darf nicht, ohne solche göttliche Veranlassung, *mit eigenem Sinne zornig deuten* (*Wenn aber die Himmlischen . . .*, v. 62). Vgl. *Echo des Himmels! heiliges Herz!* (*Ermunterung*, v. 1); ferner Hölderlins *Anmerkungen zum Oedipus* des Sophokles (StA 5, 193— 202). Hier heißt es, daß *der Mensch . . . der kategorischen Umkehr* [des Gottes] *folgen muß* (S. 202; dieses Folgen bringt *das Echo* hervor). Vgl. D. Lüders: ›Die Welt im verringerten Maasstab‹. Hölderlin-Studien. Tübingen 1968, S. 57—77.

Dritte Fassung

Die Neufassung der ersten Strophe beginnt nicht mehr mit dem Hinweis auf eine Gefahr, die dem *Brauttag* entgegensteht, sondern mit einem Bilde der ›Reife‹ und mit einem Hinweis auf ein bestehendes *Gesetz* (*Prophetisch* [v. 4] ist Prädikatsnomen zu *Gesetz*). Himmel (*Feuer*) und *Erde* haben gleichermaßen zur Reife der *Früchte* beigetragen; und in diesem Angewiesensein auf Himmel und Erde beruht vermutlich auch das prophetische *Gesetz*, dem sich *alles* fügen muß, was Reife erlangen will. Die Ernte des reif Gewordenen (der *Brauttag*; vgl. 1. Fssg. v. 5) steht gleichsam unmittelbar bevor; das Träumen des Gesetzes, sein ›prophetisches‹ Wesen gilt wohl diesem Bevorstehenden als dem Ziel. (Die *Hügel des Himmels* deutet Beißner a. a. O. S. 97 vermutungsweise als »Grabhügel«, entsprechend der »Stimmung des allgemeinen Sterbens«, die er in dieser Strophe verwirklicht sieht. Hiervon weicht unsere Deutung grundlegend ab. Vermutlich sind mit den Hügeln Wolken gemeint, wobei der Name *Hügel* dem *Himmel* das notwendig ergänzende irdische Element zugesellt. In einer Vorstufe hieß es *die Wohnungen / Und Pforten des Himmels*.)

V. 5—14 vergegenwärtigen das, was von Menschen *zu behalten* (v. 8 u. 14) ist, wenn das Erscheinen des Göttertages nicht gefährdet sein soll. Und hier erst wird jetzt auch auf die Gefahr hingewiesen, daß die zu gehenden Pfade *bös* sind; denn die *gefangenen / Element' und alten / Gesetze der Erd*, die innerhalb des Gefüges von Himmel und Erde ihren begrenzten Platz einnehmen, möchten immer wieder aus dieser Beschränkung ausbrechen; sie gehn *durch* (var. StA 2,

821) *Wie Rosse.* Ebenso wie solches Sichaufwerfen der irdischen Gesetze ist auf der anderen Seite die Sehnsucht *Ins Ungebundene* zu vermeiden (vgl. die Erl. zu *Der Einzige*, 2. Fssg. v. 62—73). Angesichts solcher vielfachen Versuchungen ist *not die Treue.*

Die nun folgenden Verse 15—17 haben sehr unterschiedliche Deutungen erfahren. Hellingrath (4[3], 307) sah in ihnen »eine Art von Verneinung der hymnischen Welt und Stimmung Hölderlins«, ein ›blindes Sichtreibenlassen‹, das er freilich als »ein weiter ergriffen und erfüllt die Augen schließen« verstand. Beißner (a. a. O. S. 82, 98 f.) dagegen spricht (erstaunlicherweise auch in Bezug auf die entsprechenden Verse 15—17 der 1. und 2. Fssg.) von einem »Hinsinken in verantwortungslose Apathie« und von ›Verzweiflung‹ des Dichters. Für Kerényi (a. a. O. S. 15) endlich haben diese Zeilen »die Atmosphäre der Zeitlosigkeit«; sie zeigen die »Vollendung« des Dichters an. — Man wird davon ausgehen dürfen, daß diese Verse eine Form der unmittelbar zuvor als notwendig genannten *Treue* darstellen; der eben noch Treue fordernde Dichter gibt sich gewiß nicht sogleich »verantwortungsloser« Untreue hin. Treue aber muß jenem prophetischen Gesetz gehalten werden, das als allgemeingültig (v. 3) erkannt worden ist; und vermutlich besteht die höchste Form der menschlichen Treue darin, eine der jeweiligen Entwicklungsphase des Gesetzes analoge Existenzform zu erreichen, also *Echo* des Gottes zu sein (vgl. 2. Fssg. v. 14). Dies ist die Bindung des Menschen an den neuen Weg des Gottes, dem er *folgen muß* (StA 5, 202, 15). Der Mensch darf nicht hinter dem Gesetz zurückbleiben, ihm aber auch nicht vorauseilen (vgl. *Patmos*, ›Bruchstücke der späteren Fassung‹ v. 72 f. und dort die Erl.). Insofern darf er, sobald er mit dem Gesetz auf gleicher Stufe steht, nicht vorwärts und nicht rückwärts sehn. Das Gesetz verweilt gegenwärtig *träumend* über der Erde; dem Charakter dieses Träumens entspricht das Sichwiegenlassen des Menschen.

Die zweite Strophe fährt darin fort, die Notwendigkeit der Treue zum Gesetz zu beherzigen. Sie fragt nach dem *Wie* des Sichwiegenlassens (*Liebes* wohl = Vokativ) und vergegenwärtigt (v. 18—22) das Gleichgewicht zwischen Himmel

(*Sonnenschein*) und Erde (*Boden*; *Schatten der Wälder*; *Dächer*), das dem Menschen als der Spielraum seiner Treue gegeben ist. Das Gewahren dieses Gleichgewichts und das Heimischwerden in ihm ist vermutlich das eigentliche Sichwiegenlassen. *Gut* ist es für den Menschen, jene *Tageszeichen* von Himmel und Erde zu beachten, sobald ihm ein Gott *die Seele* (= Akkusativ) *verwundet* und also ein Übergewicht des Himmels verursacht hat (hierin ist vielleicht ein Nachklang von v. 7 f. der 1. Fssg. zu sehen). Auch der *Wandersmann* (v. 32), der die *Alpen* überschreitet und also auf dem Weg ist von ›Griechenland‹ nach ›Hesperien‹, hat — da ja das Abendland das griechische Wesen nicht etwa abwehrt, sondern gerade in sich aufnimmt — ein Gleichgewicht der in diesen beiden Epochen erscheinenden, auf Himmel (Griechenland) und Erde (Hesperien) gerichteten menschlichen Wesensanlagen erzielt. Das Wort *hälftig* (v. 29), das das Gleichgewicht zwischen Schnee und Gras auf der Wiese (d. h. zwischen Winter und neuem Frühling der Zeiten) nennt, bringt eine Grundbedingung der mehrfachen Weisen des Sichwiegenlassens im Gleichgewicht, die die Strophe darstellt, zur Sprache: die Ausgewogenheit und Gleichwertigkeit zweier Komponenten, deren Zusammenspiel das Sichwiegenlassen ermöglicht. — Wer ›der andere‹ (oder ›das andere‹; v. 34), der Begleiter des *Wandersmanns*, ist, wird nicht genauer gesagt. Es läge nahe, an einen zweiten Wandersmann zu denken, an den zugleich die Rede des ersten vom Kreuze (v. 29) gerichtet wäre. Nach Hoffmann dagegen (a. a. O. S. 239) ist »das Andere« »das Gedenken« (›Mnemosyne‹), dem dann die dritte Strophe gewidmet ist. Die Frage *aber was ist dies?* (v. 34; vgl. *Patmos*, 1. Fssg. v. 151) gilt wohl jedenfalls nicht dem *andern* allein, sondern dem ganzen Bilde vom Wandersmann.

Die dritte Strophe setzt nur scheinbar unvermittelt mit dem Gedenken an einige der vorzüglichsten Helden des antiken Griechenlands ein. Dieses Gedenken (Gedächtnis, *Mnemosyne*) ist nicht nur durch den Titel der Hymne, sondern auch durch die Rede des Wandersmannes von *Gestorbenen* (v. 31) und vor allem durch dessen Wanderung aus Griechenland her in die Heimat vorbereitet. Vom Tode der Helden des

Altertums ist die Rede, sogar vom Tode der *Mnemosyne* selbst, der Mutter der Musen (s. u.). Der Untergang der Antike im ganzen wird beschworen.
Ein Heutiger aber darf diesen Untergang nicht lediglich betrauern; bloße *Trauer* beginge einen ›Fehler‹ (v. 51). Denn der Sinn des Untergangs der Antike, die sich überlebt hatte (vgl. . . . *meinest du / Es solle gehen* . . . , v. 3—7), war letztlich positiv: eine neue Weltepoche (Hesperien) sollte mit neuen Kräften an die Stelle der Antike treten. Von der Heraufkunft Hesperiens legen die Reife der Früchte, das träumende Gesetz, das Sichwiegenlassen und der Alpengang des Wandersmannes Zeugnis ab. So erläutert die dritte Strophe durch einen Rückblick auf das Schicksal der Antike den Sinn des Kommens des Wandersmanns und beantwortet damit jene Frage *aber was ist dies?* (v. 34) unmittelbar.
Das Gedenken an das Vergangene muß den positiven, nämlich die Geschichte weiterführenden Sinn des Vergehens erblicken. Am Ausgang der Antike war Mnemosyne gestorben (v. 46—48); ihr Tod war ein Zeichen des ›Unwillens‹ (v. 49) der Himmlischen über den Abfall der Antike von dem ihr eingegebenen Wesen. Hölderlins Hymne aber trägt wiederum ihren Namen und verfährt gemäß ihrem Wesen. Der Titel der Hymne zitiert nicht etwa eine Gestalt der antiken Mythologie. Er zeigt vielmehr an, daß eine Gottheit in Hesperien einkehrt, die dem hesperischen Dichter ein wahres, nicht mehr elegisch trauerndes Verhältnis zur griechischen Epoche des Weltlaufs ermöglicht.
15—17 H. O. Burger vermutet in diesen Versen eine Erinnerung an Rousseaus ›Rêveries‹ (DVjs 1956, S. 363 f.).
35 f. Diese Verse sind der ›Keim‹ des Gedichtes (der erste Entwurf beginnt mit den Worten *Am Feigenbaum / Ist mir Achilles gestorben*; vgl. StA 2, 817 u. 828). — »*Am Feigenbaum* ist wohl eine Reminiszenz aus Richard Chandlers Travels in Asia minor, and Greece 1, 13 . . . , wo es nach einer Beschreibung der Grabhügel des Achill und des Patroklus . . . heißt: From thence the road was between vineyards, cottonfields, pomegranate, and figtrees« (Beißner, StA 2, 828).
40—43 *Ajax*, Sohn des Telamon, Königs von *Salamis*. Viel-

leicht meint *An Schläfen Sausen* den Wahnsinn, in den Pallas Athene Ajax fallen ließ, und in dem er das Herdenvieh statt seiner Gegner mordete. Wieder bei Besinnung, tötete er sich selbst.
44 *König*: Achilles.
46 f. *als / Ablegte den Mantel Gott*: Vgl. *Griechenland*, 3. Fssg. v. 25 f.; ferner »Grundzüge der Dichtung Hölderlins«, oben S. 21.

Friedrich Beißner: Hölderlins letzte Hymne. In: Hölderlin-Jb. 1948/49, S. 66—102 (auch in: F. B.: Hölderlin. Weimar 1961, S. 211—246). — Eduard Lachmann: Hölderlins letzte Hymne. In: Anzeiger der österreichischen Akademie der Wissenschaften. Phil.-hist. Klasse 1950, S. 261—276. — Martin Heidegger: Was heißt Denken? Tübingen 1954, S. 6—8. — Karl Kerényi: Hölderlin und die Religionsgeschichte. In: Hölderlin-Jb. 1954, S. 11—24. — Ders.: Hölderlins Vollendung. Ebd. S. 25—45. — Jens Hoffmann: Das Problem und die Bilder der Lebensbewährung in Hölderlins Dichtung. Diss. Hamburg 1956, S. 208—252. — Emery Edward George: Hölderlin's »Ars Poetica«. A part-rigorous analysis of information structure in the late hymns. Vol. 1. 2. Diss. Ann Arbor, Michigan, 1964, S. 412—484. — Paul de Man: Hölderlins Rousseaubild. In: Hölderlin-Jb. 1967/68, S. 180—208, bes. S. 207 f.

HYMNISCHE ENTWÜRFE

DEM ALLBEKANNTEN

In einer Vorstufe dieses Entwurfs erwähnt Hölderlin stichwortartig die Schlachten von *Lodi* (10. Mai 1796) und *Arcole* (November 1797) aus Napoleons italienischem Feldzug. Der Entwurf dürfte zwischen Ende 1797 und 1799 entstanden sein.
Erster Druck: 1) (teilweise): Carl Müller-Rastatt: Friedrich Hölderlin. Sein Leben und Dichten. Bremen 1894. 2) (ergänzt): Norbert von Hellingrath: Pindarübertragungen von Hölderlin. Jena 1911.

Hexameter (Notiz Hölderlins unter der Überschrift). Entwurf einer Hymne auf Napoleon (vgl. *Die Völker schwiegen, schlummerten . . .*; *Buonaparte*; Bruchstück 25 u. 38). »Das große hexametrische Preisgedicht auf den größten Zeitgenossen blieb so unvollendet wie das frühere Bruchstück [*Buonaparte*] es geweissagt hatte: auch dieses Gefäß hätte der schnelle Geist jenes Jünglings zersprengen müssen« (Hell. 4³, 383).
Zur Überschrift vgl. die Erl. zu *Friedensfeier* (S. 309).
1 Vgl. *Die Wanderung*, v. 28. Die einleitende Erwähnung der wandernden *Schwalben* hat eine doppelte Funktion: sie bereitet darauf vor, daß dieser *Gesang*, indem er sich dem *Fremdling* (v. 4) Napoleon zuwendet, ebenfalls in ein anderes Land ›wandert‹; ferner läßt sie den Leser, da sie die Schwalben *heilig* nennt (v. 3), den Schluß ziehen, auch der mit ihnen verglichene Gesang sei heilig — und dies ist das notwendige Gegengewicht zu der einseitig harmlosen Bezeichnung des Gesangs als eines *Spiels* (v. 7). Die Grundbedeutung des ›Wanderns‹ bei Hölderlin als eines notwendigen Erfahrens des Fremden, eines Andenkens an dieses und somit einer Form der Einigkeit des Unterschiedenen schwingt darüber hinaus auch hier mit.
2 *Fröhlich*: In der Hs ohne Ersatz gestrichen.
5 Vgl. Bruchstück 71, v. 16 f.

DEUTSCHER GESANG

»Nach dem handschriftlichen Zusammenhang noch vor dem ersten Entwurf zu dem Gesang *Am Quell der Donau* niedergeschrieben« (Beißner, StA 2, 833).
Erster Druck: Hell. 4, 1916.
Entwurf zu einem der *vaterländischen Gesänge* (vgl. Hölderlins Brief an Friedrich Wilmans, Ende Dezember 1803), wie schon der Titel anzeigt. Zum Folgenden vgl. »Grundzüge der Dichtung Hölderlins«, oben S. 16 ff.
Am Anfang steht die ›trunkene Begeisterung‹ des *Morgens*, die deutliche Züge des orientalischen *Feuers vom Himmel* (vgl. Hölderlins Brief an Böhlendorff vom 4. Dezember

1801) trägt. Die Ausschließlichkeit dieser Begeisterung ist dem *Deutschen* [hesperischen] *Gesange* nicht gemäß: jetzt *schweigt* der Dichter noch (*noch* hieß es urspr. statt *allein*, v. 11).

Mit v. 14 wendet das Gedicht sich dem Abend zu (v. 15 hieß urspr.: *dann schöpft in kühler Abendstunde*), dessen *Schatten* und ›Kühle‹ dem Deutschen Gesange günstiger sind. In dieser ›hesperischen‹ Stimmung singt der Dichter den *Seelengesang*. Dabei ist er aber gleichsam von der Erinnerung an jene übermächtige und allzu ausschließliche ›Begeisterung‹ noch *zu* sehr erfüllt (v. 21), so daß seiner *reinen Seele . . . Unheilig jeder Laut des Gesangs* erscheint. *Die Gestirne* erfreuen sich *lächelnd* seiner *Einfalt* (Reinheit, vgl. v. 22), die sich in diesem ›Zürnen‹ mit sich selbst zeigt. Ihr *Segen* legitimiert den Gesang des deutschen Dichters, sofern er sich ganz der geschichtlichen Aufgabe hingibt, unter vaterländischen Bedingungen — die trunkene Begeisterung also zugunsten der heiligen Nüchternheit bändigend — den *guten Geist des Vaterlands* (v. 37), den neuen, noch unbekannten hesperischen Gott (vgl. die Erl. zu *Friedensfeier*), zu nennen.

4 *Die rauhe Bahn*: Akkusativ.

18 *des heiligen nüchternen Wassers*: Vgl. *Hälfte des Lebens*, v. 7.

21 Beißner ergänzt hier ein *er*: *Und noch, noch ist er des Geistes zu voll,*

38 Nach diesem Vers notiert Hölderlin:

Je mehr Äußerung, desto stiller
Je stiller, desto mehr Äußerung.

Heinz Otto Burger: Die Hölderlin-Forschung der Jahre 1940 bis 1955. In: DVjs 1956, S. 329—366; bes. S. 348 u. 354. — Ryan S. 358 f.

WIE VÖGEL LANGSAM ZIEHN . . .

Erster Druck: Hell. 4, 1916.

»Dieses Bruckstück stellt für einen unbekannten größeren Zusammenhang den Wie-Satz eines Gleichnisses bereit, und zwar in Homerischer Form insofern, als die einzelnen Züge

des Vergleichs (v. 2—10) syntaktisch nicht mehr von dem *Wie* abhängen, sondern als selbständige Hauptsätze geformt sind« (Beißner, StA 2, 836). Im Gegensatz aber etwa zu *Der Einzige*, 1. Fssg. v. 92—103, wo dieses Verfahren innerhalb eines einzigen Satzes in der Tat durchgeführt wird, wird hier zweimal (v. 8, 10) nach Abschluß »einzelner Züge des Vergleichs« ein Punkt gesetzt, so daß der syntaktische Zusammenhang mit einem etwa noch intendierten zweiten Teil des Vergleichs unmöglich gemacht ist.
Lothar Kempter (Hölderlin und die Mythologie, Horgen-Zürich/Leipzig 1929, S. 56 u. 129) weist auf 5. Mose 32, 11 hin: »Wie ein Adler ausführet seine Jungen, und über ihnen schwebet.«
Besonders das Vorausblicken des *Fürsten* (des ›vordersten‹ Vogels) und die Wendung *kühl wehn / An die Brust ihm die Begegnisse* lassen das Bild vom Vogelzug transparent werden für eine zweite Bedeutungsebene: den dichterischen Aufbruch in das hesperische Weltzeitalter. Das ›Mäßigen‹ (v. 9) entspricht, ebenso wie die Kühle, dem hesperischen Wesenselement der Nüchternheit (vgl. die Erl. zu *Deutscher Gesang*).

Emil Staiger: Hölderlin: Bruchstück einer Hymne. (Wie Vögel langsam ziehn . . .). In: Trivium 1942/43 S. 79—80.

WIE MEERESKÜSTEN . . .

Erster Druck: Hell. 4, 1916.
Der *Gesang* (v. 7) wird mit *Meereskūsten* (v. 1, Dativ) verglichen (das letzte Wort dieses Bruchstücks, das *Ufer* des Gesangs, korrespondiert mit den *Meereskūsten* des Beginns, so daß diese einander entsprechenden Begriffe den gewaltigen Satz einrahmen). . . . *wenn zu baun / Anfangen die Himmlischen*, wenn also die Einkehr der Götter auf der Erde beginnt, *schifft unaufhaltsam . . . das Werk / Der Wogen* (die *Pracht* der von den Wogen herangetragenen Elemente des göttlichen Bauens) an die Küsten; die *Erde* bereitet sich vor, diese Pracht zu empfangen; und *vom Freudigsten* (*kommt* [var.]) *eines* (ein Bote des höchsten Gottes), um *es*, jenes

Werk der Wogen, zum Bau ›zurechtzulegen‹. ... *also* (ebenso) *schlägt es / Dem Gesang ... / Das gewaltige Gut ans Ufer.* Dem Gesang geschieht dies; der Dichter ist nicht autonomer Schöpfer, sondern baut mit dem *Gut*, das die Himmlischen ihm geschickt haben. Der *Weingott* und Aphrodite sind bei diesem glücklichen und gewaltigen Ereignis dabei; jener als ein Gott der Erde und diese als die *meergeborene* haben eine deutliche Beziehung zu dem zwischen Himmel und Erde spielenden mythischen Vorgang.

HEIMAT

Erster Druck: Hell. 4, 1916.

V. 1 ist vielleicht so zu ergänzen: *niemand weiß*, wann die Götter in die hesperische *Heimat* einkehren werden. *Indessen* (v. 2, d. h. in dieser Zeit der Erwartung) wendet sich der Dichter der heimatlichen *Erde* (v. 5) zu — die Erde ist ja überdies der Weltteil, auf den das *Nationelle* des hesperischen Menschen gerichtet ist und dessen *freier Gebrauch* somit für den hesperischen Dichter *das schwerste ist* (vgl. Hölderlins Brief an Böhlendorff vom 4. Dez. 1801, oben S. 25). So kann dieser Entwurf als Einübung im freien Gebrauch des Hesperisch-Nationellen gelesen werden. Die konkreten Dinge der heimatlichen Erde werden genannt. Zugleich aber fragt der Dichter *aufwärts* (v. 14): erst im Austausch der Erde mit dem anderen Weltteil, dem Himmel, wird die ›Welt‹ sichtbar werden (vgl. »Grundzüge der Dichtung Hölderlins«, oben S. 15).

Viëtor S. 220. — Wolfgang Binder: Sinn und Gestalt der Heimat in Hölderlins Dichtung. In: Hölderlin-Jb. 1954, S. 46—78, bes. S. 73.

WENN NÄMLICH DER REBE SAFT ...

Erster Druck: Hell. 4, 1916.

An der *Traube* und an den *Bienen* zeigt sich das Streben der irdischen Wesen nach *Schatten*, nach Schutz vor dem ›brennenden‹ *Strahl* der *Sonne*. Schatten und Kühle entsprechen dem ›Nationellen‹ der hesperischen Epoche (vgl. die Erl. zu *Deutscher Gesang*); zusammen mit den Sonnenstrahlen vergegenwärtigen sie die himmlisch-irdische Ganzheit der Welt (vgl. »Grundzüge der Dichtung Hölderlins«, oben S. 14 f.).

AUF FALBEM LAUBE ...

Erster Druck: Hell. 4, 1916.
»Eine in dieser hymnischen Zeit kaum mehr erwartete Heiterkeit und Gegenständlichkeit, nicht ungeeignet das von Waiblinger überbrachte Gerücht einer verspäteten Neigung in den Nürtinger Jahren zu stützen« (Hell. 4[3], 392).
Im Brief an Friedrich Wilmans von Ende Dezember 1803 sagt Hölderlin: *Übrigens sind Liebeslieder immer müder Flug, ... ; ein anders ist das hohe und reine Frohlocken vaterländischer Gesänge.* Vielleicht deshalb heißt es in diesem Entwurf, der die Thematik von *Liebesliedern* hat: *Nicht will wohllauten / Der deutsche Mund* (v. 14 f.). Angesichts der dichterischen Bewußtheit Hölderlins ist allerdings kaum anzunehmen, daß er, entgegen der in jenem Brief ausgesprochenen Einsicht, ein einfaches Liebeslied in die Form eines *vaterländischen Gesangs* bringen wollte; vielleicht hätte die Ausarbeitung die Beziehung zur Thematik der *vaterländischen Gesänge* verstärkt, die in v. 14 f. schon anklingt.

Viëtor S. 209.

AN DIE MADONNA

»Begonnen im Anschluß an die Reinschrift des Gesangs Germanien« (Beißner, StA 2, 843).
Erster Druck: Hell. 4, 1916 (aufgeteilt in drei Entwürfe).
Entwurf zu einem der *vaterländischen Gesänge*, die sich der Einbeziehung Christi in den hesperischen Kosmos widmen (vgl. *Friedensfeier*, *Der Einzige*, *Patmos*).
1—8 Beim ›Leiden‹ des Dichters um die Madonna und um Christus mag man sowohl an Hölderlins Versuch denken,

Christus und die alten Götter als gleichermaßen zu verehrende Gottheiten zu sehen (vgl. *Der Einzige*), als auch an seine ungeliebte Erziehung zum Beruf des protestantischen Pfarrers (die frühere Lebenszeit wird in v. 4 f. ausdrücklich einbezogen). Vielleicht sind die *Dienenden* (v. 8) eben die Pfarrer, die Diener am Wort Gottes.

13—26 Trotz jenes Leidens will der Dichter die Madonna *feiern*. Sie gehört zu den *Himmlischen*, die dem ›abendländischen‹ Dichter (vgl. v. 23) wichtig sein müssen, denn in der Nachtzeit der Götterferne hat einzig und allein (*statt anderer Gottheit*) die Lehre ihres Sohnes, die Nächsten*liebe*, und ebenso die *Liebe* der Menschen zu ihrem Sohn, *gewaltet*. Diese Liebe wird *allvergessend* genannt, weil sie infolge des Ausschließlichkeitsanspruchs der christlichen Lehre alle anderen Götter hat vergessen lassen (s. u.). Die Sprache des feiernden Gesangs soll *heimatlich*, also ›abendländisch‹, sein. Der Dichter *allein* (v. 17) spricht diese Sprache (noch ist die Gemeinde, der *Chor des Volks* [*Der Mutter Erde*, v. 14], nicht da); daher ist sie der Menge ungewohnt; dennoch möge ihm niemand dies *vorwerfen* (vgl. die Vorrede zu *Friedensfeier*).

27—47 *Damals*, als Christus und *Johannes* der Täufer (der Sohn der Elisabeth, der *Freundin* der Madonna, und des *stummen* Zacharias; vgl. Luk. 1, 13—36) *geboren* wurden, *sollt es beginnen*, das Zeitalter der *heiligen Nacht* (v. 48) nämlich, in dem jene *allvergessende Liebe* die Menschen beherrschte.

Denn gut sind Satzungen . . . : Beißner (StA 2, 847) bezieht v. 39—42 auf die »Obrigkeiten«, deren *Satzungen* den Tod Christi und Johannes' (vgl. v. 44—46) herbeiführten. Diese Deutung berücksichtigt aber das einleitende *Denn* (v. 39) nicht: offenbar will dieser Satz das Vorhergehende begründen, die Darstellung also, wie das christliche Zeitalter ›begann‹ (v. 27), und insbesondere das zunächst befremdende Vorzeichen, unter dem die Deutung dieses Zeitalters steht: daß die christliche Liebe und die Liebe zu Christus *allvergessend* sei. Diese *Liebe* ist die *Satzung*, die *in heiliger Nacht* (v. 48) über den Menschen *gewaltet* hat. Sie ist an sich *gut* (auch und gerade Christus ist ja vom abendländischen Dichter zu verehren); aber sie ›tötet‹ *das Leben* (die lebendigoffene Versammlung aller Götter), wenn sie ›geschärft‹ (überspannt) wird und Ausschließlichkeit fordert (vgl. *Zu viel aber / Der Liebe, wo Anbetung ist, / Ist gefahrreich, triffet am meisten* [*Patmos*, Bruchstücke der späteren Fassung v. 185—187]). Damit wird das eifernde Verteidigen der Ausschließlichkeit Christi im Kleinen und Großen (vgl. *Ein Geringer oder ein König*; Glaubenskriege!) verurteilt. *Gleichmut ist aber gegeben / Den Liebsten Gottes*: die *Liebsten* ›schärfen‹ die *Satzungen* nicht; sie verehren offen und ›gleich‹mäßig alles Göttliche. *So dann starben jene*: *So dann*, nachdem sie diese *Satzung* — mit all ihren Vorzügen und Gefahren — eingesetzt hatten, *starben* Christus und Johannes.

48—83 Nach dem Rückblick auf das christliche Zeitalter wendet das Gedicht sich jetzt zur *Zukunft* (v. 49). Die Madonna wird als Beschützerin (v. 71) des kommenden hesperischen Geschlechts aufgerufen, das jetzt noch sorglos schläft (v. 50), im Grunde aber schon den *keimenden Tagen* (v. 55) frisch entgegenblüht (v. 51). So wie Christus größer als die alten Götter war (vgl. *Der Einzige*), wird der kommende Gott, wie der Dichter hofft, *größer* (v. 57) als Christus sein (er wird etwa die Gefahr der *allvergessenden Liebe* vermeiden; vgl. die Erl. zu *Friedensfeier*). Dies wird die Madonna ihm nicht etwa (aus Eifersucht für ihren Sohn) *neiden*; es war ihr ja auch *lieb*, daß ihr Sohn größer wurde als sie selbst. Die ›älteren‹ Götter dürfen der ›jüngeren‹, künftigen nicht *spotten*; das wäre ein unfruchtbares ›Rückwärtsblicken‹, eine mangelnde Bereitschaft dem Neuen gegenüber. *Das frische Geschlecht* möge *die Kraft* (v. 81, Akkusativ), mit der es die neuen Götter sucht, nicht verzetteln.

84—107 Diese Verse suchen zu zeigen, wie das *frische Geschlecht* seine *Kraft* in rechter Weise anwenden würde. Es muß *aus Vielem* [Göttlichen] *das Beste . . . wählen* (v. 83). Dabei soll es sich durch *das Böse* nicht beirren lassen: dieses ist, wesentlich genommen, *Nichts*; denn es kann seine Teilhabe am gemeinsamen Geiste nur verleugnen, nicht verlieren (vgl. die Erl. zu *Der Rhein*, v. 46 f.). Das *Böse* kann daher dem, der die Götter einkehren läßt, letztlich nichts anhaben (vgl. auch *Die Titanen*, v. 64—66). Diese Grundeinsicht muß *das frische Geschlecht* zunächst einmal ganz fest, *wie der Adler den Raub ... begreifen.* Bei der dann folgenden ›Wahl‹ (vgl. v. 83) ist entscheidend, daß *Die Andern dabei* sind. Die Götter des Altertums (die, von der Madonna und ihrem Sohn her gesehen, die *Andern* sind; vgl. v. 104) dürfen von der ›Wahl‹ in den Olymp der hesperischen Götter nicht ausgeschlossen bleiben. Die *frischaufblühenden Kinder* (*sie*, v. 87; vgl. v. 51) müssen so handeln, *damit sie nicht / Die Amme, die / Den Tag gebieret / Verwirren.* Diese und die folgenden Zeilen (bis v. 93) sind schwer zu deuten. Die *Mutter* ist zweifellos die *Heimat* der Abendländer, Hesperien also. Wer aber ist die *Amme*? Binder (a. a. O.) versteht sie als Griechenland, das die Abendländer »mit fremder Milch nährt« (die Abendländer müssen Griechenland als die Fremde erfahren, bevor sie, in die Heimat zurückkehrend, ihr eigenes Wesen frei gebrauchen lernen; vgl. Hölderlins Brief an Böhlendorff vom 4. Dez. 1801, oben S. 25). Die Rolle Griechenlands bei der Geburt des neuen hesperischen Göttertages läßt sich so in der Tat als die einer Amme vorstellen. Es ist die Aufgabe der Amme, den Abendländern dazu zu verhelfen, daß *Die Andern dabei* sind (s. o.): die Abendländer müssen, um nicht ihrer *Heimat* zu einseitig (*falsch anklebend*) verhaftet zu bleiben, die griechischen Gottheiten im gehörigen Maße einbeziehen. Tun sie das nicht, so ›verwirren‹ sie ihre Amme, indem sie sie vernachlässigen. Zugleich würden sie so *der Schwere* ihrer eigentlichen Aufgabe ›spotten‹, die darin beruht, daß sie eben *aus Vielem* wählen und sich in die Fremde (nach Griechenland) wagen müssen, um auch von dort *das Beste* zu holen.

Denn groß ist / Von dem sie erben den Reichtum: Wiederum hat das einleitende *Denn* unmittelbar begründende Funktion. Weil der Höchste (der oberste Gott) *groß ist*, so daß er sich schon auf vielerlei verschiedene Weise (in großem *Reichtum*) auf der Erde manifestiert hat (in den alten Göttern und in Christus), deshalb eben besteht so *Vieles* (v. 83), aus dem nun gewählt werden muß.

Der folgende Satz ist wohl etwa so zu ergänzen: *Der* [aber liebt] / *Vor allem*, ... Die *Wildnis*, die *heilige Nacht* zwischen den Göttertagen, bewahrt den Menschen das *reine*

Gesetz, nach dem auch sie ›gebaut‹ ist. Sie steht als *Feld* (v. 18) des Wirkens bereit für die Madonna, für Christus, aber für die *anderen auch*. Diese Bedingung wird bedeutsam wiederholt.

108—116 Vgl. Hock a. a. O., der den *Knochenberg* als die Erhebung »Knochen« bei Bad Driburg deutet. Hierher reiste Hölderlin 1796 mit Diotima und Heinse. Diese Strophe nennt einzelne Orte der abendländischen Heimat als Stätten, die für die Einkehr der neuen Götter bereit sind. Der *Handwerksmann* (vielleicht ist damit der Dichter gemeint) mag am Bau der *Tempel* mitwirken.

117—140 V. 119 ist ein Zitat aus Montaignes Essais; vgl. Hölderlins Brief vom 10. Juli 1796 an den Bruder: *Ich fürchte mich nicht vor dem, was zu fürchten ist, ich fürchte mich nur vor der Furcht.*

Wohl an die Erwähnung des *Handwerksmanns* anknüpfend, wendet die Hymne sich an die Dichter: sie sollen sich durch *Furcht* nicht beirren lassen, auch nicht durch *ein finster Geschlecht*, das zur Aufnahme der Götter nicht bereit ist. Der *Gesang* wird, unbeeinflußbar durch solche Widrigkeiten, für die Guten *in kommender Zeit* bereit sein.

Über v. 130 läßt die Hs Raum für etwa 11 Zeilen.

141—164 Das ›einsame‹ *Glück* (vgl. v. 139), als Erster den kommenden Göttertag, die kommende Vereinigung von Himmel und Erde zu ahnen, wäre *mir fast zu plötzlich . . . gekommen*; es hätte mich beinahe verwirrt, so daß ich, obwohl *im Eigentum* dieses Glücks, es fast nicht recht verstanden und mich mit meinem Gesang, statt an die Lebenden, *an die Schatten gewandt* hätte. *Denn weil* der Höchste *den Sterblichen . . . Göttergestalt* gegeben hat (vgl. 1. Mose, 1, 27), hat er in ihnen schon *versuchend* (versuchsweise) eine Vereinigung himmlischer und irdischer Eigenschaften ins Werk gesetzt. Angesichts seiner Erkenntnis, daß der kommende Göttertag eine neue Vereinigung von Göttern und Menschen bringen wird, wähnte der Dichter im Überschwang eine Zeitlang *unverständig*, in der Tatsache der *Göttergestalt* der *Sterblichen* sei diese Vereinigung schon eingetreten: *Wofür* also noch *ein Wort?* Wozu hätte es dann noch des den Göttertag herbeirufenden Gesangs bedurft? *So meint'* *ich, denn ... wer / Das Lebenslicht ... sparet* (schont), vermeidet, wenn sie nicht nötig ist, die kraftverzehrende *Rede*. *Zwar* (var., StA 2, 845, 20) haben *die Himmlischen sich* dennoch *vor alters ... von selbst* ›gedeutet‹ (Zeugnis von sich abgelegt), als sie nämlich den Sterblichen Göttergestalt gaben, so daß diese (*sie*, v. 154) etwas von ihrer, der Götter, *Kraft* ›hinwegnahmen‹. *Wir aber zwingen dem Unglück ab*: jener unverständige Wahn, der Göttertag sei gleichsam schon eingetreten, ist überwunden. Noch ist das *Glück* ›einsam‹, nur der Dichter kennt es; allgemein herrscht noch das *Unglück*, die Götterferne. Ihr *zwingen* die Dichter den Gesang ab, der vom fernen Glück kündet.

Guardini S. 545 ff. — Erich Hock: Zwei späte Hölderlin-Stellen. In: Hölderlin-Jb. 1947, S. 78—89. — Arthur Häny: Hölderlins Titanenmythos. Zürcher Beiträge zur deutschen Literatur- und Geistesgeschichte, hg. v. Emil Staiger, Nr. 2, Zürich 1948. — Helmut Grosse: Das Christusbild in der Romantischen Dichtung. Diss. Marburg 1949, S. 73—105. — Wolfgang Binder: Sinn und Gestalt der Heimat in Hölderlins Dichtung. In: Hölderlin-Jb. 1954, S. 46—78, bes. S. 70 f. — Heinz Otto Burger in: DVjs 1956, S. 346. — Ulrich Häussermann: Friedensfeier. München 1959.

DIE TITANEN

Erster Druck: Hell. 4, 1916.

Das Wesen der *Titanen* und ihre Stellung im Weltgefüge sind — nach Ansätzen beim jungen und mittleren Hölderlin — einer der großen Motivkreise des Spätwerks (vgl. Häny a. a. O. und die Rezension seines Buches durch Adolf Beck, Hölderlin-Jb. 1950, S. 170 ff.). Die Titanen haben ihre Funktion innerhalb der Erwartung und Vorbereitung der Einkehr der künftigen Götter; dabei wirken sie als negative Folie der Bestrebungen der *Reinen* (vgl. v. 64—66). Sie sind »die Abgefallenen; aber die herkömmliche, auch bei Hölderlin ursprünglich vorherrschende Vorstellung des Gigantischen und Luziferischen, wie überhaupt der Begriff der Größe tritt [im Spätwerk] zurück: die Titanen sind der Inbegriff ... der chaotisch wilden Toten- und Schattenwelt — ›des gemeinen Alltags, worin der Dichter Hölderlin ... nur einen Schatten des wahren Seins zu erblicken vermag‹« (Beck, a. a. O. S. 171). Obwohl also der Begriff des Titanen ganz dem eigenen Weltbild Hölderlins anverwandelt wird, behält er aus der Überlieferung des antiken Mythos den entscheidenden Wesenszug der Auflehnung: die Titanen Hölderlins lehnen sich — bewußt oder unbewußt — dagegen auf, sich der Ankunft der Götter zu öffnen und sie so zu ermöglichen. So verharren sie jedoch, bei aller Auflehnung, zugleich in einer unaufhebbaren Nähe und Spannung zum Göttlichen.

1—46 Gewaltig und schroff setzt die Hymne mit vier unverbundenen Kurzsätzen ein. Diese Schroffheit entspricht der Härte der *Zeit*, in der die Götter noch nicht eingekehrt sind (v. 1 f.). Die *Titanen* (*sie*, v. 2) sind *noch* ... *unangebunden* (vgl. die abweichende Deutung StA 2, 851 [*Noch* = »und nicht«]; dazu Häny a. a. O. S. 113 ff., Anm. 14), sie treiben noch frei ihr wildes Wesen; sie sind *Unteilnehmende*, weil sie dem *Göttlichen*, das kommen will, den Weg nicht bereiten. *Dann mögen sie rechnen / Mit Delphi*: dieses *Dann* leitet wohl, im Gegensatz zum Vorhergehenden und zum folgenden *Indessen*, einen Ausblick auf die Zeit ein, wo das Göttliche einkehrt und die Titanen ›angebunden‹ werden: wenn die Götter wieder sprechen (wie durch das Orakel von *Delphi*), *mögen* die Titanen mit ihrer Bestrafung *rechnen*. *Indessen*, nämlich in der noch währenden götterlosen Zwischenzeit (vgl. *Heimat*, v. 2), denkt der Dichter an die *Toten*, die im Gegensatz zu den Titanen am Göttlichen ›teilgenommen‹ haben (vgl. *Andenken*, *Mnemosyne*). Er selbst aber, der noch am Leben ist, ist mit seinem Denken an den kommenden Göttertag *allein* (v. 12) in einer titanischen Umwelt. V. 16—18 nennen die Überlieferung, die das Denken an jene Toten ermöglicht, v. 19—22 die mittelbare, durch *Wolken* gemilderte Einwirkung des Himmels auf die Erde, die auch in der götterlosen Zeit stattfand und eine fruchtbare, *heilige Wildnis* vorbereitete, so daß eine gewisse Spur des Göttlichen als Halt für die Reinen da ist. Das Göttliche selbst aber, das *himmlische Feuer*, ist noch gleichsam bei sich selbst ›gefangen‹ (v. 28); solange die Menschen titanisch-*unteilnehmend* sind, verwehren sie ihm die Einkehr auf der

Erde. Der himmlische *Reichtum* (v. 23), der sich so unerlöst aufspeichert, ist *heiß*; das himmlische Feuer glüht in sich selbst, weil es die kühlende Erde (vgl. *Der Einzige,* 3. Fssg. v. 97 f.) nicht erreicht. *An Gesang,* der Himmel und Erde einander nähern könnte (vgl. *Wie wenn am Feiertage . . .*), *fehlet* es. — Einiges ›Erfreuliche‹ aber gibt es auch jetzt (v. 29—39): *Gastmahl* und *Fest,* wo eine Gemeinschaft der Menschen sich vorbereiten könnte, und die ›Besänftigung‹ von Krieg und Schlacht im andenkenden *Spiel* der *Kinder.* Biene und Vogel (v. 40—43) geben das Beispiel einer unbedingten Anteilnahme am göttlichen Naturgang. Vier karge Kurzsätze (v. 43—46), analog denen des Beginns, schließen den ersten Teil der Hymne, der die unerlöste Zwischenzeit darstellt, ab. Sie zeigen, wie das am *Himmel* (v. 44) *unteilnehmende* Wesen dieser Epoche überwunden werden kann.

47—61 Von den soeben (v. 29—46) genannten ermutigenden Zeichen vorbereitet, folgt eine vorwegnehmende Darstellung des neuen *Tages* (v. 48), der Einkehr der Götter. Nicht von ungefähr wird das Bild der *Kette* des ›Blitzableiters‹ (v. 49—52) gewählt: dieser ist der Ort, wo der himmlische Strahl am unmittelbarsten die Erde berührt, so daß sich die Einheit von Himmel und Erde (d. h. die Einkehr der Götter) herstellt. *Das Hohe* ist nach langer Vergessenheit zu *Sterblichen* gelangt; der *Reichtum* ist nicht länger ›gefangen‹. Der Segen dieser ersehnten Erfüllung zeigt sich unmittelbar (v. 55—61).

62—83 Die den *Titanen* gewidmete Hymne hat nur kurz bei der glücklichen Einkehr der Götter verweilt; sie wendet sich jetzt wieder ihrem Hauptthema zu. Nicht nur in erfüllter Zeit unter Sterblichen fühlen sich die Götter (vgl. v. 53 f.): sie fühlen *Auch andere Art,* den Gegensatz des *Reinen,* nämlich das *Rohe,* das eben von den Titanen verkörpert wird. (Das Rohe als notwendige Folie des Reinen: von hier aus ist auch der Satz aus der Hymne *An die Madonna* [v. 84] zu verstehen: *Nichts ists, das Böse*; vgl. die Erl. zu *Der Rhein,* v. 46 f.) Der Griff des Höchsten in die Tiefe, *Daß es lebendig werde,* die Vorbereitung also des neuen Tages, erregt auch die blindwütigen Titanen zu gewaltigem ›Aufgären‹. Dieses Wachstum der gegengöttlichen Kräfte könnte die Fehldeutung nahelegen: *Es werden die Himmlischen schwach.* Aber *Wunderbar / Im Zorne kommet er drauf,* der *Vater,* und gebietet Einhalt, sobald das titanische Treiben überhand nimmt.

Friedrich Beißner: Hölderlins Übersetzungen aus dem Griechischen. Stuttgart 1933, S. 149 f. — Walther Rehm: Tiefe und Abgrund in Hölderlins Dichtung. In: Hölderlin-Gedenkschrift 1943, S. 70 bis 133, bes. S. 114 f. — Arthur Häny: Hölderlins Titanenmythos. Zürcher Beiträge zur deutschen Literatur- und Geistesgeschichte, hg. v. Emil Staiger, Nr. 2, Zürich 1948. — Beda Allemann: Hölderlin und Heidegger. Zürich und Freiburg i. Br. 1956², S. 64 bis 66. — Jochen Schmidt: Hölderlins Elegie »Brod und Wein«. Berlin 1968, S. 173—178.

EINST HAB ICH DIE MUSE GEFRAGT, ...

Erster Druck: Hell. 4, 1916.
Dieser Entwurf wird vielleicht vom folgenden (*Wenn aber die Himmlischen ...*) fortgesetzt (vgl. StA 2, 855). »Neuer, persönlich gewandter und kräftigster Versuch dem schon aus dem Brief an Böhlendorff uns bekannten Gedanken Gestalt zu geben: das Vaterländische sei das am schwersten Erreichbare« (Hell. 4³, 386). Vgl. »Grundzüge der Dichtung Hölderlins«, oben S. 16 ff.
Das verrätselnde Element in der späten Lyrik Hölderlins (vgl. z. B. auch den Anfang des Entwurfs *Die Titanen*) ist in den ersten Versen dieses Entwurfs besonders ausgeprägt: weder wird gesagt, wonach der Dichter die Muse fragt, noch, was das *es* in ihrer Antwort (v. 3 f.) ist. Dieses vom Dichter am Ende zu Findende kann aber nicht geradehin beim Namen genannt werden, denn *Kein Sterblicher kann es fassen.* Das ›Finden‹, das dem Dichter gelingen soll, ist kein eigentliches Fassen. Der Dichter wird das Gefundene vielmehr, ohne es durch ein Erfassen, das nur scheinbar sein könnte, zu zerstören, als ›Fund‹ (vgl. *Heimkunft,* v. 79 und dort die Erl.) zu einem ›Gefäß‹ ›machen‹ (vgl. v. 26): er wird das, was er vom *Höchsten* gesehen hat, im Gesang (= Gefäß) dichten. Das gelingt nur, wenn er ›vaterländisch‹ dichtet (vgl.

v. 7) und das Kosten dieser *verbotenen Frucht* meistert, die am schwersten zu erlangen ist und daher erst *zuletzt* (nach der Ausfahrt in die Fremde und der Heimkehr aus ihr) gepflückt werden darf (vgl. Hölderlins Brief an Böhlendorff vom 4. Dezember 1801, oben S. 25).

9—18 Die Menschen müssen viele Irrtümer überwinden, ehe sie die Weltverhältnisse einsehen, die in *Anfang / Und Ende* der Zeit wirksam sind (nämlich die Weltganzheit aus Himmel und Erde, die der anfänglich-griechischen wie der abendlich-hesperischen Epoche zugrunde liegt). *Das letzte,* aber auch das gefährlichste, was ihnen endgültige Klarheit verschafft, ist das unmittelbare Sichzeigen eines Gottes; es *reißt / . . . Menschen / Hinweg. Herkules,* der *Fürst* des Maßes, hat diese feurige Unmittelbarkeit des göttlichen Sichtbarwerdens (vgl. auch *Wie wenn am Feiertage . . .,* v. 50 f.) zwar *gefürchtet,* weil sie den Sterblichen nicht gemäß ist. Dennoch mag sie für ›uns‹, die wir *träge / Geboren sind* (die wir die abendländische Nüchternheit als nationelle Wesensart mitbekommen haben), als ausnahmsweise, äußerste (*letzte*) göttliche Mahnung heilsam sein. So nötigt auch der *Falke* durch seinen *Flug* am Himmel den (trägen, der Erde verhafteten) *Reuter,* ihm zu ›folgen‹: nicht so, daß der Reiter die Erde, der er zugehörig bleibt, vergäße, wohl aber so, daß er das Beachten des Himmels und seiner *Zeichen* künftig einbezieht und so dem Gefüge der unterschiedenen Einheit von Erde und Himmel gerecht wird.

Beda Allemann: Hölderlin und Heidegger. Zürich und Freiburg i. Br. 1956[2], S. 57. — Ulrich Hötzer: Die Gestalt des Herakles in Hölderlins Dichtung. Stuttgart 1956, S. 121—123.

WENN ABER DIE HIMMLISCHEN . . .

Erster Druck: Hell. 4, 1916.

Dieser Entwurf aus dem Umkreis der Titanen-Hymne ist vielleicht die Fortsetzung des vorigen (*Einst hab ich die Muse gefragt, . . .*; vgl. StA 2, 855).

Zu Beginn eine antizipierende Darstellung des neuen Göttertages (vgl. *Die Titanen,* v. 47 ff.). Das Bild des ›Bauens‹ für

das Sicheinrichten der Götter auf der Erde verwendet Hölderlin auch sonst (vgl. den Entwurf *Wie Meeresküsten ...*, v. 1 f.). Die *Tochter* (v. 7), die *den Donnerer hielt,* ist wohl sicher die Erde; das Beiwort *gerade* (in der Hs, wohl aus Mißfallen, unterstrichen) mag sowohl andeuten, daß die Erde, *unzärtlich* und allzu starr, dem Gotte noch nicht freudig genug entgegenkam, wie auch, daß sie dennoch auf rechtem (›geradem‹) Wege ist, indem sie seinen *Strahl* empfängt.
13—17 Aus übergroßem Drang, der Erde *Freude* zu spenden, hätte der Donnerer sich *damals* (nämlich vor der in v. 9—12 dargestellten ›Beruhigung‹) *fast* im Übermaß der Erde zugewandt, so daß er beinahe *des Himmels vergessen* hätte; aber *das Weise*, der Sinn für das Maß, hat ihn das Gleichgewicht zwischen Himmel und Erde bewahren lassen.
18f. *Am armen Ort*, auf der kargen Erde, ist das Göttliche eingekehrt.
28—56 Eine Darstellung der titanisch-verzehrenden, blind wuchernden menschlichen Kräfte (vgl. *Die Titanen*, v. 62 ff.), deren maßlos-zerstörendes ›Brennen‹ (vgl. v. 36 ff.) nur den Anschein göttlichen Feuers hervorrufen kann (v. 42). Sie mißverstehen den ›Scherz‹ des schöpferischen Gottes (v. 33—36), d. h. wohl das Vorspiel seiner Annäherung an die Erde, und nehmen ihn als Aufforderung zu eigenem, subjektiv überheblichem Wildwuchs.
In Wahrheit zeitigen sie eine negative *Wildnis* (vgl. dagegen die ›positive‹ Wildnis: *An die Madonna,* v. 97 f.) und somit die *Irre* (v. 44): sie beirren die Menschen und ziehen sie vom Göttlichen ab. *Augenlos* ist die Irre, weil sie den Blick auf die göttliche Wahrheit verstellt. Ein *Mensch,* der *mit reinen Händen* (also seiner eigentlichen ›Sendung‹ folgend, vgl. *gesandt*) in die Irre verstrickt ist und in ihr *das Notwendige* (wörtlich zu nehmen, also: das Rettende, vgl. *Patmos,* v. 4) sucht, ist in gewisser Weise *dem Tier gleich*: wie dieses, seinem Instinkt folgend, dem ihm Gemäßen nachspürt, so *suchet* er, von seiner Reinheit geleitet, das ihm einzig Gemäße, das himmlisch-irdische Maß. Um dieses *Ziel* zu *treffen,* muß er es ›ahnen‹, und diese Ahnung, eine unmittelbare Folge seiner ›Reinheit‹, ist ihm *wie Feuer* von den *Himmlischen,* die den Menschen brauchen, in die *Brust* gelegt. Zur ›Bedürftigkeit‹

(v. 55) der Himmlischen vgl. *Der Rhein,* v. 109—114 und dort die Erl.

57—86 Nicht nur reine Menschen, sondern auch noch *andre ... helfen dem Vater* (v. 86), den neuen Göttertag heraufzuführen. Es sind die *Prophetischen* (v. 69), die nahe bei Gott (v. 64 f.) *wohnen,* also noch *über dem Fluge* des Adlers, des Götterboten, an den sich die Dichter *halten müssen,* um nicht den Weltlauf mit subjektiver Eigenmächtigkeit zu deuten. (Der Satz v. 59—71, nach Hellingrath [4³, 365] »einer der mächtigsten und schönsten Sätze, die in deutscher Sprache aufgebaut wurden,« stellt also gleichsam folgende Hierarchie auf: der Gott der Freude — die Prophetischen — der Adler — die Dichter.) Die *Prophetischen* sind, *gelbem Feuer gleich,* wohl die Inkarnationen der *in reißender Zeit* sich verwirklichenden Wendungen des Weltlaufs, die prophetisch das Geschick einer neuen Weltepoche einrichten. Einige von ihnen sind der Halbgott *Herkules* (vgl. *Der Einzige,* auch *Einst hab ich die Muse gefragt . . .,* v. 14 f.) und die *Dioskuren,* die *ab und auf* steigend Himmlische und Irdische verbinden. Der Entwurf merkt in diesem Zusammenhang ferner die Namen des Philosophen *Pythagoras* und des *Philoktetes* vor, der hilfreich den Holzstoß anzündete, auf dem Herkules sich verbrannte.

87—96 Nach der Darstellung der *Prophetischen,* die dem *Vater* zur rechten Zeit *helfen,* dann nämlich, wenn die Himmlischen dessen *bedürfen* (v. 55), wendet sich der Schluß des Entwurfs noch einmal dem *unzeitigen Wachstum* irdischer Kräfte zu, das nicht vom Vater inspiriert, daher subjektives Blendwerk und *unnütz* ist und von dem auf die rechte Zeit des Wachstums *sinnenden Gott* unnachsichtig gestraft wird.

Arthur Häny: Hölderlins Titanenmythos. Zürcher Beiträge zur deutschen Literatur- und Geistesgeschichte, hg. v. Emil Staiger, Nr. 2, Zürich 1948, S. 86—102. — Jochen Schmidt: Der Begriff des Zorns in Hölderlins Spätwerk. In: Hölderlin-Jb. 1967/68, S. 128—157, bes. S. 145—152.

SONST NÄMLICH, VATER ZEUS ...

Erster Druck: Hell. 4, 1916.
Dieser Entwurf kreist um die Einsetzung einer neuen Form des Weltlaufs durch den obersten Gott, um die *göttliche Untreue* (vgl. StA 5, 202; untreu wird der Gott der bisherigen Form des Weltlaufs, indem er die neue einsetzt). — *Sonst nämlich* (v. 1) deutet wohl auf die griechische Epoche, von der der Vater sich *jetzt* (v. 3) abgewandt hat (vgl. ... *meinest du / Es solle gehen* ..., v. 3/9: *damals* ... *jetzt*); der Gott hat jetzt *anderen Rat* für die Erfüllung seines alten Wunsches *gefunden*, die Menschen zu Hütern des Weltgesetzes und Weltgefüges zu machen, indem er dem abendländischen Menschengeschlecht die entgegengesetzte Naturanlage wie den Griechen mitgegeben hat, so daß es die Welt auf ursprünglich neue Weise begreifen und darstellen kann (vgl. »Grundzüge der Dichtung Hölderlins«, oben S. 16 ff.). *Darum*, weil jetzt dieser *andere Rat* in die Tat umgesetzt werden muß, jagt die Göttin *Diana* diejenigen, die sich dem notwendigen Neubeginn entgegenstemmen. Der ›Zorn‹ des Herrn hat zwar wohl auch dieses Ziel; auf den Höchsten angewendet, meint ›Zorn‹ aber darüber hinaus zugleich seine schöpferische Fähigkeit, die Erde neu mit seinem Blitz zu befruchten. Es ist die Frühzeit Hesperiens: der *andere Rat* des Gottes hat noch kaum konkrete Gestalt gewonnen; die göttliche Absicht ist erst zu ahnen (vgl. *Wenn aber die Himmlischen* ..., v. 50) und daher noch *unendlicher Deutung voll.* Aber *das Meer seufzt, wenn / Er kommt*: die Erde nimmt, wenn auch nur halb bewußt, schon Anteil an der sich anbahnenden gewaltigen Umwälzung. Bei dieser möge das Vaterland geschont werden: geschont vor dem verzehrenden Brennen des göttlichen Blitzes. *Allzuscheu* aber darf das Vaterland sich nicht vor dem Strahl des Gottes verstecken, will es nicht Gefahr laufen, die Einkehr der Götter zu verfehlen. Geht es nicht anders, so will der Dichter sich *lieber* opfern und sich, stellvertretend, dem Gotte *unschicklich*, im Übermaß, aussetzen, so daß er wie Semele verbrennt (vgl. *Wie wenn am Feiertage* ..., v. 50 ff.). Dieses Sterben, das ›Fortgehen des Lebens‹ (v. 16 f.), ist wohl auch mit dem Verwandeltwerden (v. 26) gemeint, das der

Schluß des Entwurfs nennt: es geschieht dem, der ein Übermaß des Göttlichen *fassen* will. *Höret* der Mensch aber den Gott unter Einhaltung des menschlichen Maßes, so faßt er ihn in ›schicklicher‹ Weise (vgl. »Grundzüge der Dichtung Hölderlins«, oben S. 20 ff.).

...*MEINEST DU ES SOLLE GEHEN*...

Erster Druck: Hell. 4, 1916.

Zwischen v. 1 und 2 am Rande der Hs die Worte: *zum Dämon.* Diesem also gilt die Anrede. Vgl. zu diesem Entwurf Hölderlins Brief an Böhlendorff vom 4. Dezember 1801, oben S. 25; ferner »Grundzüge der Dichtung Hölderlins«, oben S. 16 ff.

Damals (v. 3) und *jetzt* (v. 9), die griechische und die hesperische Weltepoche, werden einander gegenübergestellt (vgl. *Sonst nämlich, Vater Zeus* . . . , v. 1/3: *Sonst . . . jetzt*). Keine Epoche darf über der Ausfahrt ins ›Fremde‹ das ›Nationelle‹ vergessen. Die Griechen sind dieser Gefahr erlegen. Über der Meisterschaft in *Kunst* und Darstellungsgabe, die sie in der Fremde erreichten, ›versäumten‹ sie ihr ›Nationelles‹ (das *Vaterländische*, v. 5), nämlich das ihnen angeborene *Feuer vom Himmel.* Weil sie damit einen Teil des Weltgefüges, den Himmel, vernachlässigten, konnten sie ihrer Aufgabe, dieses Gefüge als Ganzes, Himmel und Erde, zu bewahren, nicht mehr nachkommen. Ihre Einseitigkeit führte zum Untergang der griechischen Kultur.

8f. Vgl. den Brief an Böhlendorff: *Bei uns* [d. h. bei den hesperischen Menschen] *ists umgekehrt.*

10—14 Hier hätte wohl die Form der hesperischen ›Frömmigkeit‹ (die Art, wie die Hesperischen das Weltgefüge wahren müssen) dargestellt werden sollen. Würde diese Frömmigkeit verwirklicht, so wäre *alle Tage . . . Das Fest* (des Göttertages). In v. 13 f. wollte Hölderlin vielleicht gewisse Warnungen für die *Meister* der hesperischen Kunstübung aussprechen, die sich aus der Konzeption des Wesens dieser Epoche ergeben. Vgl. . . . *der Vatikan* . . . , v. 11.

15—19 In der Hs später hinzugefügt (wie schon *Meister*, v. 14); vgl. die Erl. zu *Wo? wo seid ihr* . . . .

DER ADLER

Erster Druck: Hell. 4, 1916.
Zum Motiv des *Adlers* (des Götterboten, der den Weg des Weltgeistes und insbesondere den Beginn neuer Weltepochen anzeigt) und seiner ›Wanderung‹ (v. 1) vgl. *Germanien*; zum Entwurf als Ganzem *Die Wanderung* und *Der Ister*.
2 *die Flüsse*: Auf dem St. Gotthard entspringen Rhein, Tessin, Rhône, Aare und Reuß (vgl. *Der Rhein*, v. 35).
3 *Hetruria*: Etrurien, heute Toscana.
6 *Hämos*: Gebirge im nördlichen Thrakien.
7 *Athos*: Berg auf der Halbinsel Chalkidike.
8 In einer *Höhle* auf der Insel *Lemnos* im Ägäischen Meer lebte der verwundete Philoktet zehn Jahre lang (vgl. *Wenn aber die Himmlischen* ..., v. 85).
13—21 Der *Urahn*, der erste der prophetischen Adler (der wohl mit dem *König* v. 16 identisch ist), flog *über der See*, als eine Sintflut (die Deukalionische oder die des Noah) das Menschengeschlecht vernichtet hatte und also eine neue Weltepoche von diesen Urvätern eingeleitet wurde. Die *Wasser* der Sintflut trugen ein *Geheimnis*, da noch ungewiß war, welche neue Form der Gemeinschaft von Göttern und Menschen sich in der Folge herstellen würde. Die *Tiere* sind die, die diese Väter in ihrem *Schiff* mitgenommen hatten.
21—23 Jäher Übergang zur Gegenwart; vielleicht schon nicht mehr vom Adler gesprochen. Im Gegensatz zur Zeit der Sintflut, wo alles vom Wasser überzogen war, *stehen die Berge* jetzt *still* und offen da; sie wären also einerseits bereit zum Empfang der Götter, andererseits ist deren Einkehr noch nicht geschehen: wie sollen die Menschen sich in dieser ungewissen Zeit der Wende verhalten; *wo* sollen sie *bleiben*?
24—39 Angesichts der hs Verhältnisse muß offen bleiben, ob diese Verse zugehörig sind (vgl. Hell. 4[3], 368 f.). Die teilweise paradoxen Bilder bezeichnen wohl das ›Unrechte‹, nicht im Lot Stehende des noch götterlosen Weltzustandes. V. 36—38 weisen vielleicht darauf hin, daß der notwendige, ›zündende‹ Wink der Götter (vgl. *Wenn aber die Himmlischen* ..., v. 51—56) im unerwartetsten Augenblicke kommen kann.
38 Vgl. *Einst hab ich die Muse gefragt* ..., v. 3.

IHR SICHERGEBAUETEN ALPEN ...

Erster Druck: Hell. 4, 1916.
Zur Gesamtdeutung dieses Entwurfs zu einer Hymne auf Schwaben, die Heimat im Sinne des hesperischen Vaterlandes, vgl. Binder a. a. O. Binders Deutung geht von der Einsicht aus, daß in Hölderlins Spätwerk auch die kleinsten, scheinbar ›nur realen‹ Züge von den zentralen Vorstellungen seines mythischen Weltbildes geprägt sind. »Der Entwurf ... will ... in der feiernden Anrufung des Landes, seiner Berge, Flüsse, Städte und Dörfer nicht Bekanntes nennen oder beschreiben, sondern die Wirklichkeit der Heimat aus dem mythischen Grund ihres Wesens gut deuten und ihre konkreten Gestalten im festen Buchstaben dichterisch erstehen lassen« (Binder a. a. O. S. 30).
10 *liebend Fieber*: Wohl steigernder Ausdruck für die *im Sommer* brennende Glut der Sonne: sie ist zwar *liebend*, weil sie der Erde das himmlische Feuer bringt, trägt aber zugleich die Gefahr der Krankheit, des ›Zuviel‹ für Menschen in sich. Daß der *Garten* dieses Fieber *umherwehet* (v. 11), zeigt vielleicht an, daß die Heimat es verstanden hat, den rechten Einklang zwischen Glut des Himmels und Kühle der Erde zu finden.
25 *Ein Augenblicklicher*: Wohl der, der dem entscheidenden ›Augenblick‹, der Geburt der neuen Weltepoche, entsprochen und ihn vorbereitet hat. Man darf vermuten, daß der Ort, an dem Hölderlin begraben sein möchte (*dort, / Wo sich die Straße / Bieget*), zu diesem ›Augenblick‹ insofern in Beziehung steht, als auch dieser an einer ›Biegung‹ (einer Wende der Zeiten) liegt (vgl. *Patmos*, Bruchstücke der späteren Fassung, v. 178 f.: *wie wenn / Ein Jahrhundert sich biegt*).
29 *Weinsteig*: Straße in Stuttgart, von der sich die schönste Aussicht auf die Stadt bietet.
36 *Spitzberg*: Nach Süden zeigender Bergvorsprung bei Tübingen; seine geographische Richtung wird vom mythischen Denken des Entwurfs als das Pflegen einer Beziehung zum Süden (*Römisches tönend*) verstanden.
38 *Thills Tal*: Vgl. die Ode *An Thills Grab.*

Werner Kirchner: Der Hochverratsprozeß gegen Sinclair. Ein Beitrag zum Leben Hölderlins. Marburg 1949, S. 26 f. — Wolfgang Binder: Hölderlins Laudes Sueviae. Deutung des hymnischen Entwurfs ›Ihr sichergebaueten Alpen‹. In: Robert Boehringer. Eine Freundesgabe. Tübingen 1957, S. 29—47 (auch in: Deutsche Lyrik von Weckherlin bis Benn. Fischer Bücherei 1965).

DAS NÄCHSTE BESTE

Erster Druck: 1) v. 1—32: Hell. 4, 1916; 2) v. 34—51: Hölderlin, Hymnische Bruchstücke aus der Spätzeit (hg. v. Hermann Kasack). Hannover 1920; 3) v. 52—62: Hell. 6, 1923. Die Überschrift tritt erst in der zweiten Fassung hinzu. Die Zeilenzählung der beiden ersten Fassungen bezieht sich auf die der dritten.

Erste Fassung
Hier wird das Bild der Zugvögel, das den Entwurf trägt, in seinen Grundzügen aufgezeichnet. Es steht unter der Wirkung der *guten Stunde*, des Augenblicks, wo *der Nordost* (v. 32; vgl. *Andenken*, v. 1) auf die *Stare*, die in der *Fremde* (v. 12, nämlich in Südfrankreich, vgl. v. 28) weilen, einzuwirken beginnt, so daß sie die *Heimat*, aus der der mahnende Wind kommt, *spüren* (v. 24) und ›auffliegen‹, um nach Hause zurückzukehren. Dieses Bild bleibt ganz ›konkret‹; da aber beim späten Hölderlin das Konkrete als solches immer zugleich schon Träger geistig-mythischer ›Bedeutung‹ ist, enthält das Bild der Stare in sich das ganze Weltbild dieser Stufe: die *gute Stunde* zeigt den Aufbruch zur neuen Einkehr der Götter an, das Weilen der Stare in der südlichen Fremde, wo *Die Sonne sticht*, ›meint‹ das Erobern des griechischen Feuers vom Himmel, ohne das der abendländische Dichter nicht in seinem eigenen, vaterländischen Wesen heimisch werden kann (vgl. Hölderlins Brief an Böhlendorff vom 4. Dezember 1801), und ihr ›Auffliegen‹ ist das Ansetzen zur entscheidenden Wendung aus der Fremde ins Eigene, zur vaterländischen Umkehr. Das ›scharfe Wehen‹ des Nordosts macht den Staren die Augen *wacker*: diese präzisen, scharf zeichnenden Wendungen deuten darauf, daß die Stare im Ver-

folgen der Umkehr die abendländische Nüchternheit lernen, die ihnen (nachdem sie in der Fremde das himmlische Feuer erfahren haben) nun auch das Erfassen des Irdisch-Dinglichen ermöglicht, so daß sich ihnen jetzt die himmlisch-irdische Ganzheit der Welt zeigt (vgl. »Grundzüge der Dichtung Hölderlins«, oben S. 16 ff.).

16f. Wohl Hinweis auf die Vulkane in südlichen Ländern.

Die zweite Fassung setzt die mächtig hinreißende Darstellung des *Nachtgeistes* voran, des Inbegriffs aller Mächte, die in der Nachtzeit der Gegenwart der Einkehr der Götter noch feindlich sind. Diese Mächte sind so faszinierend wie das Bild, das Hölderlin ihnen widmet. Es sind die *Titanen,* die jetzt noch *freigelassen* sind (vgl. *Die Titanen,* v. 2 f.: *Noch sind sie / Unangebunden*). Sie haben keinen Sinn für das Maß und dafür, daß der Mensch als das erkennende Wesen an Formen und Gestalten gebunden ist, in denen das Göttliche sich ihm zeigt (vgl. 3. Fssg. v. 38 f.; ferner StA 5, 271, 5—7); sie wollen Gottes *Angesicht* sehen (vgl. *himmelstürmend*) und begnügen sich nicht, wie der Mensch es muß, mit der Erkenntnis seines *Gewandes* (vgl. *Griechenland,* 3. Fssg. v. 25—27). Der Nachtgeist verfehlt den Bereich dessen, was dem Menschen erlaubt ist. Vgl. »Grundzüge der Dichtung Hölderlins«, oben S. 20 ff.

V. 7 sagt schärfer und klarer als der Anfang der ersten Fassung, daß der vom Dichter nicht nur erhoffte, sondern ›gewollte‹ neue Göttertag, der zugleich das Ende der Macht des Nachtgeistes bedeutet, mit Gewißheit kommen wird.

V. 40 ff. entwerfen die Heimkehr der Stare in die Heimat. *der Katten Land* ist Hessen.

Die dritte Fassung arbeitet das Gesetz der Heimkehr ins Eigene und Einzelheiten der heimatlichen Landschaft heraus, die sich den mit wackeren Augen schauenden Staren darbieten. Die Entwicklung des Entwurfs von der ersten zur dritten Fassung besteht somit vor allem in einer fortschreitenden Ausarbeitung des konkreten Vollzuges der vaterländischen Umkehr.

33—47 ›Lieber‹ noch (vgl. v. 34) als die Fremde ist den Staren das Eigene, die Heimat, die sie jetzt, *Eck um Ecke,* entdecken. *Denn immer halten die sich genau an das Nächste.* Hierin liegt zweifellos eine Beziehung zum Titel des Entwurfs. Das *Nächste* ist einmal, konkret, die jeweils nächste *Ecke* (z. B. der Gebirge), die den Staren als Richtpunkt ihres Fluges dient; dann aber auch das Eigene, das Vaterland im ganzen, das jedem das von Natur aus Nächste, daher aber auch das Unbekannte und am schwersten zu Gewinnende ist. Diese Treue zum Nächsten (v. 35) erschließt sowohl *die heiligen Wälder* als auch *die Flamme . . . / Des Wachstums*: Schatten der Erde und Feuer des Himmels in einem. Wo dieses Zugleich wirksam wird, kann *Gesang* gedeihen (v. 37 f.). Der Mensch, der das Gefüge dieses Zugleich wahrnimmt, hat die seinem Wesen gemäße *Erkenntnis* (v. 39) gewonnen und so den *Nachtgeist* (s. o.) überwunden. Die *Himmlischen* (v. 41) sind ebenfalls in das Gefüge der unterschiedenen Einheit von Himmel und Erde eingespannt, auch ihnen *Gehöret also solches* (das, was als Gefüge der Welt das Ziel menschlicher *Erkenntnis* bildet).

Nach dieser Darstellung des dem Menschen Erlaubten entsprechen die folgenden Worte *Wohlan nun* gleichsam dem Zeitraum, den die Menschen brauchen, um *wie die Staren* (v. 9) das ihnen Erlaubte zu erreichen. Unbeschadet seines Wissens, daß die Menschheit dahin kommen wird (v. 7), behauptet Hölderlin nicht, es sei schon so weit. *Sonst* (v. 42) zwar (vielleicht dürfen wir ergänzen: zur Zeit etwa der Hymne *Friedensfeier*) hätte er die Einkehr der Götter (die identisch ist mit der Einkehr des Menschen in das ihm Erlaubte) als unmittelbar bevorstehend (*Sie kommen*, v. 44) dargestellt. Das war die Zeit nach dem Frieden von Lunéville, wo eine solche Hoffnung zeitweise gerechtfertigt schien (vgl. die Erl. zu *Friedensfeier*). *Jetzt aber* (v. 44) ist die Erde aufgewühlt *wie die See*, die Länder *schelten* sich (vielleicht Hinweis auf den Ausbruch des Dritten Koalitionskrieges 1805), und so beschränkt Hölderlin sich — unerschüttert in seinem Wissen davon, daß das *Beste* kommen wird — darauf, im folgenden die Heimat ›gut zu deuten‹ (nach den Worten *so sag ich*, v. 47, dürfen wir uns wohl einen Doppelpunkt denken) und so das Seine zur Einkehr ins *Nächste Beste* beizutragen.

47—62 Das vaterländische *Gebirg* (Bayerischer Wald und Böhmer Wald *hinter Amberg* sind *Heimatlich*, d. h. nach Norden *gerichtet*) ist *Abendlich wohlgeschmiedet*, es ist *sichergebauet* (vgl. *Ihr sichergebaueten Alpen* ..., v. 1) und gut eingerichtet für den ›hesperischen‹ (vgl. *Abendlich*) Göttertag.
Der Schluß des Entwurfs (v. 58—62) zieht einen Vergleich zwischen Abend- und Griechenland (vgl. *auch*, v. 59) und vergewissert sich, daß *Drei* wesentliche Phänomene des Göttertages, die in Griechenland bestanden, auch *unser sind*: das *Licht der Adler*, der *Himmel der Gesänge*, *zornige Greise* am *Ufer ... der Entscheidung*. Ob diese drei Elemente zugleich als eine zeitliche Abfolge von »drei Phasen« des Göttertages (so Beißner, StA 2, 872) zu verstehen sind, bleibe hier offen.

TINIAN

Erster Druck: Hell. 4, 1916.
Tinian: eine Südsee-Insel in der Gruppe der Marianen; der englische Admiral Lord George Anson (1697—1762) warf auf seiner Weltumseglung (1740—44) bei ihr Anker (vgl. *Kolomb*, v. 15).
Auch dieser Entwurf (vgl. *Das Nächste Beste*, 2. Fssg.) geht aus von dem in der *Irre* (vgl. *Wenn aber die Himmlischen* ..., v. 44) befangenen Weltzustand der Gegenwart vor der Einkehr der Götter. Dieser wird als *Wildnis* begriffen (v. 2; vgl. *An die Madonna*, v. 97; *Die Titanen*, v. 22; *Wenn aber die Himmlischen* ..., v. 41); und da hier der Gesichtspunkt überwiegt, die Wildnis sei *heilig* (sie bereitet den Boden, auf dem die Götter einkehren werden; sonst wird sie auch negativ als titanisch-*unbeholfen* verstanden), ist das Irren in ihr *süß*. Die von Hölderlin selbst stammenden Gedankenstriche (v. 3) deuten an, daß dieses Thema noch näher ausgeführt werden sollte; hier wäre wohl auch die Beziehung des Gedichtes zur Insel *Tinian* zur Sprache gekommen.
4—9 *Gleich* den *Findlingen* Romulus und Remus, die von der *Wölfin* in der Wildnis gesäugt wurden, trinkt der Dichter von den heimatlichen *Wassern* (*Der Wasser* [= von den

Wassern] ... *zu trinken*, v. 5/9, gehört zusammen; vgl. *Deutscher Gesang*, v. 18 f.; *Germanien*, v. 4), die ebenfalls noch in der Vorläufigkeit umherirren (v. 7). Daß die Wasser *wilder sonst, / Und jetzt gewöhnt* sind, zeigt wohl an, daß sie sich, dem Gesetz der heiligen Wildnis folgend, allmählich in ihre Bestimmung finden, Wegweiser und Richtpunkte für die Einkehr des Göttlichen auf der Erde zu werden. Zur Bedeutung der hesperischen ›Heimat‹ (v. 6) vgl. »Grundzüge der Dichtung Hölderlins«, oben S. 16 ff.
10f. Diese Verse erinnern an das Zugvögel-Motiv des Entwurfs *Das Nächste Beste* (s. d.).
12 Zur *Einsamkeit* des Dichters in der Zeit der Erwartung vgl. *Die Titanen*, v. 12: *Ich aber bin allein.*
16 *die Bienen*: Vgl. *Die Titanen*, v. 40 f., *Wenn nämlich der Rebe Saft ...*, v. 7. Das *Zusammenkommen* der Bienen mit *Sommervögeln* (wohl = Schmetterlingen, vgl. StA 2, 875) ist präzis als Herstellung einer Gemeinsamkeit und so als Anlaß zur Hoffnung für den einsamen Dichter zu verstehen.
17 *Alpen*: Hierzu gehört wohl v. 20 f. (zum *Gewappnet*sein vgl. *Das Nächste Beste*, 3. Fssg. v. 47 f.: ... *wohlgeschmiedet / ... biegt sich das Gebirg*).
18f. Vielleicht darauf zu beziehen, daß *Gott* den Weltlauf *geteilet* hat in die griechische und hesperische Epoche (auf den *Weltteil* Hesperien kommen v. 23—28 ausdrücklich zu sprechen). Die zuvor genannten *Alpen* haben in Hölderlins Mythologie u. a., ihrer geographischen Lage entsprechend, die Funktion der Trennung dieser Weltteile; zugleich sind sie der Ort des Übergangs von Griechenland nach Hesperien (vgl. *Mnemosyne*, 3. Fssg. v. 25—34).
22 Das Motiv des Lustwandelns scheint, auch syntaktisch, an den Beginn des Entwurfs anzuknüpfen: *Süß ists, zu irren ... Und lustzuwandeln.* Denn die ›Zeitlosigkeit‹ (v. 22), die mit dem Lustwandeln verknüpft wird, entspricht der Tatsache, daß die zur *Wildnis* gehörige Zeit nicht die ›eigentliche‹ Zeit und im strengen, erfüllten Sinne überhaupt keine Zeit ist (vgl. *Die Titanen*, v. 1 f.: *Nicht ist es aber / Die Zeit.*).
23—28 Das einleitende *denn* deutet vielleicht zurück auf v. 20 f.: die *Zierde*, die *die Himmlischen* den *Abendländischen ... geordnet* (zugeordnet) haben, könnte eben das *ge-*

wappnete Alpengebirge sein, als Marke und Grenze Hesperiens (s. o.). Da die Zierde das *Muttermal* der Hesperischen ist, bezeichnet sie deren Eigenes (Nationelles; vgl. *Wes Geistes Kind / Die Abendländischen sei'n*); und Wappnung, *Wagenlauf* und *Tierskampf* können wohl als Zeichen der abendländischen Nüchternheit gelten, die auf das irdisch Einzelne, voneinander Getrennte und daher leicht in Kampf Geratende gerichtet ist.

29—37 Im Wechsel, nach der Besinnung auf das Wesen des Abendlands, jetzt wieder ein Bild der ›Irre‹, gegen die jenes Wesen sich durchsetzen muß. Die nicht von der Erde gezeugten, sondern *von selber* aufgeschossenen Blumen sind *Ein Widerstrahl des Tages*, ein subjektiv-titanischer Gegenwurf zum göttlich Gewollten (vgl. *Wenn aber die Himmlischen* ..., v. 30 ff.). Was ihnen als *golden*-positives Bild entgegengesetzt werden sollte, führt der Entwurf nicht mehr aus.

KOLOMB

Erster Druck: Hell. 4, 1916.

Entwurf einer Hymne auf Kolumbus (vgl. Bruchstück 5), die auch viele andere abendländische Seehelden besingen sollte. Neben v. 22—24 notiert Hölderlin später: *Flibustiers, Entdeckungsreisen als Versuche den hesperischen orbis, im Gegensatze gegen den orbis der Alten zu bestimmen.* Unser Text bringt nur den ersten Entwurf, der über fünf Seiten der Hs verteilt ist; beträchtlich später fügt Hölderlin in die Lücken umfangreiche Zusätze ein (vgl. StA 2, 877—880).

10 f. Ein Beispiel für das Zugleich von realer und mythischer Bedeutung im Spätwerk: die Seefahrer müssen aus navigatorischen Gründen *Den Himmel . . . fragen*; zugleich aber wird so darauf hingewiesen, daß Menschen das Gefüge von Himmel und Erde — die Weltganzheit — achten und bewahren und auch deshalb den Himmel fragen müssen.

15 *Anson*: Englischer Admiral (vgl. *Tinian*, Bemerkung zum Titel). Die Beschreibung seiner Weltreise (von Richard Walter, London 1748) war 1749 in deutscher Übersetzung erschienen. — Vasco da *Gama* entdeckte 1498 den Seeweg nach Ostindien. — Es kommt Hölderlin, wie das Nebeneinander dieser beiden Namen aus ganz verschiedenen Jahrhunderten zeigt, in keiner Weise auf historisch entwickelnde Darstellung, sondern auf mythische Vergegenwärtigung an (vgl. Bruchstück 48, das in der Hs neben dem Anfang des Entwurfs *Kolomb* steht, Zeile 4 f.: *Wir bringen aber die Zeiten / untereinander*).

117—134 Die neuentdeckten Inseln mußten unter den verschiedenen seefahrenden Nationen ›verteilt‹ werden (v. 117 bis 125). Da die Seehelden, denen diese Entdeckungen zu verdanken waren, als *Heroen* (v. 72) den Halbgöttern (v. 131) nahestehen, begründet Hölderlin im folgenden diese irdische Notwendigkeit des Teilens mit einem Hinweis auf die entsprechende himmlische (vgl. *Denn*, v. 127): auch alle Himmlischen müssen zusammenwirken, um *den Reichtum* zu *tragen*, d. h. um die Vielzahl der Himmelskräfte wirksam darzustellen. Zwar kann *ein Halbgott* seine Kraft übermäßig ausweiten (*Den Harnisch dehnen*), aber das reicht niemals aus, um alles Göttliche zu umfassen. Deshalb konnte Hölderlin auch dem Einzigkeitsanspruch Christi nicht beipflichten. *Dem Höchsten* ist sogar das Zusammenwirken aller Götter am Göttertage (*wo das Tagslicht scheinet*) *fast zu wenig*.

141—155 Die bruchstückhaften Verse stellen offenbar die Notwendigkeit dar, die unterschiedene Einheit von Erde und Himmel zu beherzigen. *Öfters*, in den Nachtzeiten des Weltlaufs nämlich, wird ihr ›alleiniges Zusammenhalten‹ (ohne Mittun der Menschen) *Den Himmlischen zu einsam*, ebenso das entsprechende einseitige Fürsichbleiben der *Erde* (v. 146). *Dann aber*, wenn die Götter sich bemühen, diese *Lücke* im Weltlauf (StA 5, 202) durch Einsetzung einer neuen, der Götter eingedenken Form des Menschenwesens zu schließen, treten wieder *die Spuren der alten Zucht* auf. *Zucht* ist jetzt für Hölderlin *die Gestalt . . . , worin der Mensch sich und der Gott begegnet* (Anmerkung Hölderlins zu seiner Übersetzung von Pindars Fragment *Das Höchste*, StA 5, 285; vgl. »Grundzüge der Dichtung Hölderlins«, oben S. 20 ff.); die *Spuren der alten Zucht* sind also Anzeichen dafür, daß das Weltgefüge der unterschiedenen Einheit von

Mensch und Gott, Erde und Himmel wieder beherzigt wird. — Angeregt und eingeleitet wird diese Besinnung dadurch, daß zuvor in den Versen 117—134 (s. d.) das irdische und himmlische Teilen des *Reichtums* in Beziehung gesetzt und somit dargestellt worden war, wie unmittelbar Erde und Himmel aufeinander angewiesen sind.

Werner Kirchner: Der Hochverratsprozeß gegen Sinclair. Ein Beitrag zum Leben Hölderlins. Marburg 1949, S. 44—46, 117 f.

DEM FÜRSTEN

Erster Druck: Hell. 4, 1916.
Die Zeilenzählung der ersten Fassung bezieht sich auf die der zweiten.
Nach Werner Kirchners Vermutung ist dieser Entwurf an Friedrich II. von Württemberg (1754—1816; 1797 Herzog, 1803 Kurfüst, 1805 König) gerichtet.
Die erste Fassung ist offenbar als reine Lobpreisung konzipiert (vgl. *zu singen den Helden*, v. 22), während die zweite auch auf negative Züge Friedrichs II. anspielt. V. 7 f. bezieht Kirchner (a. a. O. S. 25) auf das Zerwürfnis des Kurfürsten mit seinem Sohn, Kurprinz Wilhelm; v. 17—21 auf die vielfachen Wünsche nach Beseitigung des verhaßten Landesherrn, die besonders im Zusammenhang mit seinem Kampf gegen die Stände aufkamen; v. 23—28 auf »Friedrichs Rachsucht«. Der Entwurf nennt jedoch nichts von den möglichen politischen Anlässen, sondern sieht die Schuld des Fürsten in seinem gestörten Verhältnis zu Himmel (*Sonne*) und Erde (v. 18—20).
38—42 »Das ist — so darf man wohl deuten — im Stil von Hölderlins letzten hymnischen Äußerungen ins Dichterische erhoben der Ausruf [Hölderlins], wie ihn der Landgraf dem Kurfürsten hatte berichten lassen: ›Ich will kein Jacobiner seyn, fort mit allen Jacobinern! Ich kann meinem gnädigsten Churfürsten mit gutem Gewissen unter die Augen treten!‹« (Kirchner a. a. O. S. 113).
51—54 »Der *Meister* ist wahrscheinlich Heinse . . . ; die *Weinstadt* wäre dann Aschaffenburg, wohin Heinse im Jahr

1795 bei Verlegung der Residenz dem Mainzer Kurfürsten gefolgt und wo er am 22. Juni 1803 gestorben war« (Beißner, StA 2, 883; vgl. ... *der Vatikan* ..., v. 11).

Werner Kirchner: Der Hochverratsprozeß gegen Sinclair. Ein Beitrag zum Leben Hölderlins. Marburg 1949, S. 25 f., 113.

UND MITZUFÜHLEN DAS LEBEN ...

Erster Druck: Hölderlin, Hymnische Bruchstücke aus der Spätzeit (hg. v. Hermann Kasack). Hannover 1920.
Dieser und die folgenden Entwürfe (*Vom Abgrund nämlich* ..., ... *der Vatikan* ..., mit gewisser Einschränkung auch *Griechenland*) bilden eine Gruppe von deutlich spürbarer stilistischer Eigenart; sie repräsentieren die vorletzte uns faßbare Phase von Hölderlins Dichtung vor dem Beginn der eigentlichen Umnachtung (nach ihnen ist noch die Stufe der Hymne *In lieblicher Bläue* ... und der Entwürfe *Was ist der Menschen Leben?* ... und *Was ist Gott?* ... anzusetzen). Man hat diese vorletzte Phase die »Vatikan-Schicht« genannt (vgl. L. v. Pigenot, Hell. 6, 479). Manches in diesen Entwürfen entzieht sich noch dem Verständnis; Deutungsversuche bewegen sich daher vielfach auf noch ungesicherterem Boden als bei den voraufgehenden hymnischen Entwürfen.
Zu Beginn scheint der Entwurf den Rat der Götter zu vergegenwärtigen, die (über den Weltlauf) *Zu Gericht* sitzen und eine neue Gemeinschaft mit der Erde und den Menschen planen, um künftig nicht mehr einsam zu sein (vgl. *Kolomb*, v. 141 ff.), sondern *das Leben / Der Halbgötter oder Patriarchen* ›mitfühlen‹ zu können. Bei solcher neuen Gemeinsamkeit von Göttern und Menschen würde *Leben* (dabei auch das *Echo* von *Schatten*, d. h. wohl Wiederklang und Erinnerung des Lebens der Gestorbenen) *Als in einen Brennpunkt / Versammelt*. Damit wird das Wesen des künftigen Göttertages mit äußerster Dinglichkeit genannt. (Zum Begriff *Leben* vgl. *An die Madonna*, v. 41, und dort die Erl.) Die *Wüste*, nämlich die bisher götterlose und daher unfruchtbare Erde,

wäre infolge dieser einzigartigen Versammlung *golden*, weil sie den Beginn des neuen ›Brauttages‹ beherbergen würde. Der folgende, mit *Oder* (v. 6) beginnende Satz bringt wohl eine anders gewendete Aussage desselben Gedankens (der Wüste entspricht die *Nacht*, dem Gold entsprechen die *Funken*). Das *Saitenspiel* ist die Frucht der zeugenden Funken, die der neuen Gemeinsamkeit von Himmel und Erde entstammen (vgl. *Wie wenn am Feiertage* ...).

9 f. *Gegen das Meer zischt / Der Knall der Jagd*: Vielleicht deutet dieses Bild, das in seiner unmittelbaren Dinglichkeit der Wendung vom *Brennpunkt* entspricht, den Vollzug der abendländischen Wesensform des Menschen an, die ja in dieser späten Zeit des öfteren mit Bildern von Jagd oder Kampf bezeichnet wird (vgl. *Einst hab ich die Muse gefragt* ..., v. 15—18; *Tinian*, v. 20—28; *Vom Abgrund nämlich* ..., v. 32).

10—18 Wohl weitere Beispiele von *Halbgöttern* und Wesen, die an der Versammlung im *Brennpunkt* teilnehmen. (Auf den zukünftigen Zeitpunkt dieser Zusammenkunft deutet das wiederholte *dann* [v. 7, 15].) Die *Aegypterin* (wohl Kleopatra) ist als einer der *Schatten* (v. 4) genannt, der *Bach* (der eine Verbindung zwischen *Schottland* und *Lombarda*, Abend- und Griechenland, stiftet) als (treu abspiegelndes) *Gewissen* der Himmlischen auf der Erde (vgl. *Der Ister*, v. 49—58). Auch das Spielen um ... und das Rauschen um ... (v. 15—17) bezeichnen den entscheidenden Vollzug der neuen Gemeinschaft (*Leichen* = Schatten der *Meister*).

19—21 Der Götter*tag* selbst freilich *bildet* die Form des Menschenwesens nicht, weil er sie voraussetzt. Erst wenn ein menschliches Wesen besteht, das die Götter und das Weltgefüge andenkend bewahrt, kann sich der Göttertag ereignen. Die Hymne will die Menschen also wohl vor dem Irrtum warnen, der *Tag* käme ohne ihr Zutun. Vielleicht meint der im folgenden genannte *alte Gedanke* die seit je bestehende göttliche Einrichtung, daß der Mensch das Weltgefüge bewahren muß; diesem *Gedanken* gemäß ›entwirft‹ der Höchste jeweils eine neue Wesensform des Menschen, wenn die alte zugrunde gegangen ist. Das auch in der Wüste noch vorhandene Leben (s. o.) wäre gleichsam das Material, das bereitsteht, damit der Höchste ihm die neue Modifikation des *alten Gedankens* eingeben kann. Ist diese ›Eingebung‹ aber erfolgt, so müssen die Menschen sich ihrer bewußt werden und sie ihrerseits in einer neuen *Menschenform* verwirklichen.

VOM ABGRUND NÄMLICH . . .

Erster Druck: 1) v. 1—6: Hell. 4, 1916; 2) v. 7—12, 18—29: Hölderlin, Hymnische Bruchstücke aus der Spätzeit (hg. v. Hermann Kasack). Hannover 1920; 3) v. 13—17, 30—37: Hell. 6, 1923. — Vgl. die Erl. zu *Und mitzufühlen das Leben . . .*; ferner »Grundzüge der Dichtung Hölderlins«, oben S. 16 ff.

V. 1—11 nennen die orientalisch-griechische Lebensform im *Brand / Der Wüste*, unter dem *Feuer vom Himmel* (vgl. Hölderlins Brief an Böhlendorff vom 4. Dez. 1801, oben S. 25); v. 13 ff. sind dem hesperischen Lebenskreis Hölderlins gewidmet. In der Mitte zwischen beiden Bereichen, sie auseinanderhaltend und verbindend, steht *Der Schöpfer* (v. 12), dem beide ihr Dasein und ihre Beziehung verdanken. Diese ›Versammlung‹ der Weltteile und Weltepochen kommt auch in drei Prosazeilen zum Ausdruck, die Hölderlin im Zusammenhang der ersten Skizzierung dieses Entwurfs niedergeschrieben, dann aber nicht mehr verwendet hat: *die Purpurwolke, da versammelt von der linken Seite / der Alpen und der rechten sind die seligen / Geister, und es tö*[net, -nen(?)] (StA 2, 886).

1—11 Vom *Abgrund* der neuzeitlichen Götterlosigkeit ist Hölderlin ausgegangen und hat sich, um ihm zu entrinnen, zunächst in die ›Fremde‹, den *Brand/Der Wüste*, begeben. Diese notwendige Entfernung vom ›Eigenen‹ hat durch *Zweifel und Ärgernis* geführt. *Bald aber* wird seine *Stimme* (seine Dichtung, nunmehr in ihrer mittlerweile erreichten vaterländischen Form) *umgehn / In der Hitze*: sie wird auch im Süden gehört werden. Der Vergleich *wie ein Hund* meint vielleicht einschränkend, daß die hesperisch-vaterländische Dichtung sich in einem südlichen Lande zunächst nur scheu (*wie ein Hund*, der *in der Hitze* im Schatten der *Gassen* schleicht) bewegen kann. Auffallend ist, daß Tiervergleiche (v. 3, 8) nur dem Bereich der *Wüste* zugeordnet werden (vgl. *Tiergeist*, v. 7). Die Erwähnung *Frankreichs* und der dortigen *Gärten* (vgl. auch v. 29—31) erinnert an Hölderlins Aufenthalt in Bordeaux (vgl. *Andenken*).

13—17 Da er hier das zentrale Erlebnis der Begegnung mit Diotima hatte, erhebt Hölderlin *Frankfurt* zum Delphi des Abendlandes (Pindar hatte Delphi den Nabel der Erde genannt). Das zeugt von dem sicheren Bewußtsein, daß Hesperien Griechenland ebenbürtig ist. Diese Ebenbürtigkeit wird daher in v. 16 f. unmittelbar ausgesprochen: die hesperische Zeit ist *auch*, ebenso wie die griechische, *Zeit* im erfüllten Sinne, *und* zwar *deutschen Schmelzes*, nämlich geprägt von deutsch-abendländischer Eigenart. (V. 13—15: ›im Hinblick auf diejenige Gestalt, die der Natur entspricht und ihre Winke unmittelbar aufnimmt, auf den Menschen nämlich, ist Frankfurt ...‹. Zum Begriff *Nabel der Erde* vgl. *Ganymed*, v. 20; *Griechenland*, 3. Fssg. v. 16 f.).

18—21 In diesen Sätzen ist der *deutsche Schmelz* unmittelbar gestaltet. *Gärten* und *Kirschenbäume* entsprechen der klar geordneten, *wilder Hügel* und *scharfer Othem* der orientalisch wilden Komponente des vaterländischen Dichtens. So bindet Hölderlin die *linke Seite der Alpen und* die *rechte* (Griechenland und Hesperien; s. o.) zusammen; er erfaßt alle Elemente, die für das abendländische Dichten wesentlich sind, und kann daher sagen: *Allda bin ich / Alles miteinander.*

23 Nach *und* wohl zu ergänzen: *spiegelt* (Beißner, StA 2, 887).

27—33 Erneute Beschwörung beider Elemente des vaterländischen Dichtens. Das Hesperisch-Nationelle erscheint wieder unter einem Bilde der Jagd oder des Kampfes (die *Rappierlust*; vgl. *Einst hab ich die Muse gefragt* ..., v. 15—18; *Tinian*, v. 20—28; *Und mitzufühlen das Leben* ..., v. 9 f.).

34—37 Das Herz des Dichters wird zum Prüfstein für das göttliche Licht (im Hinblick auf die Härte des *Kristalls* vgl. Hölderlins Brief an die Mutter vom 28. Januar 1802: *Ich bin nun durch und durch gehärtet und geweiht* ...). Hölderlin bittet daher die *Blüten von Deutschland* (die Aufnahmefähigen in der hesperischen Heimat), seine Gesänge zu lesen. Dieses absolute Durchdrungensein von der auferlegten dichterischen Aufgabe und die Allseitigkeit, mit der der Entwurf die *linke Seite der Alpen und* die *rechte* vereinigt, lassen ihn als einen späten Höhepunkt der Dichtung Hölderlins erscheinen.

Walther Rehm: Tiefe und Abgrund in Hölderlins Dichtung. In: Hölderlin-Gedenkschrift 1943, S. 70—133, bes. S. 117 f. — Wolfgang Binder in: Hölderlin-Jb. 1954, S. 73 f. — Beda Allemann: Hölderlin und Heidegger. Zürich und Freiburg i. Br. 1956[2], S. 133 f.

... DER VATIKAN ...

Erster Druck: Hölderlin, Hymnische Bruchstücke aus der Spätzeit (hg. v. Hermann Kasack). Hannover 1920. — Vgl. die Erl. zu *Und mitzufühlen das Leben* . . . .

Der Entwurf läßt über v. 1 fast eine halbe Seite für die Anfangsverse frei; die Worte *der Vatikan*, mit denen die Niederschrift einsetzt, bezeichnen also weder den Beginn noch das Hauptthema der geplanten Hymne.

Schon L. v. Pigenot (Hell. 6, 485) wies auf eine Beziehung dieses Entwurfs zu Wilhelm Heinse hin, »dessen Ardinghello vielleicht die (zufällige) Anregung zum Gedichte gegeben hat. (Im Anfang des zweiten Buches ist viel vom Vatikan in Rom ... gesprochen.) Doch scheint Hölderlin ... sich mehr auf eine mündliche Äußerung Heinses berufen zu wollen« (vgl. v. 6/10 f., die vielleicht so zu verbinden sind: *wie ein Ritter gesagt von Rom ... und* [wie auch] *dort drüben, in Westfalen, / Mein ehrlich Meister* [gesagt hat]). In Westfalen, in Bad Driburg bei Paderborn, hatte Hölderlin, gemeinsam mit Diotima und Heinse, den Sommer 1796 verbracht. *Mein ehrlich Meister* wäre demnach Heinse (vgl. *. . . meinest du / Es solle gehen . . .*, v. 14; *Dem Fürsten*, 2. Fssg. v. 51 f.).

2—5 Die *Einsamkeit* deutet auf die Gegenwart vor der Einkehr der Götter, die Wendung *Wenn aber der Tag ... / Schicksale macht* auf die Einkehr selbst.

7—9 *gehet itzt viel Irrsal, ... / Und Julius Geist um derweil*: das *Irrsal* der Zwischenzeit geht *um derweil*, solange nämlich die Götter der Erde fern bleiben. Dasselbe gilt vom *Geist* Julius Caesars, dessen Julianischer Kalender die Zeitrechnung der Zwischenzeit bestimmt hat. Auch das *bös Gewissen*, das *alle Schlüssel des Geheimnisses* frech zu wissen meint, scheint auf die unselige Zwischenzeit zu deuten.
12—17 Hier ist unmittelbar ausgesprochen, daß Hölderlin auch auf dieser späten Stufe dem Menschen das Amt gibt, *Gott* zu *bewahren*; die Verbindung des Menschen zu Gott wird nicht etwa unterbrochen. Das Bewahren hat allerdings *mit Unterscheidung* zu erfolgen; der Unterschied des Endlichen und des Unendlichen muß gewahrt werden. Beide Bereiche stehen zueinander im Wesensverhältnis der unterschiedenen Einheit; dieses Verhältnis bestimmt das Gefüge der Welt. Vgl. »Grundzüge der Dichtung Hölderlins«, oben S. 14.
19 *Meister des Forsts*: Vgl. *Der Archipelagus*, v. 167.
Jüngling: Johannes der Täufer.
24 *Loretto*: v. Pigenot (a. a. O.) weist darauf hin, daß hier möglicherweise eine Reminiszenz an Heinses Einleitung zur Übersetzung von Tassos Befreitem Jerusalem vorläge: der geisteskranke Tasso pilgert nach mehrjähriger Gefangenschaft in Ferrara über *Loretto* in seine Heimat Sorrent bzw. Neapel zurück.
27 *Eiderdünnen:* Eiderdaunen.
28 *der Adler den Akzent rufet, vor Gott*: Der Adler ist der Götterbote, der der neu ausersehenen *Kolonie* des Geistes (vgl. *Brot und Wein*, var. zu v. 152—156) von ihrem Schicksal kündet (vgl. *Germanien*). Der *Akzent*, den er *rufet*, meint vielleicht die ›Betonung‹, die *Gott* in den verschiedenen Weltepochen den einzelnen Weltteilen gibt (vgl. Hölderlins Brief an Böhlendorff vom 4. Dez. 1801, oben S. 25): in Griechenland lag der *Akzent* auf dem *Feuer vom Himmel*, dem Bereich des Unendlichen also, von dem das Griechisch-Nationelle geprägt war; in Hesperien, *umgekehrt*, auf dem Bereich des Endlichen, dem die abendländisch-nationelle Nüchternheit entspricht. (Zu erwägen wäre auch, ob der *Akzent* nicht vielmehr, statt des jeweils Nationellen, das jeweils Fremde meint, da dieses ja die *Haupttendenz* [StA 5, 269 f.] jeder

Epoche bildet. Im Munde des Adlers scheint der *Akzent* aber doch eher die jeweilige Naturanlage der Völker zu bezeichnen, wie sie aus Gottes Hand hervorgeht.)

29 v. Pigenot (a. a. O.) deutet den *Wächter* als den *Adler* (v. 28); die Wendung *den Garden* faßt er als acc. sing. masc. auf (*Garden* = Garten = Germanien). Zwangloser wäre wohl eine Deutung als dat. plur. fem. (von ›die Garde‹), wozu *Des Wächters Horn* durchaus passen würde.

30 Die *Gestalt* als Gegensatz des Chaotisch-Gestaltlosen und als das, was ein Gefüge hat, ist für den späten Hölderlin von höchster Bedeutung (vgl. »Grundzüge der Dichtung Hölderlins«, oben S. 20 ff.). In der *Pestluft* (v. 32; steigerndes Wort für die fiebrige orientalische Hitze) die Gestalt aufrecht zu halten und sie so vor der Auflösung ins ›Ungestalte‹ zu bewahren, ist eine höchste Leistung des *Kranichs*.

32 *Patmos*: Die Insel des Johannes. Vgl. die gleichnamige Hymne.

Morea: Die Peloponnes.

34 *heischer*: Vgl. *Die Meinige*, v. 34.

34f. *Aber / Die erhalten den Sinn*: Dies faßt wohl die Verse 18—34 und die darin genannten Wesen zusammen, die in der Nachtzeit der Götterferne den *Sinn* für das Göttliche wachhalten.

35f. *Sprachverwirrung* ist ein Kennzeichen der Nachtzeit, in der die Einheit von Himmel und Erde von Menschen nicht gesehen und ausgesprochen wird.

36—44 Der Satz ist wohl so zu verstehen: *Aber wie ein Schiff, / Das lieget im Hafen, des Abends, ... kommt das Brautlied des Himmels*. Das *Brautlied*, die Einkehr der Götter, wird mit einem *Schiff* verglichen, das in den *Hafen* ›eingekehrt‹ ist. Auch die Wendung *des Abends* deutet auf die Einkehr, den *Abend der Zeit*.

45—50 Auch die *Vollendruhe* entspricht noch dem Bilde des in den Hafen eingelaufenen und dort zur Ruhe gekommenen Schiffes. Die folgenden Verse sagen, was in der *Vollendruhe* geschieht. Die *Rippe* (v. 45) ist nach Beißner (StA 2, 891) die Meeresküste. Die Erde *tönet* dem himmlischen *Brautlied* entgegen, so daß Himmel und Erde sich in einem gemeinsamen Gesang treffen. Wie Hölderlin von einer *Architektonik des*

Himmels spricht (an Seckendorf, 12. März 1804), so scheinen diese letzten ausgeführten Verse eine Architektonik des Weltgefüges im ganzen zu entwerfen. Das *wirklich / Ganze Verhältnis* darf wohl erklärt werden als das *lebendige Verhältnis*, das *bei den Griechen und uns das höchste sein muß* (an Böhlendorff, 4. Dezember 1801; vgl. S. 25): das Weltgefüge der unterschiedenen Einheit von Erde und Himmel, das, als Raum des menschlichen Geschicks, in Griechenland und Hesperien *gleich* bleibt (innerhalb seiner ändert sich dagegen jener *Akzent* [v. 28], den es jeweils durch die unterschiedlichen Nationaleigenschaften beider Epochen erhält). Vgl. Martin Heidegger in: Hölderlin-Jb. 1958/60, S. 25.

Winfried Kudszus: Sprachverlust und Sinnwandel. Zur späten und spätesten Lyrik Hölderlins. Stuttgart 1969, S. 56—73.

GRIECHENLAND

Erster Druck: Hölderlin, Hymnische Bruchstücke aus der Spätzeit (hg. v. Hermann Kasack). Hannover 1920. — Vgl. die Erl. zu *Und mitzufühlen das Leben* . . . .
Ob das vollendete Gedicht ausführlicher auf das Thema *Griechenland* eingegangen wäre, muß offenbleiben. Immanent ist *Griechenland* auch im vorliegenden Entwurf anwesend: es war eine Epoche des menschlichen *Geschicks* und bestimmte weithin die *Wege* auch des abendländischen *Wanderers* (des Dichters; v. 1). Vgl. »Grundzüge der Dichtung Hölderlins«, oben S. 16 ff. — Heidegger versteht diese Hymne als Zeugnis einer Phase der Hölderlinschen Dichtung, in der der Dichter »dasjenige Stadium seines Weges, das er unter dem Titel *vaterländische Umkehr* durchdenkt, . . . hinter sich gelassen, indem er es verwunden hat« (a. a. O. S. 22, Anm. 3); hier sei »Hölderlins Wanderschaft in ihre Ruhe, ins Eigene des Hesperischen . . . eingekehrt« (S. 20).

Erste Fassung
2—5 Vgl. v. 46—48 der dritten Fassung.
6 *Regen*: Wohl Goldregen (vgl. v. 11 f., 13 f.).

14f. Vgl. v. 48—51 der dritten Fassung.
18—21 *Lorbeern / Rauschen um Virgilius und ... das Grab*: »Das Grabmal Virgils wird von Heinse im Ardinghello (Leipzig 1924, S. 374 f.) ausführlich beschrieben. Dort heißt es auch: ›Ein Lorbeer steigt in der Mitte stolz hervor‹« (Beißner, StA 2, 895).

Zweite Fassung
14—17 Wo der Mensch nicht im Leben ausharrt, d. h. das Gefüge von Himmel und Erde nicht bewahrt, sondern sich ›ungebunden‹ (jenem Gefüge nicht verpflichtet) *zum Tode sehnet*, schläft das Himmlische ein: die Abwendung des Menschen von seiner Bestimmung bedeutet zugleich, daß die (dann nicht mehr wahrgenommenen) Himmelskräfte (*die Treue Gottes*) unwirksam werden.
25 Die Lesung *Lider* (statt »Lüfte«, StA) wird durch die Hs nahegelegt, in der dieses Wort u. a. kein »f« enthält (vgl. Heidegger a. a. O. S. 30 f.).

Dritte Fassung
1—6 Die Hymne beschwört eingangs den Ablauf des *Geschicks* der Welt (den Gang der Geschichte von Griechenland nach Hesperien). Dieser Ablauf ist abhängig vom *Dasein Gottes*, das die Stimmung der Wolken gerade jetzt (vgl. das Präsens *Tönt*, v. 4) ›gut stimmt‹: die Wolken vermitteln den Menschen das Gewitter, das göttliche Dasein. Die *Schule* (v. 2) ist der Himmel (vgl. die 2. Fssg.), denn vom Himmel lernt der Mensch (vgl. auch v. 33).
7—9 Die *Rufe* sind wohl die menschlich-dichterischen Gesänge, die das Tönen des Himmels (v. 2—6) und das Tönen der Erde (v. 9—13) zusammenbinden; sie werden daher in der Hymne in der Mitte von beiden zuerst erwähnt (vgl. ferner v. 14 f.). Die *Erinnerungen* verbinden die gegenwärtige Situation (das ›rufende‹ Antworten auf das Tönen des Himmels) mit verwandten früheren, wo *Helden* ebenfalls vom Himmel lernten.
9—15 Das Tönen der Erde, das dem Tönen des Himmels entspricht und antwortet, wird mit dem Klang der Trommel verglichen (das *Gewitter* [v. 6] schlägt wie ein Schlegel).

Tönend geht die Erde *großen Gesetzen* nach: sie bekräftigt so das seit je bestehende Gesetz, daß Himmel und Erde aufeinander angewiesen sind. Das *Werk* der Erfüllung dieses Gesetzes *bildet* sich erst allmählich; *Verwüstungen* und *Versuchungen* müssen zunächst überwunden werden. Die Namen *Wissenschaft* und *Zärtlichkeit* bezeichnen vielleicht eben jene *großen Gesetze*: *Wissenschaft* als Würdigung der Erde, *Zärtlichkeit* als Würdigung des Himmels (vgl. Hölderlins Brief an Böhlendorff, wohl November 1802, StA 6, 432 [dazu Adolf Beck, StA 6, 1089]: *sie* [die Popularität, d. h. das Nationelle der Griechen] *ist Zärtlichkeit, wie unsere Popularität* [Nüchternheit]; vgl. ferner Heidegger a. a. O. S. 21, 23, 28 f.). Das Tönen der Erde manifestiert sich vorzugsweise in den *Gesangeswolken*. Sie sind *lauter Hülle* (sie verbergen den Himmel und zeigen ihn den Menschen so als den verborgenen, wie auch Gottes *Gewand* Gott verbirgt und zugleich zeigt [v. 25 f.]; *lauter* = ›rein‹ und zugleich ›ganz und gar‹) und zeigen *den Himmel breit* (= *den ganzen Himmel*, vgl. 2. Fssg. v. 11; nämlich alle bisher im Abendland erschienenen Formen des Göttlichen, nicht etwa nur die griechische oder nur die christliche).

16—32 Hier wird das ›große Gesetz‹ der unterschiedenen Einheit, der gegenseitigen Zuneigung von Himmel und Erde, bekräftigt. Auf der Erde (*in Ufern von Gras*), für Menschen also, sind die *Elemente* nicht absolut, sondern nur *gefangen* anwesend, gebunden in die irdische Gestalt. Diese ist Gottes *Gewand*. Gottes *Angesicht*, den gestaltlosen *gemeinsamen Geist*, kann der Mensch nicht unmittelbar schauen (vgl. »Grundzüge der Dichtung Hölderlins«, oben S. 20 ff.).

32—45 Die *Natur* steht dem Menschen *offen*, damit er aus ihr (wie aus Büchern [vgl. *Blätter*, v. 33] und wie aus *Linien* und *Winkeln*, die jegliche Gestalt bestimmen) *lerne*, daß das gestalthaft Gefügte und nicht die Unmittelbarkeit Gottes und der *Elemente* (s. o.) der ihm zugewiesene Bereich ist. So *begrenzt* Gott *ungemessene* (ins Ungebunden-Gestaltlose strebende) *Schritte*; aber gerade *dann* (v. 42), in dieser Begrenzung, kehrt *irgend ein Geist* (ein Gott) *zu Menschen* ein: gerade die Bescheidung beim Gestalthaften ermöglicht dem Menschen das Erfassen der Ganzheit der Welt.

Martin Heidegger: Hölderlins Erde und Himmel. In: Hölderlin-Jb. 1958/60, S. 17—39. — Hans-Heinrich Schottmann: Metapher und Vergleich in der Sprache Friedrich Hölderlins. Bonn 1962², S. 225—238. — Winfried Kudszus: Sprachverlust und Sinnwandel. Zur späten und spätesten Lyrik Hölderlins. Stuttgart 1969, S. 73 bis 131.

WAS IST DER MENSCHEN LEBEN? . . .

Erster Druck: Anmerkungen [von Carl Viëtor] und Nachwort [von Frida Arnold] zu den Briefen der Diotima (Leipzig 1920).
Die Hs steht auf der Rückseite des Briefes der Diotima vom 5. März 1800. Beißner begründet seine Angabe, der Entwurf sei »spätestens wohl 1802« entstanden (StA 2, 841), nicht näher. Der Stil weist m. E. auf eine spätere Entstehungszeit (später als *. . . der Vatikan . . .* und *Griechenland*, nah bei *In lieblicher Bläue . . .*; vgl. L. v. Pigenot in: Hell. 6, 490; ferner D. Lüders: Das Wesen der Reinheit bei Hölderlin. Diss. Hamburg 1956, S. 294—297 und Anm. 175).
Die *Unendlichkeit* und der *Reichtum* des Himmels werden nebeneinandergestellt. Die Unendlichkeit ist das *Blau*, das *Einfältige*, das den Himmel einheitlich-unendlich überspannt; der *Reichtum* (das Vielfältige) dagegen zeigt sich in *silbernen Wolken*. Auch wenn aber *das Blau* des Himmels ganz *ausgelöschet* und also auch der Reichtum der einzelnen silbernen Wolken nicht sichtbar ist, läßt die ›matte‹ Wolkendecke das himmlische Leuchten dennoch durch›scheinen‹ (v. 9); auch sie überspannt (wie das Blau) einheitlich den ganzen Himmel, ist aber zugleich wie *Marmelstein* in sich gemustert, daher *Anzeige* (Anzeichen) des *Reichtums* und verhilft so auf ihre Weise ebenfalls der Unendlichkeit und der Vielfalt zum Erscheinen. — Dieses einfache Naturbild deutet zugleich das, was *der Menschen Leben* beachten muß. Wenn die Menschen das Zusammenspiel von Einfalt und Vielfalt, Einheit und Unterschied, *Unendlichkeit* und *Reichtum*, ewig bleibendem *gemeinsamem Geist* und zeitlich-vielfältig wechselnden Erscheinungsformen der Götter beherzigen und *nachahmen*, ist ihr Leben *ein Bild der Gottheit*. Nicht ›zorniges Deuten mit

eigenem Sinne‹ (vgl. *Wenn aber die Himmlischen . . .*, v. 62), sondern das Nachahmen (v. 4) des Bestehenden ist die Haltung, der sich das Gefüge der Welt erschließt.

WAS IST GOTT? . . .

Erster Druck: Friedrich Hölderlin, Gesammelte Werke (hg. v. Friedrich Seebaß und Hermann Kasack). Potsdam 1921.
Der Stil läßt darauf schließen, daß dieser Entwurf etwa gleichzeitig mit dem vorigen entstanden ist.
Vgl. *Griechenland*, 3. Fssg. v. 25—28. *Gott* selbst (Gottes *Angesicht*) ist gestaltlos, *unbekannt* und *unsichtbar*. Aber er legt *alltag* ein (gestalthaftes) *Gewand* an, das den Menschen sichtbar ist und ihnen die Kenntnis einzelner *Eigenschaften* Gottes vermittelt. Das Gewand ist das *Fremde*, in das Gott sich *schicket*. *Blitze* und *Donner* werden als Beispiele für dieses Fremde genannt. Vgl. »Grundzüge der Dichtung Hölderlins«, oben S. 20 ff.

1806—1843

Dieser Abschnitt enthält die Gedichte aus der Zeit der Umnachtung. Die Gespanntheit des hymnischen Stils der vorangegangenen Jahre ist in diesen Gedichten einer »spannungslosen Einfachheit und Lauterkeit« (Lawrence Ryan: Friedrich Hölderlin. [Sammlung Metzler] Stuttgart 1962, S. 79) gewichen. Ob die Spannungslosigkeit als Monotonie oder als Anzeichen einer höheren Vollkommenheit zu werten ist, bleibt in der Hölderlin-Forschung noch offen.
In den ersten Jahren und Jahrzehnten der Krankheit verwendet Hölderlin gelegentlich noch antike Silbenmaße, später nur noch Reimstrophen. Seit dem Gedicht *Aussicht* (*Wenn Menschen fröhlich sind* . . . , Winter 1829/30) treten (mit je einer Ausnahme) nur noch weibliche und orthographisch reine Reime auf (vgl. Beißner, Kl StA 2, 490 f.). Das Fehlen von Kompliment und Unterschrift (oder aber die Unterschrift *Hölderlin*) deutet auf eine relativ frühe, die Verwendung des Namens *Scardanelli* auf eine spätere Entstehungszeit. Bei den Daten, die Hölderlin unter die Gedichte der Wahnsinnszeit schreibt, handelt es sich vielfach um Phantasiedatierungen.

Wilhelm Waiblinger: Friedrich Hölderlin's Leben Dichtung und Wahnsinn. In: Zeitgenossen, 1831, S. 161—189 [neu hg. v. Adolf Beck. Turmhahn-Bücherei 8/9 (1951)]. — Norbert v. Hellingrath: Hölderlins Wahnsinn. In: N. v. H.: Hölderlin. Zwei Vorträge. München 1921. — Dietrich Seckel: Hölderlins letzte Gedichte. In: Der Schatzgräber 1931/32, Heft 2, S. 28—32. — Rudolf Treichler: Die seelische Erkrankung Friedrich Hölderlins in ihren Beziehungen zu seinem dichterischen Schaffen. In: Zs. f. d. gesamte Neurologie 1936, S. 40—144. — Eugen Gottlob Winkler: Der späte Hölderlin. In: Deutsche Zeitschrift 1936/37, S. 24—46 [auch in: Hölderlin-Beiträge 1961, S. 371—391]. — Friedrich Beißner: Zu den Gedichten der letzten Lebenszeit. In: Hölderlin-Jb. 1947, S. 6—10 [auch in: F. B.: Hölderlin. Weimar 1961, S. 247—250]. — Martin Heidegger: Hölderlins Erde und Himmel. In: Hölderlin-Jb. 1958/60, S. 17—39, bes. S. 38 f. — Ulrich Häussermann: Hölderlins späteste Gedichte. In: GRM 1961, S. 99—117. — Bernhard Böschenstein: Hölderlins späteste Gedichte. In: Hölderlin-Jb. 1965/66, S. 35—56.

FREUNDSCHAFT, LIEBE ...

Erster Druck: Briefwechsel zwischen Hermann Kurz und Eduard Mörike, hg. v. Jakob Baechtold, Stuttgart 1885. Überliefert von Eduard Mörike in seinem Brief an Hermann Kurz vom 26. Juni 1838.
2 Der Satz *Es tönet ihm die Predigt* erinnert an die gnomisch knapp gefügten Kurzsätze der späten Hymnen und wirkt fast fremd inmitten der sonst spannungslos gereihten, aber gerade so die Stimmung eindringlich beschwörenden Verse.

WENN AUS DER FERNE ...

Erster Druck: Friedrich Hölderlin, Gesammelte Werke (hg. v. Friedrich Seebaß und Hermann Kasack). Potsdam 1921.
»Das Besondre und Sonderbare an dieser Ode ist, daß sie, was keine der Diotima-Oden aus der Frankfurter und Homburger Zeit tut, als Rollengedicht aus Diotimens Munde spricht« (Beißner, StA 2, 898).

Werner Kraft: Über eine späte Ode Hölderlins. In: Sinn und Form, 1954, S. 473—481.

AUF DEN TOD EINES KINDES

Erster Druck: Ludwig Uhland, seine Freunde und Zeitgenossen. Erinnerungen von Karl Mayer, Stuttgart 1867.
Letzte Strophe eines Gedichts, überliefert in einem Brief August Mayers an seinen Bruder Karl vom 7. Januar 1811. (Hier teilt Mayer auch die folgenden drei Gedichte bzw. Gedichtteile mit.)

DER RUHM

Erster Druck und Überlieferung: Vgl. *Auf den Tod eines Kindes.*
Teil eines Gedichts.

AUF DIE GEBURT EINES KINDES

Erster Druck und Überlieferung: Vgl. *Auf den Tod eines Kindes.*
Schluß eines Gedichts.

DAS ANGENEHME DIESER WELT ...

Erster Druck: Schwab 1846. Überlieferung: Vgl. *Auf den Tod eines Kindes.*

AN ZIMMERN
Die Linien des Lebens ...

Erster Druck: Schwab 1846.
Der Schreiner Ernst Zimmer, bei dem Hölderlin in Tübingen wohnte, schreibt am 19. April 1812 an die Mutter des Dichters: »Sein dichterischer Geist zeigt Sich noch immer tätig, so sah Er bei mir eine Zeichnung von einem Tempel Er sagte mir ich sollte einen von Holz so machen, ich versetzte Ihm drauf daß ich um Brot arbeiten müßte, ich sei nicht so glücklich so in philosophischer Ruhe zu leben wie Er, gleich versetze er, Ach ich bin doch ein armer Mensch, und in der nämlichen Minute schrieb Er mir folgenden Vers mit Bleistift auf ein Brett« (es folgen die vier Zeilen).
Vgl. *An Zimmern* (*Von einem Menschen sag ich ...*).

WENN AUS DEM HIMMEL ...

Nach Mörikes Angabe im ersten Druck »um 1823 entstanden«.

Erster Druck: Eine Reliquie von Hölderlin. Mitgeteilt von Eduard Mörike. In: Düsseldorfer Künstleralbum, 9. Jg. 1859, Düsseldorf 1858.

Wolfgang Stammler: Zu Hölderlin. In: Zeitschrift für den deutschen Unterricht, Jg. 30, 1916, S. 640. Dazu Beißner, StA 2, 901 f.

AN ZIMMERN
Von einem Menschen sag ich . . .

Nach Mörike »etwa 1825« entstanden.
Erster Druck: Eduard Mörike: Erinnerung an Friedrich Hölderlin. Freya, Illustrierte Blätter für die gebildete Welt, 3 (1863).
Vgl. *An Zimmern* (*Die Linien des Lebens . . .*).
8 *Dädalus*: Sagenhafter griechischer Holzbildhauer (vgl. StA 4, 190, 34 und StA 3, 168). Die Wendung *Dädalus Geist und des Walds* bezieht sich also auf das Schreinerhandwerk Zimmers.

Friedrich Beißner in: Dichtung und Volkstum, 1938, S. 344 f. — Wilhelm Hoffmann in: Deutscher Kulturwart, Sept. 1939, S. 5—7. — Friedrich Beißner in: Zeitschrift für dt. Philologie, 1964 (Sonderheft zur Tagung der dt. Hochschulgermanisten 1963), S. 86—88.

DER FRÜHLING
Wenn auf Gefilden . . .

Erster Druck: Schwab 1846.

DER MENSCH

Erster Druck: Franz Zinkernagel: Neue Hölderlin-Funde. In: Neue Schweizer Rundschau, 1926.

DAS GUTE

Erster Druck: Wilhelm Hoffmann: Das Hölderlin-Archiv 1965—1966. In: Hölderlin-Jb. 1965/66, S. 184.

DAS FRÖHLICHE LEBEN

»Viel früher« als 1841 (Schwab 1846 II, S. 332).
Erster Druck: Schwab 1846.

DER SPAZIERGANG

Erster Druck: Schwab 1846.

DER KIRCHHOF

»Viel früher« als 1841 (Schwab 1846 II, S. 332).
Erster Druck: Schwab 1846.

Vgl. Elisabeth Brock-Sulzer in: Georg Gerster: Trunken von Gedichten. Eine Anthologie geliebter deutscher Verse. Zürich 1953, S. 171—176.

DIE ZUFRIEDENHEIT

Erster Druck: Hölderlins Werke, hg. v. Manfred Schneider, Stuttgart 1921.

Bernhard Böschenstein: Hölderlins späteste Gedichte. In: Hölderlin-Jb. 1965/66, S. 35—56, bes. S. 36 ff.

NICHT ALLE TAGE ...

Um 1830.
Erster Druck: Karl Viëtor: Das Werk Hölderlins. Frankfurter Zeitung, 14. Oktober 1923.
Überliefert in einem Brief Zimmers (vgl. die Erl. zu *An Zimmern*, oben S. 402) vom 22. Dezember 1835 an einen Unbekannten.

AUSSICHT
Wenn Menschen fröhlich sind . . .

Winter 1829/30.
Erster Druck: Hölderlin-Jb. 1948/49 [mitgeteilt von Friedrich Beißner]. Vgl. die Erl. zum folgenden Gedicht.

DEM GNÄDIGSTEN HERRN VON LEBRET

Winter 1829/30.
Erster Druck: Hölderlin-Jb. 1948/49 [mitgeteilt von Friedrich Beißner].
Der Adressat, stud. jur. Joh. Paul Friedrich Lebret, wohnte im Wintersemester 1829/30 bei Zimmer (vgl. die Erl. zu *An Zimmern*, oben S. 402). Auf der Abschrift, die dieses und das vorige Gedicht überliefert, steht: »Zwei Gedichte von Hölderlin einem Studenten auf Verlangen für eine Pfeife Tabak gefertigt.«

DER FRÜHLING
Wie selig ists . . .

Vor dem 18. Juni 1832.
Erster Druck: Friedrich Beißner: Ein neues Gedicht aus Hölderlins Spätzeit. In: Dichtung und Volkstum, 1938.

Wilhelm Hoffmann: »Wie seelig ists, zu sehn . . .«. Ein unbekanntes Gedicht Friedrich Hölderlins. In: Die neue Saat, 1939, S. 82 f.

DER HERBST
Die Sagen, die der Erde sich entfernen . . .

Erster Druck: Schwab 1846 (hier von Schwab datiert: »Den 16. September 1837«).

DER SOMMER
Das Erntefeld erscheint . . .

Dezember 1837.
Erster Druck: Eugen Nägele: Ein Besuch bei Hölderlin 1837. Schwäbischer Schillerverein Marbach-Stuttgart, 35. Rechenschaftsbericht 1931.

DER FRÜHLING
Es kommt der neue Tag . . .

Erster Druck: Wilhelm Lange: Hölderlin. Eine Pathographie. Stuttgart 1909.

AUSSICHT
Der off'ne Tag ist Menschen hell . . .

Erster Druck: Arnold Wellmer: Zertrümmert. Über Land und Meer, 1870, Nr. 26.

DER FRÜHLING
Die Sonne glänzt . . .

Erster Druck: Friedrich Hölderlin: Gesammelte Werke, hg. v. Alexander Benzion, Weimar (1923).

HÖHERES LEBEN

Entstanden am 20. Januar 1841 (vgl. Tagebuchaufzeichnungen von Christoph Theodor Schwab über seinen Besuch bei Friedrich Hölderlin. Stuttgart und Calw 1946 [Aufzeichnung vom 21. Januar 1841]).
Erster Druck: Friedrich Hölderlin: Gesammelte Werke, hg. v. Alexander Benzion, Weimar (1923).

HÖHERE MENSCHHEIT

Entstanden am 21. Januar 1841 (vgl. die in den Erl. zum vorigen Gedicht genannte Tagebuchaufzeichnung Schwabs). Erster Druck: Schwab 1846.

DES GEISTES WERDEN . . .

Entstanden am 18. Juli 1841 (vgl. StA 2, 914).
Erster Druck: Bettina v. Arnim: Ilius Pamphilius und die Ambrosia. Berlin 1848.

DER FRÜHLING
Der Mensch vergißt die Sorgen . . .

Etwa 1841 (vgl. Schwab 1846 II, S. 331 f.).
Erster Druck: Schwab 1846.

DER SOMMER
Wenn dann vorbei des Frühlings Blüte schwindet . . .

Etwa 1841 (vgl. Schwab 1846 II, 331 f.).
Erster Druck: Schwab 1846.

DER WINTER
Wenn bleicher Schnee . . .

Etwa 1841 (vgl. Schwab 1846 II, S. 331 f.).
Erster Druck: Schwab 1846. Ein weiterer Abdruck in: Bettina v. Arnim: Ilius Pamphilius und die Ambrosia. Berlin 1848.

WINTER
Wenn sich das Laub . . .

Erster Druck: StA 2, 1951.

DER WINTER

Das Feld ist kahl . . .

Nach Schwabs Vermerk auf der Hs im Januar 1842 entstanden.
Erster Druck: Hölderlins Werke, hg. v. Manfred Schneider, Stuttgart 1921.
Beißner (StA 4, 818) erwägt in v. 5 die Lesung *Rund* statt *Stund*.

DER SOMMER

Noch ist die Zeit des Jahrs . . .

Nach Schwabs Vermerk auf seiner Abschrift am 9. März 1842 entstanden.
Erster Druck: Friedrich Hölderlin: Gesammelte Werke, hg. v. Alexander Benzion, Weimar (1923).

DER FRÜHLING

Wenn neu das Licht . . .

Erster Druck: Friedrich Hölderlin: Gesammelte Werke, hg. v. Alexander Benzion, Weimar (1923).

Wilhelm Hoffmann: Friedrich Hölderlin: »Der Frühling« . . . Eine wertvolle Neuerwerbung des Deutschen Sängermuseums. Deutsche Sängerbundes-Zeitung, 1943, S. 36 f.

DER HERBST

Das Glänzen der Natur . . .

Entstanden am 12. Juli 1842 (Vermerk von unbekannter Hand auf der Hs).
Erster Druck: Stephan Zweig: Ein ungedrucktes Gedicht von Hölderlin. Gartenlaube 1927.

DER SOMMER
Im Tale rinnt der Bach . . .

Entstanden am 13. Juli 1842.
Erster Druck: Hölderlin-Jb. 1947 [mitgeteilt von Friedrich Beißner].

DER SOMMER
Die Tage gehn vorbei . . .

Entstanden im Juli 1842 (Vermerk von unbekannter Hand auf der Hs).
Erster Druck: Norbert von Hellingrath: Hölderlin. Zwei Vorträge. München 1921.

DER MENSCH

Erster Druck: A. Seebaß: Ein unbekanntes Gedicht Hölderlins aus der Zeit seiner Umnachtung. Basel (Haus der Bücher A. G.) 1950.

DER WINTER
Wenn ungesehn . . .

Entstanden am 7. November 1842 (Vermerk von unbekannter Hand auf der Hs).
Erster Druck: Insel-Almanach 1911.

DER WINTER
Wenn sich das Jahr geändert . . .

Erster Druck: Hölderlin-Jb. 1947 [mitgeteilt von Friedrich Beißner].

DER WINTER
Wenn sich der Tag des Jahrs ...

Erster Druck: Friedrich Hölderlin: Gesammelte Werke, hg. v. Alexander Benzion, Weimar (1923).

GRIECHENLAND

Entstanden am 30. Januar 1843 (Vermerk auf der von unbekannter Hand geschriebenen Abschrift).
Erster Druck: Wilhelm Lange: Hölderlin. Eine Pathographie. Stuttgart 1909.

Vgl. Martin Heidegger: Hölderlins Erde und Himmel. In: Hölderlin-Jb. 1958/60, bes. S. 38 f.

DER FRÜHLING
Der Tag erwacht ...

Erster Druck: StA 2, 1951.

DER FRÜHLING
Die Sonne kehrt ...

1843.
Erster Druck: Wilhelm Lange: Hölderlin. Eine Pathographie. Stuttgart 1909.

DER FRÜHLING
Wenn aus der Tiefe kommt ...

Entstanden vielleicht am 73. Geburtstag Hölderlins (20. März 1843).
Erster Druck: Otto Güntter: Ein Gedicht aus Hölderlins Spätzeit. Schwäbischer Schillerverein Marbach-Stuttgart, 42. Rechenschaftsbericht 1938.

DER ZEITGEIST

April 1843.
Erster Druck: Johann Georg Fischer: Hölderlin's letzte Verse. Schwäbische Kronik, 8. Juli 1881.
Darin berichtet Fischer: »Mein letzter Besuch geschah im April 43. Weil ich im Mai Tübingen verließ, bat ich ihn um ein paar Zeilen zum Andenken. ›Wie Ew. Heiligkeit befehlen‹, sagte er, ›soll ich Strophen über Griechenland, über den Frühling, über den Zeitgeist?‹ Ich bat um ›den Zeitgeist‹. Nun trat er, und mit einem Auge voll jugendlichen Feuers, an seinen Stehpult, nahm einen Foliobogen und eine mit der ganzen Fahne versehene Feder heraus und schrieb, mit den Fingern der linken Hand die Verse auf dem Pult skandierend, und nach Vollendung jeder Zeile mit Kopfnicken ein zufriedenes deutliches ›Hm‹ ausdrückend, folgende Verse:« (es folgt der Text).

FREUNDSCHAFT

27. Mai 1843.
Erster Druck: Böhm², 1911.

DIE AUSSICHT

In den letzten Lebenstagen entstanden.
Erster Druck: Friedrich Hölderlin: Gesammelte Werke, hg. v. Alexander Benzion, Weimar (1923).

Vgl. Martin Heidegger: » . . . dichterisch wohnet der Mensch . . .«. In: M. H.: Vorträge und Aufsätze. Pfullingen 1959², S. 187—204, bes. S. 204.

PLÄNE UND BRUCHSTÜCKE

»In dieser Abteilung stehen neben bloßen Plänen und Überschriften vor allem solche kleineren Bruchstücke, die sich nicht mit ganzer Sicherheit auf ein vollendetes Gedicht beziehen lassen. Sie sind größtenteils von Hellingrath im 4. Band seiner Ausgabe zuerst gedruckt worden« (Beißner, StA 2, 927).

1 Überschrift »eines [der] ersten Gedichte« Hölderlins, von Schwab 1846 (II, 267) bezeugt. Vgl. das Gedicht gleichen Titels.

2 Erster Druck: Friedrich Hölderlin. Sämtliche Werke und Briefe. Kritisch-historische Ausgabe von Franz Zinkernagel, 5. Bd., Leipzig 1926.
Hs (Zierschrift) unter Varianten zu *Adramelech*, v. 2—4.

3 Diese von Klopstocks und Ossians Einfluß zeugenden Wendungen zitiert Magenau in seinem Brief an Hölderlin vom 10. Juli 1788 (vgl. die Erl. zu *Die Unsterblichkeit der Seele*).

4 Diese Bruchstücke zitiert Magenau in seinem Brief an Hölderlin vom 10. Juli 1788.

5 Vgl. Hölderlins Brief an Neuffer vom Dezember 1789: *In einigen glücklichen Stunden arbeitete ich an einer Hymne auf Kolomb die bald fertig freilich auch viel kürzer, als meine andern ist.*
Vgl. das Gedicht gleichen Titels.

6 Vgl. Hölderlins Brief an Neuffer vom Dezember 1789: *Shakespearn hab' ich auch eine* [Hymne] *gelobt.*

7 Zitiert von Gotthold Städlin in seinem Brief an Hölderlin vom 4. September 1793.

8 Beißner erwägt (StA 1, 586 f. und 2, 929) die Möglich-

keit, daß diese Verse der erste Ansatz zu *Hyperions Schicksalslied* waren.

12 Erster Druck: Palingenesie. Ein neuentdeckter Entwurf Hölderlins. Mitgeteilt von Friedrich Beißner. In: Iduna, 1944, S. 76—82. Hs in Hölderlins Handexemplar von Stäudlins Musenalmanach fürs Jahr 1792, neben der dort gedruckten *Hymne an die Freiheit* (*Wie den Aar* ...). Beißner weist (a. a. O. S. 78 f.) auf Herders Abhandlung »Palingenesie. Vom Wiederkommen menschlicher Seelen« (1797) hin.
Adolf Beck schlägt in einem Nachtrag zum ersten Druck (a. a. O. S. 82—84) eine von Zeile 6 an abweichende Lesung und Verknüpfung der Teile des Entwurfs vor:
... so möcht ich, daß sie mich trüg
Aus ihrer Taten stillem, längst Vergangenem Anfang
durch — —, die goldenen (goldenes?)
Mächtig das Sehnen der Sterblichen
(Es folgen Zeile 8—10 unseres Textes als Schluß der Beckschen Lesung.)
Beck deutet den Begriff *Palingenesie* unter Hinweis auf Hölderlins Brief an den Bruder vom 4. Juni 1799 als »Wiedergeburt des Weltgeschehens im Innern des Menschen« (a. a. O. S. 84).
Lawrence J. Ryan: Hölderlins prophetische Dichtung. In: Jb. d. dt. Schillergesellschaft, 1962, S. 194—228, bes. S. 205—207.

13 Vgl. die Erl. zur *Hymne an die Göttin der Harmonie.*

16 V. 8—17 sind in der Hs durchstrichen und durch das Wort *Nachwelt* ersetzt.

21 Sieben Stichworten zum Inhalt des geplanten Gedichts entsprechen sieben Stichworte für die »Töne« (idealisch, naiv, heroisch), in denen die einzelnen Abschnitte behandelt werden sollten (vgl. Ryan).

22 Die für die Weltsicht des reifen Hölderlin grundlegenden Elemente ›Einheit‹ und ›Unterschied‹ werden hier angedeutet (v. 1 f.; vgl. »Grundzüge der Dichtung Hölderlins«, oben S. 14). Beide fügen die *Gestalt* der Dinge. Was sich gestalthaft darbietet, kann vom *Dichter* ›geborgen‹

werden. Der gestaltlose *Geist* dagegen (die *Seele*, v. 5) ist *dem Menschen als erkennendem Wesen unerlaubt* (StA 5, 271); erlaubt ist er ihm nur, wenn er sich mittelbar in einer Gestalt manifestiert. Wer ihn unmittelbar *sehn* will (v. 4 f.), geht wie Semele (vgl. *Wie wenn am Feiertage*, v. 50 ff.) *in Flammen unter.*

23 V. 2—4 später eingefügt. »Vermutlich den lezten drei Vierteljahren des ersten Homburger Aufenthalts zugehörig« (Hell. 4, 380).

25 Vgl. die Gedichte *Buonaparte* und *Dem Allbekannten*, ferner Bruchstück 38.

26 Die *Erstlinge* (v. 11) auch des Gesangs, d. h. Dichtungen, die die künftigen Gottheiten ankündigen, gehören gleichsam als Opfer den Göttern und nicht den Menschen und bleiben daher von diesen ungehört. Vgl. hierzu den Anfang der Hymne *Der Mutter Erde*, ferner *Stimme des Volks*, v. 39 f.

29 Die *schöne Sonne* ›genügt‹ dem Dichter wohl deshalb nicht, weil er, wenn er sie nennt, zwar seiner *Freude* (v. 1) an ihr Ausdruck geben, nicht aber ein eigentliches *Wissen* von ihrem Wesen darbieten könnte. Dieses Verlangen nach dem *Wissen* wird aber zugleich verurteilt (v. 6—8), so daß der Entwurf darauf hinzulenken scheint, der Mensch solle sich bei dem, was ihm *gegeben* ist (v. 2), bescheiden.

31 Vgl. Bruchstück 70.

32 »Möglicherweise ist der folgende Plan mit diesem einer und derselbe, so daß *Willkomm nach dem Kriege* als Kennzeichnung des Inhalts aufzufassen wäre. Siegfried Schmid, der als Kadett bei den Koburger Dragonern in der Armee des Erzherzogs Karl diente, hatte am 15. April 1800 seinen Abschied erhalten« (Beißner, StA 2, 938). Vgl. die Elegie *Stuttgart*, die Siegfried Schmid gewidmet ist.

33 Vgl. die Erl. zu Bruchstück 32.

34 Bezieht sich auf den Dichter Christian Ewald v. Kleist,

der nach einer Verwundung in der Schlacht bei Kunersdorf am 24. August 1759 starb.

35 Dieser Titel wird in einem Briefe des cand. theol. Karl Ziller vom 28. Juni 1822, wahrscheinlich an Karl Gock, erwähnt.

37 Der *Mensch* hat, im Gegensatz zum *edlen Wild*, die Sprache empfangen und wird dadurch ›götterähnlich‹. Sprache besitzen heißt, den göttlichen *Geist* [der Welt] ›bewahren‹ sollen. Die Sprache ist damit *der Güter Gefährlichstes*, denn ihr Besitz garantiert dem Menschen keineswegs die Erfüllung der so übernommenen Aufgabe; sie gibt ihm vielmehr die Möglichkeit, *zu fehlen* oder *zu vollbringen*, zu ›schaffen‹ oder zu ›zerstören‹. Wie er aber auch die Sprache nutzt, durch sie steht er in unzerstörbarer Beziehung zur *Meisterin und Mutter*, zur ewigen Natur, die nichts anderes als der *Geist* der Welt selbst ist. — Vgl. die Erl. zu *Hälfte des Lebens.*

38 Vgl. die Erl. zu Bruchstück 25.

41 Vgl. Hell. 4[3], 434.

44 Bedeutsamer Hinweis auf die Wichtigkeit des Elements der Unterscheidung (v. 2 f.) im Spätwerk, der aber nicht dazu verleiten darf, dieses Element ohne seine notwendige Ergänzung, das Element der Einheit, zu isolieren (vgl. »Grundzüge der Dichtung Hölderlins«, oben S. 14).

46 Keimworte eines späten Gedichts, das dem hesperischen *Vaterland* (vgl. Bruchstück 71, v. 15 f.) gewidmet sein sollte.

47 Vgl. die Erl. zu Bruchstück 46.
3 Vgl. *Der Ister*, v. 39.
9 Markgraf von Meißen und Landgraf von Thüringen (1257—1324).
14 Ein ghibellinischer Graf. Vgl. Dante: »Göttliche Komödie« (Hölle, 33. Gesang), und H. W. v. Gerstenberg: »Ugolino« (Tragödie, 1768).
15 Prinz Eugenius von Savoyen, der edle Ritter.

48 Vgl. die Erl. zu Bruchstück 46.
1 *So*: Dieser Entwurf steht in der Hs neben demjenigen zur Hymne *Kolomb*. Das *So* deutet wohl an, daß *Mahomed* und die weiterhin Genannten ebenso wie *Kolomb* hymnisch gefeiert werden sollten. Das Kreuz nach *Mahomed* verweist auf die nach v. 16 gedruckte Anmerkung.

49 Erster Druck: Friedrich Beißner: Hölderlins Übersetzungen aus dem Griechischen. Stuttgart 1933.
Loyauté: Redlichkeit.
Die griechischen Verse sind Zitat aus Pindar, Olymp. 13: »Eunomia und ihre Schwestern, der feste Grund der Städte, die unerschütterliche Dike und die gleichgeartete Eirene, Haushälterinnen des Reichtums für die Männer, die goldenen Töchter der gut ratenden Themis. — Eunomia, Dike und Eirene (Ordnung, Gerechtigkeit und Friede) sind die Horen.« (StA 2, 944).

50 Im Bilde des Weinstocks erscheint die Verbindung von griechischem (feurigem) und hesperischem (nüchternem, kühlem) Wesen, die der hesperisch-vaterländische Dichter erreichen muß (vgl. »Grundzüge der Dichtung Hölderlins«, oben S. 16 ff.): über der ›Schwärze‹ (Kühle) des Weinbergs *flammt* es (v. 1—4); in den *Schatten des Weinstocks* ist ›feurigeres Atmen‹ möglich (v. 5 f.).

53 Erster Druck: Friedrich Beißner: Kleiner Hölderlin-Fund. In: Dichtung und Volkstum, 1936.
Wenn die neuen Götter offenbar sind, erscheint am Himmel ein ähnlicher Reichtum, als ob ein Maler seine Gemälde aufstellt.

59 Vgl. Werner Kraft: Der Nahe. Zu Klopstocks ›Frühlingsfeier‹. In: W. K.: Augenblicke der Dichtung. München 1964, S. 24—29 (bes. S. 29).

61f. Erster Druck: Ludwig Strauß: Ein Hymnenbruchstück Hölderlins. In: Festgabe für Martin Buber zum 50. Geburtstag. Berlin 1928.
Zu Bruchstück 62: *Die Geister des Gemeingeists* (= Bacchus; vgl. die Erl. zu *Der Einzige*) und *Jesu Christi*

geben jedem Seines: sie teilen jedem das Seinige ordnend zu und stemmen sich so gegen die chaotische, ins Ungeschiedene drängende *Todeslust der Völker* (*Der Einzige*, 2. Fssg. v. 53).

70 4 Vgl. Bruchstück 31.

71 15f. Bedeutsamer Ausdruck der Aufgabe des hesperisch-vaterländischen Dichters.
16f. Vgl. *Dem Allbekannten*, v. 5.

74 5f. Vgl. *Patmos*, Vorstufe einer späteren Fassung, v. 119 f.

75 »Den Griechen galt die Leber als innerster Sitz der Empfindungen« (Beißner, StA 2, 952).

82 »Die Form *Jauner* (statt *Gauner*) [ist] im Schwäbischen besonders verbreitet« (Beißner, StA 2, 953).

83 Vgl. Bürger, ›Lenore‹, v. 140: »Sechs Bretter und zwei Brettchen!«

85 Erster Druck: Friedrich Beißner: Ein Merkzettel aus der späten Zeit. In: Hölderlin-Jb. 1947, S. 10—14.
Wahrscheinlich bald nach dem Einzug in den Tübinger Turm entstandene Aufzeichnungen auf der Rückseite einer Wäscherechnung. Zur Einzelerläuterung vgl. den ersten Druck.

86 Überliefert von Wilhelm Waiblinger in: Friedrich Hölderlin's Leben, Dichtung und Wahnsinn. 1831.

87—91 Gedichttitel aus der Zeit der Umnachtung.

92 Überliefert in einem Nekrolog auf Hölderlin: [Gottlob Kemmler:] Hölderlin. Morgenblatt für gebildete Leser 37, 1843, Nr. 151.

STAMMBUCHBLÄTTER

FÜR JOHANN CHRISTIAN BENJAMIN RÜMELIN

Erster Druck: StA 2, 1951.
Rümelin (1769—1821), später Bürgermeister in Herrenberg und Bopfingen.
Das Zitat, nicht ganz wörtlich, nach Worten Amalias in Schillers »Räubern« (IV, 2).
Rümelin ist auch das Stammbuchblatt vom 20. April 1789 gewidmet.

FÜR JOHANN FRIEDRICH BLUM

Erster Druck: Adolf Beck: Aus der Umwelt des jungen Hölderlin. In: Hölderlin-Jb. 1947, S. 18—46.
Blum (1759—1843), angeheirateter Vetter Hölderlins (vgl. Beck a. a. O.).
Der Text ist vielleicht angeregt von Schiller, »Kabale und Liebe« (I, 3): »Dieser karge Tautropfe Zeit — schon ein Traum von Ferdinand trinkt ihn wollüstig auf« (Louise) —, vielleicht auch von einer unbekannten Quelle, aus der auch Schiller schöpft (vgl. Beck a. a. O. und StA 2, 959). Vgl. das folgende Stammbuchblatt.
»Im letzten Verse sind die Anfangsbuchstaben ›H‹ und ›L‹ sorgfältig unterstrichen: offenbar eine spielerische Chiffrierung, die sich am ehesten entschlüsseln läßt als: Hölderlin — Louise [Nast]« (Beck a. a. O. S. 29 f.).

FÜR CHRISTIAN FRIEDRICH HILLER

Erster Druck: Wilhelm Ungewitter: Ein Stammbuch aus Hölderlins Freundeskreis. In: Sitzungsberichte der Altertumsgesellschaft Prussia zu Königsberg . . . , Königsberg 1889.

Hiller: Vgl. die Erl. zu *Kanton Schweiz* und *An Hiller*; ferner »Daten zu Hölderlins Leben«, oben S. 33.
Zum Text vgl. das vorige Stammbuchblatt.

FÜR FRIEDRICH OEFFINGER

Erster Druck: R. H. Riethmüller: Hegel und Hölderlin im Tübinger Stift. In: 12. Rechenschaftsbericht des Schwäbischen Schillervereins, Marbach 1907/08.
Oeffinger: 1787—89 im Tübinger Stift.

FÜR EINEN UNBEKANNTEN

Erster Druck: Carl C. T. Litzmann: Friedrich Hölderlins Leben. Berlin 1890.
Zitat aus Klopstocks Ode »Die Zukunft«.

FÜR JOHANN CHRISTIAN BENJAMIN RÜMELIN

Erster Druck: StA 2, 1951.
Zitat aus Klopstocks Ode »Der Zürchersee«.
Rümelin ist auch das Stammbuchblatt vom 18. Dezember 1786 gewidmet.
Vgl. das Stammbuchblatt für Camerer vom März 1790.

FÜR EINEN UNBEKANNTEN

Erster Druck: Carl C. T. Litzmann: Friedrich Hölderlins Leben. Berlin 1890.
Es ist noch ungeklärt, ob es sich um eigene Verse Hölderlins oder um ein Zitat handelt.

FÜR CLEMENS CHRISTOPH CAMERER

Erster Druck: StA 3, 1957.
Camerer (1766—1826), später Bürgermeister von Reutlingen.

Vgl. das Stammbuchblatt für Rümelin vom 20. April 1789.
C. = Candidatus.

FÜR KARL GOCK

Erster Druck: Anmerkungen [von Carl Viëtor] und Nachwort [von Frida Arnold] zu den Briefen der Diotima (Leipzig 1920).
Gock: Hölderlins Halbbruder. Vgl. »Daten zu Hölderlins Leben«, oben S. 32.
Zitat nach Johann Martin Miller: Siegwart. Eine Klostergeschichte. 1778 (vgl. Adolf Beck in: Hölderlin-Jb. 1953, S. 63 f.).

FÜR GEORG CHRISTOPH FRIEDRICH RUEFF

Erster Druck: StA 2, 1951.
Rueff (geb. 1768), später Pfarrer.
C. = Candidatus.

FÜR GEORG WILHELM FRIEDRICH HEGEL

Erster Druck: Karl Rosenkranz: Georg Wilhelm Friedrich Hegel's Leben. Berlin 1844.
Zitat: Vgl. Goethes Iphigenie, v. 665 f.
M. = Magister.

FÜR HEINRIKE HÖLDERLIN

Erster Druck: StA 2, 1951.
Heinrike Hölderlin: Hölderlins Schwester. Vgl. »Daten zu Hölderlins Leben«, oben S. 32.
Es ist noch ungeklärt, ob es sich um ein Zitat handelt.

FÜR LEO VON SECKENDORF

Erster Druck: Carl C. T. Litzmann: Friedrich Hölderlins Leben. Berlin 1890.
Seckendorf (1775—1809): Vgl. u. a. die Erl. zu *Stuttgart*; ferner Adolf Beck in: Hölderlin-Jb. 1947, S. 33—46.
Vgl. *Hymne an die Menschheit*, Strophe 2.

FÜR RUDOLPH MAGENAU

Geschrieben am 22. November 1793.
Erster Druck: Friedrich Seebaß: Zeitschrift für Bücherfreunde 1917, Heft 11.
Magenau: Vgl. »Daten zu Hölderlins Leben«, oben S. 32 f.
Μα . . . πεσοντας: »Bei den Gefallenen von Marathon«.

FÜR DANIEL ANDREAS MANSKOPF

Erster Druck: Elisabeth Menzel: Ein Stammbuchblatt Hölderlins. In: Frankfurter Zeitung 1900, Nr. 124.
Manskopf, ein Neffe Gontards (vgl. »Daten zu Hölderlins Leben«, oben S. 34).

FÜR WILHELM WAIBLINGER

Erster Druck: Auktionskatalog LXXIII, Karl Ernst Henrici, Berlin 1921.
Waiblinger: Vgl. »Daten zu Hölderlins Leben«, oben S. 37; ferner die Erl. zu *In lieblicher Bläue . . . .*
Aus der Zeit der Umnachtung, vielleicht 1822—1826 (vgl. StA 2, 970).

SINNSPRÜCHE FÜR FÜNF BESUCHER

Nach David Friedrich Strauß' Vermerk auf der Hs im Jahre 1826 entstanden.

Erster Druck: StA 4, 1961.
»Der kranke Dichter redete seine Besucher ... oft mit hohen Titeln an. ... Ähnliches mögen hier fünf Studenten erfahren haben, die sich, aus Laune, mit fingierten (von ihnen vielleicht für niederländisch gehaltenen) Namen eingeführt und beim Abschied um ein Andenken gebeten hatten« (Beißner, StA 4, 808).

FÜR CARL KÜNZEL

Erster Druck: Ernst Michelmann: Carl Künzel. Ein Sammler-Genie aus dem Schwabenland. Stuttgart 1938 (Faksimile).
Künzel (1808—1877), Prokurist einer Heilbronner Papierfabrik, Autographensammler.
»Das Datum ist möglicherweise nicht fingiert« (Beißner, StA 2, 970).

FÜR EINEN UNBEKANNTEN
Wenn die Menschen sich dem Guten interessieren ...

Wohl am 19. Mai 1837 geschrieben.

FÜR EINEN UNBEKANNTEN
Von der Realität des Lebens.

Entstanden 1840.
Erster Druck: Adolf von Grolman: Ein Blatt aus Hölderlins Spätzeit. In: Euphorion, 1930.
Buarotti: Wohl = Buonarotti. Vgl. die beiden vorangehenden Stammbuchblätter.

WIDMUNGEN

IN EINE HANDSCHRIFTLICHE SAMMLUNG SEINER GEDICHTE

Erster Druck: StA 3, 1957.
Dieses Motto stammt aus dem Gedicht »Der Neugeweihte und Sined« in Michael Denis' (= Sined der Barde) 1784 erschienener Sammlung »Ossians und Sineds Lieder«. Es eröffnete das sogenannte Marbacher Quartheft, in dem Jugendgedichte Hölderlins gesammelt sind (vgl. StA 1, 322 f. und 3, 573 f.).

AN DIE MUTTER. IN STÄUDLINS MUSENALMANACH FÜRS JAHR 1792

Erster Druck: (Ludwig Neuffer:) Nachtrag einiger Gedichte, von Friedrich Hölderlin. I. Zeitung für die elegante Welt 1829, Nr. 172.
Vgl. die Gedichte *Meine Genesung, Hymne an die Göttin der Harmonie, Hymne an die Muse, Hymne an die Freiheit* (*Wie den Aar ...*), die zuerst in diesem Musenalmanach gedruckt wurden.

AN DIOTIMA. IN BEIDE BÄNDE DES HYPERION

Erster Druck der Widmung im 1. Bd.: Gedenk-Buch zur vierten Jubelfeier der Erfindung der Buchdruckerkunst ..., 1840 (vgl. StA 3, 353).
Erster Druck der Widmung im 2. Bd.: Paul Spindler: Ein seltenes Buch. Besondere Beilage des Staats-Anzeigers für Württemberg 1912 Nr. 21.
Die Widmung im 1. Bd. stammt wohl, trotz der Anführungsstriche, von Hölderlin selbst, ebenso wie die im zweiten, die

dem *Fragment von Hyperion* (Thalia-Fragment) entnommen ist (StA 3, 178).

Walther Killy: Hölderlin an Diotima. Das Widmungsexemplar des ›Hyperion‹. In: Hölderlin-Jb. 1950, S. 98—107.

AN FRANZ WILHELM JUNG. IN DEN ERSTEN BAND DES HYPERION

Erster Druck: Werner Kirchner: Franz Wilhelm Jungs Exemplar des ›Hyperion‹. In: Hölderlin-Jb. 1954, S. 79—92.
Jung (1757—1833), »seit 1786 in homburgischen Diensten, Mentor des jungen Sinclair, Freund auch des Landgrafen, mit dem er sich jedoch 1794 wegen seiner radikal demokratischen Gesinnung überwarf . . .« (Beck, StA 6, 780).
Das (nicht ganz wörtliche) Zitat stammt aus der »Deutschen Gelehrtenrepublik« von Klopstock. Vgl. StA 3, 353—355.

AN DIE PRINZESSIN AUGUSTE VON HOMBURG. IN DEN HYPERION

Erster Druck: Carl Schröder, Euphorion 1899.
Vgl. die Ode *Der Prinzessin Auguste von Homburg* und dort die Erl., ferner StA 3, 575 f.

AN CHRISTOPH SCHWAB. IN DIE AUSGABE DER GEDICHTE VON 1826

Wohl März 1841.
Erster Druck: Schwab 1846.

ZWEIFELHAFTES

WO? WO SEID IHR ...

Erster Druck: Schwäbischer Merkur 1870 Nr. 43.
»Diese Verse waren auf einer Fensterscheibe in Hölderlins [1919 abgerissenem] Geburtshaus eingeritzt, auf einer andern Höltysche Verse. Die Lauffener Ortsüberlieferung führt beide Inschriften auf Hölderlin zurück« (KlStA 2, 495).

IN LIEBLICHER BLÄUE ...

Erster Druck: F. W. Waiblinger: Phaëthon. Stuttgart 1823, II. Teil, S. 153—156. Zu Waiblinger vgl. »Daten zu Hölderlins Leben«, oben S. 37.
Waiblinger benutzt an dieser Stelle zur Charakterisierung seines Helden, des wahnsinnig gewordenen Bildhauers Phaëthon, Manuskripte Hölderlins, den er in Tübingen häufig besuchte. Ihm lagen hier zweifellos sehr späte hymnische Niederschriften Hölderlins vor, die noch nach dem hymnischen Entwurf *Griechenland*, aber vor den ersten in der Abteilung »1806—1843« wiedergegebenen Gedichten entstanden sein müssen. So repräsentiert dieser Text eine Schicht in Hölderlins später Dichtung, von der sonst kaum Beispiele erhalten geblieben sind. Am nächsten stehen ihm wohl die Entwürfe *Was ist der Menschen Leben? ...* und *Was ist Gott? ...* Der meist durchaus hölderlinische Charakter von Stil und Motiven kann nicht bezweifelt werden. Wieweit Waiblinger Hölderlins Hs verändert hat, muß dennoch offen bleiben; auch, ob er eine einzige wiedergibt oder mehrere kontaminiert. Jedenfalls stammt die wie Prosa fortlaufende Schreibung von ihm: »Im Original«, heißt es einleitend im Roman, »sind sie [die »Blätter aus seinen Papieren«] abgeteilt, wie Verse, nach Pindarischer Weise.« (R. Blümel und — mit glücklicherer Hand — L. v. Pigenot haben eine

Wiederherstellung der hölderlinschen Verse versucht.) Diese unsichere Überlieferung erschwert eine durchgehende Interpretation des »großen und zugleich ungeheuren Gedichts« (Heidegger a. a. O. S. 39).

Karl Frey: Wilhelm Waiblinger, Sein Leben und seine Werke. Aarau 1904, S. 136, 274. — Rudolf Blümel: Ein unbekanntes Gedicht von Hölderlin? In: Das Reich, Januar 1918, S. 630—638. — Ludwig v. Pigenot in: Hell. 6, S. 24—27, 490—492. — Eduard Lachmann: In lieblicher Bläue . . . Eine späte Hymne Hölderlins. In: Dichtung und Volkstum, 1937, S. 356—361. — Martin Heidegger: Hölderlin und das Wesen der Dichtung. In: M. H.: Erläuterungen zu Hölderlins Dichtung. Frankfurt a. M. 1951², S. 31—45, bes. S. 39 ff. — Ders.: » . . . dichterisch wohnet der Mensch . . .«. In: M. H.: Vorträge und Aufsätze. Pfullingen 1954, S. 187—204. — Emmon Bach: »In lieblicher Bläue«: Hölderlin or Waiblinger? In: The Germanic Review, 1961, S. 27—34. — Winfried Kudszus: Sprachverlust und Sinnwandel. Zur späten und spätesten Lyrik Hölderlins. Stuttgart 1969, S. 131—139.

BIBLIOGRAPHISCHE HINWEISE

ERLÄUTERUNG DER IM KOMMENTAR VERWENDETEN KURZTITEL

Böckmann	Paul Böckmann: Hölderlin und seine Götter. München 1935.
Böhm[2]	Friedrich Hölderlin: Gesammelte Werke. Hg. v. Wilhelm Böhm, 2. Aufl. Jena 1911.
Böhm I, II	Wilhelm Böhm: Hölderlin. 2 Bde. Halle-Saale 1928 und 1930.
DVjs	Deutsche Vierteljahrsschrift für Literaturwissenschaft und Geistesgeschichte.
GRM	Germanisch-Romanische Monatsschrift.
Grosch	Rudolf Grosch: Die Jugenddichtung Hölderlins. Diss. Berlin 1899.
Guardini	Romano Guardini: Hölderlin. Weltbild und Frömmigkeit. Leipzig [1939].
Hell. 1, 2 ...	Hölderlin. Sämtliche Werke. Historisch-kritische Ausgabe. Begonnen durch Norbert v. Hellingrath, fortgeführt durch Friedrich Seebaß und Ludwig v. Pigenot. 6 Bde. Berlin 1913—1923. 3. Aufl. [Bd. 1—4] 1943.
Hölderlin-Beiträge 1961	Hölderlin. Beiträge zu seinem Verständnis in unserm Jahrhundert. Hg. v. Alfred Kelletat. Schriften der Hölderlin-Gesellschaft, Bd. 3. Tübingen 1961.

Hölderlin-Gedenkschrift 1943	Hölderlin. Gedenkschrift zu seinem 100. Todestag. 7. Juni 1943. Im Auftrag der Stadt und der Universität Tübingen hg. v. Paul Kluckhohn. 2. Aufl. Tübingen 1944.
Iduna	Iduna. Jahrbuch der Hölderlin-Gesellschaft. 1. Jg. Hg. v. Friedrich Beißner und Paul Kluckhohn. Tübingen 1944.
Joachimi-Dege	Hölderlins Werke in vier Teilen. Hg. mit Einleitungen und Anmerkungen versehen v. Marie Joachimi-Dege. Berlin . . . , [Bongsche Klassikerausgaben, 1909].
Lehmann	Emil Lehmann: Hölderlins Lyrik. Stuttgart 1922.
Litzmann 1896	Hölderlins gesammelte Dichtungen. Hg. v. Berthold Litzmann. 2 Bde. Stuttgart [1896].
Maeder	Hannes Maeder: Hölderlin und das Wort. In: Trivium 2, 1944, S. 42—59.
Michel	Wilhelm Michel: Das Leben Friedrich Hölderlins. Bremen 1940.
Müller	Ernst Müller: Hölderlin. Studien zur Geschichte seines Geistes. Stuttgart und Berlin 1944.
Ryan	Lawrence J. Ryan: Hölderlins Lehre vom Wechsel der Töne. Stuttgart 1960.
Schwab 1846	Friedrich Hölderlin's sämmtliche Werke. Hg. v. Christoph Theodor Schwab. Stuttgart und Tübingen 1846.

Schwab 1874	Friedrich Hölderlins ausgewählte Werke. Hg. v. Christoph Theodor Schwab. Stuttgart 1874.
Seckel	Dietrich Seckel: Hölderlins Sprachrhythmus. Palaestra 207. Leipzig 1937.
Siegmund - Schultze	Friedrich Siegmund-Schultze: Der junge Hölderlin. Analytischer Versuch über sein Leben und Dichten bis zum Schluß des ersten Tübinger Jahres. Sprache und Kultur der germanischen und romanischen Völker, B. Germanistische Reihe, Bd. XXXII. Breslau 1939.
StA	Hölderlin. Sämtliche Werke. Große Stuttgarter Ausgabe. Im Auftrag des Württembergischen Kultministeriums hg. v. Friedrich Beißner. Bd. 1: Gedichte bis 1800. 1943. Bd. 2: Gedichte nach 1800. 1951. Bd. 3: Hyperion. 1957. Bd. 4: Der Tod des Empedokles. Aufsätze. 1961. Bd. 5: Übersetzungen. 1952. Bd. 6: Briefe (hg. v. Adolf Beck). 1954/58. Bd. 7: Dokumente (hg. v. Adolf Beck). Erster Teil: Briefe an Hölderlin. Dokumente 1770—1793. 1968.
Uhland - Schwab 1826	Gedichte von Friedrich Hoelderlin. [Hg. v. L. Uhland und G. Schwab] Stuttgart und Tübingen 1826.
Viëtor	Karl Viëtor: Die Lyrik Hölderlins. Eine analytische Untersuchung. Deutsche Forschungen, Heft 3. Frankfurt a. M. 1921.

BIBLIOGRAPHIEN UND FORSCHUNGSBERICHTE

Ergänzend zu der bei den Erläuterungen der einzelnen Gedichte genannten Literatur werden hier die Bibliographien und Forschungsberichte der Hölderlin-Forschung aufgeführt.
Hingewiesen sei ferner auf die bibliographischen Abschnitte bei Ulrich Häussermann: Friedrich Hölderlin in Selbstzeugnissen und Bilddokumenten. [Rowohlts Monographien] Hamburg 1961, und bei Lawrence Ryan: Friedrich Hölderlin. [Sammlung Metzler] Stuttgart 1962.

BIBLIOGRAPHIEN

Friedrich Seebaß: Hölderlin-Bibliographie. München 1922.

Maria Kohler und Alfred Kelletat: Hölderlin-Bibliographie 1938—1950. Veröffentlichungen des Hölderlin-Archivs. 1. Stuttgart 1953.

Maria Kohler: Hölderlin-Bibliographie 1951—1955. In: Hölderlin-Jb. 1955/56, S. 262—313.

Maria Kohler: Hölderlin-Bibliographie 1956—1958. In: Hölderlin-Jb. 1958/60, S. 239—283.

Maria Kohler: Hölderlin-Bibliographie 1959—1961. In: Hölderlin-Jb. 1961/62, S. 305—349.

Maria Kohler: Hölderlin-Bibliographie 1962—1965. In: Hölderlin-Jb. 1965/66, S. 207—267.

FORSCHUNGSBERICHTE

Adolf von Grolman: Die gegenwärtige Lage der Hölderlin-Literatur. Eine Problem- und Literaturschau. (1920—1925). In: DVjs 1926, S. 564—594.

Adolf von Grolman: Das Hölderlin-Bild der Gegenwart. In: Jahrbuch des Freien Deutschen Hochstifts 1929, S. 59—98.

Johannes Hoffmeister: Die Hölderlinliteratur von 1926 bis 1933. In: DVjs 1934, S. 613—645.

Heinz Otto Burger: Die Entwicklung des Hölderlinbildes seit 1933. In: DVjs 1940, Referatenheft, S. 101—122.

Adolf Beck: Das Hölderlinbild in der Forschung von 1939 bis 1944. In: Iduna 1944, S. 203—225; Hölderlin-Jb. 1947, S. 190—227.

Adolf Beck: Die Hölderlin-Forschung in der Krise 1945 bis 1947. In: Hölderlin-Jb. 1948/49, S. 211—240.

Adolf Beck: Das neueste Hölderlin-Schrifttum 1947—1948. In: Hölderlin-Jb. 1950, S. 147—175.

Adolf Beck: Das Schrifttum über Hölderlin 1948—1951. In: Hölderlin-Jb. 1952, S. 126—154.

Emil Staiger: Hölderlin-Forschung während des Krieges. In: Trivium 1946, S. 202—219.

Heinz Otto Burger: Die Hölderlin-Forschung der Jahre 1940 bis 1955. In: DVjs 1956, S. 329—366.

INHALT DES ZWEITEN BANDES